U0375009

# 墨西哥
# 与中美洲古代文明

## 考古与文化史

（上册）

[美] 苏珊·托比·埃文斯 著
李新伟、李默然、钟华、冯玥译，李新伟审校

生活·讀書·新知 三联书店

**图书在版编目（CIP）数据**

墨西哥与中美洲古代文明：考古与文化史／（美）苏珊 · 托比 · 埃文斯著；李新伟等译. —北京：生活 · 读书 · 新知三联书店，2023.3
ISBN 978－7－108－07409－2

Ⅰ. ①墨…　Ⅱ. ①苏… ②李…　Ⅲ. ①文化史－墨西哥－古代②文化史－中美洲－古代　Ⅳ. ① K73

中国版本图书馆 CIP 数据核字（2022）第 124074 号

# 目　录



## 上　册

### 第一部分　中美地区，美洲中部及其人群

## 第二部分 形成时代的复杂社会

## 第三部分　古典时代早期的文化



# 下　册

## 第四部分　古典时代晚期，古典时代的崩溃和古典时代末期

## 第五部分 后古典时代和阿兹特克人的崛起

# 专栏目录

# 导　读　“美玉终有碎时”

《墨西哥与中美洲古代文明：考古与文化史》可说是中美地区文明通论性著作中的经典，第一版在2005年获得了颇具权威性的美洲考古学会优秀图书奖。作者苏珊·托比·埃文斯（Susan Toby Evans）就职于中美地区文明研究的重镇宾夕法尼亚大学人类学系，她的博士学位也是在宾大获得的，师从威廉·桑德斯（William T. Sanders，1926—2008）。桑德斯在整个美洲考古学发展史中都是举足轻重的人物，宾大人类学系网站上有专门纪念他的网页，赞之为“通过建构理论和提出关于文化的可验证假说、努力让考古学成为真正的科学的最早的考古学家之一”，毫不为过。20世纪60年代，他主持的特奥蒂瓦坎谷地项目是多学科结合的区域聚落考古的典范，其中网格坐标系统的建立、系统调查和发掘为研究中美地区最庞大的都市遗址奠定了真正的科学基础。80—90年代，他和苏珊的夫君、玛雅文明研究大家戴维·韦伯斯特（David Webster）共同主持的第Ⅱ期科潘考古项目成绩斐然。我们中国考古队正在发掘的科潘8N-11号贵族居址的东部建筑，1990年是在韦伯斯特的主持下发掘的，出土了著名的“天空之榻”。苏珊早年追随桑德斯参加特奥蒂瓦坎谷地的研究，后来的研究方向是阿兹特克文明。在如此师承背景和家庭氛围中，她能够完成这部时空宏大的经典之作，也就不足为奇了。

要读这本书，首先要厘清三个概念。“美洲中部”（Middle America）是个地理区域，南起巴拿马地峡，北至墨西哥北部和美国西南部的沙漠地带；而“中美地区”（Mesoamerica）是一个文化区域，仅包括美洲中部的一部分（参见本书第一章图1.3），覆盖了其中适合种植玉米并能获得稳定收成的连续区域，是文明孕育和发展的核心地区；“中美洲”（Central America）则是政治地理概念。宏大叙事是本书最重要的特点之一。专述中美地区奥尔梅克、特奥蒂瓦坎、玛雅或阿兹特克诸文明的经典著作有很多，但汇集最新的发现和研究成果，描绘该地区距今1万多年到16世纪西班牙征服的文明发展长卷的著作，应以本书为杰出代表。下面分章予以介绍。

第一章尊奉桑德斯的多线进化论，搭建了叙事的基本理论框架。读者可以随处感觉到这一理论框架的存在，在“全球背景”下观察中美地区文明的特质。在定义了年代框架后，精要概述了从末次冰期西伯利亚的狩猎采集游群进入美洲，到西班牙殖民者征服阿兹特克的万年历程。作者在宏大叙事中穿插细节，大刀阔斧中展现着工笔绣花的魅力。如对阿兹特克首都的细腻描绘：“特诺奇蒂特兰是一处湖泊环绕、绿意盎然的岛屿，闪闪发亮的运河和用白灰铺面的道路纵横交错。密集排列的高大柳树环护着漂亮的别墅，这些别墅都有鲜花和充满香气的花环装饰。”结尾引用阿兹特克帝国“三国同盟”之一、特斯科科国王内萨瓦尔科约特尔所作挽歌中的名句“美玉终有碎时”，感叹中美地区文明的衰落。

第二章先对地理环境进行鸟瞰式描述。如同谈中国文明的形成不能不谈“九州”，理解中美地区的文明进程，也要了解那里的山川形胜、气候物产。中美地区的地貌大体可以概括为居中的巨大“Y”形山地和两侧的沿海低地平原。“Y”形上部的分叉为东、西谢拉马德雷山脉，整体呈西北至东南走向。叉内为高山、峡谷和高地组成的复杂地貌；东为墨西哥湾沿岸平原，西为太平洋沿岸平原。下部为整体近东西走向的连绵山地，从墨西哥南部经危地马拉、洪都拉斯，一直漫延到巴拿马；北为尤卡坦半岛，南为太平洋沿岸平原。“Y”形上、下部山地之间是特万特佩克地峡，是沟通墨西哥湾和太平洋沿岸的要道。作者将这一西北至东南绵延5000公里的地区精细划分为20个小区分别绘制参考地图，加以介绍。后续各章在这样高分辨率的地理平台上展开，淋漓尽致地展现文化生态主义对生态差异的特殊重视。本章后半部分介绍了1万年前美洲最早的狩猎采集人群由亚洲进入的主要遗存和焦点问题，由此揭开中美地区文明演进的序幕。

第三章讲述了原古时代（公元前8000—前2000年）以农业为基础的定居生

活方式的形成过程。更新世末期的气候变化使得人类食谱更加依赖鹿和兔子等较小的动物和各种植物。人们对所采集植物的习性越来越了解，着意挑选，进行培育，最终发展出一系列在本地区适应性良好的特色农作物，以玉米为基础，兼有豆类、南瓜、苋菜、龙舌兰和树薯等。公元前2000年，中美地区以农业生产为标志的文化区已经形成，出现定居村落。由此导致人口增长、财富积累、社会平衡关系被打破、物品和土地所有权的改变，人类社会开始复杂化，一发而不可收。从环境上来看，中美地区缺乏大江大河，很多区域地处热带，自然环境更加多样化，培育的作物更为丰富，对人类食谱贡献最大。除了我们熟知的玉米、南瓜、甘薯、可可、牛油果、辣椒之外，龙舌兰也是其中代表。从形成时代开始，中美地区居民就有效地利用这种植物的特性，取走其内芯，让植株在中间的空洞内分泌汁液，持续数月。如果与玉米和其他粮食作物混种100株处于不同生长阶段的龙舌兰，每天都可以收得12升汁液，提供超过5000卡能量。这种美味的汁液现在被称为“蜜水”，可直接饮用或浓缩成“龙舌兰糖浆”。发酵后还能制成一种温和的含酒精饮料，称为普尔克（pulque），我曾经在特奥蒂瓦坎边上的餐馆享用过，像黏稠的啤酒。

形成时代初期（公元前2000—前1200年）是中美地区文明初兴、特质形成的关键时期。第四章先讨论了考古学家认定社会复杂化的考古依据，作者以“酋邦”来称呼这些初生的复杂社会组织。代表是地峡地区东南部索科努斯科海岸地区莫卡亚文化的中心聚落帕索-德拉阿马达遗址，其2号建筑需要488人工作一天或20人工作近25天才可以完成；还发现了中美地区最早的球场。在社会复杂化初期，宗教仪式就已经占有特殊的地位。球赛是中美地区独特的娱乐活动，更是重要的仪式活动。球是用橡胶掺杂木屑制作的，橡胶作为树分泌的汁液如同人和动物的血液，是生命之力凝聚成的精华，比赛之中，跳动的橡胶球代表着强大的生命力。玛雅神话中，孪生的玉米神兄弟和他们的孪生儿子都是优秀的球员，与冥界之神的球赛关乎玉米神的重生。球场是后来玛雅城邦必不可少的仪式性建筑。地峡以外地区的社会发展也得到了充分介绍，多元发展的视角是本书一直坚持的叙事和解读模式。很明显，各地区同时开启了社会复杂化进程，并建立起远距离交流网络，交换宝石和色泽鲜艳的羽毛等珍稀物品，也交换宗教观念、仪式技术和管理策略等高级知识。

第五章和第六章涉及形成时代早期和中期：公元前1200—前900/前800年，中美地区的“母亲文明”——奥尔梅克文明在墨西哥湾沿岸盛装登场，并于公元前900—前600年达到顶峰。对奥尔梅克文明的讲述是从墨西哥湾地区“碧如翡翠的世界”开始的。我第一次探访奥尔梅克遗址时，感到最震撼的正是漫野绿色。绿色是中美地区文明最珍视的颜色，是生命力这一最本质的神圣之力的象征：最为珍贵的宝石是翡翠，绿咬鹃的绿色羽毛代表了无比高贵的权力。讲述绿色，意在强调中美地区文明的精髓：以萨满式宗教沟通天地万物，保证生命之力在孕育—成长—兴盛—死亡—重生的循环中绵延不绝。此时期文明的代表有奥尔梅克文明早期中心圣洛伦索，以及奥尔梅克文明达到鼎盛时的中心拉文塔。圣洛伦索遗址拥有一个巨型人工土丘，从空中俯视如飞翔的巨鸟。巨石头像等大型石雕和玉器是奥尔梅克文明最具标志性的遗物。依托宗教权力获得对大规模人群控制权的统治者已经出现，中美地区第一个文明由此诞生。拉文塔遗址是中美地区第一个真正意义上的城市，其大型建筑的方向极为神圣，与该地区太阳直射日8月13日夜晚银河呈南北向时的方向重合。在后来玛雅人的历法中，这天也是玛雅所处的时间纪元开始的日子（公元前3114年8月13日）。

就目前的发现研究来看，奥尔梅克人没有使用金属，是否有了成熟的文字也尚无定论，通行的“城市、金属和文字”这“文明三要素”中，缺了两项。但他们兴修农田水利设施、建筑宏大仪式性建筑、创立复杂宗教信仰、制作展现权力和法力的艺术品，这些伟大实践和优秀成果，被公认达到了“文明”或“国家”的标准，可与世界其他原生文明媲美。热带湿地“碧如翡翠”，与旧大陆诸文明摇篮的环境迥异，孕育出以万物相通为核心理念、以萨满式宗教为基本信仰和统治策略的独特文明基因，奠定了中美地区文明后续发展的基础，在与其他文明基本隔绝的情况下持续独立发展，璀璨孤放，成为见证人类文明发展多样性的珍贵标本。

形成时代中期到晚期（公元前600/前500—前300年），中美地区发生了第一次文明衰落和动荡整合。第六章还原了这一过程。圣洛伦索和拉文塔两大遗址在约公元前400年都遭到废弃。墨西哥湾南部从此沉寂了六百年。大约公元前500年，瓦哈卡地区新的政治首府蒙特阿尔班勃然兴起，大规模灌溉系统和雕刻着300多位舞者的仪式建筑，预示着新的社会发展进程已经开启。墨西哥盆地也经历了人口的持续增长。奎奎尔科成为盆地南部当之无愧的中心。在特万特佩克地峡太平洋海岸平原，尽管以奥尔梅克为主导的贸易系统不复存在，但很多区域中心聚落继续充分发展。玛雅世界的发展尤其引人注目。在危地马拉高地，卡米纳尔胡尤登上历史舞台，借助沼泽地的排水设施扩大耕地面积，人口翻倍增长。在未来的玛雅世界中心佩滕地区，埃尔米拉多尔、瓦哈克通和蒂卡尔这些著名城邦已经开始早期大型建筑的构建。所有迹象都预示着中美地区最重要的转折时代即将到来。

第八、第九章详细讲述形成时代晚期和末期（公元前300—公元300年）这六百年转折期的社会发展历程。形成时代晚期之初，墨西哥盆地的人口仍然集中在南部地区。波波卡特佩特火山于公元前250年至公元50年间爆发，奎奎尔科遭到毁灭性打击，盆地东北部的特奥蒂瓦坎终于迎来发展机遇。坚韧的特奥蒂瓦坎人，在沼泽中挖掘运河，并将挖出的泥土堆到高地上形成高产的农业用地，成为后古典时代晚期阿兹特克人建造神奇的湖上之城特诺奇蒂特兰的模本。在农业发展的基础上，城市规模迅速扩大。附近最重要的黑曜石产地，是天赐的资源优势。黑曜石成为特奥蒂瓦坎沟通各地并掌控贸易话语权、积累财富的战略资源，但其崇高地位更得益于宗教圣地的构建。瓦哈卡谷地的蒙特阿尔班发展成当时新大陆最大的城市之一。玛雅世界的发展也毫不逊色。在恰帕斯高原面向太平洋的一面，伊萨帕遗址目前已发现超过250件石雕，其宗教内涵和艺术风格上承奥尔梅克，下启玛雅。危地马拉高地的卡米纳尔胡尤成为核心聚落，出现大型建筑和丰富的雕刻，是“影响玛雅低地大型建筑艺术发展的主要来源”。玛雅文明的核心佩滕地区，已经初步形成城邦林立的政治景观。埃尔米拉多尔成为最大的城邦，拥有当时玛雅世界最壮观的仪式建筑群，是“最古老的玛雅都市”。最近在圣巴托洛遗址发现的精美壁画，不仅证明以玉米神的重生为核心的神话体系和宗教仪式已经形成，更展现了玛雅人惊世的艺术天赋。后来成为世仇的玛雅两大强邦蒂卡尔和卡拉克穆尔也隆重登场。蒂卡尔在其大广场区域修建了大型民政-仪式建筑。卡拉克穆尔则取代了埃尔米拉尔多的地位，与另一强邦瓦哈克通组成地区性政体。各地区雄心勃勃的精英都感受到社会发展的蓬勃生机，开展各自的政治实践，经历各自的兴衰荣辱，中美地区的影响力在墨西哥西北和美国西南部都留下了印记。

中美地区文明最灿烂的三百年是公元300年至600年，被命名为“古典时代”，以媲美西方传统敬奉的古希腊罗马。第十章以特奥蒂瓦坎开篇。公元300年，特奥蒂瓦坎之规模达到巅峰。羽蛇金字塔完工，成为公共仪式活动的中心。四周建起了高大的围墙，形成约4.4万平方米的巨大封闭广场，可以容纳10万人（至少相当于城市中所有的成年人数量）参加仪式活动。公元4世纪，羽蛇金字塔虽遭破坏，但特奥蒂瓦坎仍然保持着中美地区的崇高地位。大约在公元500年，城市再一次陷入动荡。“死亡大道”两侧的建筑被付之一炬，这座圣城彻底衰落。对于中美地区第二次著名的文明解体，作者进行了颇为详尽的剖析，认为人口高度集中的城市化造成的水资源匮乏、食物短缺、污水和垃圾的横行、疾病流行、周边环境退化等因素叠加在一起，直接动摇了特奥蒂瓦坎的统治根基，“大多数特奥蒂瓦坎人可能意识到自己被神灵抛弃了，而作为沟通媒介的领袖们需要对此负责”，这是以萨满式宗教为核心的文明难逃的宿命吧。但在玛雅世界，特奥蒂瓦坎余威未减，众多盟邦仍高调宣扬着自己与这个圣地的联系。

第十一章至第十三章是对玛雅世界由辉煌到衰落的全景式描述。古典时代早期（公元250—600年），玛雅继承奥尔梅克文明开启的文明传统，创立了穷究天人的历法、文字和宗教。历法有三种：卓尔金历、近似太阳历和独特的长历法。他们创立了中美地区最完备的文字书写系统，除了记录王族世系之外，还有祭祀和战争。书写的目的并非日常交流，而是与超自然的沟通；而且被贵族垄断，书写形式极尽弄巧变化。古典时代的玛雅世界，萨满之力充盈于翠绿的热带丛林之间。统治者们沟通天地，入幻通神，一众城邦如同从冥界重生的玉米神一样破土而出，茁壮生长，每个城邦都有自己的徽号，国王以神圣“阿豪”（玛雅语意为主人或神圣领主）自称。

公元4世纪，特奥蒂瓦坎与玛雅世界发生激烈碰撞，蒂卡尔被攻陷。这次入侵为玛雅世界带来了“新秩序”。在低地南部西境，东西横流的乌苏马辛塔河流域在高地前沿形成广阔三角洲平原，玛雅名城帕伦克雄踞高地前沿的第一道山脉之上，在公元431年迎来有文字记载的第一位国王，迅速发展。在低地的最东南端，公元421年，出生于蒂卡尔、在特奥蒂瓦坎太阳金字塔前的神殿中获得权力的雅什·库克·莫长途跋涉来到科潘，迎娶当地贵族女子为后，建立王国，控制了莫塔瓜河流域丰富的资源。面临外来“新秩序”的强大挑战，传统玛雅城邦并不示弱。以蛇为徽号的卡拉克穆尔雄踞蒂卡尔以北100公里，联合盟邦拉开与亲特奥蒂瓦坎集团的“星战”序幕。两大联盟系统的争斗贯串整个古典时代，几乎所有城邦都深陷其中。

古典时代晚期（公元600—900年）玛雅文明考古、文字和图像资料最为丰富，详细展现了各城邦盛极而衰的一幕幕场景。第十二章提供了一幅幅速写，配合精选的插图，让读者管中窥豹。各城邦进入成熟期，蒂卡尔和卡拉克穆尔两大派系的争斗愈演愈烈。蒂卡尔一方帕伦克的帕卡尔王之墓是玛雅世界最重要的考古发现之一，其石棺盖板上精美的雕刻表现了帕卡尔王从冥界重生、沿通天树升入天界的神圣场景，是玛雅雕刻艺术的经典之作。与帕伦克有姻亲之谊的科潘虽然地处玛雅世界的东南一隅，因为控制着中美地区唯一的翡翠矿，经济繁荣，文化昌盛。活了90多岁、在位近70年的第12王，在古典时代晚期将科潘带入辉煌时代。卡拉克穆尔的盟友亚斯奇兰的英雄鸟豹王四世，不仅战功累累，还留下了充满戏剧性和精微细节的雕刻品。整体而言，卡拉克穆尔集团在缠斗中颇占上风。蒂卡尔疲于应付同根相煎的多斯皮拉斯。帕伦克受到山地强邦托尼纳的困扰。科潘第13王好大喜功，热衷竖立极尽繁缛精致的雕像，展示自己沟通天地的法力和功业；属国基里瓜在卡拉克穆尔挑动下，将他诱杀。科潘第15王和第16王竭力复兴，以大量建筑和雕刻展示王国源自圣地特奥蒂瓦坎的纯正王统和强大武力，但终于难逃衰落的命运。

事实上，在公元9世纪，整个玛雅世界都骤然卷入衰落的洪流之中。众多名城大邦再没有新的金字塔拔地而起，也再没有新的国王雕像巍然屹立。作者对玛雅衰落原因的归纳与对特奥蒂瓦坎衰落的讨论基本相同：人口的增长给环境承载带来压力，作物产量下降，激起社会矛盾。和特奥蒂瓦坎的统治者一样，玛雅国王也是最尊贵的萨满，需要展示影响和沟通超自然的能力，解读宇宙的运行。当生活环境恶化时，人民对国王的永恒正确性产生怀疑，其信任会迅速流失。频繁的战争和瘟疫也是原因。从奥尔梅克到特奥蒂瓦坎再到玛雅，文明由兴起到衰落再到兴起如同天道循环，颇符合中美地区信奉的万物无法永生、只能重生的观念。总之，玛雅核心区的衰落造成大规模人口向尤卡坦半岛北部迁移，奇琴伊察崭露头角，蒸蒸日上。玛雅世界以西的墨西哥中部地区强邦出现，孕育着中美地区新的发展。

到了古典时代晚期和末期（公元600—1000/1100年），特奥蒂瓦坎和玛雅世界之外的中美地区的竞相发展，后古典时代的文化和政治格局剧变如山雨欲来。作者在第十三章中指出，这一动荡时期最引人注目的现象，是与武力和人祭相关的羽蛇崇拜之盛行。羽蛇不只是丰产和富饶之神，也是国家信仰之首。羽蛇信仰在奥尔梅克图像中已见端倪，特奥蒂瓦坎衰落后，与这一信仰有关的图像成为整个中美地区各城邦的基本图像主题。羽蛇信仰沿着四通八达、沟通中美各地及其以外文化区的贸易网络广泛传播。在北部边缘地区盛产珍贵绿色石料、黄铁矿石和朱砂的阿尔塔维斯塔遗址发展起来。这里发现了最早的索姆潘特利即头骨架遗迹，用于陈列人牲的头骨。从古典时代晚期开始，这种头骨架成为整个中美地区的重要文化因素。贸易网络也沟通了南美洲西北海岸的冶金技术起源地。金属冶炼技术被引进到墨西哥西部，在公元600—800年向整个中美地区扩散，直达北部干旱地区。金属品制作主要打造颜色悦目、光芒闪烁和声音悦耳的高价值装饰品。黄金和白银当时被认为是太阳和月亮的神圣排泄物。

在此动荡期迅速发展的还有位于特奥蒂瓦坎和玛雅世界中间的墨西哥湾和中部高地。墨西哥湾地区炎热的气候和辽阔的冲积平原是棉花和可可等作物的理想产地，该地区的埃尔塔欣成为本时期最伟大的城邦之一。遗址中发现了可能属于不同国王的12个球场。在普埃布拉、特拉斯卡拉和莫雷洛斯地区，卡卡斯特拉的精彩壁画呈现玛雅风格；乔卢拉则成为羽蛇信仰的中心。霍奇卡尔科建在5个相连的山丘顶上，出现丰富的羽蛇和人祭图像。

第十四章聚焦尤卡坦半岛公元800—1200年的文化景观。因玛雅核心地区崩溃迁移至此的人群，承受着西北方势力扩张的压力，建筑起防御性城墙，艰难发展。玛雅族群的伊察人围绕石灰岩上的天然圣井建立了面积约15平方公里的奇琴伊察（意思为“伊察人的井口”），成为尤卡坦北部的主要中心。其核心建筑群上，玛雅风格和新兴的西部风格并存，武士之庙与西部高地的图拉惊人相似。图拉风格中攫取人心的鹰和猫科动物的形象出现在一些建筑上，强调同样的血腥主题，是赤裸裸的暴力威胁。考古发掘获得了目前玛雅考古中数量最多的一批玉器。其他祭品还有柯巴香、陶器、木器、纺织品、纺轮以及成年男女和儿童的骨骼。但精美的祭品、血腥的人祭并没有打动神灵，夸张的武力也难以复兴玛雅世界的辉煌。奇琴伊察只是玛雅文明的最后一场灿烂焰火。

第十五章围绕古典时代末期和后古典时代早期最重要的事件——图拉的崛起展开。图拉在公元900年至1150年间达到鼎盛，建筑布局深受特奥蒂瓦坎的影响。核心位置是仪式区，金字塔C和金字塔B的关系就像特奥蒂瓦坎的太阳金字塔和月亮金字塔。考古发现证实图拉曾生活着富有天才和创造力的艺术家。与玛雅世界一样，书写者是受过教育而博学之人，被他人奉为权威和原典掌握者。宝石工匠在工艺品上嵌入进口的绿松石和翡翠等珍贵石料；羽毛工匠把千百里外进口来的娇贵材料变为头饰和战旗，在微风中莹莹闪烁。后古典时代早期，人口持续迁移，在社会动荡、武力张扬的背景下，奇琴伊察和图拉两个伟大的商贸和军事中心崛起。二者都没有延续到1200年之后。中美地区还要经过新的洗礼，才能迎来文明的涅槃重生。

从第十六章起，作者致敬阿兹特克文明，讲述了后古典时代中期万邦林立的局面和阿兹特克人的兴起。图拉和奇琴伊察这样的大邦的崩溃，一方面引发新的动荡和人群移动，另一方面促成小邦纷纷建立。作者引用西方颇为流行的“分立国家”（segmentary states）概念来描述这些小邦的性质和相对独立的关系。在1200年前后开始的遍及中美地区的动荡整合中，特奥蒂瓦坎故地墨西哥盆地最为引人注目。一批接一批纳瓦特尔语人群从西北迁移而来。他们属于不同部族，但声称有共同的起源地，即阿兹特兰（白色之地或白鹭之地）的奇科莫斯托克洞穴，因此被称作阿兹特克人。随着他们不断迁入，墨西哥盆地被瓜分殆尽，众邦林立。阿兹特克英雄霍洛特尔带领的部族势力强大，在盆地东部与旧有人群融合，定都特斯科科；在盆地西部，其分支特帕内卡部族建立强大城邦。阿兹特克墨西卡部族是移民潮的最后一批，已经无地容身；又因其热衷血腥的人祭，被大家视为威胁，只能投靠特帕内卡人充当雇佣兵，被许可在特斯科科湖西部沼泽中的岛屿立足。然而荒凉之地，却成为坚忍不拔的墨西卡人神赐的家园。他们在沼泽中开挖纵横交错的运河，排除积水，以挖掘的淤泥堆筑奇南帕浮园。大约在1325年，湖上之城特诺奇蒂特兰巍然屹立，为打造强大的阿兹特克帝国迈出第一步。

作者将百余年的阿兹特克帝国史分为四个阶段，第十七章涉及前两个阶段。特帕内卡人因王位继承发生内乱，被墨西卡人的特诺奇蒂特兰联合特斯科科和塔库巴组成“三国同盟”击溃。“三国同盟”共同统治的阿兹特克帝国正式建立。在占领并稳定了整个墨西哥盆地之后，帝国势力先向北和向西扩张，占领图拉地区；随后向东南进入莫雷洛斯，再向西南控制了格雷罗地区东部。1450年前后，新兴的帝国遭到河水上涨和饥荒的威胁，但在多才多艺的特斯科科王内萨瓦尔科约特尔和墨西卡新王蒙特祖马一世的带领下，建筑了新的水利设施，度过灾难，开启了持续到16世纪的政治扩张和繁荣的新时期。

阿兹特克帝国蓬勃发展的三十年（1455—1486年）在第十八章的文字中熠熠生辉。1455年，大饥荒终于结束，阿兹特克人举行了新火仪式，迎接新年轮循环的到来。全国各地的人都将炉火熄灭，在黑夜中等待祭司们点燃新火，传遍帝国的家家户户。人牲还在跳动的心脏被丢入火中，以飨神灵。鹰武士和美洲豹武士军队是帝国的中坚力量。平民因在战场上服务也可被提升至贵族的地位，和尊贵的世袭贵族一起进入武士行列。帝国如同强大的军事机器，持续扩张巩固了贡赋体系。各地方城邦被分为两类，一类是“朝贡行省”，另一类为“战略行省”。

特诺奇蒂特兰大型建筑的发展是帝国兴盛的标志。蒙特祖马一世完成了大神庙的第三次改建，在台阶底部镶嵌了被肢解的女神科约尔沙赫基的巨大浮雕，作为朝拜者的擦脚石。阿兹特克人将中美地区以宗教为核心的文明传统发展到极致，以狂热信仰和血腥祭祀为帝国的发展提供说服力和威慑力。除此之外，阿兹特克的统治者们也珍视美丽的植物。技艺高超的园丁备受尊敬。纳瓦特尔语中有大量关于园艺和花卉的词语，我们熟悉的万寿菊和大丽花都是他们培育的。欧洲最早的植物园建于16世纪40年代的意大利，很可能就是受到阿兹特克原型的启发。在战争和祭祀的鲜血中开放鲜花，阿兹特克帝国以这样独特的方式迈向鼎盛。

第十九章标题为“阿兹特克帝国的鼎盛”。1485年即位的阿维索特尔开创了帝国的鼎盛时代，他保持了帝国的贡赋体系，并将其范围扩张至最大；1487年，完成了特诺奇蒂特兰大神庙的又一次扩建，使其规模达到1519年西班牙人见到的规模。特诺奇蒂特兰的规模也达到顶峰，西班牙征服者见到这座城市时，惊叹不已。这是一座花园之城，夜晚非常美丽，火炬映照在水中，波光荡漾，国王的乐师们弹奏起来，音乐在夜色中飘荡。1502年是多事之年。蒙特祖马二世成为新君，但令人不安的预兆已经出现。墨西哥湾海岸漂来一个装有奇怪衣物和一把剑的木箱，不放过周围世界任何细微、异常信号的阿兹特克人立即警觉起来。这些东西被送到特诺奇蒂特兰。贡品管家和占卜师把它们交给蒙特祖马二世。一颗彗星在天空出现，一分为三。当时最著名的魔法师特斯科科国王给出不祥的预测。同年哥伦布的船队在洪都拉斯湾遇到了玛雅的贸易货船，获得了中美地区的信息。西班牙人随后在巴拿马登陆，建立了最初的殖民点。1507年，新的一个52年轮回开始，蒙特祖马二世对帝国的发展充满期望，但西班牙殖民者的阴影已经开始笼罩中美地区。科尔特斯的远征军于1519年复活节周在墨西哥湾靠近今韦拉克鲁斯市的地点登陆，开启征服的进程。1519年的11月8日，一路征战的西班牙人，兵临特诺奇蒂特兰。

第二十章讲述了阿兹特克帝国终于在和西方文明的碰撞中，如美玉般破碎。科尔特斯的座右铭是“天佑勇者”，引人深思：阿兹特克的人牲祭祀和殖民者的残酷征服相比，到底谁更血腥？作者着意描写了蒙特祖马二世之优柔寡断与科尔特斯的狡诈多谋。懦弱的君主并不能平息勇武的阿兹特克人的怒火，蒙特祖马在暴动中死去。1520年7月1日，惊恐的西班牙人趁夜逃离特诺奇蒂特兰，数百人战死或被俘，成为大神庙的人牲，留下“悲伤之夜”的记忆。10月下旬，西班牙人卷土重来，他们携带来的天花病毒席卷特诺奇蒂特兰。科尔特斯拉拢更多部族，对特诺奇蒂特兰进行围困；同时向引水渠中投盐，污染饮水。城中粮食逐渐耗尽，人们开始以杂草为食。1521年8月13日，中美地区的创世之日，君主夸特莫克被擒，美丽的特诺奇蒂特兰被夷为平地。中美地区文明传统终结。

在最后的篇幅中，作者简要叙述了西班牙早期殖民史。其中两个事实令人难忘。一是，最早的墨西哥奢侈品被运回西班牙后，国王查理五世对黄金比对艺术品更感兴趣，很快就将这些珍宝熔成了可以交易的金块。二是，由于欧洲人带来的天花和其他传染病，至1621年，墨西哥盆地的人口从1519年的大约100万下降到大约25万。新大陆的发现和殖民，直接引发了欧洲的工业革命和现代化。对一个文明的摧毁，似乎促进了另一个文明的发展。

19世纪以来，考古学在中美地区的广泛开展，重新缀合起湮没在丛林和荒漠中的碎片。本书呈现的，正是美玉未碎时的文明之美和生命之力，引发我们对人类文明兴衰演变、碰撞融合的思考。

2015年，在哈佛大学威廉·费什教授的协助下，中国社会科学院考古研究所与洪都拉斯人类学与历史局签订合作协议，开始对玛雅名城科潘遗址8N-11号贵族居址进行发掘。这是中国学者主持的中美地区第一个考古项目。项目的开展得到中国社会科学院创新工程的经费支持，也被纳入中国历史研究院李新伟学者工作室的研究计划。哈佛大学燕京学社为配合此项目，资助了两期中美地区考古培训班，本书译者李默然、钟华和冯玥都是第一期学员。虽然我们只是玛雅文明的初学者，但通过精细的工作，8N-11号贵族居址的发掘取得了超出预期的收获。龙头神鸟雕刻的发现，纠正了对类似雕刻的错误解读。系统的隧道式发掘，发现10多座重要墓葬，出土大量精美的随葬品，包括翡翠制作的神像等；同时也厘清了这座贵族院落的建筑演变序列，可以和王宫区的资料对比，从贵族家族的角度，深化了对科潘王国兴衰的认识。

不了解世界文明，就难以深刻认识自己的文明；真正的文化自信，必然建立在对其他文明深入了解的基础之上，这是中国考古学“走出去”的根本动机。在科潘发掘的过程，也是学习的过程，感受着中美地区文明之美，也对中华文明有了新的体悟。很想把这些体悟表达出来，精心翻译一部关于中美地区文明的经典著作，是最必要的第一步。三联书店的曹明明女士是考古类图书的资深策划编辑，屡有佳作推出。加强对世界文明的介绍，正是她新的出版规划，与我们不谋而合。本书的翻译由此得以实现。翻译分工如下：冯玥翻译了第一至第四章，钟华翻译了第五至第七章，李默然翻译了第八至第十一章、第十六至第十八章，李新伟翻译了本书前言、第十二至第十五章、第十九和第二十章，并对全部译稿进行了修改和校订。作为中美地区文明的初学者，错误在所难免，敬请读者批评指正。还要感谢作者苏珊·托比·埃文斯教授对中译本给予支持，并特意作序。

李新伟
中国社会科学院考古研究所

# 序　致中国读者

我对本书能在中国出版，感到非常荣幸。感谢读者，希望你们享受整个阅读过程。读这本书，就好像你们在古代墨西哥和中美洲旅行，而且会欣喜地发现中国和中美地区的相似之处。两个地区都有世界最古老的文明。中美地区有内容丰富的原生文化发展史，可以追溯到1万多年前的狩猎采集人群。在随后的岁月中，这里发展出了城市、国家和帝国。大约500年前，随着1521年阿兹特克帝国被欧洲殖民者征服，中美地区被彻底改变。

帝国、国王和大型建筑，这些中美地区文化发展历程中的基本要素，在中国同样存在。虽然，中美地区没有完成在太空中都能看到的、长城那样的大规模工程建设，但它的社会组织方式与中国颇为相似。几年前，我曾站在八达岭长城之上，为这样的建筑成就而目眩神迷，并思考如何才能驱使如此多的人力：有统领建设的帝王们、设计浩大规划的建筑师和风水师们、决定开工和完成吉日的占卜者们、不停祈祷的祭司们、泥瓦匠们、开采并搬运石料的工人们、供给食物的厨师和运粮工们、清洁工们和废料清理团队。如果我们在施工现场，一定可以听到呼叫声、劳动号子声、石块被拉入预定位置的声音、填充材料被倾倒进墙体内部的声音，我们也会闻到厨灶火苗中散发出的木柴烟味。

八达岭长城是大约500年前建造的。与明王朝大体同时，当时墨西哥的阿兹特克帝国正处于繁荣盛世。帝国可以在太平洋和大西洋之间10万平方公里的范围内，从500万臣民中征集物品和劳役。阿兹特克是我的学术研究领域。我研究过他们的农业、他们的村庄和城市、他们的家居和宫殿。如同中国的宫殿一样，阿兹特克宫殿也包括统治家庭的居所、行政管理场所、皇家宏伟花园中的娱乐场所，以及举行朝会和军事活动的封闭场所。宫殿是整个阿兹特克社会的活动中心，统治家庭有教养而精通文艺。他们在宫廷中聚集贡品、登记造册、举办宴饮、主持仪式。阿兹特克的皇室丑闻皆与权力和性相关，这是普遍的人性弱点的极佳证明。

在墨西哥城近郊乡村的一次发掘中，我获得一个意外发现，由此开始了年复一年的研究，从中得到上述认识。那个村落中的遗址被称作“妇女之宫”，在一片草地上，超过数万平方米。这里的房屋在1603年被废弃，形成一个土丘，遍布阿兹特克时期的陶器残片。我们发掘了土丘的十几个地点，在目前最大的一处地点，发现了一座典型的皇室行政宫殿的废墟（本书有讨论和图片）。我研究了我能发现的所有阿兹特克宫殿，包括那些古老手抄本上记载的，也包括少量考古学家发现的。

与墨西哥城的阿兹特克君主蒙特祖马的帝国宫殿相比，“妇女之宫”很小，仅625平方米。蒙特祖马的宫殿占地超过4万平方米，但永远也不会被发掘出来，因为它的废墟被压在墨西哥共和国的国家宫之下——西班牙征服者在墨西哥城内外霸占了很多重要地产，这是其中之一。

蒙特祖马的宫殿覆盖了很大的街区；但在当时的北京，大明的宫殿，紫禁城，要大得多，达到72万平方米。虽然规模不同，但紫禁城和阿兹特克宫殿有很多相似之处。徜徉在紫禁城中，我沉浸于她的美丽和肆意蔓延的一个个带中庭的院落。紫禁城是明王朝乃至中国传统空间布局理念的核心体现。当我探访其正北的钟楼和鼓楼时，更深刻地认识到了这一点，明白自己是站在这座城市古老格局的主弦之上。

在14世纪初年，墨西哥城的建设者们也将其分为四个象限。中美地区很多城市的营建，都是为了沟通神圣力量和适应本地环境。城市中的神庙高居金字塔顶，许多是建在王室墓葬之上的。宫殿经常就在金字塔旁。书中有很多平面图、照片和绘画，以表现中美地区人民如何构建他们的社区，包括他们使用的工具和各种非常美丽的装饰品，尤其是玉器。

作者与丈夫戴维·韦伯斯特在八达岭长城

在阅读本书和欣赏插图的过程中，你们会有很多发现。是泰晤士&哈德森（Thames & Hudson）出版社的编辑和设计师赋予了本书这样的美感。编辑科林·里德勒（Colin Ridler）发挥了关键作用，才使本书如此出色，在2005年获得美洲考古学会的图书奖。这是该奖唯一一次被授予一部世界主要文化区的通史著作。本书中文版由三联书店出版，由中国社会科学院考古研究所的李新伟博士组织翻译。他是中美地区玛雅文明（繁荣于公元600—900年，与中国唐朝同时）考古的专家。我们的工作都是为了确保让你们发现，中美地区是值得探索的地方。

谨致最良好的祝愿。

苏珊·托比·埃文斯

2021年12月

# 前　　言

《墨西哥与中美洲古代文明》第一版数年以前已经问世。有关古代墨西哥与中美洲的研究多年来持续进行，每年都会涌现一大批令人瞩目的新发现和对现有资料的重新阐释。其中不乏罕见而令人兴奋者，如埃尔索斯的玛雅墓葬和墨西哥城大神庙的大地之神雕塑。人们还对传统解释进行了有趣的实验，比如对蒂卡尔伟大建筑进行土方工程的研究，以及从繁荣和危机循环往复的角度来看待阿兹特克贡赋帝国的兴衰。第一版大受欢迎，出版社认为，再版正是更新本书内容以反映领域内变化的适当时机。这些新的发现和研究补充到本书第三版中，它们更加完善了书的强大结构，并加入了优秀的插图、更新了信息和引文。

虽然这些新发现为我们对这片文化区域的整体认知增添了一些有趣的细节，但大体上看，整个故事依然保持原貌。这是对我们集体研究工作的褒奖。这次泰晤士&哈德森出版第三版，希望读者们可以欣赏其中全新的发现和例证。我们对该书第一版和第二版的热烈反响感到满意，尤其是美国考古学会颁发的“2005年度图书奖”，使我们感到由衷的喜悦。

五百年前，古代墨西哥和中美洲的一些书籍同样重现了一段历史，另一些则预言了未来。但对阿兹特克王和几百万向他朝贡的下属来说，这个未来看起来十分黑暗。当国王蒙特祖马二世获知一群外国人在领地外围登陆的消息时，他的心情变得越来越不安。接下来发生的那些超出他和任何古代墨西哥人经验的事情则使他完全丧失了勇气：随着西班牙人接近首都，他彻底放弃了守护帝国的神圣承诺。西班牙人沿着堤道进入了他的城市特诺奇蒂特兰，他奉上精致的礼物表示欢迎，并让这些西班牙人留宿在自己的宫殿里，随后被置于西班牙人的“保护性”监禁之下，终生未能获得自由。

或许蒙特祖马二世知道自己的抵抗最终是徒劳的，无论有没有他的参与，新世界和旧世界的碰撞都会创造出新的全球秩序。但是，如果他不是宿命论者呢？如果阿兹特克人的统治更加温情而他们的附庸国拒绝推翻自己的主人呢？如果欧洲人没有带来那些摧毁土著居民的疾病，如果欧洲人没有枪支等武器、战犬和马匹呢？如果欧洲没有经历那场将他们带入现代社会的思想革命，没有谋求控制知识、市场、利润和思想呢？

现在看来有趣的是，考虑到人类历史上可能发生的变化，蒙特祖马二世的直觉似乎是正确的。他的土地、文化和人民无一不受到文化剧变的巨大冲击。欧洲来的凶手试图根除本土文化的存在和痕迹，并用基督教冲刷人们的心灵和思想。西班牙人觉得自己应当保护帝国，他们关闭了帝国大门，谢绝一切外来影响甚至是参观者进入，和其他西班牙领地内控制自由的做法完全一致。

最后，启蒙运动的力量突破了重重“保护”。在18世纪和19世纪初，争取思想自由和政治权利的运动在中美洲取得了成功，西班牙殖民政府被独立的土著领导所取代，而新大陆的古代文化也随之成为保护和研究的对象。到了21世纪初，在生态和进化论的坚实理论之下，先进的研究方法和海量的、被恢复的资料共同重建了历史进程的轮廓，并且这个蓝图每天都在变得更加清晰。

这本书意在展示中美地区文化史的总体概览。对此一无所知或了解很少的人可以把它用作导论。对中美地区感兴趣，研究领域却和它毫不相干的学者们可以利用它丰富自己的见闻。一些细节甚至地区在书中不可避免地被遗漏，但我希望它为有兴趣了解更多的人提供充足的信息。

我的同仁们为本书各版特别是此次新版慷慨提供忠告、建议、贡献和更正，在此对他们致以诚挚感谢：Traci Ardren、Barbara Arroyo、Anthony Aveni、Rae Beaubien、Christopher Beekman、Sue Bergh、Elizabeth Boone、Michael Blake、James Brady、Beatriz Braniff、Linda Brown、Karen Olsen Bruhns、Richard Cavallin-Cosma、Napoleon Chagnon、Diane Chase、John E. Clark、Michael Coe、

George Cowgill、Richard Diehl、Boyd Dixon、James Fitzsimmons、Kent Flannery、Kirk French、AnnCorinne Freter、Bridget Gazzo、Nancy Gonlin、David Grove、Gerardo Gutiérrez、Norman Hammond、Marion Hatch、Dan Healan、Kenneth Hirth、Dorothy Hosler、Stephen Houston、Maarten Jansen、Bryan Just、John Justeson、Doug Kennett、Rex Koontz、Leonardo López Luján、Joyce Marcus、Simon Martin、René Millon、Mary Miller、Virginia Miller、Claire Milner、George Milner、Deborah Nichols、Chris Percival、Joanne Pillsbury、Patricia Plunket、John Pohl、Helen Perlstein Pollard、Chris Pool、Jeffrey Quilter、Matthew Robb、Jeremy Sabloff、已故的William Sanders、Nicholas Saunders、Harry Shafer、Payson Sheets、Virginia Smith、Dean Snow、Chip Stanish、Barbara Stark、Rebecca Storey、Tim Sullivan、Mike Tarkanian、Carolyn Tate、Karl Taube、Richard Townsend、Javier Urcid、Barbara Voorhies、Phil Waynerka、Randolph Widmer、David Webster，以及Eduardo Williams。能够利用重要图书馆是学术研究必不可少的条件。我感谢宾夕法尼亚州立大学的帕提-帕特诺图书馆（Pattee-Paterno Library）和位于华盛顿特区哈佛大学附属研究机构的敦巴顿橡树图书馆（Dumbarton Oaks Library）。当然，本书内容的准确性和针对性由我自己负责。

本书出色的版面设计要归功于出版者——泰晤士＆哈德森出版社。看看文字如何在大量漂亮的图片中穿插流动、线图和解读如何交相呼应吧。随意瞟一眼考古出版物，不管是纸质版还是电子版，你都会马上从琳琅满目的图书中辨认出泰晤士＆哈德森那诱人而生动的版式风格。我很高兴自己的文字和图表能够再次由泰晤士＆哈德森印刷出版。科林・里德勒是本书的策划编辑，他和伊恩・雅各布斯（Ian Jacobs）一道达成鼓励作者的想法和遵守必要的规范之间的艺术性平衡。索菲・麦金德（Sophie Mackinder）审核了本书编辑过程中的很多细节。此次第三版因艾丽斯・里德（Alice Reid）、杰夫・彭纳（Geoff Penna）、萨莉・尼科尔斯（Sally Nicholls）和西莉亚・福尔克纳（Celia Falconer）诸位努力才得以提升。

我还要再次感谢在本书首版和再版过程中给予重要帮助的罗伊纳・阿尔西（Rowena Alsey）、西尔维娅・克朗普顿（Silvia Crompton）、苏珊・克劳奇（Susan

Crouch）、莉萨·卡特摩尔（Lisa Cutmore）、梅丽莎·丹尼（Melissa Danny）、苏珊·德怀尔（Susan Dwyer）、已故的温迪·盖伊（Wendy Gay）、玛丽-简·吉布森（Mary-Jane Gibson）、艾莉森·希西（Alison Hissey）、德拉岑·托米奇（Drazen Tomic）以及销售和市场团队。

最后，我希望感谢阅读了以前版本的读者们给予的积极反馈——我对此感激不尽。

苏珊·托比·埃文斯

写于派恩格罗夫米尔斯，宾夕法尼亚

# 第一部分

# 中美地区，美洲中部<br>及其人群

从古印第安人时代到形成时代初期（第一批居民——公元前 1200 年）

| | 古印第安人时代 | | 原古时代 | 形成时代初期 |
|---|---|---|---|---|
| | 8000 | 5000 | 2000 | 1200（公元前） |
| 北方干旱地带 | | 马尔帕斯、圣迭吉托、大本德、沙漠传统、科阿韦拉复合体、科奇斯传统<br>*福莱特福洞穴* | | |
| 东谢拉马德雷山脉 | 迪亚博罗　莱尔马 | 因菲耶尼约 | 奥坎坡 | 弗拉科/盖拉/梅萨－德瓜赫 |
| 塔毛利帕斯 | 迪亚博罗　莱尔马<br>*洞穴遗址* | 诺加莱斯 | 拉佩拉 | 阿尔马格雷 |
| 西北边境 | | | | *埃尔卡隆贝丘遗址* |
| 西墨西哥 | | | | 马坦钦，埃尔欧佩尼奥<br>卡帕查复合体<br>马查利亚期 |
| 米却肯 | | | | |
| 格雷罗 | | | 奥斯蒂奥内斯期/陶器初现/霍奇帕拉复合体<br>*公元前 2400 年：马克斯港，痘纹陶最早出现在中美洲* | |
| 莫雷洛斯 | | | | 阿马特期 |
| 墨西哥盆地 | | *圣伊莎贝尔－伊扎潘猎杀猛犸象遗址* | 普拉亚、索哈皮尔科，<br>*公元前 2300 年：最早的雕像* | 伊斯塔帕卢卡期<br>科阿佩斯科，阿约特拉亚期<br>特拉蒂尔科，奎奎尔科 |
| 图拉地区 | | | | |
| 托卢卡 | | | | |
| 普埃布拉 | | | | 索姆潘特佩克 |
| 特拉斯卡拉 | | | | 索姆潘特佩克 |
| 墨西哥湾低地北部 | | | 帕洛韦科期 | |
| 墨西哥湾低地中北部 | | *圣路易莎、拉孔奇塔* | | |
| 墨西哥湾低地中南部 | | | | |
| 特瓦坎河谷 | 阿胡埃雷阿多、埃尔列戈 | | 科斯卡特兰　阿韦哈斯 | 普龙　阿哈尔潘 |
| 上米斯特卡 | | | | 克鲁斯期早段 |
| 瓦哈卡 | | 纳基兹期<br>*吉拉纳基兹洞穴* | 希卡拉斯、布兰卡、马丁内斯、埃斯皮里迪翁、铁拉斯拉加斯<br>*盖欧希遗址；*<br>*公元前 4250 年：吉拉纳基兹出现了驯化玉米* | 圣何塞－莫戈特 |
| 特万特佩克 | | | | 拉古尼塔 |
| 墨西哥湾低地南部 | | | | 奥霍奇、巴希奥 |
| 恰帕斯内陆高原 | | | 圣玛尔塔 | 科托拉 |
| 恰帕斯－危地马拉海岸 | | | 钱图托 A、B 期<br>*钱图托遗址* | 巴拉、洛科纳、奥科斯<br>*莫卡亚文化、帕索－德拉阿马达* |
| 危地马拉高地 | | | | 阿雷瓦洛 |
| 玛雅低地北部 | 洛尔顿洞穴 | | | |
| 伯利兹 | | | 桑德丘、奥兰治沃克、梅林达、普罗格雷索<br>*贝茨·兰丁* | |
| 玛雅低地南部 | | | | |
| 中美地区东南部 | | | | |
| 过渡区 | 第一期 | 第二期 | | 第三期 |
| | | | *莫纳格里约贝丘遗址，公元前 2500 年：美洲中部最早的陶器* | |

列举有代表性的期、阶段名称，遗址和事件用斜体表示

# 第一章　古代中美地区：文明及其先驱

1519年11月，阿兹特克国王蒙特祖马二世在首都特诺奇蒂特兰接见了他尊贵的西班牙客人埃尔南·科尔特斯。这座城市后来变成了墨西哥城。他们二人周围环绕着各种巨型的金字塔、广场和宫殿（图1.1）。这座城市规模宏大、热闹喧嚣、人口密集，人口规模至少与同期西班牙的任何大城市相当。与干燥而尘土飞扬的西班牙城镇相比，特诺奇蒂特兰是一处湖泊环绕、绿意盎然的岛屿，闪闪发亮的运河和用白灰铺面的道路纵横交错。密集排列的高大柳树环护着漂亮的别墅，这些别墅都有鲜花和充满香气的花环装饰。城市的中心被大神庙区的诸金字塔占据，它的南边是宽阔而开放的城市主广场。蒙特祖马的大宫殿占据了另外一整个街区，入口在广场的东部。另一座宫殿占据了大神庙区域以西的街区，科尔特斯和他的同伴就驻扎在这里。

对于蒙特祖马的王国来说，这座城市是合格的首都。这个王国实际上比任何一个西班牙王国控制的区域都要大。这样的情景还将继续延续一年左右，之后西班牙征服并吞并了这个墨西哥王国。西班牙-墨西哥这种地缘政治组合在人类历史上并不常见，甚至可能是唯一的：两个对对方的存在毫不知情的伟大帝国之间发生了冲突，这真是前所未见。西欧和美洲中部是两个复杂社会，二者都有各自的国王和农夫，也都是长时间文化发展的产物，在发展过程中二者彼此分离，完全没有受到对方的影响，以激动人心的方式证明了文化进化之力在旧大陆和新大陆的独立运行。

本书的主题是古代墨西哥和中美洲的文化史，该地区包括地理上的整个美洲

图1.1　特诺奇蒂特兰主神庙及其附属区，向东南望，远处为伊斯塔西瓦特尔火山和波波卡特佩特火山

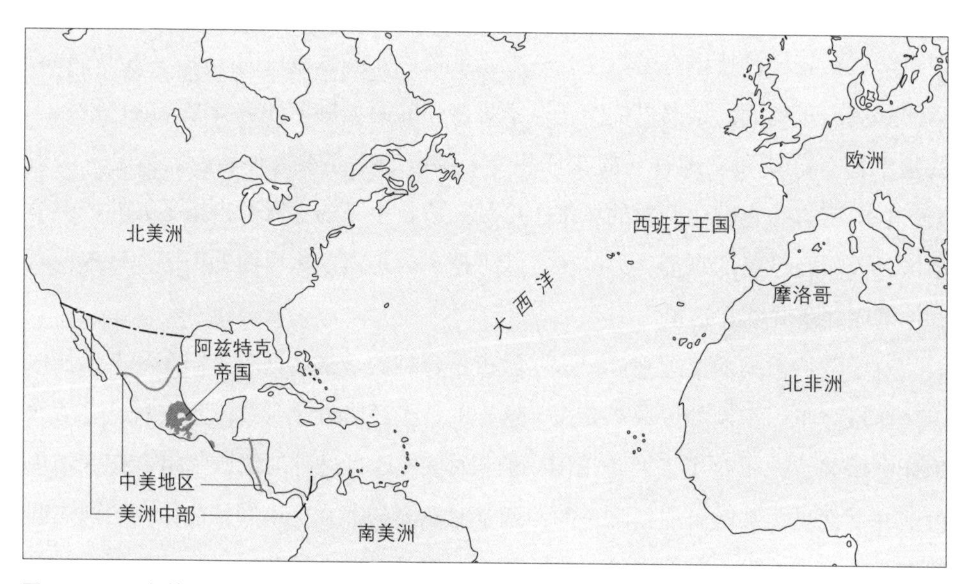


图1.2　1519年的西方世界局部图，重点为美洲中部和西班牙。地理意义上的美洲中部次大陆的界线用虚线表示，文化意义上的中美地区边界则为灰色实线。阿兹特克帝国这一政体的范围用阴影表示

中部（Middle America）大陆，文化演化经历了数千年的时间。在这一地区演化出的文化现在被称为中美地区（Mesoamerica）文化，长期独立发展，在1519年走向终结。本书描述并阐释了塑造中美地区文化进化的关键事件及其演进过程。与其他人类社会一样，从距今1.2万—1万年的末次冰期开始到1500年，美洲中部社会发生了从狩猎采集游群向多元复杂社会的转变。阿兹特克和塔拉斯坎贡赋帝国，控制了许多小的城邦国家，但在文化核心区的边缘仍有酋邦存在，独立的游群和部落也在不可能进行食物生产的区域生活。在1500年，乡村农业仍然是中美地区生活的主流，但从公元前2000年第一个农夫出现以来，剩余产品就越来越多地被用来为精英阶层政治和专职宗教人员提供支持，在社会等级系统和国家政治机器中，社会不平等逐渐被固化（图1.2）。

## 一、古代墨西哥与中美洲：地理，文化与全球背景

这些文化变化持续了几个世纪，覆盖了绵延数千公里的不同区域。本书的其他部分将详细地阐述这些变化以理解其演变过程。我们首先了解中美地区的地理环境，并与世界其他伟大文明的摇篮进行对比。文化史受到各重要因素变动的影响，比如食物采备策略、人口规模、基础技术以及政治、社会和意识形态的转变等。这些因素是至关重要的，接下来会详细讨论它们之间的相互作用关系。

### 1. 中美地区与美洲中部：文化和地理

“美洲中部”是一个地理区域，南起巴拿马地峡，北至墨西哥北部和美国西南部的索诺拉和奇瓦瓦沙漠；而“中美地区”是一个文化区域，是根据当地文化适应的共享特征定义的。如图1.3所示，中美地区仅仅包括了美洲中部的一部分，覆盖了其中适合种植玉米并能获得稳定收成的连续区域。事实上，适合这一区域特征的昵称应该是“玉米美洲”（maize-o-america）。随着时间推移，这

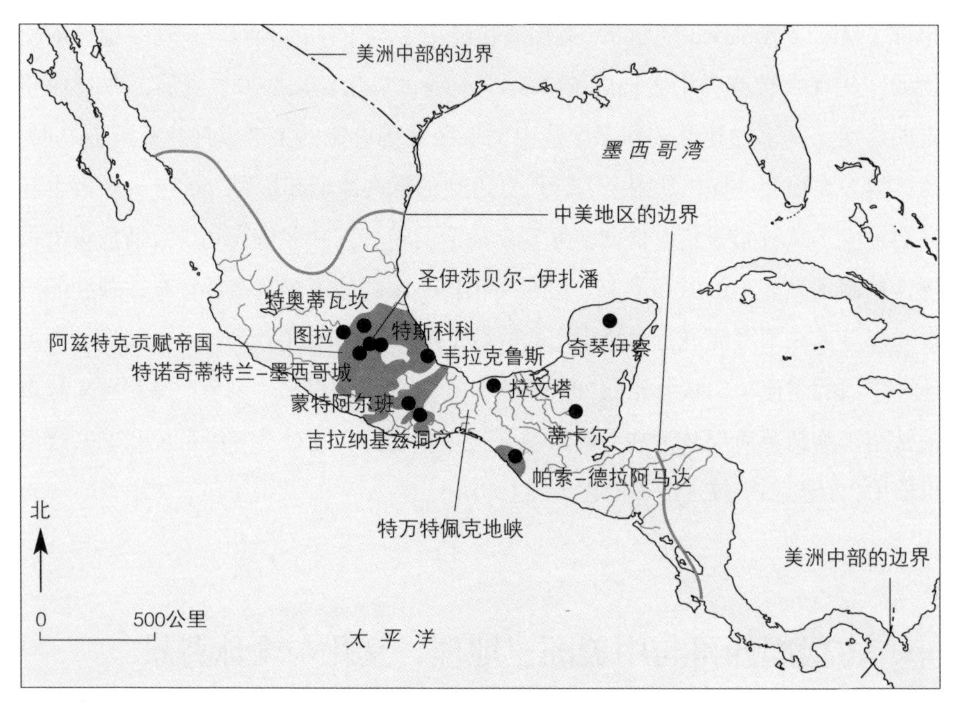


**图1.3　美洲中部和中美地区。蒙特祖马和其他大领主收取贡赋的区域包括了今天墨西哥的大部分。这一地图显示了这个贡赋帝国的边界和中美文化区的范围。作为一个独特的文化区域，中美地区包括了居住着大量有着松散联系的族群，他们共享一些重要的文化实践，比如赖以为生的作物类型，尊崇的精神性原则，农耕方式和建筑方式等等。1519年，尽管并非所有在这一区域内生活的1200万—1500万人都向阿兹特克帝国缴纳贡赋，但在一个广大的区域内都可以发现他们的相似之处**

一文化区域的边界有所摆动，因为气候的变化决定了边缘地区是否能够继续种植玉米。

从形成时代（始于约公元前2000年）开始，中美地区文化开始发展，并在以玉米为主要作物的地区走向繁荣，同时，一些地域性更强的植物也被利用，如豆类、南瓜、龙舌兰、苋属植物和木薯等。这些是最重要的食物，与其他许多种蔬菜和水果一起，构成了多样且营养丰富的食谱。极少的几种驯化动物，包括小型的无毛犬和火鸡等，与野生动物和鱼类一起，构成了饮食中重要的蛋白质来源。充足的食物支持了由农夫和工匠共同构成的村落社会，他们不仅种植作物，还使用本地和来自其他区域的原料生产陶器、石器，编筐、织物以及制作皮具。

美洲中部地处热带，两侧濒临大洋，高大山脉聚集，各区域环境差异明显，刺激了原材料和制成品的远距离交换。世界上很少有像这样能够将差异如此明显的环境紧密交织在一起的区域：热带海岸距离终年积雪的山顶仅区区数百公里。除了这种栖息地环境的巨大差异，美洲中部还经常性地受到飓风、火山喷发和地震等灾变以及滑坡和侵蚀等事件影响（Gutiérrez 2011：149）。这一破碎而持续变化的地形造就了多种环境，大量河谷和滨海平原供人们繁衍生息。每个区域的人都发展出了独特的民族个性，将日常生计活动和手工业生产与对本地景观和领导者神圣祖先强大法力的崇拜结合起来。

形成时代早期，村落农业在整个中美地区建立起来。数百年之后，一些区域发展出了由单一世系领导数个村落的酋邦组织，再后来有了国家，将少数人控制多数人的劳动力及其产品的权力合法化。在世界范围内，国家作为一个政治结构代表了最为复杂的社会形态。在墨西哥的阿兹特克帝国，科尔特斯遇到了由蒙特祖马领导、管理的贡赋帝国，在很多方面与同时期的欧洲国家非常相似。阿兹特克社会与天主教治下的西班牙和伊斯兰化的北非有着相似的社会阶层结构。对于发现这样一个庞大的帝国，科尔特斯并不感到意外，因为远在哥伦布时代之前，欧洲的探险家一直期望通过一路向西航行到达中国。从欧洲人的角度看，科尔特斯之入侵最令人感到惊讶的是认识到这个世界上居然还存在一个此前完全未知、独立的帝国：毕竟文明和帝国是人类社会非常罕见和复杂的结构。当西班牙人后来推进到南美洲的安第斯山区时，他们发现了另一个，那就是印加帝国。阿兹特克帝国和印加帝国的发现是大发现时代两个最为重要的事件，在当时及之后发现的其他人类社会中，没有任何一个能在复杂程度、规模和财富方面与此二者相匹敌。

## 2. 社会复杂化如何发展

科尔特斯和与他同期的探险家一开始并不是为了证实这两处此前未知的文明摇篮的独立存在而出发的，他们也并没有将这两个伟大国家视作世界不同地区人类文化进化具有大体相似模式的重要社会科学证据。但现在我们认识到，中美地区和安第斯文明印证了这样的全球性发展模式，以强有力的证据表明，从距今大约1.2万年遍布全球的狩猎采集社会到16世纪类似西班牙和墨西哥的国家形态，世界各地经历了大体相同的发展道路。

我们面临的主要问题——广义上的中美地区文化特别是阿兹特克帝国是怎样形成的——实际是包含在更宏大的人类历史叙事中的一部分。尽管阿兹特克帝国比此前中美地区文化历史上的任何一个政治体都控制了远为辽阔的范围，但它并不是在中美地区最早出现的“原初国家”。阿兹特克国家是此前数百年中美地区国家的变体，是第一个如同罗马当年在欧洲建立帝国权威一样正在日益强大的国家。当科尔特斯遭遇阿兹特克帝国时，他发现的是中美地区复杂社会最为新近的表现形式（有关社会类型的讨论请见专栏1）。

**复杂社会与文明** | 说一个社会“复杂”是指身处其中的人因其社会地位、财富和政治影响力等差异从而形成的显著差别。复杂社会有较富的人和较穷的人，在非常复杂的社会中则是极其富裕的少数群体统治大量较低等级的生产者。在古代农业文化如阿兹特克文化中，生产者（主要是农夫和工匠）创造的财富和剩余产品让富裕阶层能够发展和享受更好的生活，就是所谓“文明生活”。“文明”是一个内涵丰富的词语，在专栏5.2中有详细讨论。就我们这里的讨论而言，简单地说，文明是社会变得复杂的时候开始出现的一系列文化特征，如成熟的艺术风格、大型建筑和像书写系统及天文学那样的知识成就。

中美地区和南美洲安第斯山区这两个美洲的伟大文明属于世界史上六个原生文明之二。其他四个诞生于西南亚的美索不达米亚地区、埃及、印度次大陆和东亚的中国。在这六个物产丰饶之地，最初的国家诞生、成熟，引发从这里到那里的次生国家的兴起，构成了我们称之为文化进化的长期进程的一部分。这一进程将我们引到了今天的由民族国家、超国家组织（如联合国、欧盟等）和全球性经济共同构成的复杂局面中。（图1.4）

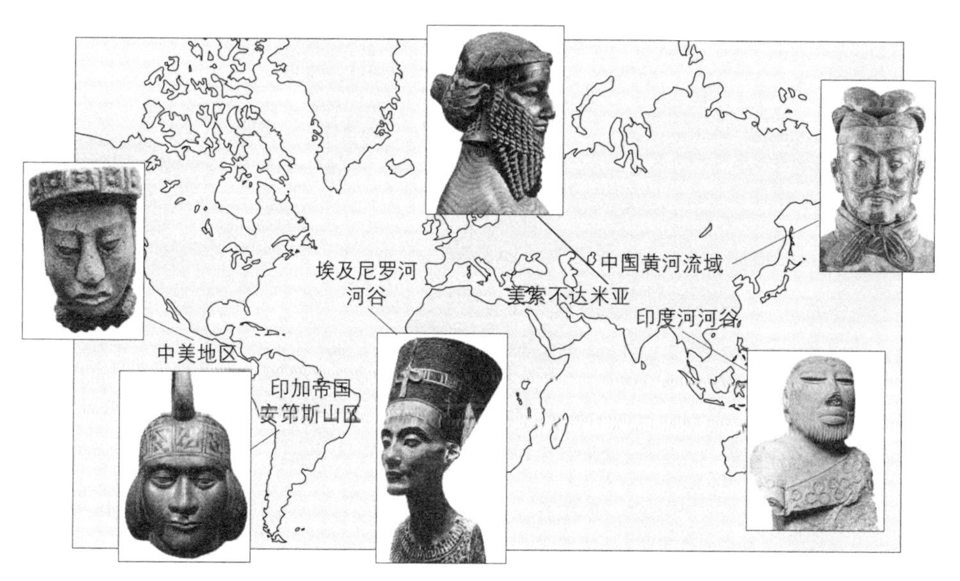


图1.4　世界的“文明摇篮”。如图所示的六个区域，都在不受外界影响的情况下独立产生了文明。图中显示了中美地区、印加帝国/安第斯山区、美索不达米亚、埃及尼罗河河谷、印度河河谷和中国北方的黄河流域。对应的图像既表现了这些社会的高等级人物，也表现了与这些人物相伴的复杂艺术风格

**文化和最早的人类**｜在最基础的层面上，人类文化被定义为人类为了增强自己生存和繁荣的能力而采取的适应性行为模式。最早的人类文化实物证据来自距今250万年的东非，仅包括一些我们祖先制作的非常简单的石器。完全意义上的现代人在距今10万年左右出现在非洲，之后扩张到整个亚欧大陆。这一不断扩张的人群以狩猎采集为生，并向未开发的疆域拓展。

尽管最早的现代人出现于何时仍然有争议，但在远离非洲和亚欧大陆的地区，比如澳大利亚和新几内亚，在距今5万年左右也有人类出现了。美洲直到更新世末期的末次冰期才开始有人类居住，当时冰期造成海平面下降，西伯利亚东部和北美最北部之间有陆桥连接。野牛和鹿等大型动物群离开原来的居住地进入新的广阔苔原地带，狩猎采集者就跟在它们后边在不经意间进入了新大陆。这一过程最迟发生在距今1.5万年左右，亦有观点认为可能在距今3万年之前或更早。

## 专栏1.1 文化演化与社会类型

人类学家已经识别出大量社会-文化复合体的类型以应用于所有人类社会。他们还提出了专门的概念命名这些类型。例如“文明”这一概念，被用来指在最复杂的社会即有明确社会等级（如统治精英、平民和奴隶等）和中央集权政府的等级化国家中能够发现的文化因素（参见专栏5.2）。鉴于“文明”的标准包括城市、经济专业化和复杂艺术风格（图1.5）等因素，我们可以同意当今世界整体上是被几个“文明”主导的，“西方文明”是其中之一。但是文明和等级制国家在漫长的人类历史中是相对晚近的事件，大约5000年前才出现。在此之前漫长的时期，一直延续到20世纪，还有其他类型的社会秩序，比如在距今1.2万—1万年的末次冰期时期，世界全部人群都是平等的狩猎采集游群。

世界文化史展现了丰富的社会类型，在世界上的任何一个地区都曾经尝试、变换、放弃或者用心经营过不同的社会类型，但并没有“单线”进化的证据，并不是每个地区都从游动的狩猎采集者“进化”到定居村落的农夫-采集者，再发展为酋邦，而后再成为国家。这样一个“普适”的简化序列并非事实，与人类活动的复杂性并不相符。但是没有人可以否认，从更新世末

**图1.5　图卢姆城堡，后古典时代玛雅遗址（弗雷德里克·卡瑟伍德绘制，1840年）**

期开始，社会形态发生了巨大的变化，那时我们所有的祖先还都是狩猎采集者；到今天，所有生活基本上都由大型民族国家和引领世界经济系统的全球性企业所塑造甚至控制。既然认识到这些，那么将我们人类整体的文化历史划分为几个基本的社会类型还是有必要的。

社会类型可以根据许多不同的标准来划分，在本书中，经济组织是最基本的要素，因为人们的生计方式决定了他们是否能够产生剩余财富，以及这些财富是否能够被社会中的部分人控制。剩余财富是食物生产之外的其他社会活动的基础，决定着是否会产生不同的社会等级和阶级，以及由哪种政府来制定政策等等，因为如果有人花费时间做获取食物之外的事，就必须有其他人来为这个人提供食物。据此可以区分出三种基本的社会类型：平等社会，没有个人财富的积累，社会关系以家庭为基础；等级社会，一些家族比其他人享有更多物质上的优势；分层社会，所有人依据财富和权力被划分为不同阶级。（表1.1）

**表1.1　前工业化社会的社会–文化复合体模式**

| | 平等社会 | 等级社会 | 分层社会 |
|---|---|---|---|
| 社会类型 | 游群（流动的狩猎采集者）和部落（村落种植-狩猎采集者） | 酋邦（村落农夫） | 国家（古代农业的、非工业化的国家） |
| 生计方式 | 狩猎，采集，简单的作物种植 | 一般以食物生产为主（农业和高强度采集）、狩猎采集为辅 | 强化的食物生产，有稳定可靠的剩余食物 |
| 经济 | 个人财富积累极少，获得关键资源方面差异极小，普遍的群内共享，几乎没有专门化的职业，劳动分工主要依据年龄和性别，物资分配仅限于家庭之间的分享 | 在关键资源的获取上存在有限但重要的差别，由家族所决定；半专业的农夫-工匠以家户和亲属组织为单位生产食物和手工产品；贸易普遍，特别是一些在统治者委托下生产的表达威望和身份的产品的贸易 | 基于阶级和家族来区分关键性资源的获取和分配；剩余食物支持了许多专门化的工匠和行政工作者；复杂的贸易关系，一般有专门的市场和约定的货币 |

续表

| | 平等社会 | 等级社会 | 分层社会 |
|---|---|---|---|
| 领土 | 同样民族身份和语言、有一定联系的社群共同利用一个已知区域，并拥有公认的使用权利 | 被多个社群组成的政治体所控制和利用的区域，他们有共同民族身份和语言 | 有明确边界的区域，并由有组织的军队和专门的军事机构守卫 |
| 人口和聚落模式 | 包括数十至数百人集中居住的人群或社群（临时性营地或永久性的农业/高强度采集支持下的村落），不同人群间的距离被尽可能地扩大，以让每个人群有尽可能大的资源领地。一些社群可能是季节性的，或是专门开发特定资源的。密度：低，每平方公里不到1人 | 区域内的聚落形态包括一个规模更大、功能更为多样的中心社群及其周围各有数百居民的村庄（两层聚落形态，是等级社会标志性的考古证据）。中心社群宣称的控制区域内，人口可达数千人。人口密度依据食物的可获性而有很大差别，每平方公里可能会高达数百人 | 区域内的聚落形态包括城市、较小的中心和村落，呈现出至少包括三层的聚落等级形态（是国家级别社会的标志性考古证据）。聚落系统构成一个单一政体，可以凝聚数千甚至上百万的人口。核心地区的人口密度非常高 |
| 社群 | 流动狩猎采集者的营地或者永久性的部落村庄。任何地区内社群的规模和功能都相似 | 中心社群有专门的行政和经济职能，比周边的农夫-工匠村落人口更多。多数社区为永久性居住 | 城市在功能、社会甚至民族方面呈现出多样性，小型中心服务于本地的行政和经济需要，农夫-工匠组成的村落是最常见的社区类型 |
| 社会 | 社会秩序依靠家族权威和面对面交流来维持。威望因能力和年龄而获得，社会凝聚力通过继嗣群体和联谊活动来维持 | 亲属关系和面对面交流继续在社会整合中扮演重要角色。亲族包括较大的继嗣群体，它们在威望方面有所差异，构成了区分个体社会等级的基础 | 所有群体被分成不同社会阶层，拥有不同的财富与特权。在地方性的定居群体中，亲属关系和面对面管理依然用于维持社会和谐，但整体而言，对社会的控制是通过为强化统治阶级制定的法典来实现的 |

续表

| | 平等社会 | 等级社会 | 分层社会 |
|---|---|---|---|
| 政治 | 各个社群都是自治的，没有一个社群被另一个控制。很少有正式的官员，领导职位在特定情况下才产生，领导通过资历和功绩而获得；领导者可以使用权威和个人魅力，但无权用强力实施其政策。纷争很常见，往往通过社群的分裂解决 | 各社区承认由酋长及其继嗣群体领导的集权统治。正式的官员包括多位首领，从最高等级的继嗣群体中选拔（出生即有的，并非后天取得的地位）。领导力取决于个人权威和感召力，少数时候求助于强力。冲突的解决方式包括政治体的分化裂变，在首领软弱时尤其容易发生 | 国家作为一个政治体系被世袭的精英所控制，行政官员有复杂的等级划分，他们中的大多数都是由于其社会地位而被赋予了权力，一些低等级的官位则可以通过个人功绩来获得。权力通过高压政治来强化 |
| 宗教与意识形态 | 信仰体系崇拜自然界，认为自然界是神圣的，充满精神力量；个人和社群的福祉是通过萨满与超自然界的交流来保障的。社群仪式主要是个人、群体及自然界的"通道"仪式 | 信仰体系同时供奉民族神祇和自然神灵；特殊的建筑及仪式凝聚整个社群；"通道"和"增殖"仪式继续指导着个人和家庭生活；萨满依然重要，是精神调解者和治疗者 | 信仰体系被典籍化，出现国家机构管理的有组织的宗教。专业祭司成为负责在大型仪式性建筑中举行仪式活动的官员。祭司们可能也承担了萨满的功能，而普通萨满继续为社群服务 |
| 中美地区文化史中的例子 | 古印第安人时代和原古时代的群体 | 形成时代定居农业村落 | 形成时代末期、古典时代和后古典时代的中心城邦及其辅助人群 |

想要在考古证据中辨认出这些社会模式，很大程度上要依赖一些关键指标，比如考古遗址的规模和复杂程度，以及在一个特定地区、特定时间段内遗址的数量和规模等。

**狩猎采集与食物生产**｜考古学家们在全世界都观察到这些古代流动的狩猎采集者有着同样的行为模式。在一些地区，适合狩猎采集的资源非常丰富，人口规模较大，密度较高，甚至建立了全年性的永久聚落。此外，我们的祖先最常利用的一些野生动植物资源在人类的照料之下日益丰产。农业的发展是由一系列被应用于特定植物和动物的种植和饲养技术构成的，农业不是一项独一无二的发明，而是在很多地区、不同时间被重复创造出来的：这是人类的行为和他们赖以生存的动植物之间一系列渐进的、多重调适的变化。这是一个缓慢的演化过程，人们对食物生产的依赖性逐渐增强，用以取代野生食物的采集和狩猎。这一过程在全球不同地方反复发生，产生了无数地方性的生计模式，其中多数都是混合性的，包括部分食物生产和继续狩猎采集野生资源。

许多环境优渥的地区仅仅依靠这种混合型生计方式就可以维持生存，而不必进行改革以保证作物生产的稳定。但在另一些地区，有效的农业需要额外投入劳动力和物资以保证丰产。世界最早的文明诞生于底格里斯河和幼发拉底河之间的美索不达米亚平原，那里诞生了世界上最早的城市和国家。从资源的角度看，那里并没有周围的丘陵山地富饶，后一区域被称为新月沃地，食物生产开始于此，并最先驯化了对我们今天的饮食仍然至关重要的动植物。一批移民先驱带着这些驯化物种从新月沃地进入美索不达米亚平原，这里缺少像新月沃地的多样资源，使得混合型的生计方式难以为继，为了获得稳定的食物供给，人们只好投入更多的劳动。然而一旦在美索不达米亚平原修筑好了灌溉水渠和堤坝，农作物的产量能够供给的人口数就会远远多于混合型的生计策略。

**人群规模、资源和冲突** | 无论是在社会组织还是食物生产方面，大规模高密度的人口都会对人类的创造性提出挑战。人类学家们知道，无论我们的技术多么发达，人群的规模都是有一定限制的。从最基本的物质层面来说，任何一个区域能够供给的食物都是有限的，这项限制一直到现代交通技术保障了最偏远和生产力最低下地区的食物供给之后才被突破。但其他对人群规模的限制来自社会方面，这似乎源自非常古老的人类生活模式。例如，尽管在现代社会的日常生活中，我们可以通过媒体或当面交流接触数千人，但在我们生命中的任何一个阶段，每个人只能与十几个人保持强烈的情感联系，组成一个“共情团体”（Dunbar 1996）。巧合的是，这也恰恰是一个流动的狩猎采集游群的有效规模。

此外，在任何时候，我们能够通过面对面交流和共同尊敬的领袖的调节发展出的可以共事的信任关系的最大规模也就是数百人。在有法律和警察机关的情况下，数百人可以一起和平地生活，但如果只通过家族血缘联系来维持秩序，人群规模显然会受到限制。事实上，一个数百人的群体是一个标准的“集团”，是另一种常见的人群规模，在人类历史上有很多有效利用了这一规模的群体的例子，比如军队、宗教会众、殖民先锋团等。这种“集团”是基于信任关系可建立的最佳人群规模，可能最好的证据来自民族学观察：无论是临时的旷野营地还是永久性的聚落，这种“集团”都是可以通过基于习俗和尊重的亲属关系维系的最大社群，在这些社群中，个人自愿服从群体中长者的权威。

当本地的条件允许或要求有更大的社群人口规模时，社群内部就会产生冲突，且无法通过传统手段来解决。应对冲突只有一或两种方式：第一，也是人类历史上最常见的方式，族群会按照冲突阵线分裂成两个更小的群体，其中至少有一方需要在别处建立新的社群。

而第二种社群冲突解决办法则更加引人注目，因为它需要社会组织方面的重大变革：建立（或强制成立）凌驾于亲族首领之上的权威。这就等于在依靠亲属关系组成的村落上面增加了一个新的社会控制阶层，将单层社会体系转化成了一个有等级的或者说是形式最简单的复杂社会。与此同时，新兴的领导阶层肩负着维持一个规模太大、以传统家庭方式难以管理群体的秩序的责任，需要坚实稳固的忠诚和支持，比如征收食物、劳动力和物资。因此就必须要有一些人来生产剩余食物以使统治者和其他人免于生计困扰。剩余食物也会养活一些以医护、手工业生产、宗教仪式和行政管理为生的专业人员。

**食物生产与权威人物的摇篮**｜充足可靠的剩余食物供给与非人情的或超越亲属关系的权威人物、多种领域的专业人士的出现密切相关，在世界各地都是社会复杂化的基础。在旧大陆，最早的农业国家均诞生于美索不达米亚、埃及、中国和印度的大河河谷。新大陆定居发生得很晚，且最早的国家既出现在肥沃的低地，也出现在对农业发展更具有挑战性的高地。

所有六个区域的文化序列整体上遵循同样的模式：

· 核心地区被反复或周期性地用来进行狩猎采集；

- 动物和农作物驯化逐渐发生，作为一种狩猎采集之外的辅助性适应手段，可能先在边缘地区出现，再传播到了核心地区；
- 核心区农业的强化造成了高产的景观环境；
- 这进一步促进了人口的增长；并且
- 使得更大型聚落的出现成为可能，又反过来刺激了复杂社会、政治等级化以及复杂劳动分工的发展。

## 3. 文化历史和年代学

上述序列是文明起源地历史发展的基本情况。我们总将历史视为从文献流传下来的叙事，但在世界上的很多地区，文献记录仅仅揭示了文化历史的一小部分。了解任何一个文化区的历史都需要使用多种类型的证据：文献记录了大事件和风俗习惯；口述传统留下了神话传说和史诗作品；物质文化遗存则包罗万象，从小的个人物品到跨越大地域的城市村镇网络。综合运用各种可以获得的资料，建立各类事件和物质遗物的正确年代序列，是重建有意义的历史的不二法门。

年代学和文化序列以及事件的精确时间排列，是阐释历史因果的基础，我们就是这样确认组成文化进化的各个过程的。今天我们将精确历史纪年视为理所当然，因为大量晚近历史是被完全记录下来的。近几十年来，考古测年技术也经历了一场科学革命，出现一系列方法，比如碳十四测年等，使得重建缺少文字记录的历史事件成为可能。年代学是将资料——遗址、遗物和文献——和理论整合起来的基本框架，我们因此才得以辨认和阐释变化过程。

**中美地区文化史的分期**｜在本书中，我们将使用一系列用于排列中美地区文化发展序列的标准年代学术语。读者需要注意，这是一个常用的分期，但对于同一个时期，不同的研究者可能会使用略有不同的年代数据。古印第安人时代以人类最初从亚洲北部迁徙到新大陆为开始。在这一阶段，整个新大陆的人类都是游动的狩猎采集者，他们狩猎的是美洲辽阔的大平原上成群游弋的猛犸象等大型冰期动物。在大约距今1.2万年，气候开始发生变化，到公元前8000年左右，随着气候转向现在的模式，景观也发生了变化，许多冰期动物走向了灭绝。原史时代随着这些变化开始，这促使狩猎采集者改变他们的适应模式，专注于利用特定地区的某些动植物类型。

大约在公元前5000年左右，各地方的本土性适应模式已经相当完备，在一些地区，人们开始操控野生植物的生长模式，也就是开始驯化它们来确保更稳定的食物供给。在公元前2000年左右，这些变化导致了形成时代（有时也被称为前古典时代）的开始。被称之为"形成时代"，是因为这一阶段已经迈出了形成成熟的中美地区社会的第一步。事实上，因为中美地区文化只在可以进行作物栽培的地区存在，形成时代只是中美地区文化在如图1.3所示的地理范围内开始成形。形成时代从公元前2000年延续到公元300年，在此期间中美地区社会从流动的狩猎采集者游群发展为定居农夫构成的村落，再发展为由一个酋长领导的多个村落组，再到由控制众多平民生产的财富的世袭精英统治的国家。

古典时代的年代从公元250年或300年到900年，这一阶段许多国家和原始国家开始发展，特别是在墨西哥中部高地和玛雅低地。后古典时代从公元900年开始到1521年西班牙人征服墨西哥结束，这一阶段见证了国家的进一步发展，最终形成了阿兹特克这样一个庞大的贡赋帝国，一个控制了今墨西哥大部分的政治实体。从欧洲人入侵到19世纪早期，美洲中部被西班牙统治，进入殖民时代，原住民的宗教和艺术因素受到了压制。从19世纪早期开始的共和国时代带来了墨西哥的独立和一些中美洲国家的诞生，也重新燃起了对西班牙人入侵之前历史的兴趣。到了19世纪末期，重要的考古和民族学研究开始发展。

对这些大阶段的简述掩盖了中美地区巨大的内部差异，当我们考虑中美地区范围以外的社会时，多样性更加突出。即使是在西班牙人入侵时期，这里依然有众多狩猎采集者，在墨西哥北部的沙漠地带尤其常见，还有很多酋邦，在巴拿马等位于中美地区文化区以南的地区尤其如此。

尽管上述这些阶段的名称和与之相关的年代都有一种强烈的文化进化内涵，

但在本书中，它们的用途仅限于时代命名而非表述进化过程，读者需要注意区别这两者，也要留意其他材料中对这些阶段名称和年代的使用可能略有区别。本书遵循的以相关理论为依据的文化-历史方法将考察整个美洲中部地理区域内的每个时期，以求抓住整个地区文化进化的动态本质。

**文化域，传统和扩散**｜这些时代名称有时被用来代指某“文化域”（horizons），即出现同类文化特征的很大地理范围。例如，在形成时代的早期和中期，中美洲第一个伟大文化传统——奥尔梅克文化的因素在从墨西哥西部和中部高地到中美地区东南部的广大区域内均有发现。这些奥尔梅克风格的因素包括建筑风格、艺术风格等，可以被称为奥尔梅克“文化域”。“文化域”这一概念和与之相伴的风格特征还可以帮助考古学家对出现有某种文化风格，但又缺少其他方法确定这些特征的年代的地区进行分期。

当然，通常认为风格的传播是需要时间的，对于传播的速率我们也知之甚少。事实上，我们对传播的方向也了解甚少。正因为如此，每一次年代学的进步或某一区域的新发现都会带来关于文化历史发展的步调和方向的新认识。“传统”被用来描述分布广泛、有共存关系的特定工具组合或是其他文化特征。例如，“凹槽尖状器传统”指的就是古印第安人时代整个美洲的狩猎采集者在狩猎活动中采用的与当时环境相适应的技术手段。

**分期之命名和文化历史**｜在每一个地区内，考古学家都会建立该区的文化分期序列，以区域性特征甚至一个遗址的特征命名，比如以瓦哈卡地区重要都邑性遗址蒙特阿尔班命名的蒙特阿尔班第一到三期等。这些分期反映了同样的文化特征在同一个地区或遗址广泛分布的情况，并可以被用来控制年代，不管具体的年代数据如何变化，我们都可以依据其文化特征知道各种遗存在区域文化发展序列中的位置。更先进的碳十四测年可以让我们知道某一个文化期的绝对年代比原来估计的更早或更晚，但这并不会影响我们确信Y期具有特定的物质文化特征和生计方式，而且年代在X期和Z期之间。

文化分期很有用，但对初学者来说可能造成干扰。专业的考古学家有时使用分期名称简化其叙述，假定所有人都知道一个具体遗址的特定文化期所具有的特征。有时他们使用分期名称并不介绍其绝对年代信息，削弱了分期在进行区域间比较时的作用。事实上，这种避免赋予文化期具体年代的情况常常是因为有时确实无法确凿无疑地给出某一个分期的绝对年代。在本书中，分期命名将尽可能地与根据最新材料得到的年代数据联系起来。中美地区考古使用的分期命名很多，并不是所有的都出现在本书所涉及的区域和遗址中。读者也需要注意文化期的名称也经常会被用作“文化”的名称，代表了一个地区特定时期的一系列行为方式和物质文化遗存。

本章的剩余部分将会对中美地区的整体文化史做一个简短的介绍，为本书的其他部分勾勒出一幅示意图。我们将从整体上来了解文化历史中的古印第安人时代、原古时代、形成时代、古典时代和后古典时代等各个阶段，以我们开头提到的特诺奇蒂特兰收尾。第二章主要讨论文化生态学和美洲中部的地理区域划分，最后对该区域最早的文化进行了深入的介绍。第三章主要讨论原古时代，第四到九章讨论形成时代，第十到十三章讨论古典时代，第十四到十九章讨论后古典时代和与欧洲人接触的时期。在最后一章，我们将看到中美地区文化是怎样劫后余生并重新被发现的，特别是近百年来的考古学家、民族史学家和文字学家为此做出的贡献。现在，让我们开始旅程。

## 二、美洲中部和中美地区文化史

对“美洲中部”这一地理区域和“中美地区”这一文化区域做出区分是了解狩猎采集者和农业人群之间更本质区别的有效方法。前者必须随食物资源迁徙，后者则自己生产自己的食物。美洲中部作为一个获取野生食物的资源域，比中美地区这样一个可以依赖玉米种植支撑农业村落的区域要大得多。

## 1. 美洲中部：古印第安人时代和原古时代的狩猎采集者

在末次冰期，西伯利亚的狩猎采集游群向东推进到美洲。最早的美洲人只留下了很少的有关他们生活的证据，考虑到流动的狩猎采集者全部的物质文化非常有限，游群的数量很少且密度极低，又经历了数千年的风吹雨打，这是预料之中的。

美洲中部古印第安人时代最好的证据来自圣伊莎贝尔-伊扎潘，距离今天的墨西哥城不远。在大约距今1万年，猛犸象狩猎者将他们的猎物驱赶到古湖边上的泥沼地里并消灭了它们。这些种属的灭绝是更新世冰期结束的标志之一。气候变化也产生了美洲中部独特的区域性地球物理变迁，形成了我们今天知道的人口定居区。原古时代早期人群以狩猎小型动物和采集野生植物为生，但在该时期保存最好的遗址是洞穴，比如瓦哈卡河谷的吉拉纳基兹遗址（图1.6）。

**图1.6 原古时代早期，人类使用洞穴作为季节性栖居营地。吉拉纳基兹洞穴在公元前8000—前6500年曾经被一小群人、可能就是一个核心家庭季节性地占用了一段时间**

到了原古时代晚期，采集者更加专注于培育某些特定类型的植物，迈出了通往驯化的第一步。一些居住在离水资源较近区域的族群，不论是海岸边还是淡水区域的河湖沿岸，擅长于利用鱼类和贝类。一些居住在太平洋沿岸的人群将海产晒干以便长期储存，甚至可能用于贸易。他们用海贝修建晾晒用的平台，有些甚至长达数百米。

**食物生产与定居**｜原古时代中晚期出现了植物驯化的趋势，在世界文化史上，类似的食物生产实验往往伴随着定居的出现，但农业和定居的关系并不简单。对于很多人来说，依靠大量采集集中分布的野生植物、不用耕作也可以全年居住在特定的营地中，作物的驯化是另一个独立的过程。因此驯化可能与建立永久性定居村落密切相关，但不是建立的先决条件。

对人类来说，定居是一件很有诱惑力的事情：一旦在人类文化的地平线上出现可以一直住在同一个地方并过上更加舒适生活的可能性，就不断会有人群放弃流动的狩猎采集生活，转而建立永久性的聚落。随着时间的推移，人类的生育导致更大的人口规模，需要进一步扩大食物生产，最终导致首领的产生，他们会以劳役和贡赋的形式控制一个广大区域内的资源。后来的中美地区人民将玉米的驯化看作等同于开天辟地的创世之举。

## 2. 中美地区：形成时代、古典时代和后古典时代的村民与市民

这些趋势在后来逐渐积累，在特诺奇蒂特兰得到了充分的展现，但原古时代晚期到形成时代初期的它们才刚刚开始。正是从这一时期的证据中我们可以开始辨认出中美地区这一文化区和该地区文化的独特模式。例如，在公元前1500年左右，大型建筑开始出现，包括两个非常重要的类型——球场和贵族居址，在几乎每一个重要的中美地区遗址中均有发现。已知最早的例子来自帕索-德拉阿马达。该遗址位于太平洋沿岸，特万特佩克地峡东南部。图1.7显示了该村落首领的房屋可能的模样。这座房屋的旁边是球场，建筑精良，颇具规模，与年代更晚、更

**图1.7 在恰帕斯的太平洋沿岸一侧，帕索-德拉阿马达的社会上层住所是新大陆最早的统治者居室。这座房屋比这一村落中的其他房屋都要大得多，还经历过多次重建。艺术家的复原图显示房顶是用茅草覆盖的**

复杂的社会中发现的球场相比也毫不逊色。我们认为这些海岸地带的大型村落是由部落首领领导的，他们既是战争中的领袖，也是宴飨活动的主持者。宴飨活动可能包括了一些带有明显宗教色彩的体育活动。这些首领可能曾经是酋邦中的酋长，他们所在的村落是由周围村庄组成政治一体化的地方性酋邦的中心。

## 专栏1.2 宗教和创世

目前我们最好的自然科学证据显示，宇宙产生于137亿年前，地球则在大约距今45亿年前的气体和物质固化过程中出现。但前现代的文化用非常不同的方法来解决阐明世界如何被创造的问题，往往从日常观察中汲取经验，以他们理解的自然界如何运作以及人类在其居住环境中如何行事的角度为出发点。对于中美地区的所有人来说，他们周围的世界是有活力、有生命的，拥有自己的精神实质，这种观点有时被称为“万物有灵论”。人们需要认知和抚慰赋予山川树木活力的精神力量，地球自身也被认为是一个生命体，它的山洞和泉眼被视作通往另一个世界的孔窍，那里是一切开始和结束的地方。因此，有关地球和宇宙的起源以及结构的解释都是以神圣的、精神的为前提推演出来的，也就是从我们所说的宗教推演出来的。

人类学家将宗教视为所有文化必要的组成部分，它与其他文化组成部分共同进化。对于狩猎采集者来说，他们共同生活的组群是神圣的，他们赖以为生的动物和植物，以及当地景观的重要特征也是神圣的。随着定居和食物生产为重要的社会变化铺开了道路，对于神圣事物的关注点也发生了变化。与其他可利用的动植物相比，最重要的粮食作物开始获得越来越多的仪式性关注。部落村庄或是酋邦中重要的家族则会宣称自己与超自然力量之间有着特殊且更为直接的联系。随着国家的出现，公共性的宗教活动被机构化，有一系列专门的教义和领导者，并要求社会全体成员对其保持忠诚。在许多古老的农业国家中，宗教不只包括与统治者相关的神祇和规则，也包括更传统的、以家庭问题为焦点的家户仪式活动。

这一文化演化的背景有助于我们理解从阿兹特克和玛雅中了解到的古代中美地区创世神话。他们的宗教是非常成熟的、国家级别的教义，包括内容丰富的对精神力量的仪式、祝祷和拟人化表达。这些精神力量中包括男神和女神，但他们像人类一样的形态仅仅是其多种法相中的一种。在意图解答诸如“世界和诸神是如何诞生的”和“人类为什么目的服务”等基本的“存在性”问题的创世神话中，神祇和文化英雄扮演了重要角色。

中美地区的创世神话都认为现在的世界只是一系列世界中的一个，以前的世界及其居民已经被摧毁了。注意“时间是循环的”这个关键的假设，

**图1.8 一般被称为“阿兹特克太阳石”或“阿兹特克日历石”，但这一大型石雕表现的可能是大巨地兽而非太阳神的形象，且并不是一个真正的日历。它将五次创世融汇在一起，在顶端一个方框内有第五次创世的时间，之前四次创世的时间则写在中央图像四周的方框里**

因为这一前提有助于我们解读中美地区人民对于人类和宇宙历史的大多数看法。

对于阿兹特克人来说，目前的世界是第五世，是赋予生命的太阳第五次创世的产物（图1.8）。五次创世中的每一世都有自己的守护神和一种人类或类人物种。之前的四世都被大灾难摧毁了，目前的世界也注定会毁于灾变（表1.2）。玛雅的一个主要的长时间循环在我们的公历2012年12月21日结束，另一个循环已经开始。需要注意的是，尽管阿兹特克的每一创世都有不同的神掌管，但各世居民及其生计方式是有某种进化式进步的。事实上，食物是每个创世中最为重要的元素之一，阿兹特克文化中最初的两位神祇被称作托纳卡特库特利和托纳卡西瓦特尔（即“营养之主”和“营养之后”），他们创造了自身和其他神祇、人类和五个创世的源泉。玉米是目前创世的标志，是其最为重要的食物，有许多神话传说都讲述了众神如何获取玉米以为人所用。因为这个，也因为众神将以前创世已经绝灭的人类的骨骼磨成粉末，与自己的血液混合创造了现世的人类，人类对神明有所亏欠，并需要通过以血献祭的方式来偿还：或是通过“自我牺牲”放出自己的血，或是杀死动物或者其他人。

**表1.2 阿兹特克的各创世记、各“世”或诸太阳**

| “太阳”或“世” | 统治神祇 | 地球居民 | 地球摧毁者 |
| --- | --- | --- | --- |
| 奥瑟洛托纳提乌 | 特斯卡特利波卡（全知全能，萨满的保护神） | 以橡子为食的巨人 | 美洲豹，吞食了巨人 |
| 艾赫卡托纳提乌 | 克察尔科阿特尔（风神，生命之神，特斯卡特利波卡的对手） | 以松子为食的人类 | 风暴，之后人类变成了猴子 |
| 提勒托纳提乌或基奥托纳提乌 | 特拉洛克（风暴之神，雨神） | 以野生植物为食的人类 | 火雨，之后人类变成了火鸡、狗和蝴蝶 |
| 阿托纳提乌 | 查尔奇维特利库埃（女水神） | 以玉米的前身为食的人类 | 洪水，之后人类变成了鱼 |
| 奥林托纳提乌 | 托纳提乌（太阳神） | 以玉米为食的人类 | 地震 |

生计在玛雅的创世神话中有着举足轻重的地位。最好的证据来自《波波乌》，这是一本16世纪玛雅高地的文献，讲述了一些神圣的事件，可以在古典时期玛雅文化的绘画和陶器图像中找到。在《波波乌》中，当世之前的世代有两对双胞胎，他们在地下世界与狡猾的神明斗智斗勇。最早的创世夫妇生下了第一对双胞胎，其中的一个名叫胡恩·乌纳普，是玉米神的其中一个化身。在他被砍头后，他奇迹般地孕育了一对双胞胎儿子，即“英雄双胞胎”，他们继续与诡计多端的神明斗争，并在地下世界去世之后重生。这些在死亡与重生之间循环往复的模式在全世界范围内古代农业人群的神话中非常常见，是对一年四季农耕周期和一年生植物的生长模式的一种反映，就像在中美地区最为重要的玉米。

形成时代早期和中期，奥尔梅克社会在特万特佩克地峡的沼泽低地中诞生，它们在这里建立了大型仪式中心，目前被视为中美地区第一个主要的仪式性遗址。奥尔梅克人还利用石头、玉石和陶土制作了小雕像，如今在世界范围内都被视为杰出的艺术品（图1.9、1.10）。年代最早的奥尔梅克遗址是圣洛伦索，位于墨西哥湾南部海岸。该遗址保留了一个巨大的平台，奥尔梅克人在上面竖立并埋藏了一些巨型

图1.9　中美地区人民使用磨制的石斧来清理土地以用于耕种。图片里的石斧则是这种实用工具的仪式性表现，发现于拉文塔遗址的一座墓葬中，年代为公元前8—前6世纪。展现了一张长着咆哮的大嘴和杏仁状的眼睛的脸，这是典型的奥尔梅克风格，表现的是学者们所说的“人形美洲豹”

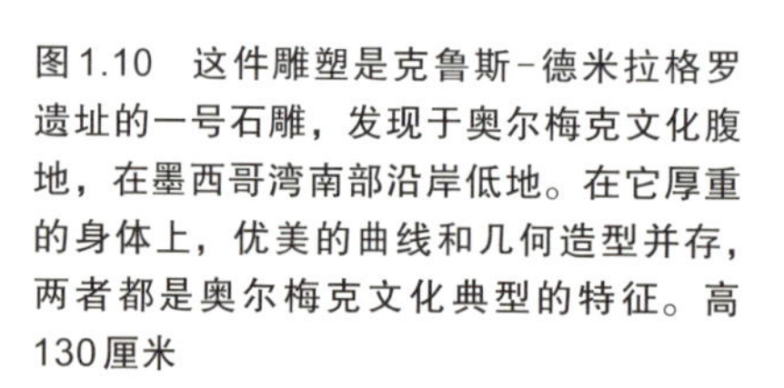

图1.10　这件雕塑是克鲁斯-德米拉格罗遗址的一号石雕，发现于奥尔梅克文化腹地，在墨西哥湾南部沿岸低地。在它厚重的身体上，优美的曲线和几何造型并存，两者都是奥尔梅克文化典型的特征。高130厘米

**图1.11　蒙特阿尔班占据了瓦哈卡河谷中部一座独立山脊的顶峰。最初建于形成时代晚期，包括一座位于遗址最南端的金字塔（照片顶部）、一座位于最北端的宫殿和若干位于两侧的神庙台基，中部形成了一条“山脊”，使人联想到遗址周围的地貌：遗址居于河谷中间之山脊上，两侧群山林立**

石人头像，当成他们领袖的肖像（见专栏5.3）。第二个重要的奥尔梅克遗址拉文塔出现了独特的建筑类型，将它们与伟大文明联系了起来，那就是高耸的巨大金字塔。以金字塔为基点，还建设有平台和广场等大片建筑群。在第五和第六章我们将看到，中美地区的其他区域也发现了令人印象深刻的奥尔梅克时代遗址，尽管在规模上无法与墨西哥湾沿岸低地相比，但都展现出一些文明因素（见专栏5.2）。

**形成时代晚期和末期的城市生活**｜文明的标志之一就是城市，但在奥尔梅克社会可能并无此特征。尽管以前哥伦布时代的标准来看，奥尔梅克遗址的规模很大，但“城市”这一概念则需要在规模和居民密度方面满足一些特定条件（聚居区内至少有5000人），而且还应具备社会地位层级化、职业专业化、族属构成多样等特征。到了形成时代晚期（大约公元前500年），中美地区的城市才开始形成。

**图1.12　特奥蒂瓦坎的太阳金字塔位于这张照片中部，其形状与远处的帕特拉奇克山交相辉映，表现了中美地区用金字塔代表山峰的观念。最主要的街道名为“死亡大道”，从太阳金字塔面前穿过，从左下角的月亮金字塔一直延伸到右上角的西乌达德拉建筑群并继续向前拓展**

有关城市发展的最好证据来自奥尔梅克文化腹地以西的高地。位于瓦哈卡河谷的精细规划的蒙特阿尔班遗址（图1.11）出现于公元前500年。至公元前200年大约有1.7万人，居住在顶部的民政-仪式中心及附近区域。该遗址可能是一片广大区域内的政治首都，通过侵略性甚至是暴力手段扩张领地。中美地区社会就是用这样的策略不断加强其复杂化，使肯定已经达到国家级别的政治组织不断扩张。

当蒙特阿尔班在规模和影响力方面都达到顶峰时，墨西哥盆地的特奥蒂瓦坎开始建立（图1.12）。这是古代世界少有的几座具有网格状街道结构的城市，它的方向反映了规划者和建筑者的坚定信念：特奥蒂瓦坎是众神让时间开始运转之

图1.13　特奥蒂瓦坎的面具多数表现出冷峻严肃的表情，为了解这座巨大而神秘的古代城市中人们的行为观念提供了线索

地。这座城市对于自身重要性的信念被成千上万慕名而来的移民所证实。到了公元300年，这座城市的人口已经膨胀到了接近10万，从而成为在阿兹特克帝国首都特诺奇蒂特兰出现之前整个新大陆最大的城市（图1.13）。然而在仅仅数百年后，这里的金字塔就破败失修，城市也走向衰落，变成周围的一系列小村庄。

**古典时代的国家**｜特奥蒂瓦坎如日中天的时候，向整个中美地区派出了商人、使节和殖民者。其中一小队人马（有可能是特奥蒂瓦坎的统治者亲自派遣的）在公元378年到达了玛雅地区。在蒂卡尔，这些外国人将他们自己中的一位拥立为新的国王。这次短暂的入侵并没有对玛雅文化造成真正的长期改变，但在数百年之后，玛雅地区仍使用特奥蒂瓦坎的符号和军事装备来作为非常高等级的象征。

关于这次有趣遭遇的另一件事是，玛雅人将此事记录下来了，这样我们才得以知晓。玛雅人使用了新大陆最为成熟的文字系统来记录他们的历史，那是一种象形文字，被雕刻或书写在石碑、书籍、陶器和白灰墙上。这一文字系统和玛雅人完善的中美地区历法系统从公元250—300年开始出现，持续了600余年。因此，中美地区研究的先驱者们就是依据蒂卡尔和其他玛雅遗址的大型建筑和雕刻定义了古典时代（图1.14）。因为拥有文字和美丽的仪式性中心，玛雅成为最著名的中美地区文化。

“神秘的玛雅”是一个引人入胜的词语，以至于当学者们通过调查、发掘和

图1.14　蒂卡尔的北卫城区显示了跨越数百年多个阶段的重建

破译铭文逐渐解开越来越多的谜团之后，人们会犹豫，这个文化美丽与神秘并存，是否要揭开她的全部秘密。事实上，有关玛雅最大、持续时间最长的谜题就是这一文明崩溃的原因。为统治者树碑立传的浪潮在持续600余年之后非常突然地结束了，似乎所有的城邦中心都在公元900年左右的数年内被废弃了。实际上，当科尔特斯在1524年征服了特诺奇蒂特兰之后穿越玛雅低地南部时，他的远征军差点儿被饿死，因为这一广大的区域几乎被完全废弃，没有能够供给食物的村落。学者们现在普遍认为低地南部玛雅文明的衰落是一个渐进的过程，由环境恶化及其导致的国王权威削弱开始，到热带雨林吞噬废弃的耕地为止，持续了数百年。

**后古典时代的帝国构建**｜不必为玛雅文化哀叹的另一个理由是它在恰帕斯-危地马拉高地和尤卡坦低地的中部和北部持续繁荣，在古典时代晚期和后古典时

图1.15 奇琴伊察武士庙位于该遗址年代较晚、已经墨西哥化的部分。大量柱子曾经支撑着原来的房顶

代早期，这些地方兴起了多个重要的中心。其中最著名的大概就是奇琴伊察了（图1.15）。该遗址本身就带有一定的神秘色彩，因为它结合了纯粹的玛雅建筑和清晰的墨西哥中部高地风格。事实上，奇琴伊察的建筑和同时期的图拉存在着许多难以置信的相似点。图拉位于奇琴伊察以西1000公里，是中部高地的核心城市（图1.16）。在这两处城市中，战争和牺牲是石砌大型建筑上的雕刻主题（图1.17）。传统上，学者们认为后古典时代早期是一个军国主义主导政治交往的时代，但近来的研究表明，在古典时代和形成时代已经有大量关于冲突和流血事件的证据，并且从形成时代开始，就已经出现了连接遥远地区的长距离交换网络。

这些重要特征对于理解这些社会的运作方式非常重要，也有助于认识每一个社会是怎样从更早的社会中继承一些文化模式的。巨大的金字塔遗迹往往令人印象深刻，大多数职业考古学家都会将他们对古代社会的终生兴趣的起点追溯到第一次被过去所深深震撼的感觉：可能是通过书本中的描述，也可能是看到一个考

图1.16　图拉的金字塔B与奇琴伊察武士庙的规模、比例和附属建筑都很相似，底部均有柱廊。金字塔顶部的“亚特兰蒂斯人像”是支撑房顶的立柱

图1.17　“亚特兰蒂斯人像”是托尔特克战士的大型雕塑。人像单手执握掷矛器和矛，身上佩戴着蝴蝶形胸坠，头戴羽冠

古遗址或一件古代遗物，让古人的生活显得鲜活生动又触手可及。同时，考古学文化也呈现出各种谜团，吸引着我们去解决。

与其他城邦一样，图拉和奇琴伊察也黯然凋谢了，但新的城市总会兴起。图拉的继任者是特诺奇蒂特兰，到1521年仍然屹立，直到科尔特斯围困并攻陷了这座阿兹特克帝国首都，将其大部分夷为平地。从1492年到1517年，在加勒比地区探险和殖民的西班牙人只遇到了一些采集者群体和定居村落的农夫，很容易就可以蹂躏他们，摧毁他们的小村庄。然而墨西哥向他们展现了非常不同的文化形势。这里的人口密度很大，贵族和祭司统治着数量庞大的农夫-工匠群体，是一处本土文明的核心区域。从在墨西哥湾岸边登陆开始，科尔特斯就注意到阿兹特克帝国的生活方式与当时的西班牙和北非有很多相似之处。在距离特诺奇蒂特兰尚有数百公里的墨西哥湾沿岸，科尔特斯就看到了阿兹特克令人生畏的征税官到小贵族领主们规模相当大的城镇访问。这些征税官身着华服，目空一切，傲慢地检索着账簿和贡品，对西班牙人非常冷淡。

阿兹特克帝国的傲慢是短命的。首先，数百万人民，包括“盟友”和敌人，都在忍受着阿兹特克帝国的压迫。他们痛恨阿兹特克帝国并热情地与西班牙人结成了新的联盟。因此数百名西班牙人在很短的时间内就获得了成千上万经验丰富的武士的支持，他们都想要推翻蒙特祖马和他的帝国。西班牙人还有其他的优势，长远上看，火器和金属盔甲在技术上要远胜于以黑曜石为刃的兵器和棉质护具。西班牙马和战犬也令中美地区人民迷惑而恐惧。欧洲人带来的瘟疫更是威力无穷，一下就击垮了对此完全没有免疫能力的本地居民。这些因素和其他因素综合在一起，意味着一旦双方开始接触，征服几乎就是不可避免的了。

## 3. 新西班牙：殖民时期

阿兹特克帝国被征服了，但西班牙人将其统治结构又继续保留了至少一百年：他们将自己置于社会和经济等级的顶端，并将阿兹特克的贡赋制度保留了数十年，直至殖民时代。这时，他们开始将农田转化为牧牛场和种植可以换来金钱

图1.18　现代墨西哥城的核心地区覆盖在古代阿兹特克帝国首都特诺奇蒂特兰的核心区域之上。这张照片从东北方向拍摄，前景部分展现了大神庙的废墟，右边是大教堂，远处（接近照片中心的位置）是城市的主广场，称为周卡罗

图1.19　墨西哥城大神庙的发掘工作发现了一些阿兹特克的仪式性雕塑。此图展示的是阿兹特克火神之一修提库特里（绿松石之主），同时也是统治权和时间的守护神。他头部的盘形装饰代表着珍贵和时间，表达了中美地区对于历法神圣性的重视

图1.20 这个斜倚着的人像被称为“查克穆尔”，是风暴之神特拉洛克神庙中牺牲献祭的祭坛，位于第一次扩建时期（第二层，详见表17.2）的大神庙台基顶部

的作物的种植园。为了彻底摧毁邪恶信仰的陈迹，西班牙人焚毁了成千上万的本地图书，也焚烧了一些被指控坚持偶像崇拜的阿兹特克人。他们捣毁神像、夷平神庙，并在废墟上建立了天主教堂。阿兹特克大神庙在1521年围城战期间就开始遭到破坏，但遗迹的体积依然非常庞大，数十年间一直隐约可见，它旁边就是建立于旧神庙仪式区的墨西哥城的天主教堂。

事实上，许多幸存下来的遗迹都表明，过去强烈地塑造了向新的墨西哥的转变：特诺奇蒂特兰仍然是首都，变成了墨西哥城，阿兹特克人的宗教仪式场所依然是这座城市里最为神圣的区域——新的天主教堂的所在地（图1.18—1.20）。教堂的对面曾经是阿兹特克的广场，今天仍然是墨西哥城的主广场周卡罗。新西班牙总督的宫殿建立在蒙特祖马宫殿的废墟之上。西班牙征服者们为争夺阿兹特克国王的旧游乐园和狩猎场而争论不休。墨西哥和墨西哥城得名于特诺奇蒂特兰的阿兹特克人的族名：墨西卡。

## 4. 墨西哥与中美洲：共和国时期和现代考古学的诞生

1600年到1700年之间，西班牙对新大陆的帝国采取了非常极端的保护措施，导致很少有外国人可以到此访问；在学术研究方面也异常保守，禁止人们对旧事产生好奇。但到了19世纪，欧洲的学者和哲学家开始表现出对世界上其他文化的强烈兴趣，在墨西哥和中美洲，原住民和西班牙人的后代也厌倦了来自远方的统治。19世纪早期，他们宣布从西班牙独立，来自墨西哥、中美洲、欧洲和北美洲的学者开始去记录并尝试发现和保护古代中美地区的孑遗。

与此同时，考古学开始从视文物为古董的兴趣中演化出来，成为一项对文化和历史进行严肃系统研究的学科（Willey and Sabloff 1974；Bernal 1980）。在北美洲，考古被定义为人类学这个大学科的一部分。人类学是研究全世界整个人类历史中的人类体质和文化异同点的学科。中美地区考古基本上是文化人类学的一个分支，着重研究过去的文化（民族学则是研究现代的文化）。考古学家有时候也是体质人类学家，研究遗址出土的人类骨骼遗存，了解古代人群的健康状况、饮食，及其彼此联系的模式；而人口学研究则着重关注人群规模及性别和年龄结构，也能够在很大程度上揭示社会发展和衰落的模式。

19世纪末期的考古学继续为当时已经开展研究的遗址和遗物提供基本信息。但20世纪和21世纪带来了方法和技术的革命性变化，碳十四测年和遥感等新技术提供了大量新资料，这又激发了在资料阐释、重建文化史和发展过程方面的巨大变化。区域系统调查等田野技术揭示了聚落形态，打开了更复杂的研究视角。这些视角关注围绕伟大的仪式中心和城市居住的平民，也关注被社会上层统治的核心区域。

民族史和艺术史的研究也发现和解释了古代中美地区的图像和文献记录，并追溯了在殖民时期顽强延续的前哥伦布时代生活方式。最近几十年，许多古籍手抄本和历史记录得以出版，印刷精美，现在任何人都可以拥有在16世纪让西班牙国王都赞赏的图书馆。

阿兹特克诗人、特斯科科国王内萨瓦尔科约特尔写过一首挽歌，哀叹死亡与变革不可避免。其中一句“美玉终有碎时”，表达所有事物终将在无情的时光流转中消逝。尽管如此，关于中美地区文化的知识还是会令我们更加充实。这些古代文化在很多方面都与现代世界如此不同，从它们的兴盛与衰落中我们或许能够探寻所有文明发展变化的一般模式，甚至包括我们自己的文明。

# 第二章　生态与文化：中美地区的开始

现在从高处俯瞰大陆非常普遍，人们甚至不需要乘坐飞机就可以直接从地图上获取全景画面（图2.1）。古代中美地区人民没有这样的视角，只能从高山上俯视有限的景观，但他们普遍认为自己生活的世界是大地巨兽高低不平的脊背（有

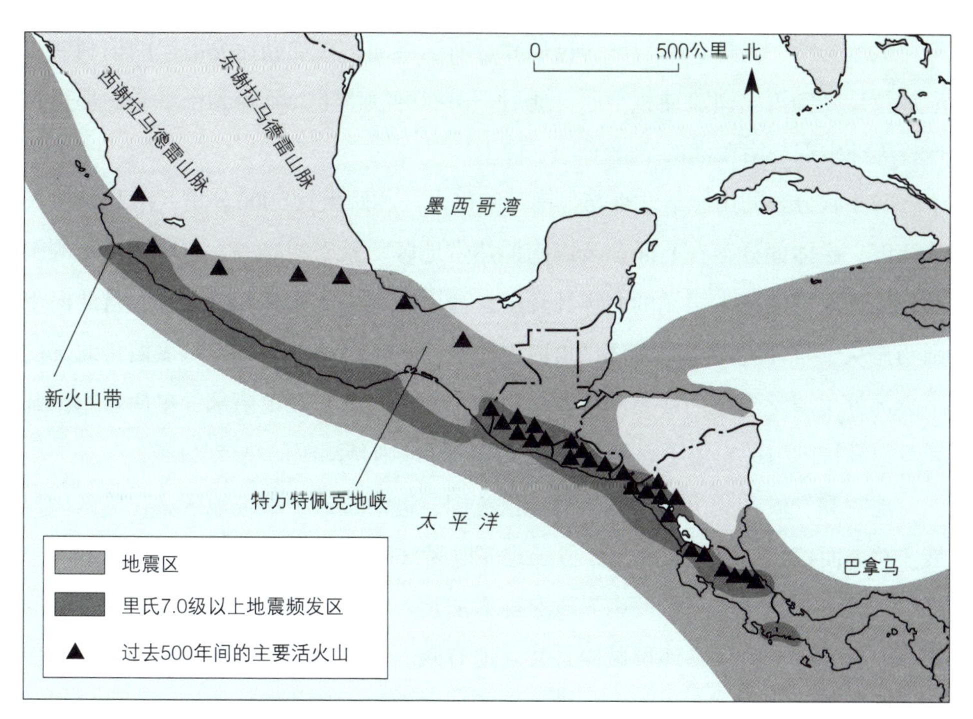


图2.1　美洲中部的地壳非常活跃。这张地图显示了影响多个地区的主要地质灾害。受地震和火山活动影响最大的区域位于墨西哥东南部和危地马拉南部

时会被描绘成一只露出水面的鳄鱼或者乌龟）。如果他们能获得我们对美洲中部次大陆的空中视野，也会赞叹不已吧，这片大地峰峦起伏，犬牙交错的山脉在漏斗状的墨西哥东西两侧蔓延。

## 一、中美地区主要的地理和生物特征

东、西谢拉马德雷山脉在东西向的新火山带处交汇，主峰高达5500米，有多座活火山。山脉绵延至特万特佩克地峡西缘，那里是广阔而相对平坦的平原，沟通了墨西哥湾低地和太平洋沿岸平原。特万特佩克地峡是陡峻的山脉与平原之间的连接点，是中美地区最为重要的地理和文化分界线，这本书会反复提及它，为叙述的内容确定方位。在地峡东侧，高低起伏的山脉再次出现，穿过墨西哥东南部、危地马拉、洪都拉斯、尼加拉瓜和哥斯达黎加，在加勒比海沿岸的伯利兹和尼加拉瓜则倾泻出河流冲积平原。此后，山脉继续南下，延伸到巴拿马，那里是连接美洲中部与南美洲的窄脖子。（图2.1）

漏斗状分布的山脉最北部与最南部的巴拿马相距大约5000公里，南北跨越20个纬度，主体部分落在北回归线以南的热带地区。紧密相连的、有巨大高差的雨林地区形成了地球上罕见的多样性环境。沙漠和湿润的雨林相邻而存，自北向南则明显从干旱环境向半湿润区、再向湿润的“热带雨林”区转变。墨西哥北部的中央部分主要是干旱的沙漠和草原，只有山地区例外。在更南部，墨西哥东南部和危地马拉的山地形成了温带气候区，周围低地则是潮湿的热带气候。

地貌和气候共同决定了玉米的种植范围，进而塑造了中美地区文化的区域发展。总体而言，中美地区的北界位于北部地区500—800毫米年降水量带以南。

相较之下，中美地区的南界没有那么清楚。在这一区域，干旱从来都不是问题，但有另一个麻烦：地形破碎且宜居地有限。因此，可以依赖农业为生的居住区彼此分离，并且某种程度上隔离于中美地区文化之外，而且没有一个区域大到能够维持典型的中美地区文化群体所需要的人口规模。最南边有中美地区文化特征的河谷是连接危地马拉高地和加勒比海的莫塔瓜河谷，有众多支流河谷（比如洪都拉斯西部的科潘河谷）。在这极度破碎的景观中，发现了不同时期的中美地区文化因素，相关遗址向南一直可以延伸到巴拿马，但文化传统的连续性被东北方的洪都拉斯中部山脉阻断了。在太平洋沿岸，中美地区文化遗址分布的南界可达哥斯达黎加北部。

## 1. 本地植被：新热带区和新北区的环境，旱地与湿地

美洲中部物种丰富，因为它是北美洲和南美洲两大区域的重叠部分，这两块大陆在距今1亿年前才因大陆漂移连接在一起。与原生地在湿热的中南美洲的新热带区动植物群相比，北美洲的新北区动植物群更适应干凉的气候。中美地区文化区特别是热带低地，是新热带区动植物的栖息地，但墨西哥中部和南部高地以及北部地区主要适宜新北区动植物群（Emery 2010）。

在更新世之后，美洲中部这两个生态区在两种截然不同的环境——干旱地区和湿润地区——中重叠分布。沙漠广布是干旱地区的典型特征，其分布范围从美国西南部和墨西哥北部向东南穿过高地的不同区域，一直延伸到墨西哥湾低地西侧边缘的陡崖和特万特佩克地峡东南部。

从那里开始，湿地沿着墨西哥湾低地扩展，向东穿过了特万特佩克地峡最宽的部分。该地峡将西侧的瓦哈卡和特瓦坎等干旱的高地地区与两侧海岸地区湿热的热带环境分割开来，并持续向东部和南部延伸。新北区旱地和新热带区湿地的区别决定了当地人利用和驯化的野生食物资源的种类。西部干旱的高地盛产结种子和果实的植物以及小型动物等，而地峡区域和东部热带低地则有丰富的河湖资源。对旱地的适应奠定了种植作物的基础，使之成为整个中美地区的主食；而在地峡区域，对丰富水产资源的深度利用为定居的发生提供了可能。

由于动植物的适应范围很大，无论在有没有人类帮助的情况下都可以跨越许多相邻的小环境区，美洲中部居民有着非常多样的食物选择。干旱地区也有许多水域，因为在整个干旱高地，河谷底部都会发育沼泽环境，在没有水源出口的

图2.2 特诺奇蒂特兰修建于特斯科科湖中的诸岛之上，该湖泊的部分水系在墨西哥盆地底部发育。画面远处是墨西哥盆地的东南边界，有两座墨西哥最高的山峰：左侧为伊斯塔西瓦特尔火山，右侧为波波卡特佩特活火山

地理上的集水盆地尤其如此。例如墨西哥盆地，更新世时在其周围发育了一圈火山，形成了一个封闭的盆地。直到距今大约400年西班牙人到来后，挖了一条穿过山脉的运河，将盆地中湖泊和沼泽的水排干，这里才成为谷地，即墨西哥谷地。现在，墨西哥城这座自特诺奇蒂特兰时期就被建立在一系列沼泽岛屿上的城市，正在“逐渐沉入大地的胃口中”（Wolf 1959：6）。古代墨西哥盆地富饶多样的资源呈现了一幅多种类型栖息方式马赛克般交错分布的画面，提醒我们在美洲中部的很多地区，对干旱地区的适应和对水生资源的利用并不是互相排斥的。（图2.2）

## 2. 大分界：地峡以西与地峡区及其东部

新热带区和新北区这两种主要栖息地的重合地带位于特万特佩克地峡和西部高地之间。随着文化的发展，这一区域成为一个重要的分界线。正如我们将看到的，当陶器开始出现的时候，两个年代最早的文化类型就在地峡区域重叠分布。此地峡成为中美地区第一个复杂社会即奥尔梅克文化最重要的地点。本书会不断重复使用“地峡以西”“地峡区”和“地峡东部”这样的分区概念，因为在中美地区，这种分区提供了一种可操作的、有实际资料支持的划分方式——基于这三个地区各自本土的动植物资源。

将主要区域定义为文化区的做法是由使用文化这个概念的本质所决定的。在古印第安人和原古时代早段，人群均为狩猎采集者，整个美洲中部在物质文化方面仅表现出细微的区别。随着原古时代的生业经济向专门化方向发展，一个个由文化连成一体的区域开始在非常广阔的地域内出现。各区域都发展出特定的工具和技术以深度利用其特定环境中的特定植物和小型动物，这将是下一章的主题，但在这里我们要知道，从距今大约1万年、末次冰期结束以来到欧洲人入侵之时，主要气候条件和植被区域保持基本稳定。“基本稳定”指的是在前哥伦布时代，也有几次由人为原因造成的气候波动，比如大量毁林导致的严重水土流失，还有某一区域起源的重要植物食物的大范围传播等等。这些将在接下来有关特定地区文化历史的章节中进一步讨论。

## 3. 气候和作物

尽管美洲中部有许多差异明显的小环境，我们仍然需要基于综合因素建立一些比较大的环境区（Vivó Escoto 1964），这些因素包括纬度、海拔、气温和降水等，还有美洲中部传统上可以种植的作物类型（图2.3）。以这一实用的农业视角，我们可以用今天美洲中部农学家和考古学家广泛使用的概念划分出三个主要区域：湿热地区、温和半湿润亚热带地区以及干凉地区。

气温影响着作物要多少降水才能生长，而气温又随着海拔的升高而降低。在海拔1000米以上的温和半湿润亚热带和干凉地区，年降水量需要达到500毫米以上才能够在不需要灌溉的情况下种植玉米；而在湿热地区，降水量必须要超过800毫米才行，因为那里有较高的蒸发率。需要注意的是，这些数值都是最小值，而不是平均数。对农民来说很不幸的是，大部分中美地区降水量的年际变化非常大，年平均降水量必须远远高于上述值，才能在这种剧烈的波动中保证农业生产。许多区域都用修筑灌溉系统和其他景观改造方案来应对这一挑战，这些措施需要集中劳动力和土地，是对土地的重要投资，会使土地增值，从而让它们的主人更加富有，由此加速社会等级化和经济不平等的趋势。

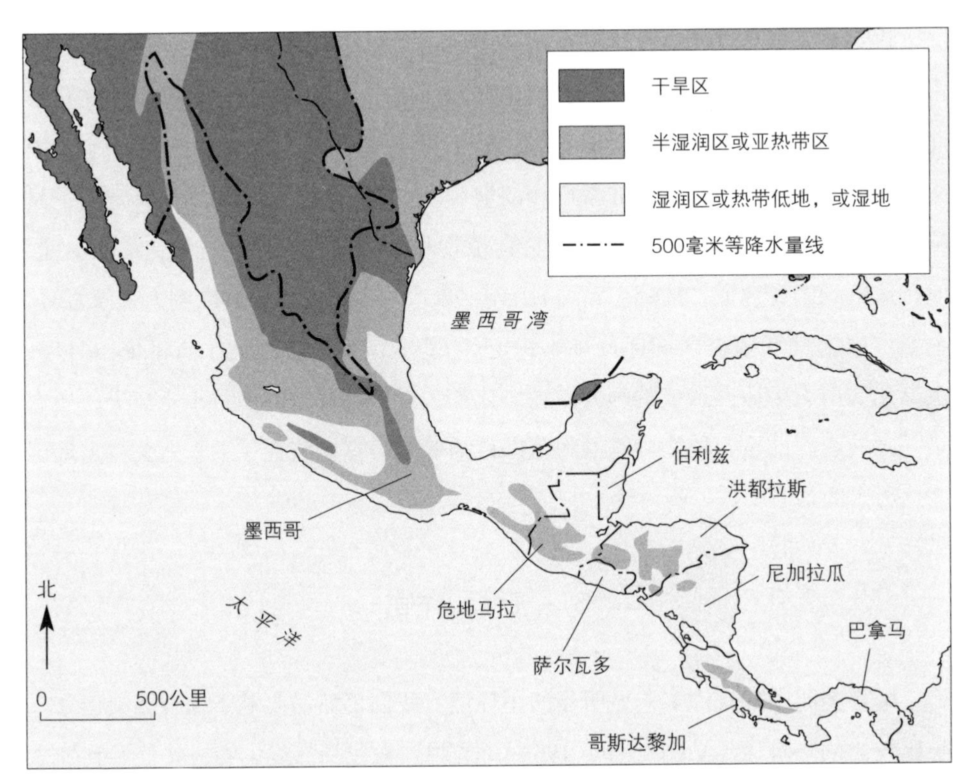


图2.3 美洲中部根据降水量和海拔可以划分三大主要气候区，最重要的分界线是500毫米等降水量线。分界线以北的区域过于干旱，无法种植玉米。干旱区包括北部沿海区和高地，向南一直延伸到特瓦坎河谷；干旱区绝大多数属于干凉气候，海拔在2000米以上，不管白天多么炎热，夜晚都会寒冷，霜冻危害可长达半年。半湿润区或亚热带区：海拔多在1000米以上，从农业的角度考虑属于典型的温和的亚热带气候。湿润区或热带低地或湿地：差不多包括了整个中美地区的山麓低地，也被称为炎热之地，海拔在1000米以下。在这里许多作物只要水分充足就可以生长，但有一些作物（比如可可）不能生长在海拔1000米以上的区域

## 4. 与其他摇篮的对比

与其他文明摇篮的自然环境相比，美洲中部如何？旧大陆最早的文明主要诞生于大河河谷，比如埃及的尼罗河、苏美尔的幼发拉底河和底格里斯河、哈拉帕和摩亨佐达罗的印度河，以及中国的黄河。这些巨大的流域系统促进了地区的统一，也为交流和交换提供了现成的通道。美洲中部高耸的山峰和分散的流域模式

没有为整个文化区提供单一的、面积广大的持久中心。

中心的缺失并没阻碍复杂社会的发展，长远来看，反而对发展有促进作用。区域性文化在各自独特的背景下发展，利用和珍视本地可获取的物质资源，也可以自由地借鉴邻近区域的技术进展、作物驯化和社会革新。这些紧密相邻的区域提供的独特挑战和不同资源进一步促进了物品和观念的交换以及人口流动。

## 二、中美地区人民与文化生态学

美洲土著人民相信，他们周围的世界、景观和其中的生物共享着生命之力和精神之力。这种“万物有灵”的思想在美洲中部次大陆深入人心，而且，正如我们所见，具有一系列令人印象深刻的生动特征。地貌景观整体上非常年轻，时至今日依然处于活跃的形成过程中，有断层沿线的地震和碰撞、火山喷发，有热带风暴带来的风起云涌的天空和引发的洪水等。此外，所有这些活动都加强了这一区域性差异非常显著的地区中相邻区域在气候、地貌特征和资源等方面的鲜明对比。

随着中美地区文化的发展，一些地理和气象要素被以美洲土著的独特方式塑造成神。16世纪主要由西班牙殖民者做的记录中，往往似乎是描述着一系列类似古希腊罗马的“神祇”，比如人格化的风神或闪电神等。事实上，中美地区的神祇概念虽然也有超级英雄的内涵，但意在表达某种以不同形式存在的原初神力。是的，他们确实有“山神”，但山本身即为神明，充盈着神圣的、强大的大山之灵。类似的捉摸不定的神力还被认为同样存在于活火山中，比如，会在波波卡特佩特火山中；会在中美地区人民敬奉山灵的宴会和仪式上摆放的籽糖模型山中；也会在更大的高山模型中，即金字塔和上面的雕像。

因此，古代中美地区人民长期以来对他们周遭的环境既保持警惕又充满了兴趣，会认真体会这些精灵的情感并满足他们的需要。由于在这样有生命的景观环境中生活，他们认为自己与有生命灵力的自然界存在密切的互惠关系，并相信他们的行为会在周围交织弥漫的灵力之网中得到回应，就像他们也要用自己的行为回应有生命灵力的世界的需求一样。

## 1. 为生态背景赋予文化含义

在一个对人类行为有高度回应性的自然环境中，人们生活于其中、受其影响并对其发生影响的原则是我们所熟知的，因为这也是我们现在理解世界运作规律的基本前提。这个原则现在被称为“文化生态学”，该理念认为人类文化和生物物理环境存在动态的相互反馈关系，这一互动系统中，一个部分发生的变化会引发另一部分的反馈，以此类推。现今人类对自然环境有着非常强烈的影响，以致如果我们采取最激烈的影响行为，会马上造成波及全球性的后果，比如核爆炸导致的植物枯萎等。但我们应该注意，人们对短期利益的热爱，常常会滋养不愿意为自己的行为负责的懈怠。看看我们应对全球气候变化是多么束手无策的吧，虽然解决这一问题当然会符合我们的长远利益。

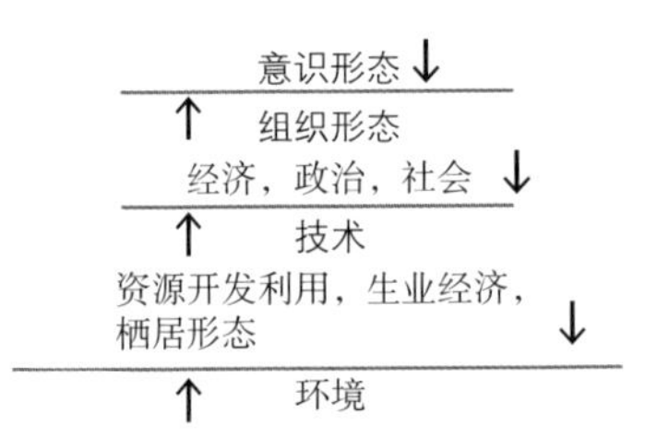


图2.4 文化生态学假定文化和环境之间是动态相互作用的：二者互相为对方设置界限，并相互利用对方呈现出来的可能性。文化的核心包括与满足社会最重要的物质需求最密切相关的各种技术上、组织上和意识形态上的因素（据Steward 1955改写）。在上图所示的模型中，文化核心的主要因素之间的关系通过它们的位置和箭头来表示，箭头显示了作用力的方向。因此我们可以假设，一个文化的意识形态影响了它开发利用环境的方式，但这种影响是通过文化组织（包括经济的、政治的和社会的）来实现的，还需要有技术来提供保障。因此，连接人与环境的关键纽带必定是生业经济实践（以及在任何地区都是由生计类型所决定的聚落形态），即人类是怎样谋生的，更具体地说，是一个文化是怎样获取食物的（比如狩猎采集、现代工业化的大农场等）

文化生态学将人们的态度（例如不肯牺牲短期利益）也纳入了考量，因为任何一个文化的信仰体系都会在进程和事件中扮演重要角色。跟许多强有力的框架结构一样，文化生态学的基础扎根于最基本的问题：任何一种特定的环境是怎样影响食物获取的？我们获取食物的方式直接关系到一个区域能够养活多少人口。只有在能够养活大规模高密度的人口的时候，复杂社会才会出现和维持。

需要注意的是，在任何一种生计方式下，某一特定景观环境都会有一定的生产潜力，可以通过其可提供的食物量来衡量。当然，食物之外的因素也会限制该区域可以养活的人口数，比如水资源的可获性和居住地的安全性等。一个区域的文化生态学研究会将这些因素纳入考量，同时也会考虑到社会关系和这些适应方式在精神层面上的表达。一个文化的关键特征被称为“文化核心”（图2.4）。

因为文化生态学要考量文化中所有相互作用的因素，如生计方式、社会组织、经济、政治和意识形态等，其研究范围是整体性的，视角是实证主义的，更重视证据而非态度。因此，这种文化研究方式对考古学家具有强大的吸引力，因为古人留下了残破的工具和建筑废墟，但并不经常记录他们的态度。

## 2. 意识形态：我们对自己的所作所为说了什么

垃圾不会撒谎。它有时会将一些重要的东西遗漏在外从而误导我们做出有偏见的阐释，但是垃圾反映着现实生活。如果我们过度依赖官方的历史记录，可能会接受一个有偏见的、理想化的认识，但物质遗存是令人信服的证据。对当代垃圾堆的研究和对它们的制造者的访谈显示，人们做了什么和他们说了什么之间是不一致的。例如，废弃空酒瓶数量远远高于被报道的酒精饮料使用率（Rathje 1974）。类似的是，阿兹特克人声称他们非常节制并通常远离酒类。但是发酵的酒精饮料随处可得，酗酒的可能性广泛存在。阿兹特克人将一些公众酗酒事件的肇事者判处死刑，如果真没问题的话，哪里需要这么严厉？

文化生态学没有忽视这些态度（比如“我们自愿过着清醒不酗酒的生活”），而是将其纳入了阐释框架中，因为它们标明了社会规则和激励因素：哪些是社会所尊敬并会被容忍的。但生计方式和其他物质因素在对任何区域文化的总体重建中都必须优先考虑，无论是现代文化还是古代文化，因为如果没有食物和栖居之所，我们会死亡。当考古学家理解先民如何谋生之后，有关区域文化发展的一个最基本问题就解决了。文化生态学影响深远，被今天绝大多数中美地区考古学家所接受，并以之为广泛理解文化及其与环境关系的最好的通用性工具。文化生态学为专题研究更为细致的阐释奠定了基础。

## 3. 生计方式：我们实际上做了什么

生计方式是获取食物的系统，是文化核心中的基础要素。我们注意到，美洲中部最早的居民狩猎大型动物并采集其他食物和材料。随后，当大型动物走向灭绝的时候，他们长期依赖其他不那么引人注目的野生资源。最后，人类与驯化物种之间的绑定完成之后，在很多地区，采集成为生计策略中的次要部分。人与玉米相伴相生，在作物能够支持高密度人口的区域出现了复杂社会（图2.5）。

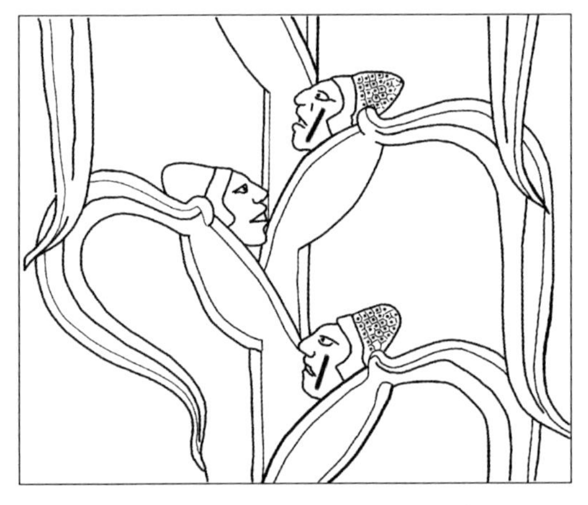

图2.5　对于中美地区人民来说，环境、精神价值和人类文化的整合并不是一项智力练习，而是他们根深蒂固的生活方式。在这张图中，玉米秆上长出来的并不是玉米穗而是人头。玉米是人类的食物，因此也是制造人的原料。玉米还是来自神的礼物，作为感恩回馈，人类也要把自己作为祭祀的牺牲品，成为神享用的玉米。这幅壁画来自后古典时代的卡卡斯特拉遗址（特拉斯卡拉地区），画面上的人头都是被拉长了的。这并不仅仅是为了强调人头和玉米穗之间的相似性而进行的艺术夸张，也是对于中美地区广泛流行的头骨人工变形实践的真实刻画。这种变形需要从婴儿时期开始将头部夹在硬板之间，直到其柔软的头骨长成玉米形或楔形。这种变形不会对大脑造成伤害，在当时是美丽与优雅的标志

## 4. 定居及其结果

尽管有些艰苦和简陋，狩猎采集者的流动生活其实是相对健康的；当我们的祖先定居下来并依赖农业的时候，他们开始出现诸多营养不良的征兆，身材变得矮小，更多疾病。然而，作为一个物种，我们有着定居的强烈倾向，在资源获取性允许的情况下，几乎都会在一个地方定居下来。定居代表了一个重要的转折点，在此之后社会开始变得更加复杂，发展出在基本的年龄、性别和技术能力之外的阶层差

别。流动的狩猎采集群体的基本元素核心家庭仍然是构建所有更加复杂的中美地区社会的砖石，是更大、更复杂的社会、政治和经济结构中的组成部分，无论在平等的部落、分层的酋邦还是等级化的国家中均是如此。

定居使得食物储藏和物品积累成为可能，此二者是复杂社会中社会等级、经济组织和政治权力强有力的促进因素。对资源的控制是少数人得以操控多数人的重要前提，这种操控是少数个人或家庭强制他人为自己服务的能力。这种权力还可以通过意识形态手段获得，一个信仰体系的传统内容就是一些家族与强大的超自然力量有着更加紧密的联系，由此使他们和社会其他成员的社会和经济差别合理化。

## 5. 行为与能动性：个人的角色

在这一宏大的进程中，个人扮演了怎样的角色？历史往往促使某一个重要的个人成为变革的推动者、一个关键的角色。那么，我们对大趋势的强烈关注如何说明和考量这些个人的能动性和行为呢？这一问题对于研究中美地区有关于个人（通常是统治者）和其行事的文献记载的时期尤为关键。

例如，最近破译玛雅象形文字的进展极大地丰富了我们对于王朝历史的知识，甚至是关于某些人物的认识。其结果是得到了比之前仅根据考古遗物和建筑遗存认识到的丰富得多的文化史。考古学研究可能揭示出一座玛雅城市被焚毁并劫掠一空，但对颂扬征服的纪念碑碑文的释读则可知道当时这一地区的政治一体化，以及导致这场灾难的原委。玛雅国王的碑文可能具有宣传和自我吹嘘的成分，但提供的信息依然是无价的。

历史上的关键人物使文化人性化，为其注入了嬉笑怒骂。对于个体角色的关注唤醒了历史学中传统的“伟大人物”理论，即认为伟人推动事件的发生。因此我们可以发问，如果没有希特勒，第二次世界大战是否会发生；如果没有比尔·盖茨，电脑是否还会控制我们的生活；又或者某些玛雅统治者是否需要为古典时代广泛扩散的战争负责。如果从总体的、系统性的文化发展视角看，似乎个人行为是有限制的，难以摆脱他们所在时代的节拍。个体可以影响有时甚至极大地影响文化发展，对于个体角色的描述，会提供我们需要的细节，使得历史事件的洪流变得生动起来。

关注作为“能动者”的个体、通过物质文化或文献记载来理解其抉择，可以为了解古代的社群和家庭生活提供近距离的深入视角。为了理解个体和家庭的行为，能动性研究必须重建可供这些人进行选择的范围，即要为考古研究的社会设定行为准则。我们当代社会将个体自由选择权视为一项天赋人权，而且，在我们的世界里，任何必需品都可以通过金钱获得，个人可能只是在互联网上的虚拟世界里拥有数百位“朋友”。与此相反，传统社会中的人们社会化程度更高，交流主要是面对面的，参与的人数也比较有限，主要限于亲戚之间。习俗和等级的压力很大，在一个几乎没有隐私、贬抑打破成规行为的世界中，流言蜚语和批评谴责更会强化这些压力。此外，获取生活必需品也绝非易事，寻找和加工它们都非常耗时。这些区别和其他重要因素一起限制了社会中的个体能动性。通过对日用物质遗存的研究认识平民生活也能使我们对文化过程的理解更加生动。但是，研究“物品的社会生活”忽略了“物品并没有社会生活，它们只是被社会场景中的人使用”（Arnold 2007：110）。物品当然因此具有了社会历史。

法国历史学家费尔南德·布罗代尔（Fernand Braudel）在他关于地中海周边区域各文化的研究中，恰当阐释了个体行为和宏观的社会进程之间的关系。他以海洋本身为模型，发现在最宽泛的层面上，人类与环境的关系就像海洋缓慢但巨大的季节性变化；特定群体的社会历史则如同“一股股奔涌潮流”；第三个层面，即“个体的历史”，如同“表面的波动和波峰飞溅的浪花”（Braudel 1972：20—21）。

## 6. 文化进化的是与不是

所有层面都会随时间而变化，但在总体层面上，才发生着显现重大发展过程的变化，也就是我们说的文化进化。需要注意的是，文化进化并不代表朝向复杂化的“进步”，也并不意味着社会复杂化总是代表普通大众生活水平的提高。文化进化仅仅是指随时间发生的变化，但总被认为会向越来越复杂的方向变化（这当然是我们人类历史的总体变化趋势），以至于一些人类学家有时候会用“退化”来形容与这一趋势相反的过程，比如区域复杂文化的“崩溃”。

中美地区文化历史有许多令人震惊的此类“退化”的案例，比如玛雅文明在一千年前几乎从尤卡坦南部低地完全消失。我们接下来将会看到，玛雅文化在这一区域无法维持与神圣的土地之间的稳定关系，过多的人口造成的对粮食作物的过度需求导致文化-生态系统的不平衡和土壤贫瘠化。这个让人触目惊心的例子很好地说明，理解作为栖息之地的美洲中部各个地区对了解中美地区文化的重要性。

## 三、各文化区

在整本书中，各文化被描绘为在特定区域中发展着；在许多章节中，特万特佩克地峡以西干旱区的文化和遗址都被汇总在一起介绍，而地峡及东部区域被分为另一组。为了更好地了解这些区域和它们之间的联系，我们将在这里做一个纵览，采用标准的从北向南的视角，根据大环境的一致性和文化联系将相邻区域合并成大区（图2.6）。关于每个区域更详细的信息将以地图和标注的形式在“参考地图”部分介绍，作为参考。一些基本信息，比如“地形和自然植被”（参见Wagner 1964：221—263），“农业气候”和“灾害”有助于我们理解各地区对于经济最重要也最受崇敬的景观。这些“参考地图”上也标出了许多书中并未涉及的考古遗址，这些遗址也收录在索引中，提供了检索小遗址的途径，以便利用区域性综述的书籍和文章进一步研究。我们的调查从中美地区以北的美国西南部开始，那里是深受中美地区文化影响的“北部干旱带”，然后再向南、向东移动。

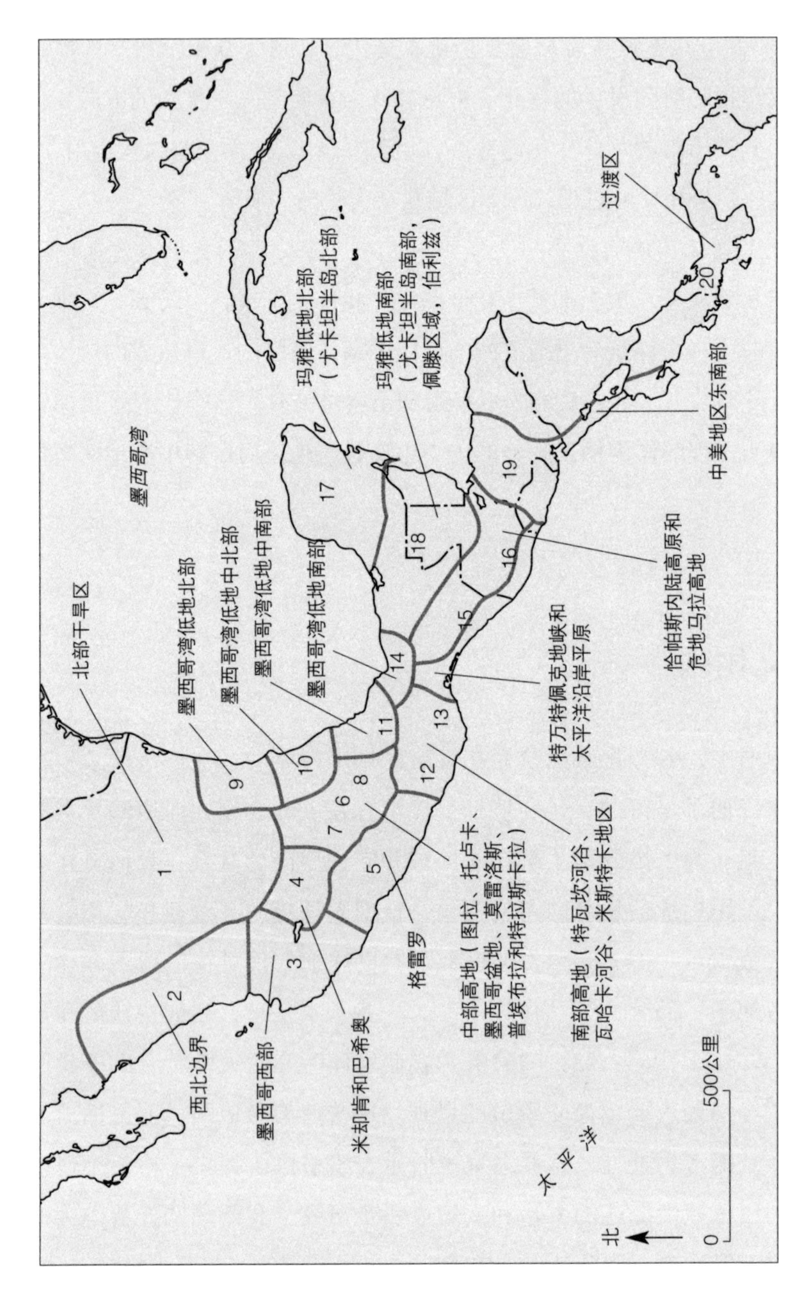


图2.6 美洲中部的主要文化区。图上的数字对应书后“参考地图”的编码

## 1. 特万特佩克地峡以西

北部干旱带位于依赖降雨的玉米种植区的北界以北（参见“参考地图”1），此北界在中美地区最大的圣地亚哥-莱尔马水系以北，这也是连续分布的中美地区文化因素区的北界。阿兹特克人称当地居民为“奇奇梅卡人”。他们是公元15世纪前后生活在这里的流动的狩猎采集者，延续着原古时代早期就已开始的沙漠传统生活方式（参见第三章）。农业村落有时会出现，特别是在干旱程度稍轻的海岸平原和山麓。出现了一些表现出受到中美地区影响的等级社会，但都没有持续发展。

西北边界沿太平洋沿岸低地和山区延伸（参见“参考地图”2），最早在古印第安人时代就有人居住，形成时代开始出现贝丘，古典时代有比较大型的村镇，在山区形成了一处重要的采矿中心——阿尔塔维斯塔。

墨西哥西部：大约在北纬20°，西谢拉马德雷山脉断裂成一系列宽阔的山谷，从太平洋一直延伸到新火山带（Neovolcanic Axis）西端。该火山带有一连串的火山，连续向东延伸到墨西哥湾（参见“参考地图”3）。该地区形成时代晚期和古典时代早期文化都流行将死者葬于竖穴墓中。

米却肯和巴希奥位于西墨西哥州的东部，由一系列宽广的河谷组成。米却肯是后古典时代塔拉斯坎贡赋帝国的发源地，其首都位于金祖赞。紧邻其北的是一处高原（西班牙语称之为“巴希奥”），是中美地区的北部边界。根据不同时期的气候变化，巴希奥有时在中美地区范围之内，有时则在其外。在殖民时期引入了欧洲的作物和犁之后，巴希奥成为小麦的丰产之地。

格雷罗包括众多环绕巴尔萨斯低地的崎岖地带，有分别属于发源于中部高地的巴尔萨斯河和发源于墨西哥西部及米却肯地区的特帕尔卡特佩克河的庞大河谷系统。这些河流向西汇入太平洋，为当地的人口流动和贸易提供了重要的通道，但破碎的地貌阻碍了政治一体化的发展和外界的征服（参见“参考地图”5）。特奥庞特夸尼特兰遗址显示了格雷罗在中美地区社会复杂化进程中的重要地位，该遗址著名的“奥尔梅克”建筑的年代可早至形成时代中期。

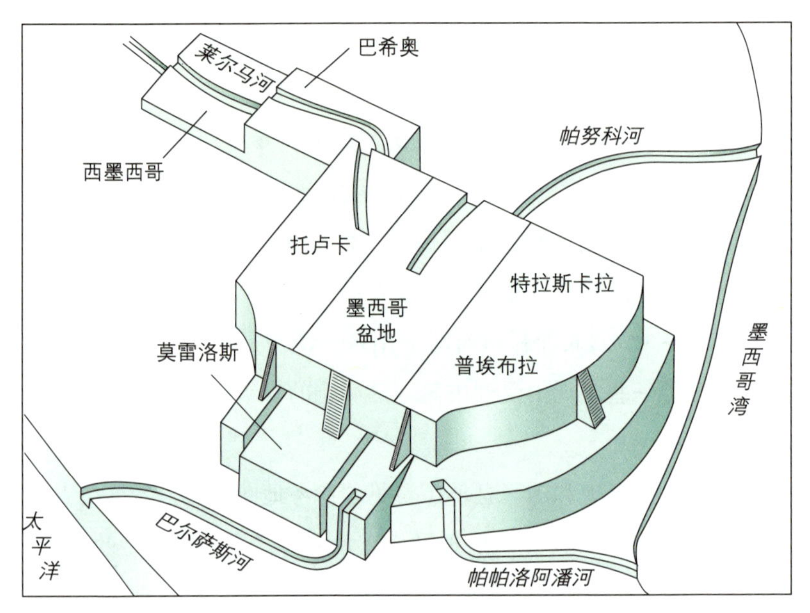


**图2.7　中部高地。“从形态上看，这片山区类似其早期居民修筑的金字塔：有高大的墙壁，东西两侧陡峻，从狭窄的海岸突然向上隆起，形成一个巨大的高台地”（Wolf 1959：3）。这张示意图显示了墨西哥最重要的四条河流是如何从这个高地上发源的，它们是连接太平洋的莱尔马河（其下游叫圣地亚哥河）和巴尔萨斯河，以及连接墨西哥湾的帕努科河和帕帕洛阿潘河**

墨西哥中部高地：今日的墨西哥城即阿兹特克时期的特诺奇蒂特兰位居一系列高海拔河谷的中心，该地区被称为中部高地或墨西哥中部。这一区域的纬度与尤卡坦半岛相近，但那里是热带，而本区的高海拔高地河谷是寒冷和相当干旱的寒冷地带。尽管自然条件带来了诸多挑战，每当中美地区呈现统一之势时，中部高地中心的墨西哥盆地仍都是焦点。（图2.7）

墨西哥盆地及其周边的图拉、托卢卡、莫雷洛斯、普埃布拉、特拉斯卡拉等地区一起，共同构成了一个被称为“墨西哥中部共生区”的文化区。该区域由相邻的盆地和河谷组成，共享着高水平的互动，交换着原材料、成品和观念。对这一区域更通常的表述是“墨西哥中部”，泛指这一个区域内的所有文化，不论其属于哪个特定的小区或哪个时代。由于“墨西哥中部”比“阿兹特克”（指墨西哥盆地后古典时代晚期的主导文化）或者“特拉维坎”（指后古典时代莫雷洛斯地区的文化）等都更准确，因而是被通常使用的概念。读者要注意我们在这里界定的这个概念涵盖的区域。

**墨西哥盆地**｜这一重要的核心区域是一处集水盆地，西部、南部和东部被高山环绕，北部则是丘陵（参见“参考地图”6）。盆地的所有溪流都由四周汇入中心，形成了一系列湿地和湖泊，从古印第安人时代开始就是重要的资源地。湖泊周围的冲积平原从形成时代中期开始就被开垦为农田，形成时代晚期出现了奎奎尔科和特奥蒂瓦坎等重要的遗址。特奥蒂瓦坎是中美地区古典时代早期最重要的遗址之一，但在衰落之后，墨西哥盆地一直到后古典时代晚期才再次占据主导地位，出现了声名赫赫的阿兹特克首都特诺奇蒂特兰。

**托卢卡和图拉**｜墨西哥盆地以西是墨西哥海拔最高的河谷托卢卡，在后古典时代民族众多，主体为马特拉钦卡人，他们的语言与奥托米语相关，首都位于卡利斯特拉瓦卡和托卢卡。这一区域是塔拉斯坎和阿兹特克之间的缓冲带（参见“参考地图”7）。北部的图拉地区气候干燥，高低起伏的山丘和高原之间有重要的大河穿过。该地区在后古典时代人口密度达到了顶峰，图拉是特奥蒂瓦坎最重要的继承者之一，在美洲中部两条最重要河流的上游发展起来。这两条河是向西汇入太平洋的圣地亚哥-莱尔马河和自西向东流向墨西哥湾低地的帕努科河。

**莫雷洛斯**｜该河谷位于中部高地的南部，较低的海拔使得这一区域比高地其他地区要温暖湿润得多（参见“参考地图”6）。河谷气候更温和，与地峡和南部高地的早期复杂社会的距离也更近，这使得当地的文化更早成熟。位于该地区的查尔卡钦戈是形成时代中期一处重要的仪式中心，古典时代后期的霍奇卡尔科遗址则是特奥蒂瓦坎的继任者之一。

**普埃布拉和特拉斯卡拉**｜这些高地平原形成宽广的谷地，之间有山脉相隔（参见“参考地图”8）。特拉斯卡拉在阿兹特克帝国贡赋区的重重包围之中保持自身的独立，因此闻名遐迩。他们后来与科尔特斯结盟展开反对阿兹特克的战争，其军队对最后的胜利至关重要。普埃布拉在中美地区文化史上一直是人口密集的地区。它的首都乔卢拉从形成时代至今一直有人居住，该遗址的金字塔也是前哥伦布时期中美地区最大的建筑物。

墨西哥湾低地北部和中部地区：墨西哥湾低地顺海岸绵延逾800公里，包括四个文化区别明显的地区，其中三个在此处介绍，最南部的地区则归入地峡区域中介绍。

**墨西哥湾低地北部**｜在巴希奥地区以东，东谢拉马德雷山脉形成了墨西哥湾低地的东北边界，也是北部干旱区的东南边界，这里是另一个受气候环境和邻近地区的影响，生计策略和定居形态非常多样的地区。谢拉马德雷山脉到墨西哥湾低地北部的平原地区走势逐渐低缓，这一区域主要为河流纵横的热带湿地。墨西哥湾低地的最北部（参见“参考地图”9）在殖民时期被称作瓦斯特卡，当地居民讲玛雅语，早在形成时代就已经到达这里。

**墨西哥湾低地中北部**｜再向南是墨西哥湾低地中北部地区，位于该地的埃尔塔欣遗址是中美地区古典时代晚期和后古典时代早期最重要的中心之一（参见“参考地图”10）。墨西哥湾低地北部和中北部与南面紧邻的热带低地和西部的干旱地区有文化上的联系。

**墨西哥湾低地中南部**｜当西班牙人到达中美地区时，科尔特斯将低地中南部作为他的第一个行动基地，设立了韦拉克鲁斯镇。与之相邻的森波阿拉是阿兹特克帝国的一个区域中心。这一地区长期有人类居住，有许多重要遗址，如形成时代的中心特雷斯萨波特斯，图斯特拉山中与特奥蒂瓦坎有密切联系的古典时代早期遗址马塔卡潘（参见“参考地图”11）。

南部高地：墨西哥另一处地势较高的区域是南谢拉马德雷山脉，它是东谢拉马德雷山脉向南与新火山带相接的一条支脉。上文提到的格雷罗地区属于其西部；格雷罗以东是瓦哈卡山区，包括瓦哈卡河谷和米斯特卡地区；再向东，是普埃布拉河谷向南的延伸部分特瓦坎河谷。

**特瓦坎河谷**｜地形崎岖，气候干旱，尽管抑制了种植广度和人口密度，但在这里的洞穴遗址发现了早期植物驯化的证据（参见“参考地图”11）。如气候地图所示（参见图2.3），这里是与北部干旱区环境相似的栖息类型分布的南界。在河谷北端拥有永久性泉水的地方，早在原古时代就已经出现了聚落，并一直沿用到今日，成为特瓦坎镇。

**米斯特卡**｜转向西行，我们会来到一个辽阔的地区，这里是讲米斯特卡语人群的故乡，包括三个区域：紧邻特瓦坎河谷山地中的上米斯特卡，其西部丘陵起伏的下米斯特卡，还有太平洋沿岸狭窄区域内的海岸米斯特卡（参见“参考地图”12）。里奥贝尔德河流经山区，尽管上米斯特卡最闻名的是后古典时代的城邦国家，但从形成时代开始这里就出现了重要聚落，该遗址中有部分中美地区最好的历史文书。

**瓦哈卡河谷**｜Y字形的瓦哈卡河谷位于米斯特卡地区以东（参见“参考地图”13）。这里是驯化、定居和复杂社会出现的一个早期核心区域，其中蒙特阿尔班遗址是中美地区第一个真正的城市。

## 2. 特万特佩克地峡及其以东地区

地峡区域：美洲中部地区最主要的分界线位于上述干旱区和湿润的墨西哥湾南部低地及特万特佩克地峡之间。这些低地属热带气候，水汽缭绕，受到从高地发源的蜿蜒曲折、反复泛滥的河流的强烈影响。地峡连接着墨西哥湾低地和向太平洋沿岸延伸的墨西哥恰帕斯、危地马拉和萨尔瓦多的山麓地带。

**墨西哥湾低地南部**｜夸察夸尔科斯河及其支流从墨西哥湾南部海岸的低地沼泽间蜿蜒流过（参见“参考地图”14）。这一区域是奥尔梅克文化的核心区域，诞生了中美地区第一个复杂社会，其中心位于圣洛伦索和拉文塔。

**地峡和太平洋沿岸平原**｜特万特佩克地峡包括了从墨西哥湾到太平洋的整个区域，从南至北相对水平延伸，长度不到180公里。北部是墨西哥湾低地南部，向南延伸至太平洋附近的低山区，再向南是海岸平原区，沿太平洋一直延伸到萨尔瓦多（参见“参考地图”15）。从形成时代开始，这一区域就是一个文化进化蓬勃发展的地区，很早就出现了政治权力向等级化和集中化发展的趋势。在帕索-德拉阿马达遗址发现有中美地区已知最早的球场。

恰帕斯内陆高原和危地马拉高地：沿海地带北部地势坡起之处是高地地区，西部是恰帕斯内陆高原，东部是危地马拉高地（参见“参考地图”16）。这一区域的文化历史从形成时代中期的社群一直延续到16世纪20年代，后古典时代的城邦国家在此与西班牙人斗争。重要的中心包括从公元前1400年开始一直有人居住的恰帕德科尔索和稍晚在公元前1000年左右出现的卡米纳尔胡尤，后者是现在危地马拉首都危地马拉城的一部分。

玛雅低地北部和南部：恰帕斯高原向北延伸至墨西哥湾低地，从拉文塔以东便进入玛雅低地的范围，一直延伸到整个尤卡坦半岛。整个半岛是一块巨大的石灰岩大陆架，落水洞随处可见，但几乎没有河流。在形成时代末期、古典时代和后古典时代，伟大的玛雅城市从这里兴起。到了古典期最末段，当南部低地的蒂卡尔和帕伦克等大型中心被废弃的时候，北部的城邦国家乌斯马尔和奇琴伊察持续繁荣（参见“参考地图”19）。玛雅文化分布的最东端位于莫塔瓜河谷及其支流地区，最重要的中心是科潘。

中美地区东南部：玛雅地区的东部和南部是受中美地区文化影响的边缘地区，形成时代的奥尔梅克文化、古典时代的玛雅文化和后古典时代的墨西哥中部文化都对这里产生了影响（参见“参考地图”19）。但在脱离中美地区文化影响的时期，当地的复杂社会也是欣欣向荣的，其语言和民族属性均不属于中美地区。塞伦是萨尔瓦多古典时代早期的一处农业聚落，因被火山灰掩埋而保留下来许多当地农民和手工业者的生活细节，也为了解无数其他的中美地区农村提供了参照。

中间区：在中美地区以外的南部区域是美洲中部地区的最南端。这一地区在文化上与南美洲有很多联系（参见“参考地图”20）。当地居民讲奇布查语，与中美地区共享一些基本的文化特征，比如种植玉米、利用棉花，但重要的文化交流证据非常少见。位于巴拿马的莫纳格里约是美洲中部最早使用陶器的地区之一，年代在距今5000年左右。

## 四、中美地区最早的居民：公元前8000年的狩猎采集者

以上各个地区的简介强调了它们的独特性，随着文化史的展开，这些差异在塑造地方文化适应和地区民族认同方面无疑具有重要意义。我们的描述涉及最近的数千年，更新世（距今200万年到距今1.2万—1万年）的最后一个冰期早已结束，人类在非洲、欧洲和亚洲的演化也早已完成。

直到更新世之末人类才到达了新大陆。在大约距今3万年前，完全意义上的现代人占据了包括非洲、欧洲和亚洲在内的旧大陆的绝大部分区域。在大陆北端，他们通过狩猎采集获取食物，偶尔可以猎获猛犸象之类的大型野兽。这些被称为“大型动物群”的猛犸象、大獭兽、剑齿虎等动物是晚更新世草原和林地中的典型物种，它们在更新世的气候条件改变之后走向了灭绝，其中一些的绝灭原因可能与人类的狩猎活动有关。但大多数人的食物是由可获取食用的植物和小型动物组成的。小型群组在可利用资源的附近区域扎营，因为任何区域的野生资源在特定时间内都只能养活相对较少的人口，每个营地的人口规模都很小，可能仅包括几个核心家庭，延续的时间也比较短，仅数天或数周。这些群组通常生活在洞穴或岩厦里，有时就住在树丛遮盖的野外，或用树枝甚至猛犸象骨骼搭成架子再蒙上兽皮的简易窝棚中。他们使用简单的石制工具，能够控制和使用火。

长期以来，我们人类在适应新环境方面一直表现出色。与其他物种一样，我们也要遵守生殖潜能定律，持续地繁衍出比更新换代所需更多的后代，因为需要考虑到生命过程中的种种危险，保证至少有一部分个体存活下来使得整个种群得以延续。当人口总数超过了特定区域的承载力时，一部分人就会产生在其他地方寻求更好生活的愿望。这有助于人们避免过度拥挤带来的另一个更为可怕的后果——环境恶化、投入更多劳动以增加食物产量，以及不可避免的冲突和社会不平等，这些将会在后面的章节中介绍。晚更新世的人类故事中，更引人入胜的部分是一些狩猎采集者持续不断地向更荒远的地方推进。他们进入东北亚，又向更北方的西伯利亚半岛推进，徒步或乘简陋的小船沿海岸线向东，追逐各种各样的食物资源，最终到达了全新的领地——美洲大陆（表2.1）。

**表2.1 美洲中部古印第安人时代早期遗址。遗址位置参见“参考地图”**

北部干旱区

**圣伊西德罗洞穴** 最早的层位属于马尔帕斯传统，是索诺拉和奇瓦瓦沙漠的前克洛维斯居民

**迪亚博罗洞穴** 据估计年代在距今3万年左右

**兰乔-拉阿马波拉** 更新世晚期小溪旁边一处屠宰遗址，发现大型动物骨骼、骨制和石制的工具以及火塘，碳十四测年结果为距今1.5万年，可能早至距今3.3万年

墨西哥盆地

**特拉帕科亚/索哈皮尔科遗址** 2500件石器，还有化石、炊煮区等遗存，年代属于特拉帕科亚期，可能距今2万年以上

普埃布拉

**考拉潘和瓦尔塞季尤区域的其他遗址** 五处出土石器和更新世动物群的遗址。考拉潘地点有一个可参考的碳十四测年数据，为距今2.1万年。巴尔塞基略区域其他遗址的年代可能更早，但有人对发掘方法提出了批评

玛雅低地北部

**洛尔顿洞穴** 发现可能属于前克洛维斯文化的乳齿象和马化石，以及石制和骨制工具，目前还没有碳十四测年数据

人类占领新大陆的模式并不是先驱者们不断将一条前线向前推进，而是一些斑块状的区域相继被人类占用的过程。狩猎采集者是流动着的，他们必须追随自己所利用资源的生产季，在一年中从一个营地移动到另一个营地。为了成功地生存下来，狩猎采集者必须对特定的领地非常了解，因此这种年际的迁居流动往往在一个固定的区域内进行，他们还会严密防范其他狩猎采集群体入侵自己的领地。

他们的生活主要是寻找食物，除了大型动物，还有大量有用的小型动物和植物，这些可能才是他们基本的食物和用品。由于他们缺少长期储存大量食物的方法，获取食物成了持续不断的工作，同时也要从事手工业活动，生产和维修群体的日用和狩猎用品。这些用品构成了他们有限的物质遗存，因为狩猎采集者全年都要在不同的营地之间流动，只能拥有可以随身携带的物品。

## 1. 亚洲起源

学者们一般同意“北美洲和南美洲的原住民都来源于东北亚人群……因此唯

一合理的迁徙路线就是经由白令陆桥（低海平面时期白令海峡出露的部分）到达北美洲西部”（Wright 1991：113）。美洲原住民和亚洲人有一些共同的形态特征，比如眼睛上的蒙古褶和独特的铲形门齿，以及血型组。

他们还共享一些可能有着共同根源的文化实践和信仰：当欧裔美洲人望着满月的时候，他们会看到一张脸，而亚洲人和美洲原住民则会在升起的满月表面看到一只兔子的形象，这种动物的孕期与月相和人类的经期同步呼应。在占卜历法、天文技术以及对宇宙结构的认识方面，中美地区和亚洲之间也有一些相似性（Coe 2011：219）。在东北亚和美洲原住民中，我们发现一些拥有强大占卜与精神力量（即萨满神力）的人会成为领袖。在亚洲和美洲原住民的文化中，萨满是生者与死者、人类与景观之间的媒介（图2.9）。在中美地区的整个文化史中，伟大的领导者也同时是伟大的萨满。对于古印第安人时代的狩猎采集者来说，食物充足和身体健康是首要之事，因此由萨满引领的社群仪式生活一直关注寻找与自然世界之间的精神联系，特别是通过“通行仪式”来庆祝重要的人生转折点，通过“上升仪式”来标记季节性和年度变化，通过“抚慰仪式”来帮助社群或其中的个体避免灾祸或渡过难关。

从西伯利亚到美洲大陆的大迁徙标志着“古印第安人时代”的开始。“古印第安人”（Paleoindian）这一名词意在表达“土著美洲人”这一传统概念与旧石器时代（Paleolithic）的旧大陆人群的共时性。

## 2. 古印第安人时代

古印第安人时代也被称为“石器时代”，因为打制石器是这一时期保留下来的为数不多的物质文化证据。绝大多数器物只需要用几张表格就能够列完，绝大多数遗物的出土背景并不清楚，年代也难以测定。仅仅依靠这些石器和屠宰猎物的遗址是无法复原文化面貌的。古环境研究、相邻文化区的考古发现、狩猎采集人群的一般行为模式和西伯利亚人群与美洲原住民的DNA比较研究也提供了重要的信息。

美洲原住民是什么时候开始在新大陆定居下来的？确定美洲人群扩散的时间仍然是“继续存在的、可能难以解决的未定论问题”（Fiedel 2006：21）。古印第安人时代留下来的人类活动，证据非常稀少，这是可以理解的，因为流动的狩猎采集人群的物质资料有限，人口密度低，人群规模小，时间跨度又非常漫长。一些研究根据对含有疑似人工制品的粗糙石器的地质地层的测年结果，认为人类在距今20万年前到达美洲。但学者们一般认同没有充分的证据表明人类在这么早的时间就到达了美洲，这比完全意义上的现代人出现的时间要早得多，比人类到达西伯利亚的时间也早很多，那里最早遗址的年代为距今2.7万年（Dixon 2006：134）。

**古印第安人时代早期，或前克洛维斯文化（距今3万±1万年至公元前1.1万年）**｜最近学者们开始接受人类有可能早在2万年前就已经到达美洲并开始扩散的观点（Hester 2010），远远早于底部带凹槽的克洛维斯尖状器开始使用的时间。人类在距今2万年左右出现的说法得到了多重证据的支持，包括地球物理、人类的基因和外表形态以及语言分化时间研究等，其中一些有更高的可信度，有些则不然，但综合权衡之下，这些证据是支持这一观点的（参见表2.1）。

这一研究领域近期的争议是蒙特维尔德遗址的年代。该遗址位于南美洲，测年结果早于距今1.25万年（Dillehhay 2000）。但是，关于该遗址是否早在距今3.3万年就已经有人居住，学者们尚未形成共识。北美洲最近的新发现和对数十年之前积累的考古材料的重新研究支持人类早在克洛维斯文化之前就已经到达美洲的观点。位于俄勒冈州的佩斯利洞穴遗址在20世纪30年代进行了首度发掘，当时暂定其年代为距今1万年；近期对粪化石中的人类DNA进行测定的结果显示年代可达距今1.43万年（L. Cressman和D. Jenkins等人的研究成果，参见Stewart 2008）。尽管关于人类最早到达美洲的时间尚无统一认识，但“没有人怀疑前克洛维斯文化时期即有人类在美洲生活的可能性”（Beaton 1991：212），且这些狩猎采集者带来了人类驯化的第一种动物——狗（参见专栏2.2）。

## 专栏2.1／萨满教

萨满教是一种信仰体系，其关注点在于天赋异禀的个体的精神媒介作用，这些人声称可以在世俗生活和精神世界之间游走（Vitebsky 1995）。萨满为满足社群的精神需要而服务，通常包括减轻焦虑，调停健康、社会和谐及与自然世界的关系等方面的危机。还有更凶险的另一面：他们在被充分信任的情况下，可以通过心理操纵来引起焦虑。萨满的信徒们认为，萨满能够预言未来事件或诊断病因。萨满通过转化体验来寻找灵感以磨砺出他们声称的技能，这些转化体验包括通过梦境、药物、有节奏的鼓乐和舞蹈或者肉体压力（饥饿、疼痛、创伤、疾病、睡眠剥夺等）进入欣喜若狂的恍惚境界。在神志游移的状态下，萨满会幻想自己转变为动物精灵以寻找危机产生的原因。（图2.8）

“萨满”是一个西伯利亚语词，该地区的萨满传统有着古老的根源。这

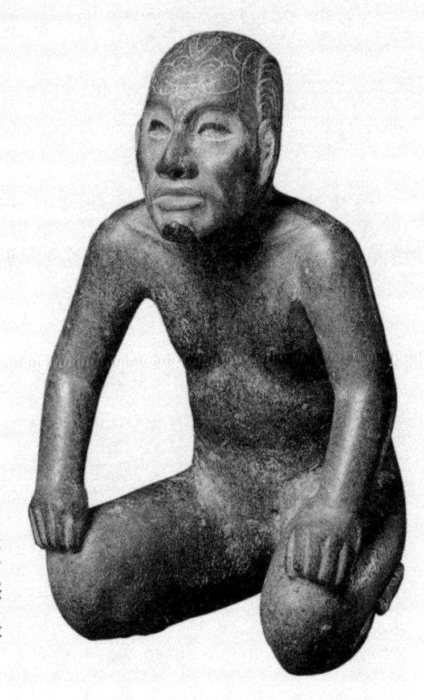

**图2.8　这件石刻人像高约17.5厘米，造型为“转换姿势”，在形成时代中期的奥尔梅克文化塑像中非常常见，表达了萨满从人类形态向动物形态转化的过程，转化的对象一般是灵伴美洲豹**

一术语曾经在世界范围内被用来称呼社群内的精神领袖，在那些有组织、有体系、宗教影响微弱的地区尤其如此。在那些地区，本地的宗教实践活动才是维持群体与自然环境之间和谐关系的主力。西伯利亚的萨满是医疗术士、精神媒介和狩猎采集群体中狩猎和突袭活动的领导者。在平等社会中，萨满是群体中最有影响力的成员。

萨满可能是女性也可能是男性，是被一场生活危机召唤出来的角色。危机激发了他们对情感和社会氛围的高度敏感性，也激发了他们通过展现令人信服的心灵和超感官力量（通常是精湛的魔术或障眼花招）获得追随者们信任的能力。萨满充分掌握了"'显圣辩证法'，即将凡俗者和神圣者彻底分离，造成世界的分裂"（Eliade 1964：xii）。

萨满教至今仍然被墨西哥和中美洲原住民所践行，也曾经是古代中美地区精神基石的一部分，是"基层宗教"（La Barre 1970）。作为东北亚晚更新世狩猎采集人群的后代，美洲原住民继承了祖先的精神实践。美洲的萨满有使用致幻剂来联结精神世界的传统，这种做法可以追溯到古印第安人时代。北部干旱区的沙漠文化遗址发现了世界上最古老的致幻植物，那是一处有侧花槐（拉丁名*Sophora secundiflora*）种子的窖藏坑，年代在公元前8440—前8120年（Furst 2010）。这种种子毒性极高，但在控制剂量的情况下可以使人进入癫狂状态。佩约特仙人掌也是北部干旱地区的一种致幻植物，早在公元前5000年就已经被使用，并在整个中美地区广泛交易。

到了形成时代和古典时代，宗教和社会组织变得更加复杂，萨满活动开始为加强领导者或统治者的力量服务。到了古典时代，强大的国王们开始以美洲豹为他们的动物灵伴，这是美洲中部地区最强大的动物。后古典时代最强大的神明是特斯卡特利波卡，是个恶毒的骗子，他的名字意为"烟雾镜"。他既是萨满的守护神，自身也是"永恒的萨满——反复无常，聪明机敏，外形和存在的形态都在一直变化着"（Day 1991：246）。至于"萨满"是否也包括复杂社会中很有权势的预言者，学者们之间尚存在争议

（Klein et al. 2002；Astor-Aguilera 2010），但正如我们将会看到的，这一根深蒂固的传统经由关键人物发扬光大，贯穿了中美地区的整个文化史。

**古印第安人晚期，或克洛维斯文化和其他底部带凹槽的尖状器传统（公元前11000—前8200年）**｜许多年来，学者们都在以克洛维斯尖状器（图2.9）这一特殊的打制石器作为美洲北部和中部最早的、被完善记录的文化组合的代表。不管在克洛维斯文化之前是否还有其他考古学文化，该文化都标志着底部带凹槽的投掷尖状器最早在新大陆考古记录中的出现。克洛维斯尖状器是新大陆的本土器物，它们在保存良好的考古背景中被发现，可以提供令人信服的证据，表明在距今1.2万年美洲有一个广泛分布的狩猎采集文化，并暗示了在这种器物出现之前的数千年，来自亚洲的前克洛维斯人群扩散已经开始出现。

克洛维斯文化器物组合中的打制石器包括了“用高超的技巧生产的两面打制的矛头和投掷尖状器”，这种尖状器会被固定在一个穿刺用的长矛上，或者是装在一个与掷矛器（这种器物往往用阿兹特克人讲的纳瓦特尔语来称呼，叫作“阿特拉托”）配合使用的投矛上，共同构成了“令人望而生畏的武器”（Zeitlin

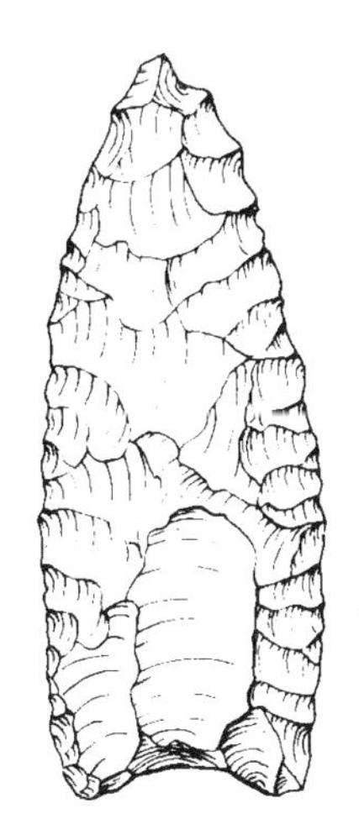
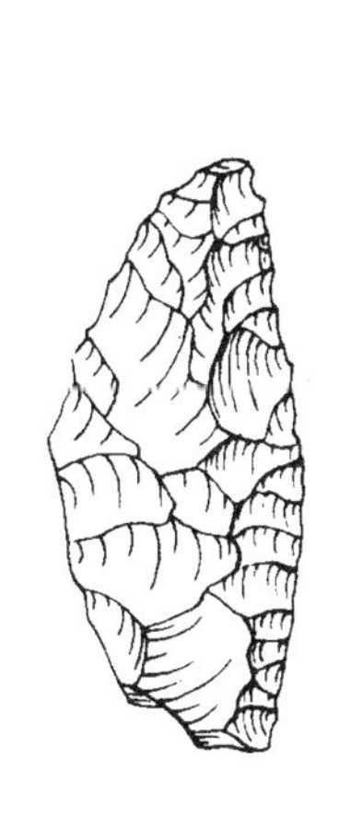
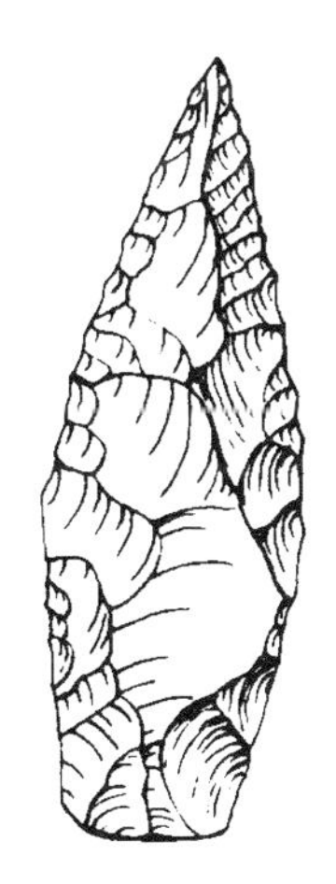
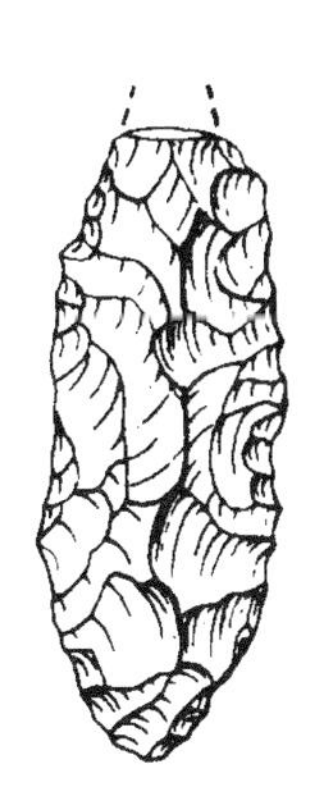

**图2.9　古印第安人时代的打制石器。古印第安人时代中期的投掷尖状器：左边是北美洲的克洛维斯尖状器，右边三件是圣伊莎贝尔－伊扎潘遗址与猛犸象化石共出的石器**

and Zeitlin 2000：63）。这些尖状器有各种各样的尺寸，毫无疑问在猎杀大型动物之外还有其他用途，但我们对这种工具使用者的印象受到了美国和墨西哥一些猛犸象屠宰遗址的强烈影响。在这些遗址中，一些尖状器被发现时仍然插在被狩猎的动物的骨骼中。生产这些尖状器的燧石和黑曜石有时产自数百英里之外，显示出狩猎采集者曾经长途跋涉。得克萨斯州的一处克洛维斯遗址中发现的一件两面加工尖状器，其原料为黑曜石，就产自1600公里之外的北部干旱区（Hester 2001）。

克洛维斯尖状器主要发现在美洲北部和中部。晚更新世美洲大陆另一个重要的尖状器类型是鱼尾形尖状器，在美洲中部偏南地区有所发现，但主要见于南美洲，包括南美洲最南端的火地岛上发现的费尔斯洞穴遗址。这些遍布整个大陆的物质文化模式表明，即使是在距今1.2万年之前，一些特定的文化特征仅分布在特定的地区。在北部干旱区一个被侵蚀的干河谷中保留下来完整的克洛维斯遗址"埃尔芬-德尔门多"（西班牙语意为"世界的尽头"）（Sanchez-Miranda等人的研究成果，参见Stewart 2009—10），是在美国之外发现的第一个完整的克洛维斯遗址。单独发现的克洛维斯尖状器对于了解区域的考古学文化年代序列很有帮助，而未被扰动的遗址则是一个宝库，在这个遗址中就发现了与狩猎采集者日常生活密切相关的不同活动区域。

## 3. 大型动物狩猎者

不论究竟是在何时到达美洲的，更新世的美洲原住民都是猎人，他们的捕猎对象特别是猛犸象之类的大型动物，为每一个群体编织出了对当地环境的认知，尽管猛犸象肉对于他们一整年的饮食来说贡献微乎其微。在对狩猎采集社会的描述中，狩猎，特别是作为猎手的男性被赋予的威望长期以来都让秉持公正的研究者们愤愤不平。他们指出，包括无数女性在内的采集者提供了大量食物。这些必需的和有营养的食物，从对游群的整体生存价值上讲，要大于一次成功狩猎带来的偶然性回报。

是什么因素塑造了狩猎行为的神秘性以及肉食的威望？一个原因是，这些早期文化保留下来的物质遗存绝大多数为石制的狩猎工具，让我们对其理解发生偏差。无数用容易腐朽的材质制造的工具，比如采集用的网兜和篮子，并不能比他们的使用者存活更长的时间。这种偏见的另一个原因与所有人类的天性有关，在进化历程中我们一直倾向于享受动物性肉食和脂肪的味道，这种偏好有助于确保我们在贫乏时期得以生存。还有一个因素是狩猎作为一项维系整个社会的活动的乐趣和价值。有时狩猎可能只是一种完全的个人追求，但它往往包括了群体中的部分或者全部健全的成年人，特别是男性，需要大家拿出勇气、智谋、纪律和信任，共同努力。另一个因素，就是在成功的狩猎活动后，共享肉食的行为有助于强化社会团结。猎人们会根据亲属关系、友谊关系和互惠关系中的人情债，悉心分配肉食，在广义互惠关系网络中编织出另一套纽带。

还有一个令人信服的社会原因是烧烤猎物的宴飨活动，这是难得一遇的庆祝和饱食的机会。事实上，一些人在食物丰富的季节会规律性造访的营地往往会聚集数个小游群，形成一个临时的大游群，举行聚会、宴飨、仪式和择偶活动。宴飨的社会价值远远超过食物所能提供的卡路里的价值，在这种活动中肉食往往是餐饭的核心，因此威望也就被赋予到猎人和萨满的身上。

**猛犸象屠宰和牺牲者遗址：圣伊莎贝尔-伊扎潘和特佩斯潘（墨西哥盆地）**

这是一幅充满英雄气概的画面：一个瘦小的猎人仅凭一支长矛就放倒了一头皮糙肉厚、重量超过8吨，行动时速可达48公里的猛犸象。然而，世界各地的猛犸象狩猎遗址都表明，人类的智慧可以弥补其劣势。他们狡猾地潜行跟踪这些巨兽，寻找可以增加猎获成功概率的机会。狩猎采集群体会将受惊的动物群驱赶到悬崖边或是沼泽中，让他们的猎物动弹不得。

在两个相距数公里的现代村庄伊扎潘和特佩斯潘之间的古湖岸上就发现了这种情况。该遗址位于现今墨西哥城东北约35公里，发现了至少8头被猎杀的猛犸象（拉丁名*Mammuthus imperator*），年代属晚更新世，为公元前9000—前7000年，处于底部带凹槽的尖状器文化期（图2.10）。这些猛犸象最早在20世纪40年

图2.10 在圣伊莎贝尔-伊扎潘遗址，距今1万年前左右，古印第安人时代的猎人们猎杀了被驱赶入泥沼中的猛犸象，在这一过程中可能使用了一种名为“阿特拉托”的掷矛器

代发现于特佩斯潘，在开挖水渠的过程中被发现埋藏于未被扰动的晚更新世地层中。“这只巨兽两腿陷入泥潭，被紧紧包住，只好放弃挣扎，难以解脱，滑向死亡”（DeTerra 1957：161）。

在猛犸象生活的年代，这一区域曾经是一处沼泽密布的潟湖，附近还发现了其他遗存。1945年曾经发现了一具人骨，被称为“特佩斯潘（男）人”，曾被认为与猛犸象属同一时期。这一发现一直充满了争议，最近的研究显示该人骨实际属于一位“特佩斯潘女人”，年代仅在大约距今2000年（García Barcena 1994）。尽管这个样本存在一些问题，但很明显猎人们曾经捕获过猛犸象，而深陷泥潭无论是对人类还是对他们的猎物来说，都是致命的风险。

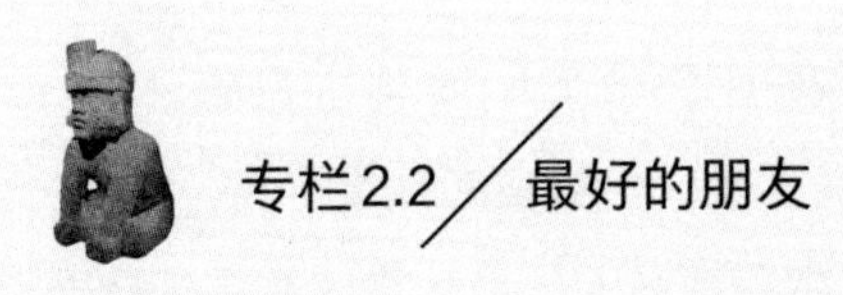

## 专栏2.2 最好的朋友

“他们养来作为食物的狗……非常好吃。”（Hernan Cortés 1986［1526］：398）

所有的狗都是由犬科的狼演化来的。在全世界范围内，狗都是第一种被驯化的动物，它们有很强的社会性，性情温顺，掌握实用的狩猎技巧，同时对任何闯入领地的其他物种都有攻击性。驯化的过程可能发生过不止一次，但美洲的狗与旧大陆的狗有着共同的祖先，可能是被古印第安人时代的狩猎采集者带到新大陆的。美洲中部地区最早的驯化狗的遗存发现于阿韦哈斯期的特瓦坎河谷，年代大约为距今5000年，在美洲的其他地区，驯化狗的证据可追溯到古印第安人时代。

从原古时代早期开始，特瓦坎河谷人群的饮食中狗的比例开始逐渐上升，显示出在对狩猎获得食物的依赖性减弱之后，狗成了重要的蛋白质来源。在形成时代的各个阶段，圣洛伦索遗址的哺乳动物骨骼遗存中狗占到了七成，特奥蒂瓦坎的动物遗存中狗的数量也超过了鹿（Schwartz 1997：65）。

随着狗肉在形成时代饮食中的日益普及，人们培养出了不同的狗品种。与现代的品种范围相比，这些早期的品种都比较相似，都属于现代所说的“工作品种”，或者被称为“食用品种”。古代墨西哥的狗与现代的吉娃娃犬比较相似，但要大得多，头顶部高45—60厘米（Valadez Azúa et al. 1999：190，192）。一些几乎无毛，一些则毛发粗壮。在16世纪，西班牙人将较大无毛狗用作长途航海中的食物，差点儿导致它们的灭绝（Coe 1994：96）。

为食品市场饲养和贩卖狗是一项有利可图的工作，那些出生在日历中“狗日”的人被认为天生就是做这行的料，生活幸运，从不挨饿，并且如阿兹特克人所说“一切都会成为他的披肩”（Sahagún 1979［1569］：19—20）。披肩是交易用的媒介，这句话的意思是“他被包在钱里了”。

狗因其忠诚和富有同情心而闻名，中美地区人民也非常欣赏这些品质，有很多材料可以证明。阿兹特克人认为狗是“一个忠诚的伴侣，……快乐又有趣”（Sahagún 1963［1569］：16）；这种喜爱同样表现在艺术作品对狗的深情描绘上，比如墨西哥西部的雕像和玛雅的彩绘陶器。此外，墨西哥中部居民崇拜的霍洛特尔神是一位有犬科动物特征的神祇，是羽蛇神克察尔科阿特尔的伙伴，在有些传说中则是其孪生兄弟或伴身密友。羽蛇神和霍洛特尔神一起进入冥界，收集人类祖先的骨骼，从而创造出现在的人类。

狗的骨骼在许多墓葬中都有发现，比如在形成时代的丘皮库阿罗遗址，狗明显是被殉葬以陪伴死者进入往生的。与旧大陆居民一样，中美地区人民认为这是一趟艰辛的旅程，而狗的陪伴会让其变得轻松一点。狗似乎很适合地下世界，“它们边走边在地上嗅……在地上挖洞……吃腐肉……他们的眼睛可以夜视……还能够感知人类感受不到的声音和气味”（Benson 1997：24）。

死后的引导者是狗的生命中最后一个有用的角色，它既有家中宠物的功能，也是作为食物被饲养的农场动物。在一个缺少蛋白质来源的大陆上，狗是有四只爪子的储备粮，但它们也通过忠诚和服务获得了人类的热爱与尊重。

在伊扎潘的进一步发掘显示，同一地层中还有一头完整的猛犸象与三件打制石器共存的现象，其中两件为尖状器，一件为石刀（参见图2.9）。这些石器为了解克洛维斯时期的工具组合提供了非常重要的线索。首先，在特佩斯潘和伊扎潘没有发现克洛维斯尖状器，尽管其他类型的底部带凹槽的尖状器有所发现。其次，这些工具有几种不同类型，在美国晚更新世遗址中一般不会同时出现。这可能表明狩猎采集者的工具组合比一些考古遗址发现的要更加多样。除了工具，墨西哥盆地的古印第安人也创造了一些具象的艺术品（图2.11）。

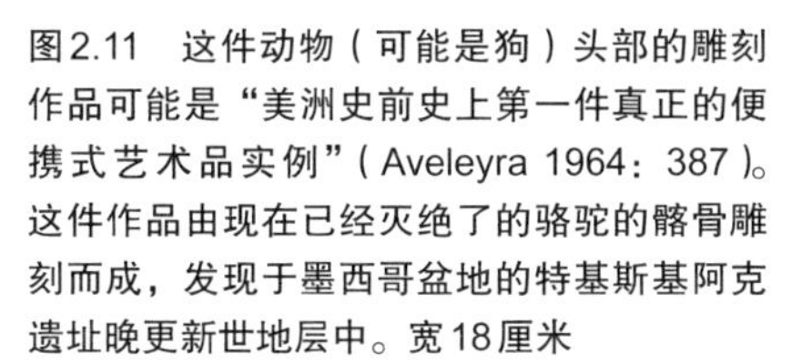
图2.11　这件动物（可能是狗）头部的雕刻作品可能是“美洲史前史上第一件真正的便携式艺术品实例”（Aveleyra 1964：387）。这件作品由现在已经灭绝了的骆驼的髂骨雕刻而成，发现于墨西哥盆地的特基斯基阿克遗址晚更新世地层中。宽18厘米

## 4. 全球变暖、多样化的工具组合和混合式的生计方式：古印第安人时代的结束与原古时代的开始

在距今1万年左右，地球的气候从冰期时代的模式向更加暖湿的方向转变，此后这种暖湿的气候很大程度上成了主要趋势。更新世之末的全球变暖可能比近期由人为原因形成的气候变暖速度要慢一些，当今的变暖趋势如何逆转？是否能够逆转？这是我们在不久的将来需要面对的严重问题。至少，我们应当将这次变化视作文化生态学的另一个试验场，因为我们见证过，当动植物改变栖居模式、迁移到以前对它们来说过于寒冷的地区的时候，人们采取了相应的文化应对。世界的沙漠面积将会扩大，加速更新世之末开始的变化趋势。

古印第安人的大型动物狩猎传统依赖于那些以草地为生的动物群。由于中央大平原的扩张提供了充足的避难地，北美野牛直到欧洲人到达美洲大陆时还有相当大的规模，因为辽阔的大平原为他们提供了庇护所，直至19世纪末才被欧洲裔美国人狩猎至几近灭绝。与此相反的是，美洲中部多山的地形使得草地的分布局限于河谷底部，这些区域最终成为狩猎大型动物的诱杀之地，使它们走向了灭绝。需要注意的是，与其他的文明摇篮不同，美洲中部在晚更新世末期没能为当地人群提供可以驯化来负重或运输的动物。这一缺失带来的潜在影响是巨大的，因为它导致中美地区丧失了发展基于畜力的运输技术的机会，而这一技术在旧大陆极大地推动了简单机械的发展（比如有轮马车），为更复杂技术的产生奠定了基础。

# 第三章　原古时代的采食者、集食者和种植者（公元前8000—前2000年）

对于距今1万年前的任何一代美洲中部居民来说，更新世的结束是一件无法感知的事情。数百年来气候的微小变化叠加在一起，改变了当地的地形、植被和动物群。美洲中部的气候变得更加湿润和温暖，更重要的是季节性加强了。夏天是雨季，而冬天则寒冷干燥，这种模式一直延续到今日。在这种季节性下产生的恶劣天气有时候可以塑造景观。数周的干旱将土壤变成尘埃，接着数周的暴雨又将它们冲刷走，使得平坦开阔的平原地区上出现了密布的峡谷。

猛犸象、野牛和其他依赖温凉干草原环境的大型动物在更新世末期分布范围显著扩大，但在更新世结束之后，其分布带退回了北美洲的中央大平原以北，在美洲中部这些动物走向了灭绝。美洲中部新的地理景观变得更加破碎，形成更多的小环境，养育着更多不同类型的动植物资源，其丰富程度则受到季节的影响。在这里，人们对食物的需求完全转向了鹿和兔子等较小的动物、仙人掌果等水果以及草籽和豆子（图3.1）。加工这些食物需要新型工具，磨石等研磨石器被加入古印第安人以底部带凹槽的尖状器、石刀、刮削器等打制石器为主体的工具组合中。这些研磨石器是由细颗粒玄武岩打磨而成的，往往呈粗糙的碗钵形，用作石臼，与石杵（早期为手掌大小的砾石）配合使用，来碾碎狗尾草等植物的种子。研磨石器（图3.2）代表了中美地区文化即将出现的一次技术革命，新的工具产生了新的工作：人们开始从小植物中获取热量和蛋白质。

原古时代的年代大致为公元前8000—前2000年，持续了6000年左右。在这

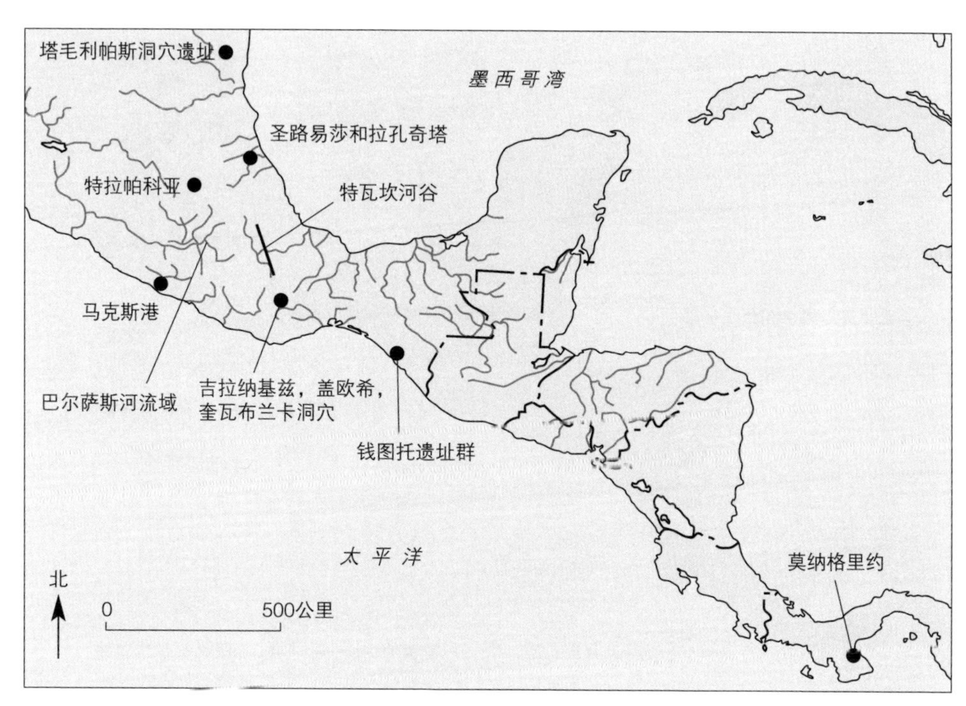


图3.1　第三章涉及的美洲中部原古时代的区域和遗址

一时期，美洲中部的采食者越来越依赖植物，从中获取食物保障，并最终发展出了一系列的农作物，以玉米为基础，兼有在本地区适应性良好的特色植物，包括豆类、南瓜、苋菜、龙舌兰和树薯等。这些植物现在仍然是墨西哥和中美洲本地居民日常膳食金字塔中坚实的基础。原古时代之初的采集食谱营养均衡，但对于现代的味觉来说可能有些奇怪，比如羚羊肉、牧豆等，最终出现了对我们来说非常熟悉的食物——由生活在村落中的农民种植的作物。

这些变化在哪里、什么时候、怎样发生的，都是非常重要的问题，因为农业为接下来所有的文化进化过程奠定了基础。这些变化也是学者们热烈争论的焦点，读者应当注意到，以下两个重要的因素影响了我们对原古时代的认识：一是这一漫长的历史时期保存下来的资料实在是非常稀少；二是这些资料显示的植物驯化时间表在近期刚刚被修正（下文将做更详细的介绍），这在某种程度上改变了我们对于驯化进程发展速率的理解，但并没有改变对其本质的认识。在这一章，我们将详细研

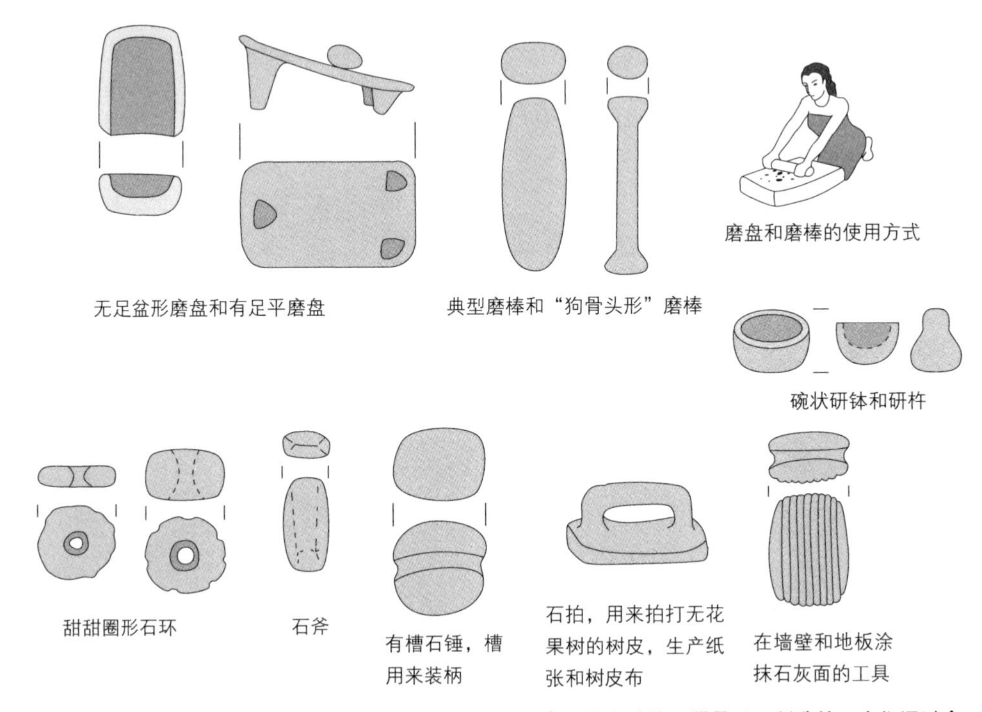


图3.2 “磨制石器”的功能远不仅是研磨其他材料。打磨和抛光过的石器是手工制造的，人们通过拿原料在其他石头和沙子上磨制的方法来生产石器，直到它们达到想要的形状并具备相应的功能。生产磨制石器比较好的原料包括“安山岩、玄武岩、燧石、珊瑚化石、花岗岩、片麻岩、石灰岩、石英岩、流纹岩、砂岩和片岩等”（Garber 2010：300）。在形成时代、古典时代和后古典时代使用的磨制石器继承了从原古时代之初发展出来的实用形态。形状像甜甜圈一样的石环可能被用作网坠或权杖头。在墨西哥，即使现成的制作玉米饼等食品的玉米粉已经随处可以买到，每一个传统家庭中还是备有磨盘和磨棒，用来在特殊的场合制作传统食物。这些现代的研磨石器可能已经有8000年的历史了

究驯化植物与建立定居村落之间的密切关系，并讨论近期修正的年代序列，最后对中美地区早期村落进行观察，这些村落是后来中美地区文化演进的基础。

## 一、原古时代的转变：走向植物驯化与定居生活

到了公元前2000年，中美地区这一文化区已经在美洲中部形成，出现了长期

定居的村落和驯化的农作物。在过去的50年间，学者们持续努力，勾勒出整个美洲中部地区的早期遗址和资源分布图，使我们得以相当清楚地理解了这一时期发生的一系列使采食者在食物资源和居住形态方面都趋于稳定的适应性变化。一些地区被考古学家视为可能有早期驯化实验证据的目标：北部干旱区（塔毛利帕斯和其他相关的洞穴遗址）、墨西哥盆地、特瓦坎河谷、瓦哈卡河谷、恰帕斯内地高原和危地马拉高地的洞穴遗址，以及玛雅低地南部的伯利兹。考古学家在上述地区开展了长期的多学科综合研究，将地理（包括生物）信息和考古调查发掘整合在一起，发掘地点主要是游群反复居住的洞穴遗址。

对美洲中部植物驯化认识的最重大进展是在对干旱地区的研究中获得的，这不仅是因为那里是这些植物的自然栖息地，还因为考古材料在干燥环境下的保存情况要远远好于潮湿的热带地区，而且更新世末期海平面上升，淹没了沿海地区的遗址。但是，地峡地区文化在原古时代晚段和形成时代早期就已经相当成熟的情况表明，尽管这一区域保留下来的原古时代早期资料非常有限，但这里一定发生了与定居和对本地资源高强度开发相关的重要社会模式的变化。

鉴于上述情况，我们先来看一下发现有原古时代早期遗存的区域，其中最知名的是特瓦坎河谷、瓦哈卡河谷和塔毛利帕斯南部的山地。

## 1. 特万特佩克地峡以西干旱地区的植物驯化与定居

**沙漠传统**｜“中美地区文化传统植根于北美洲的沙漠传统”（Willey 1966：78）。沙漠传统在原古时代早期兴起于北美洲西部，延续了近1万年，直到19世纪还在原住民中盛行，包括北美洲大盆地的肖肖尼人和派尤特人以及墨西哥北部干旱区的塞里人。他们的生计方式包括使用工具和技巧（比如驱赶和陷阱）来狩猎小型动物，以及采集植物性食物。

种子和坚果是良好的蛋白质来源，在饮食中非常重要，这些动植物食物在干燥的洞穴中被发现，一同出土的还有篮子、网和磨石等工具。在古印第安人时代，人们直接以凹形岩石为天然石臼，用小砾石做研杵，研磨种子、草药和矿物等东西。到了原古时代早期，研磨工具变得更加规范和专门化，比如较晚时期的研钵和研杵以及磨盘和磨棒，后者至今仍然是传统的中美地区家庭用来研磨玉米的最基础工具。

在北部干旱区的福莱特福洞穴，年代最早的遗存即属于沙漠传统，时代为公元前6900—前5300年。遗物包括磨石和一些有机质材料做成的篮子和草鞋，还发现了掷矛器和矛杆，表明当时在使用这些工具。尽管没有直接的证据，古印第安人时代的投掷尖状器可能也是和掷矛器一起使用的。

原古时代的工具组合非常多样，既有研磨石器和尖状器、刮削器、石刀等石片石器，也有用来在皮革上钻孔和纺织编织的锥状器等骨制工具。原古时代流动的采食者有用来收集各种各样资源和食物的工具和运输器。随着他们对所采集植物的习性越来越了解、对其生长的干预越来越多，采集利用的强度也就越来越大，使得他们在来年获得更多的食物供给。资源的稳定性对于保障营地的稳定居住十分关键，可获得资源的时间段越长，他们在这个营地中住的时间也就越久。

**像原古时代的采食者一样思考**｜对过去生活方式的考古重建向文化历史学家提出了挑战，需要他们像古代文化的所有者一样去思考。严格来讲这是不可能的，即使是同一文化的成员也会因时间间隔衍生误解，因此假设自己能够与8000年前特瓦坎峡谷的一个采食者心意相通是荒谬的。但是，我们可以通过了解个体是怎样与他们周围的环境相处并从中获取所需的基本资源的角度接近古人。

食物是所有这样的类比中最基本的因素。非自愿的饥饿在现代发达国家中非常罕见，但在古代却很普遍的。饥饿不同于其他短缺，是无法被忽视的。一般人平均每天需要2000—2500卡路里的能量，30—60克的蛋白质，还有维生素和矿物质。如上文所说，我们对脂肪和甜食的普遍渴求可能是进化过程中的一种适应，诱导我们过度饱食并产生脂肪，从而帮助我们度过困难时期。

蛋白质和脂肪含量最高的食物是肉类，还有各种昆虫及其幼虫和各种类型的蛋和卵（从鱼子到鸟禽蛋），甚至还包括一些植物性食物，特别是种子和坚果。表3.1显示了这些食物的营养成分对比。所列出的数值被标准化为以100克为单位的“食用量”——大约相当于一个“四分之一磅”汉堡里的肉量。表中的各类食物依据其蛋白质含量排序，很容易看出，绿叶植物和生水果的饮食对于当代缺少运动的“沙发土豆”电视迷来说可能是理想的低卡路里套餐，但原古时代的采食者们需要营养价值更高、种类更丰富的食物。因此采食者们愈发依赖植物性食物的时候，他们更加关注蛋白质含量高的种类，并最终基于这些品种建立自己的生计策略。

原古时代的食谱可能包括很多种采集食物。这张表格中只列出了其中一些食物可食用部分的营养值，因此驯化玉米的野生祖本跟驯化后的玉米单位重量的营养值是基本相同的，但前者的玉米粒和玉米棒都更小，收获的难度更大。

**表3.1　采食者的食物营养值**

| 食物 | 热量（千卡） | 蛋白质（克） |
|---|---|---|
| 每100克 | | |
| **肉类** | | |
| 毛毛虫幼虫（干燥） | 430 | 52.9 |
| 兔子 | 175 | 30.9 |
| 犰狳 | 175 | 29 |
| 鹿肉 | 150 | 30 |
| 甲虫（生食） | 192 | 27.1 |
| 鸟禽蛋和鱼子 | 250 | 27 |
| 蜗牛（生食） | 100 | 16 |
| 蟋蟀（生食） | 117 | 13.7 |
| 鹌鹑蛋 | 150 | 13 |
| 毛毛虫幼虫（生食） | 81 | 10.6 |
| **谷物/种子（干燥）** | | |
| 南瓜子 | 550 | 30 |
| 豆类 | 340 | 22 |
| 类蜀黍 | 334 | 21.6 |
| 藜 | 327 | 14.2 |
| 橡子 | 547 | 13.8 |

续表

| 食物 | 热量（千卡） | 蛋白质（克） |
|---|---|---|
| 苋菜籽 | 350 | 13 |
| 玉米 | 350 | 10 |
| **木本豆科植物** | | |
| 牧豆树种子 | 300 | 6 |
| **蔬菜** | | |
| 苋菜（生食） | 86 | 3.7 |
| 胭脂仙人掌叶片 | 29 | 0.1 |
| **水果** | | |
| 木瓜 | 125 | 2 |
| 胭脂仙人掌果（刺梨） | 65 | 1.5 |
| 黑莓（生食） | 50 | 1 |
| **块茎** | | |
| 甜木薯（干燥） | 125 | 1.0 |
| **植物汁液和蜂蜜** | | |
| 龙舌兰汁液 | 50 | <1 |
| 蜂蜜、龙舌兰糖浆 | 300 | <1 |

采食者们找到的食物生长在野外环境中，这意味着他们寻找食物的方式在某种程度上跟在栖息地中觅食的其他动物相似。即使人们能够通过火塘和草鞋等装备来缓解一下恶劣环境带来的影响，或者使用一些诸如网、掷矛器和有控制的焚烧等技术来提高狩猎采集的成功率，也依然需要像动物一样追踪着食物在不同地区之间流动。我们应当注意到，虽然从野生祖本到驯化种的变化并没有显著改变食物的食用价值（每克的可食用量），但驯化的过程使得食物的运输变得更加高效。全世界范围的农民都是这个世界上最早的进化学家，他们创造了依附于人的驯化植物，其中许多植物达到了如果没有人类的帮助、仅凭自身无法继续繁衍的程度。农民们挑选植物中果实大、产量高、成熟快、不自动脱落利于采摘且收获期较长的个体进行培育。因具有令人满意的属性而被选中的种子会在下一个农耕季被播种下去。

## 2. 食物、性、人口与定居生活：我们的生存法则

无论是鹿、人还是其他生物，都要遵循上一章所提到的生殖潜能法则，倾向于繁殖超出环境承载量的后代，以这种自然的方式保障能有足够多的个体得以存活，种群得以延续。这一法则通过性欲得到了进一步的强化。为了回应这种古老的求欢和求偶需求，人们结婚、繁育，形成极大的扩展家族的潜力，但这对于采食者游群或者任何没有未开发领地的群体来说，无异于一场灾难。

现代避孕手段可以使得许多人在享受性生活的同时不必产生后代，这是在人类历史上第一次实现以能够广泛应用又高度可靠的手段控制生育。在没有这些避孕措施的情况下，每一次性接触都会产生非常昂贵的后果，特别是在资源有限的情况下。对采食者们来说，资源不仅仅包括食物和水，还有在营地之间艰苦跋涉的过程中成年人携带婴儿或幼童所花费的精力（他们同时需要搬运所有的家当）。现代的狩猎采集者们一般间隔4年左右才生下一个孩子，并采用禁欲或者杀婴的方式来避免资源的过度消耗，因为当一个营地内的水和食物被消耗完时，群体必须离开，否则就面临着死亡。如果父母在转移路途中带孩子的负担过重，他们会精疲力竭而无法到达有食物和水的新的资源地。

这样的情形也产生了另一个生物学“法则”——利比希最小因子定律（Leibig’s Law of the Minimum）：生物的发展受到供给量最小的必备资源的限制。因此，如果可饮用的水源极少，食物的丰度就与狩猎采集群体的规模无关；或者成年人过少，也会导致没有足够的肩膀把孩子驮到下一处营地。在可能迅速增长的需求之间分配有限的资源，给食物和其他资源的安全性保障带来了压力。

为应对这种压力，人类（包括狩猎采集者和现在的我们）一直在持续地修补资源流动中的漏洞，试图在将劳动力投入最小化的同时提高产出，从而维持特定的生活方式。因此人类做出文化选择的时候会遵循一些基础原则：最省力法则和罗默法则（Romer’s Rule），后者认为许多文化创新的目的是要维持特定生活方式，并不是为了改变它。因此，早在一个世纪之前，马车就被外观和功能与之相似但不需要畜力的早期汽车所取代，这样就不需要花那么多精力去养马。一些有

远见的人可能已经预见到汽车及与之相关的其他交通工具将带来的重大影响，但大部分人接受汽车的原因还是很保守的：用更有效率的方式来延续已有的生活方式。

从流动的狩猎采集向定居和驯化的转变也是一系列微小选择和创新的结果，这些创新和选择的目的是在开发甚至是控制食物资源时，既提高效率又降低风险。在第一章中我们曾经提到，世界上第一个永久定居性遗址发现于古代西南亚，是在野生二粒小麦高产区附近建立的。所以定居是先于驯化作物和动物饲料出现的：人们首先在可以高强度采集高蛋白谷物的地区定居了下来。最初将临时性营地扩展为全年使用的居址的决策或许只是在当时根据实际情况做出的选择，起初只是推迟几个星期离开，可能是因为那一年该居址附近被培育了好几年的植物所产的粮食足够养活这一群体在那里多停留一个季节。

这些小的决策和调整叠加在一起，经过漫长的时间沉淀，产生了非常巨大的影响，使得人口朝着规模更大、密度更高的方向发展，文化进化也开始向更复杂的方向转变。第一章关于社会类型的讨论指出，自治共住群体的规模和社会复杂程度之间有强烈的相关性，包括社会等级与经济地位的复杂化。在后面各章中，我们将观察到这些变化是如何不断累加起来的，最初是逐渐的，随后就向着建立文明和为其提供保障的国家级社会组织的方向发展。

## 3. 原古时代早期的游群社会：社会组织、经济组织、政治控制、意识形态

原古时代的社会组织为游群，在很大程度上与古印第安人时代具有相同的特点：小的群组，在他们赖以生存的景观单元中非常分散地分布。原古时代有一个总体趋势，营地的规模越来越大，在同一个营地停留的时间越来越长，而原古时代早期仍以规模极小的“微型游群”为主。

我们所说的微型游群往往仅包括5—10人，可能有1—2个核心家庭。每年特定时段的食物丰富季可能会将几个小型游群集合到一起，形成一个大游群。这些

大游群可能会认为自己为某片领地的合法所有者。平等主义的分配原则仅仅适用于组成同一个婚配群体的若干小型游群，不包括外人即其他平等游群。外人在试图进入某一已经被占领的区域时会受到严重警告。这种领地意识对于区域性文化的发展至关重要。这种发展在原古时代开始出现，并在形成时代走向成熟，开始有了明确的民族身份标志，是中美地区区域文明发展史上的里程碑。

在游群社会中，个人通过技能来获得相应的地位。由于代与代之间有效知识的改变非常有限，一位睿智老人的知识就是一个对生存至关重要的信息和定义人群文化的活宝库。我们假设在男人和女人之间，生存所需要的劳动大致根据性别来进行分工，每个成年人都大致知道有哪些工作类型，但每个人仅专门从事其中一些工作。在这种情况下，唯一可积累的财富就是个人使用的工具组合和重要的护身符，所以没人有优先获得基本生存资源的权力，也就没有什么获得社会支配地位的机会。尽管如此，还是会产生一些有权力的个人，比如群体中的萨满；非常成功的猎手、采集者、医药术士和手工业者等也会拥有相当的威信。

## 4. 季节性与时间安排

为了应对季节性气候的出现和与之相伴的环境变化，墨西哥中部和中南部高地干旱区的采食者将自己的栖居地设定在有重要食物资源的地方，并根据不同季节食物的可获性在不同的营地之间流动（Flannery 1968）。季节将每一年分成了不同的资源利用期。

**旱季的生计**｜旱季从秋季一直延续到次年晚春，在此期间，可以利用的资源很少，营地的规模也比较小，采食游群也保持最小的形态，是“微型游群”。在旱季最重要的两类食物是动物（包括蛇、蜥蜴、蛆和幼虫等）和龙舌兰属植物的汁液。

龙舌兰的汁液是一种主食，保证了人们在没有猎物的情况下仍可存活。在原古时代早期，龙舌兰植物充满纤维的叶片的汁液和内芯中的果肉就可以为人们提供生存所需的能量和维生素，同时也是可以用来解渴的饮料，而其中的纤维也可以用来制作绳子、网、陷阱圈套、篮子和其他重要的编织品。龙舌兰在中美地区文化史上有着非常重要的地位，从原古时代到后古典时代一直延续至今（参见专栏3.1）。

对便于携带的饮用液体（汁液丰富的植物或者是水）的日常需要促使南瓜属的瓶状葫芦在原古时代早期就成为美洲中部最早被驯化的植物。不仅是因为它们种子蛋白质和卡路里的含量都很高（表3.1），更重要的是干燥过后的葫芦可以作为外出带水的容器，也很容易被切割成碗等各种形状的容器。此外，葫芦表面容易着色和刻画的特性也增加了将其用作容器的吸引力，有装饰的葫芦容器在原住民中有着重要而悠久的历史。

**雨季的生计**｜夏天潮湿的雨季带来了更丰富的食物资源和水，使得规模较大的大型游群可以在营地中停留更长的时间。仙人掌果的成熟标志着雨季的开始，接着其他果实也纷纷成熟，牧豆树和其他豆科树木会结出有甜味的种子。牛油果的野生祖本也被采集，但主要是利用种子中的油脂而并非果肉。草籽和坚果、水果等食物在雨季的中期和末期成熟。到了秋冬季节，降雨量下降，采食者们继续下套捕捉兔子等小型动物，并从仙人掌和龙舌兰的果实和叶片中获得营养和水分。

## 5. 原古时代早期瓦哈卡河谷吉拉纳基兹洞穴的采食者们

在瓦哈卡河谷，原古时代早期的狩猎采集者数量很少，从现有的遗址和地表散落的石器、零星发现的投掷尖状器以及更为重要的洞穴和岩厦遗址来看，总共可能只有75—150人（Marcus and Flannery 1996）。这些地方曾经是规模非常小的群体的营地，可能是只有五六个人的单一核心家庭。人口稀少、共居群体规模小的现象可能与动物种群数量的变化有关。气候的波动导致可以集体围猎的动物（如羚羊、长耳大野兔）种类减少，而可以使用陷阱或圈套来捕捉或是依靠个人狩猎获得的动物种类增加（如白尾鹿、棉尾兔）。

## 专栏3.1 龙舌兰

龙舌兰的拉丁属名*Agave*意为“美妙的”，对于这个异常可靠的资源来说是一个很合适的名字，它可以用来生产许多有用的产品，“在大部分干旱地区，龙舌兰是能量和营养的主要来源，不逊于中美地区任何一种前哥伦布时代的种子作物”（Parsons and Parsons 1990：6）。在一些干旱的年份，龙舌兰“是唯一不会歉收的作物”（Flannery 1968：83）（图3.3）。照片中的植物（图3.4）生长于墨西哥盆地的特奥蒂瓦坎河谷中。这种植物生命力极其顽强，在海拔1800米以上的地区仍然可以蓬勃生长，忍受着霜冻和干旱，缓慢生长到相当高大。可以用植株移栽，这些植株即使被连根拔起依然能够存活数月，因此采食者可以携带着未成熟的小植株迁徙，并将它们种植到自己的营地周围。图3.5的绘画来自被称为16世纪百科全书的《佛罗伦萨手抄本》（Sahagún 1963［1569］）。图中显示阿兹特克农民将龙舌兰小苗放在背篓中，用套在前额上的绑带负担起了它的重量，而绑带可能就是用龙舌兰的纤维捻线织成的。他的缠腰布同样由龙舌兰纤维制成，

图3.3 图中的人装扮成了龙舌兰女神玛雅韦尔的形象（《马格里亚贝奇亚诺手抄本》）

图3.4　特奥蒂瓦坎河谷生长的龙舌兰。种植这些龙舌兰的阿兹特克人村落名叫锡瓦特克潘，环绕在山脚下

图3.5　种植龙舌兰的阿兹特克农民

质量可能比绑带要好一些，右手则拿着被称为“寇阿”（coa）的挖掘棒。

龙舌兰在8—10年内成熟，会在中心长出一个开花的茎，之后就会死去。在龙舌兰开花之前，轻轻敲打植株，取走中间汁液丰富的内芯，可以获得两种重要食物：内芯和汁液。龙舌兰汁液可以缓慢流淌数月。内芯烘烤后可以咀嚼出果冻状汁液，就像我们吃秋葵和芦荟一样。这可能是延续了原古时代就开始的食用方法，咀嚼过的龙舌兰残渣在干旱的洞穴遗址是最常见的食物遗存。每天100—200克的果肉就可以为饮食中增添能量和相当比例的矿物质与维生素B，还可以解渴。

从形成时代开始，人们发展出了新的技术来更有效地加工这种植物。取走内芯后，植株会在中间的空洞内分泌汁液，如果这株植物被悉心照顾的话，汁液可以一直持续分泌数月。一户农家如果与玉米和其他粮食作物混种100株处于不同生长阶段的龙舌兰的话，一年四季均可收获，每天可以收得12升汁液，提供超过5000卡的能量（Evans 1990）。此外，可以在无饮水的地方种植龙舌兰，其汁液就能代替水来解渴。现在，这种美味的汁液被称为“蜜水”，可以直接饮用或是浓缩为类似蜂蜜的“龙舌兰糖浆”，各大超市都在售卖，素食主义者也可以食用。汁液在发酵后可以制成一种温和的含酒精饮料，称为“普洛克”（pulque），在前哥伦布时代非常受欢迎。

龙舌兰的纤维也是非常重要的产品，它们从叶片中分离后，被捻成线绳。到了形成时代末期，纺织业发展起来，龙舌兰植物被用来制作衣物和家居用品。

有证据表明，在形成时代中期，一些龙舌兰品种被驯化来承担特殊的功能，有的用于生产纤维，有的用于收获汁液。对墨西哥原住民来说，龙舌兰时至今日仍然是关键的保命食物。形成时代和古典时代龙舌兰种植和加工方式的创新使之成为在干旱的山麓地区建立聚落时必不可少的植物。今天，龙舌兰的汁液被蒸馏萃取后酿造成了龙舌兰酒，但新大陆居民并不知道蒸馏技术，这是16世纪西班牙人引进的。

几处重要的原古时代洞穴遗址提供了多次反复占用的证据。位于瓦哈卡河谷米特拉城附近的吉拉纳基兹洞穴（图3.6、3.7）在公元前8000—前6500年至少被占用了6次。在这里发现有食物遗存、工具和活动区。遗址B1层到D层信息尤为丰富，为我们勾勒出原古时代早期在此扎营的群体的面貌。这是一个5人左右的小型游群，从食物来看，他们从夏季开始在洞中居住，在次年2月之前离开。咀嚼龙舌兰内芯留下的残渣显示他们主要以此为食，龙舌兰茎叶中的纤维也为制造绳子和网提供了原材料。

这些岩厦居住者的食物中还包括了大量橡果、各种各样的水果、龙舌兰和仙人掌等多汁植物的肉质部分以及鹿肉和兔肉。橡果是他们饮食中最重要的淀粉来源，用磨石磨成粉食用。丰收的橡果是他们一年中在此居住期间最重要的资源，他们为保存橡果挖了两个储藏坑。有甜味的食物也极具吸引力，豆荚也被放置在储藏坑中，仙人掌果等水果也同样被收集。

生火采用的是“钻木取火”的方式，将一根小木棍插入较大木棍上已经挖好的小孔里不断旋转，直至火花飞溅并引燃火种，这种技术在原古时代早期塔毛利帕斯地区的遗址中亦有发现。黄昏时分，人们在火塘边上的一厚层橡树叶上休息。这样的生活会延续数月，之后这个游群会离开洞穴前往下一处营地。“我们并不知道这个家庭去向何方，但我们怀疑他们爬到了较高山地更为湿润的森林中，就像鹿群在旱季所做的那样……很明显他们并未将营地的火种彻底熄灭，因为后来他们用作床铺的橡树叶被点燃了。”（Marcus and Flannery 1996：57）

图3.6、3.7 （右页）吉拉纳基兹洞穴位于瓦哈卡河谷，是一处原古时代的遗址。照片是遗址的远景（近景参见图1.6），洞穴位于中部，洞口站立一人。洞前的植被为多刺灌木丛，整体上看这里可以为古人类提供庇护和必要的光热。右下平面图显示了通往洞穴的道路，长约9米。在北侧区域有许多火塘，在它们后方则是准备食物的区域，保留了很多碎屑。在南侧区域也有一处碎屑集中的区域，显示出古人在这里处理了鹿、兔子和乌龟等动物。采食者群体依据性别进行分工，洞内这些残渣较多的区域可能是男性和女性从事与他们的性别和年龄相适应的工作的地方（Marcus and Flannery 1996）

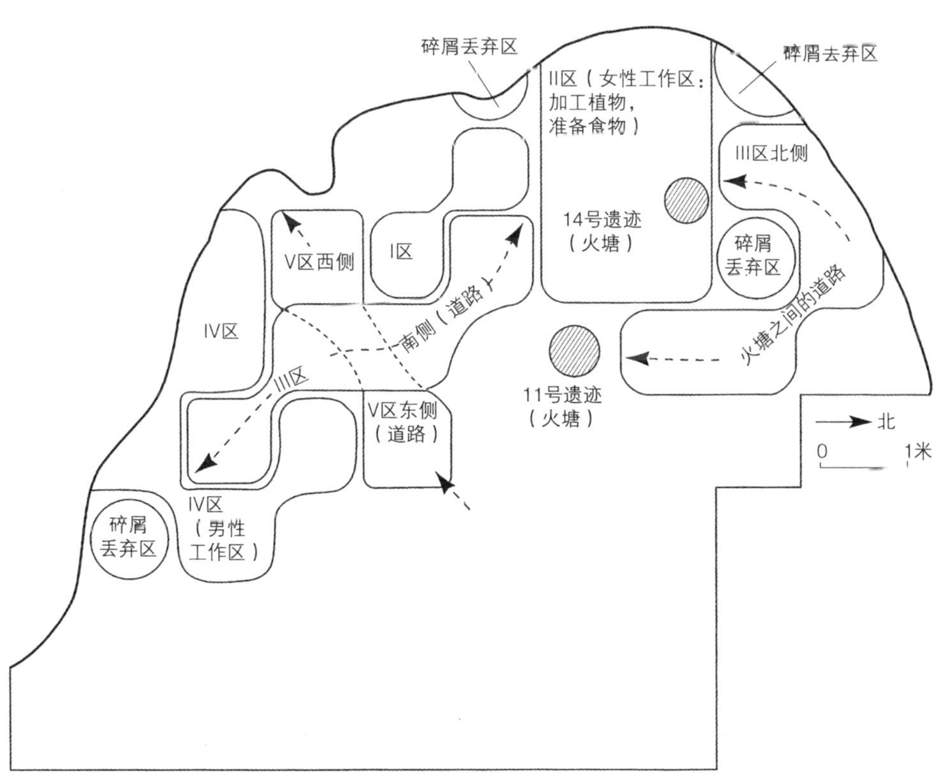
碎屑丢弃区
碎屑去弃区
II区（女性工作区：
加工植物，
准备食物）
III区北侧
14号遗迹
（火塘）
碎屑
丢弃区
V区西侧
I区
IV区
南侧（道路）
III区
火塘之间的道路
11号遗迹
（火塘）
V区东侧
（道路）
北
0
1米
碎屑
丢弃区
IV区
（男性
工作区）

## 二、从原古时代早期到中期及之后

吉拉纳基兹洞穴发生的故事在美洲中部的高地一遍遍上演，这一区域的其他洞穴和岩厦也为那些在分布稀疏的资源中寻找食物的采食者提供了庇护。瓦哈卡河谷的北端与特瓦坎河谷的南端相连，这一地区原古时代居民的生活方式也引起了考古学家的特别关注。

### 1. 特瓦坎河谷

特瓦坎河谷比瓦哈卡河谷更加干燥。在第二章中我们提到，这里地处普埃布拉河谷地带的最南界，同时也是气候带中北部干旱区的南界，年降水量仅400毫米左右，11月至次年4月几乎不下雨。河谷的冲积平原和山坡地带为多种多样的动植物提供了栖息地（图3.8）。山坡上散布着许多洞穴，河谷的底部则有数条泉水流过。现代的特瓦坎镇位于河谷的北部边界，那里的洞穴已经被连续使用了上万年。河谷的泉水现在畅销在整个墨西哥，以至于当地人直接把瓶装矿泉水称为“特瓦坎”。

埃尔列戈泉是其中之一，边上就是埃尔列戈洞穴遗址，在原古时代曾经被反复占用。对这处和其他被采食者利用过的特瓦坎洞穴遗址的研究揭示了一个完整的文化序列（图3.9）。在第一章中我们介绍了主要时代（比如古印第安人时代和原古时代）和地区性的文化分期之间的区别，指出后者描述的是某地区的遗址共享特定的文化特质的一段时期。与古印第安人时代的文化在较长时间段内保持相对一致的适应方式不同，原古时代有着明确可见的分期，而且不同地区有着明显的区别，是之后中美地区区域民族文化形成的根源。

从阐释原古时代信仰体系的角度看，仪式活动的证据更加令人印象深刻。在埃尔列戈洞穴遗址发现有两座墓葬，遗骨用毯子和网包裹着。这一发现本身就表现了对逝者的尊重，也是美洲中部最早的为死者荣誉举行的往生仪式。从尼安德特人时期开始，这种仪式就成为人类文化的一部分。

更有趣的是，有强烈的证据表明，另一项美洲中部特色的实践活动也从这一

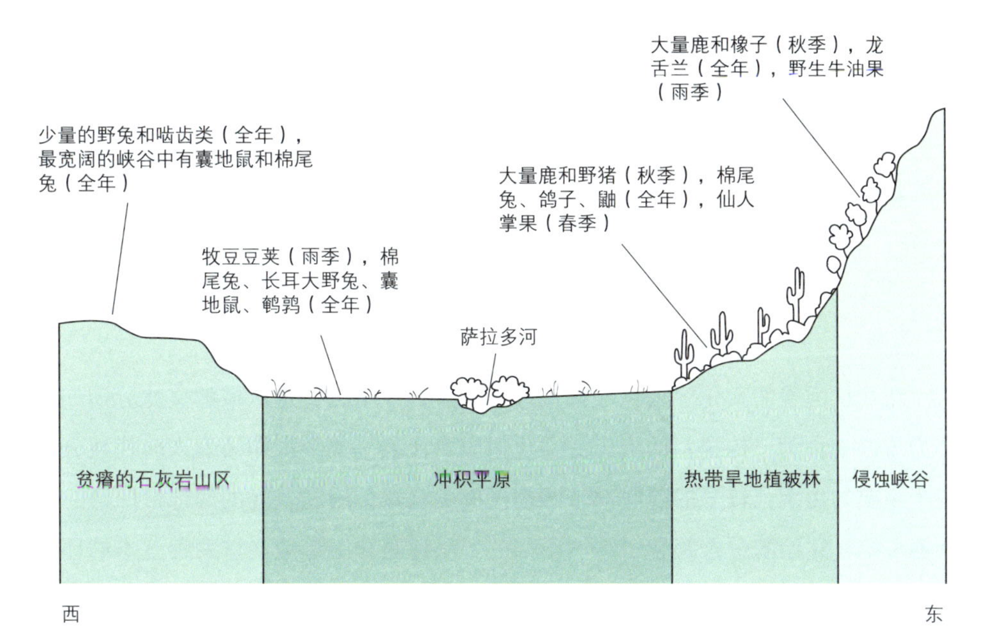


图3.8　这张剖面图显示了特瓦坎河谷的小环境，包括直径约20公里的范围，显示了各种资源是如何吸引采食者在不同区域之间流动的。小型动物和龙舌兰终年都有，其他植物类食物则主要在春季和夏季成熟（Coe and Flannery 1964）。尽管特瓦坎河谷的环境条件极其恶劣，但其特定区域的资源分布依然具有典型性。采食者“必须根据季节利用大量不同类型的小生态位”，农民则“把注意力集中在附近少数几个小环境中”（Coe and Flannery 1964：654）

时期开始了：杀人献祭。在埃尔列戈时期的一处墓葬群中有两个儿童的遗骨，其中一个被举行了火葬。“另一名儿童的头被割下来烧烤，大脑被取出，之后头又被装入篮子放在胸口上”（MacNeish 1964）。无论他们是人牲祭祀的受害者还是因自然原因死亡又被给予复杂葬礼仪式的不幸个体，这些证据都告诉我们，在原古时代早期，新亡之人会受到尊崇。

杀人献祭对于现代人来说是一种非常古怪的表达尊敬的方式——我们只会因为暴怒或疯狂而杀人，或者用于惩罚令人发指的罪行。确实，即使是在古代，在中美地区和其他文明起源地，仪式性的杀人祭祀活动往往也是为了政治威慑或处决严重危害社会之人。然而，杀人祭祀仪式的目的也在于捕捉和利用个人的生命灵力，是一种与精灵世界联系的方式。在后来的中美地区文化中，杀人献祭被认为是对神明创造人类并给予人类玉米这一恩惠的报偿。总体上看，对逝者的尊崇和从生到死的往生仪式是后来所有中美地区文化的典型特征。原古时代特瓦坎河谷的证据表明，这种仪式会为一些人提供通过担任生者和死者世界的媒介而获得个人权力的潜在机会，这些人就是萨满。

## 2. 文化的区域化：原古时代早期的各种“传统”

特瓦坎河谷的文化序列是一个很好的例子，显示出特定区域的文化分期如何作为可以被称为“传统”的更广泛文化适应的代表。整个古印第安人时代被分为两个主要的传统：较早的前底部带凹槽投掷尖状器传统和较晚的底部带凹槽的尖状器传统，它们的分布跨越了美洲中部的干旱地区和湿润地区这两种基本的环境类型。在古印第安人时代晚期，开始出现一些文化分化，表现为底部带凹槽的尖状器和鱼尾形尖状器的重叠分布，后者是南美洲的典型器物，但遗址分布北界到达了伯利兹。当更新世末期的气候变化创造了每个地区独特的小环境之后，采食者们精心适应了特定地区的特定资源，并发展出一系列工具和技术对其进行更高强度的开发利用，这些努力为他们带来了充足的食物保障和良好的营地。

到了原古时代的中期和晚期，种植试验带来了对食物生产的更高的依赖性，在美洲中部各文化间形成了一条重要的地理分界线：特万特佩克地峡以西以新北区植被为主的干旱区，与北美洲西部相似；而地峡及其以东以新热带区植物为主的更湿热的地区，与南美洲相同。在原古时代，作为后来的区域文化前身的区域传统不断积累，根据原古时代早期各遗址（图3.1）的相似性，我们可以划分出若干较大的文化传统。

最北部的是沙漠传统，还有几个与之相关的子传统，比如分布区一直延伸到北美洲的科奇斯传统和大本德传统。在墨西哥东北部，东谢拉马德雷山脉中的塔毛利帕斯盛行因菲耶尼约传统，其主要特征与特瓦坎河谷埃尔列戈期的适应方式相似，该地区的洞穴遗址有使用瓶状葫芦和其他早期驯化植物的证据。

以特瓦坎河谷埃尔列戈期命名的埃尔列戈传统最为知名。其分布北至中部高地的北界（特科洛特洞穴），经由墨西哥盆地（特拉帕科亚/索哈皮尔科遗址）和普埃布拉谷地（埃尔特斯卡尔洞穴，最下层），一直到达特瓦坎河谷北部。还有一个与之略有差别的形成时代早期的圣玛尔塔传统，见于瓦哈卡河谷的吉拉纳基兹遗址和圣玛尔塔洞穴的早期层位，分布于特万特佩克地峡以东的恰帕斯山地。

特万特佩克地峡的热带低地区及其以东很多区域的文化传统尚未被很好地定义，仅有一些假说。毫无疑问，这些热带环境在原古时代早期已经被利用，但这样的环境下，采食者们的考古证据即使在最好的条件下也会很快消失，热带环境对于考古资料保存来说是最差者之一。此外，热带内部的环境，比如茂密的雨林，尽管显得郁郁葱葱，对于采食来说却是非常糟糕的选择，因为那里缺乏有营养价值的食物。在水道、湖泊和海洋的周边，食物资源非常充足，包括鱼类、贝类和其他无脊椎动物以及被水环境吸引来的鸟类。

## 专栏3.2　特瓦坎河谷的文化序列

由于遗址数量太少，我们对很多地区原古时代的情况知之甚少。特瓦坎河谷的调查工作揭示了这一地区完整的居住史，地图显示了从原古时代早期到形成时代早期的重要变化（图3.9）。通过这次调查和对选出的几个遗址的发掘工作，研究者建立了特瓦坎河谷的文化发展序列。它被视为中美地区最为重要的文化序列之一，因为它首次使我们得以用宏观视角研究从采食到农业定居这一重要转变（MacNeish 1967—1972）。特瓦坎河谷的序列讲述了一个关于进化的故事，展现了各种新要素进入原有的由物质和实践组合成的文化中的次序，尤其展现了对野生和驯化食物依赖程度的变化。读者应当注意，每一个阶段间转变的年代都经过了修订，在这里我们提供了两组年代数据：一组是河谷调查项目的负责人理查德·麦克尼什（Richard MacNeish）在最近发表的总结中对年代的估计（MacNeish 2010）；另一组则是早年调

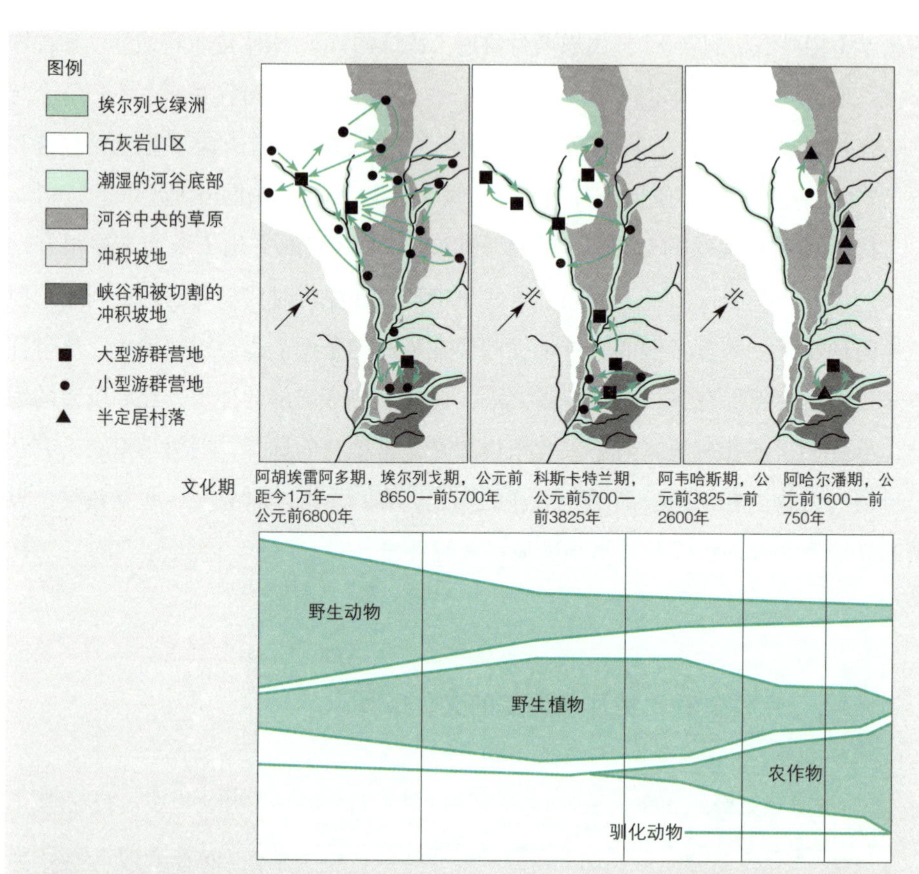


**图3.9　从原古时代早期到形成时代早期，特瓦坎河谷的发现显示，当地居民从依赖野生资源的流动性采食生活转向了定居和农业**

查报告中的数据（Johnson and MacNeish 1972），用括号标出。这些数据只是关于这些文化阶段众多已出版的系列数据中的两种，覆盖了下文叙述的时间框架。

## 古印第安人时代

**阿胡埃雷阿多期**｜特瓦坎河谷从古印第安人时代开始有人居住，时间大约从距今3万年（±1万年）延续到公元前8650年（距今1万年—公元前6800年）。采食者建立小型营地，使用打制和剥片石器狩猎更新世动物群。典型遗址：科斯卡特兰洞穴。

## 原古时代

**原古时代早期**｜埃尔列戈期，公元前8650—前5700年（公元前6800—前5000年），两种类型的营地：旱季为小型游群，雨季为大型游群。生业经济主要依赖野生动植物。植物在饮食中的重要性逐渐提高，有几种后来被驯化的作物（南瓜、辣椒、牛油果）；一些有意识的种植行为可能已经出现。物质文化包括磨制石器、早期织物（毯子、垫子和盘绕式篮筐）和木制品（矛杆和狩猎圈套）。出现了最早精心布置的墓葬，可能使用了人牲。到了公元前7600—前5000年，埃尔列戈传统即具有上述文化特征和适应方式的地区延伸到了整个中部高地。典型遗址（由北至南）：埃尔列戈、泰科拉尔、科斯卡特兰、普龙、阿韦哈斯、奇拉克附近的露天遗址。

**原古时代中期**｜科斯卡特兰期，公元前5700—前3825年（公元前5000—前3400年），小型-大型游群的模式延续，但大型游群的规模可能扩大了。科斯卡特兰期曾经一度被认为是特瓦坎河谷驯化作物开始出现的时期，但对一些样品的重新研究和更新过后的碳十四测年数据都显示，这一时期的玉米、辣椒、牛油果、豆类、葫芦、南瓜等作物处于驯化的初始阶段，成熟的驯化种尚未出现。典型遗址：埃尔列戈、圣马科斯、科斯卡特兰、普龙和阿韦哈斯，均为洞穴遗址。

**原古时代晚期**｜阿韦哈斯期，公元前3825—前2600年（公元前3400—前2300年），多数居址仍为流动营地，但在河流阶地上可能开始出现一些永久性聚落。食物中野生资源的比重稳步下降，人们开始更多地从驯化植物中获取营养，尤其是玉米、豆类和南瓜。物质文化的创新成果包括复篾式篮筐、石制的碗和罐子等。典型遗址主要是科斯卡特兰洞，其他材料来自圣马科斯、阿韦哈斯和普龙洞以及奇拉克附近的一处地穴式房屋。

**原古时代晚期到形成时代的过渡期**｜普龙期，公元前2600—前1600

年（公元前2300—前1500年），这一阶段从依靠园艺种植的定居村落向更复杂的社会形态过渡，但我们对于这一过程知之甚少。驯化作物在饮食中占35%左右，物质文化遗存中有中美地区年代最早的陶器，来自普龙期早段，形态模仿磨制的石容器。

**形成时代早中期**｜阿哈尔潘期，公元前1600—前750年，特瓦坎河谷的居民已经成为全职农民，但还会利用一些野生的动植物。最早发现于阿韦哈斯期的狗在这一阶段已经非常普遍，是日常饮食的重要补充。典型的农业村落有100—300人，人们以家庭为单位居住在木骨泥墙的房屋中。物质文化遗存包括一系列石器和制作精良的陶器。

本书后面还会涉及特瓦坎序列中更晚的阶段：圣玛丽亚期，公元前750—前150年，普龙大坝第一期；帕洛布兰科期，公元前150—公元750年；本塔萨拉达期，公元750—1520年。

一些热带环境中还是保留了可信的考古学证据。位于墨西哥湾沿岸低地的中北部的圣路易莎和拉孔奇塔都是经过长期使用的遗址，在原古时代早期就已经开始。在尤卡坦半岛东部沿岸，有学者曾提出过用“南部海岸传统”来指代原古时代的伯利兹，并将其划分为桑德丘期和奥兰治沃克期，后者开始出现磨制石器，但整体上对于这两期我们都知之甚少。

## 三、原古时代中期，公元前5500—前3500年；原古时代晚期，公元前3500—前2000年

在原古时代中期，一些野生植物被大量用作食物，并开始被栽培以增加其产量。与此同时，人类也开始在夏天雨季的营地中停留更长的时间。栽培和对特定种类植物的选择最终导致了驯化，“玉米遗存的形态变化显示出最早的驯化发生

在原古时代中到晚期”（Benz 2006：10）。特瓦坎河谷在原古时代中期属科斯卡特兰期，长期以来一直被认为是驯化玉米开始登场的“典型阶段”。

然而，最近对于玉米遗存分析上的进展特别是碳十四加速器质谱测年技术的应用，带来了对玉米驯化年代学和起源地的新解释，给学界增添了不少争议和困惑。读者们应当注意，有关这些问题的学术论文中，对于进化过程中的同一文化期，不同学者可能使用了各种各样的年代数据，新的数据还在定期更新中，但学术讨论中接受这些新数据的过程非常缓慢。注意这一点，让我们再把目光转回到玉米上：它是何时被驯化的？发生在何地？为什么？

## 1. 玉米的驯化

玉米的驯化在美洲中部和南美洲有若干个起源地。在美洲中部，玉米驯化大约发生于公元前4000年，地点在高地的瓦哈卡及其西面的巴尔萨斯河流域（Blake 2006）。吉拉纳基兹洞穴发现的驯化玉米直接进行碳十四加速器质谱测年的结果为公元前4250年（Piperno and Flannery 2001）。巴尔萨斯河流域有大量现代玉米的野生祖本类蜀黍植物（Beadle 1939；Bennetzen et al. 2001），支持了西南墨西哥为玉米起源地的结论。巴尔萨斯河流域的野生类蜀黍亚种中，墨西哥类蜀黍（*Zea mays mexicana*）和大刍草（*Zea mays parviglumis*）与驯化玉米（*Zea mays mays*）的亲缘关系最近，关系次近的野生类蜀黍植物（*Zea mays*）分布于墨西哥西部（Doebley et al. 1990）。

在特瓦坎河谷圣马科斯和科斯卡特兰遗址下部文化层中发现的早期玉米已经是驯化种了（Benz and Iltis 1990），过去曾被认为年代早于公元前5000年。1989年，对特瓦坎河谷最早的驯化玉米遗存直接进行碳十四加速器质谱测年，将年代更新为不早于公元前2700—前2600年。早在玉米粒成为重要的谷物之前，玉米的其他部分就已经被用作食物了。特瓦坎发现的玉米显示，这种谷物是从更西部的地区传播过来的。这种中美地区最重要的主食作物的传播显示出该地区的跨区域交流早就有其根源，也反映了这种作物复杂的驯化史，在玉米棒和玉米粒的尺寸之外，人们可能还针对其他性状进行了人工选择（Webster 2011）。大植物遗存的研究显示，完全驯化了的玉米“早在距今3400年就已经传播到了太平洋沿岸南部和墨西哥湾沿岸，到距今3200年就已经到达了南美洲和美国西南部”（Smith 1995：159）。事实上，玉米和其他热带作物可能在更早的时候就已经到达美国西南部了（Mabry 2005）。

到了公元前2000年，中美地区各种类型栖息地中的居民都选择了定居村落和园艺农业为自己的生计方式，这是植物栽培的一次“爆发”（Willey 1966）。气候变化与之同时发生，在公元前2500年左右出现了小冰期，向更干凉的方向转变。肯定的是，在原古时代晚期到形成时代早期同时利用栽培作物和野生资源的“混合型经济”中，采集仍然是主要组成部分。在中美地区文化发展的整体进程中，很多地区的生业经济一直是混合型的，但采集获得的食物和物质资料的比例随着农业生产的强化而不断下降。当欧洲人进入这一区域时，数百万中美地区人民以组织良好的农业体系和贸易网络获得所需。在边缘地区特别是旱季较长的地方，狩猎采集仍然是生计策略之一，西班牙人到达后的很长时间里，采食者仍然占据着北部干旱区的部分地方。

一旦玉米被驯化，它就会很快传播到生长条件许可的地方：玉米种植是中美地区这一文化区定居生活的基础（参见图1.3）。原古时代采食者食用的驯化作物组合并不是一下子都出现了的：驯化的玉米在原古时代晚期已经广泛分布，但驯化的豆类直到形成时代晚期（公元前250年）才大范围传播开来。苋属植物的野生和驯化种子比较难以区分，但一般认为其驯化种出现在特瓦坎河谷的科斯卡特兰期。

需要强调的是，如果对于投入的时间和劳动来说能够获得相当好的收成的话，人们会种植上述作物的野生种和半驯化种。随着植物产量的提高，栽培种植变成了最有效的生计策略。一旦更高产的作物类型开始发展，它就会迅速传播，因为人们热衷于采用这些创新方式，最省力法则和罗默法则会促使我们采取在减少劳动的同时提高产量的方式保证食物供给。特瓦坎河谷的采食-种植者们会满腔热情地接受来自巴尔萨斯的新品玉米种子，在那里发现的更大个儿的干玉米棒可以视为栽培半驯化玉米种的重大进展（图3.10）。早期对玉米的利用可能主要集中于其富含糖分

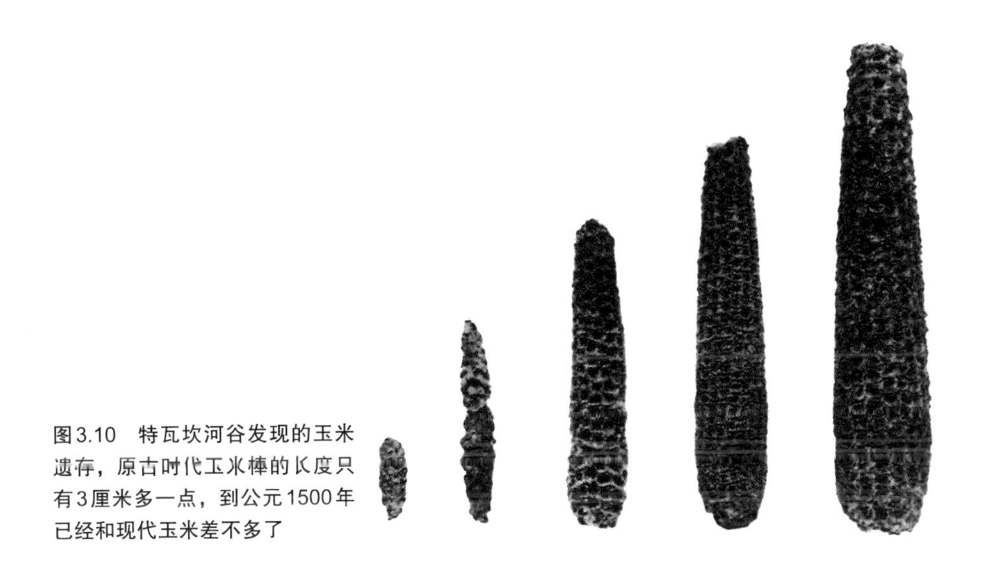

图3.10　特瓦坎河谷发现的玉米遗存，原古时代玉米棒的长度只有3厘米多一点，到公元1500年已经和现代玉米差不多了

的茎杆和尚未成熟的玉米粒，或者制成玉米粥，或者发酵为可携带的饮料。

在一些定居未出现的区域，比如尤卡坦半岛低地，采食-种植者们可以把玉米当成殖民的工具。一旦玉米的驯化达到一定的规模和程度，它潜在的生产力就会打破原有的采集为主、栽培为辅的生计策略。与寻找其他食物相比，种植玉米所投入的时间和人力获得的回报实在太大了。在整个生业经济中，投入到玉米和其他栽培作物的时间越来越长，直到形成时代早期，随着定居村落农业在整个中美地区的建立，才达到一种新的平衡。随着对玉米的依赖越来越强，人口的规模也越来越大，需要新的农田去种植更多的玉米。

尽管年代数据有所更新，但就目前的资料看，以前大量发表的研究描述的各个时期植物栽培持续开展和对雨季营地更长时间利用的总体发展序列还是可靠的，只是在某些区域这些事件发生的具体时间可能比之前估计的要晚得多。“即使科斯卡特兰期的年代在公元前3500—前2500年而不是公元前5000—前3500年，早期农业发生的背景仍然不会被改变”（Marcus and Flannery 1996：69），其他文化过程的背景同样不会改变，比如在原古时代之末至形成时代之初开始出现的定居、职业专门化和社会不平等等。

## 2. 原古时代中期的其他证据，地峡以西

**中部高地：特拉帕科亚的索哈皮尔科遗址，公元前5500—前3500年** | 从古印第安人时代到形成时代初期，墨西哥盆地中心的湖泊周围的沼泽地始终吸引着采食者们，他们的临时营地如今已经被雨季从周围山坡上冲刷下来的泥土覆盖。但分析深埋地下的复杂的湖泊沉积以及采食者们稀少的遗存尚不是最棘手的问题，与之相比，这一区域的地表才是难以逾越的障碍，因为它包括了今日的墨西哥城。

鉴于很难找到采食者的聚落，我们很幸运能够发现索哈皮尔科这样一个形成时代初期的遗址。该遗址位于查尔科古湖旁的特拉帕科亚丘，在一次考古发掘中被发现，当时挖的探沟又长又深。如能在墨西哥盆地中部的湖泊系统周围开展类似的研究工作，也一定会发现其他相似的遗址。

索哈皮尔科遗址的最早阶段称为普拉亚期（包括普拉亚1期和2期，年代为公元前5500—前3500年）。这一阶段的居民使用打制石器，食物以野生资源为主。遗址的占用期跨越了干湿两季，显示出这可能是一处终年使用的永久性聚落，但考古证据尚不足以证明永久性定居已经出现。索哈皮尔科遗址在原古时代中期的使用被公元前3000年之前的一次火山爆发打断。原古时代晚期，这里又被重新占据，在一个年代为公元前2920年的火塘里（Niederberger 2000：176），发现了中美地区年代最早的陶塑像（图3.11）。

### 专栏3.3 / 塑像

中美地区有很多塑像，尽管不是所有地区都有，但从形成时代初期到后古典时代一直都有发现，甚至一直延续到殖民时代，出现了新的宗教和政治正确的造型。这些塑像的尺寸一般正好适合手握，通常由黏土烧制，往往塑造成人或人格化的神明形象，还有一些动物形象和神庙金字塔等建筑的模型。一般认为其用途与仪式性活动有关，尽管使用细节还不太清楚，即使是

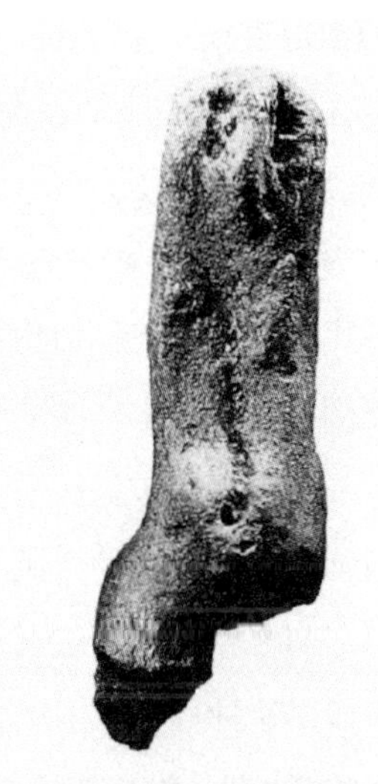

**图3.11　这件塑像来自特拉帕科亚/索哈皮尔科遗址，年代距今5000年，为一个怀孕妇女的形象，最长处仅5.7厘米**

离我们最近的阿兹特克时期的证据也不多。许多塑像发现时已经破碎，可能表明供奉塑像与一些特定的事件有关，比如生活中的一次危机，在这个事件的过程中或之后，或在与之相关的仪式中，与之有关的塑像会被打碎。

发现塑像的考古背景表明，它们与家庭和个人之间存在着密切的联系。在中美地区的许多文化中，家里会有一个神龛，通常在其中供奉塑像。塑像的情感价值（它们引发情感反应的方式）来自其尺寸、美感（Faust and Halperin 2009：3—6）和公认的图像内涵。

使用这些塑像的人在审美方面的考虑对我们来说很难理解，因为作为现代文化携带者，我们会带入自己对于美和丑的认识。一些古代文化，比如古典时代的玛雅文化，留下了很多关于他们以何为美的线索。正如我们可以从本书有关玛雅艺术的插图中看到的那样，他们的语言、铭文和艺术品（包括塑像）反复表达了玛雅高度发达的美学系统。玛雅人用这些混合的表达方式塑造了自己的美学标准和在表达情感与内涵方面的细微差异（Houston et al. 2006；Taube and Taube 2009）。

如果有一个可以衡量意义表达的细致程度和美学内涵尺度的话，玛雅的雕塑和图像一定属于非常复杂的等级。但目前已知最早的塑像发现于原古时代墨西哥盆地特拉帕科亚/索哈皮尔科遗址，造型非常简朴（图3.11）。这是一个怀孕妇女的形象，面部仅有几道刻画，表现出眼睛和微微凸起的鼻子。就像旧大陆旧石器时代常见的“维纳斯像”一样，这件雕塑隆起的腹部也明确表达了丰产的重要性。在5000年前的特拉帕科亚/索哈皮尔科，理想之美的表现之一就是女性在艰苦而充满危险的环境中安全地诞下婴儿吧。

**西南部高地：盖欧希，公元前5000—前3000年** | 索哈皮尔科是一处旷野遗址而非岩厦，这种营地是原古时代晚期村落的雏形。盖欧希是另一处原古时代中期的旷野遗址，位于瓦哈卡河谷，与吉拉纳基兹遗址相距不远（Flannery and Spores 1983）。该遗址似乎在湿润的夏季被多次占用，这一季节大型游群可以聚集在此扎营，享用新成熟的豆科植物和其他野生资源。盖欧希遗址的活动区域中有很多椭圆形的石圈，可能是小窝棚的墙基，还有一些生产打制石器和加工精致石料为装饰品的区域。加工工艺包括在平整的河砾石上钻孔，明显是作为吊坠佩戴。珠宝之类的个人装饰物可以显示社会风俗以及个人在社会中的地位，文化越发达，这类饰品就越精致，与之相关的记录也越详细。这里我们看到的还只是一个简单的例子，在之后的阶段，这种行为会用来显示等级、财富和获得精神力量的权力。

盖欧希遗址最著名的遗迹是一处规模宏大的建筑物，地面经过处理，没有任何废弃物，上面放置着成排的大石块（图3.12）。这一建筑长20、宽7米，具体功能尚不清楚，推测有两种可能：舞池或球场。舞蹈在各个文化中普遍存在，在以后的时期是仪式中不可或缺的一部分，因此我们可以很有把握地推测它对于古印第安人时代和原古时代的先民来说一样非常重要。球赛则是中美地区标志性的文化特征之一，形成时代的最早阶段已经出现了正式的球场，表明这种建筑的雏形在原古时代应该已经存在，但目前还没有发现明确的证据。不管其具体功能是什么，这个遗迹都是中美地区最早的以社群为中心的建筑之一，性质等同于形成时代和之后的阶段被我们称为“民政-仪式建筑”的广场、神庙金字塔和宫殿。

**西南部高地：奎瓦布兰卡，公元前3300—前2000年** | 奎瓦布兰卡是一处洞穴遗址，年代属原古时代晚期，与盖欧希和吉拉纳基兹遗址相邻。该遗址显示了古人对洞穴和岩厦的持续利用，但其功能更加专门化。奎瓦布兰卡洞C层和D层的出土遗物包括鹿和兔子的骨骼、投掷尖状器和两面加工石片制成的石刀，显示这处洞穴为狩猎营地，其居民可能是一群男性，因冬季出来狩猎而远离他们的长期中心营地。

图3.12 盖欧希遗址为一处旷野遗址，两排大石块中间围出的区域“被打扫干净，空无一物。其外侧……发现大量遗物”（Flannery and Spores 1983：23）

**采食（foraging）和集食（collecting）**｜“采食”和“集食”都是以搜寻野生动植物为食的生计策略，但二者有所区别：前者指一个较大的群体整体对食物和其他物质资料的寻求，后者则是指一小群有特殊技能的人追寻某种特定类型的资源。作为一项专业化的活动，集食的出现使得美洲中部地区的劳动分工变得更加复杂，不再是流动的采食者群体中常见的基于性别和年龄的简单分工。如果一个由几位男性组成的狩猎小组出发去寻找猎物以获得食物和其他材料，中心营地中的其他人就可以从觅食活动中解放出来，去从事其他需要专门技能的工作。在一个营地停留的时间越长，人们所依赖的物质材料（和专门化工具）的范围也就越大，因为人群的流动性越低，物质财产越容易积累。

**墨西哥湾低地遗址**｜圣路易莎遗址位于墨西哥湾中北部沿岸的特科卢特拉河口三角洲，靠近丰富的水生资源，周围有森林和草原分布（Wilkerson 1973）。圣路易莎遗址是形成时代这个区域最为重要的遗址，其历史可以追溯到8000年前。

在原古时代，圣路易莎可能是一处中心营地，有专业化技能的狩猎或集食小组会离开这里，到拉孔奇塔这样的小型临时性营地中生活。

到了原古时代晚期的帕洛韦科期（公元前3200—前2400年），在对贝类和其他水生资源进行高强度利用的基础上，永久性聚落开始在墨西哥湾低地沿岸出现。这时人们也种植木薯，这是一种淀粉含量很高的块根植物，是现代木薯淀粉的来源。这种前陶器时代的聚落和生计模式被称为帕洛韦科传统，是地峡地区原古时代晚期的典型适应策略。

## 3. 关于“前陶器”一词的说明

“前陶器”一词在原古时代中晚期变得非常重要，因为陶器的使用是生活方式的重要指标之一。这是一个转变的时期，一些新特征开始出现，后来成为中美地区文化史的典型因素，比如陶器的使用、定居、高强度采集和农耕。然而，这些因素并不是整整齐齐地打包在一起发生的，而是在不同的地区以不同的组合形式出现的。“前陶器”形容的是缺少制陶工业及其最早的产品、没有陶容器和写实陶塑的遗址。后来，中美地区的制陶工业开始生产其他类型的产品，比如纺纱用的重物（即纺轮）和建筑用的砖和管道，但是早期的产品是非常简陋的，比如形状和大小都与葫芦碗和石碗相似的陶碗和描绘的体态丰腴的女性形象的陶雕塑。

## 4. 原古时代中晚期：地峡及其以东地区

**太平洋沿岸平原**｜地峡区包括潮湿的太平洋沿岸低地，向地峡的西北和东南延伸，比墨西哥湾沿岸要窄得多。在地峡区西北部的太平洋沿岸，崎岖的南谢拉马德雷山脉经常与海岸线汇合，海拔1000米等高线与海岸线的最大距离仅20公里。与此相反，墨西哥湾沿岸平原的地势要平缓得多，海拔1000米等高线与海岸线的距离最宽处可达100公里。太平洋沿岸陡峭的地形给农业村落留下了很有限的空间。在地峡以北，海岸米斯特卡是河流冲积平原和山前低地连续分布最长的一段，沿海岸线绵延300多公里，一直到达了今天的阿卡普尔科镇。

在地峡南部，海岸平原长约600公里，与海拔1000米等高线的距离约50公里。这一狭长平原从恰帕斯的谢拉马德雷山延伸到海边的部分，在后古典时代被称为索科努斯科，这个名字通常被用来代指地峡东南的整个沿海平原。这个宽广的热带海岸线上潟湖遍布，是红树林牡蛎和其他水生物富饶的栖息地。温暖湿润的海岸平原也是种植作物的理想环境，这两个物产丰富的区域毗邻分布，为原古时代中晚期专业化集食的发展提供了条件。

可能早在公元前5500年，居住在海岸和与之相邻的沼泽和河口区的居民就开始将数量庞大的贝壳堆到一起，形成了贝丘（Kennett et al. 2010）。这些遗址中没有发现房屋或是家庭生活产生的垃圾。钱图托和其他遗址是由一层一层的蚌壳垒起来的，“完整的没烧过的蚌壳和一层层烧碎的蚌壳交替叠压”，后者是在巨大的横长形炉子中烹饪产生的（Voorhies 2004：42—51）（图3.13）。在缺少石头等其他材料的沼泽环境中，这些贝壳被用作建筑贝丘的材料（Michaels and Voorhies 1999；Voorhies 1989）。这些贝丘可能被用作晾晒大量鱼和贝类的平台。鱼干是非常宝贵的产品，是饮食中的重要补充，可以为食物增添能量、蛋白质、独特的风味和盐，同时也便于运输，易于保存。

钱图托贝丘显示出一种新兴面貌，即对具有出口潜力的物品的大规模专业化生产，其规模似乎已经超过了单一微型采食者游群的能力。这只是宏大的经济专门化模式的早期例证，这种模式是复杂社会发展的一个必要前提。

到了原古时代之末，钱图托地区的聚落似乎已经形成了两个等级，数量庞大的小型贝丘遗址服务于内陆规模更大的聚落。武埃尔塔利蒙是大型聚落之一，它的人工制品组合中发现了重型的伐木工具，可能与刀耕火种的生产模式有关，即用砍倒树木之后会放火烧荒的方式清理出田地。需要注意的是，武埃尔塔利蒙遗址并没有发现陶器，而其所在的索科努斯科地区在形成时代早期成为中美地区最复杂、最漂亮陶器的核心产地。

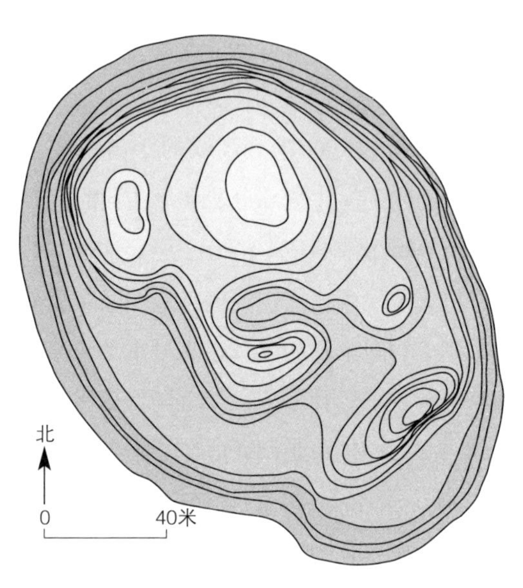


图3.13 钱图托诸遗址沿恰帕斯地区海岸分布，都是“小贝壳堆成的巨大贝丘，上面覆盖着一层泥土。贝丘成圆锥台状，形成了红树林泥沼区的一个个岛屿”（Michaels and Voorhies 1999：41）。其中特拉夸切罗贝丘高度超过7米，最大长175米。图中的等高线间距为0.5米

**玛雅低地，公元前3000—前2000年** | 原古时代晚期玛雅低地的聚落考古材料极其匮乏。贝茨兰丁遗址位于尤卡坦半岛东部的伯利兹，年代为公元前4200—前3000年。这处遗址的占用时间很长，可能长达一整年。石器包括磨制的磨石，还有网坠，显示出对水生资源的开发利用。

尽管内陆的热带雨林地区不是物产丰富的适合采集之地，但种植者们可以清除森林种植谷物。在尤卡坦半岛内陆的沉积层钻芯中发现了玉米的孢粉，表明人们在那里的沼泽湖泊地带已经开始种植玉米，年代在公元前3000年之后。这说明当时人们已经开始砍伐森林，磨制石斧就成为必不可少的工具。用锋利的钢斧砍倒一棵大树已经是很费力的工作了，用石斧来砍的消耗会更大，虽然它已经是原古时代工具组合中最有效的砍伐工具了。这是一个很值得考虑的问题，尽管刀耕火种的成本极高，人们还是开垦了内陆雨林地区，因为玉米的产量确实很高，而不断增长的人口也需要新的土地。

**过渡地区，原古时代晚期，第三期，公元前4000—前1000年** | 中美地区这一文化区以南是美洲中部和南部的过渡地带，独特的地理位置使得这一区域在原

古时代晚期的地位非常重要。这一狭长地带包括了今天的巴拿马和哥斯达黎加南部，沿海地区多山，热带雨林一直逼近到大西洋和太平洋边缘。尽管破碎的地形和茂密的雨林阻断了其间小谷地之间的陆路交流，但从原古时代晚期开始，这一地区可能已经出现了乘木筏沿海岸航行的交通方式。

支持这种交流路线的主要证据是出现了制陶这一新兴工业（Rice 1996）。新大陆已知最早的陶器来自哥伦比亚的奥米加港，位于南美洲北部的大西洋沿岸地区，年代在公元前3000年左右。但陶器可能并不是简单地从一个地方起源，再扩散到其他区域的。多地区几乎同时独立产生新发明的情况在历史上非常多见，因为在广大区域内，都会出现万事俱备、只欠东风的情况，即既有了相关的生产技术，又有对产品功能的需求。在陶器的例子中，就是有了对可以长时间使用的容器的需求，也有了烘烤黏土的技术，将二者结合起来的创意出现后，陶器便产生了。

**陶器与定居，陶器与作物栽培**｜传统观点认为，在文化进化的过程中，陶器和定居是联系在一起的，因为陶器的生产需要投入大量材料和工具，对于流动的采食者来说是不太方便的。另一个原因是，作为产品的陶器要比形状相似的葫芦容器大得多也重得多，在往复的迁移过程中会更加笨重。鉴于葫芦器和陶器的功能相似，都是用作碗和水罐一类的容器，对于流动的采食者来说，即使他们已经知道烘烤过的黏土可以维持形状不变，葫芦器仍然是更好的选择。我们可以推测，采食者是知道制作陶器的技术的，因为很多篮子里面都糊有泥巴来防水，当这些篮子被烧毁后，内部的泥巴就会形成一件粗糙的陶器。

陶器和农业也曾经被认为是中美地区特征组合的一部分，是同时在一些地区出现的。在当时已经出现的永久性居址中，大型容器是很好的谷物储藏工具，也是家用储水器，还可以软化和烹煮晒干的玉米，甚至可以用碾碎的谷物或成熟的龙舌兰汁液发酵酿酒。这种饮料的酒精含量与现代的啤酒相似，通常来说比直接饮用周边水源要更加安全。储存饮料的大型容器在形成时代早期的索科努斯科非常重要。

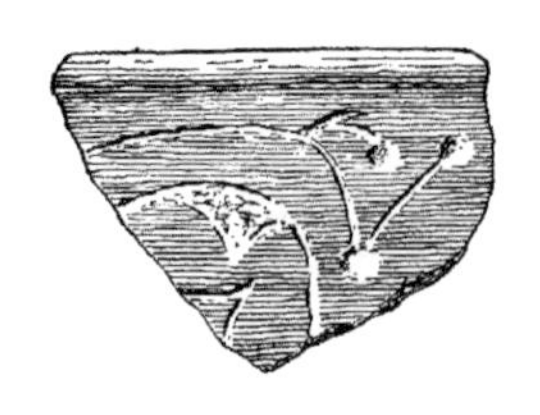

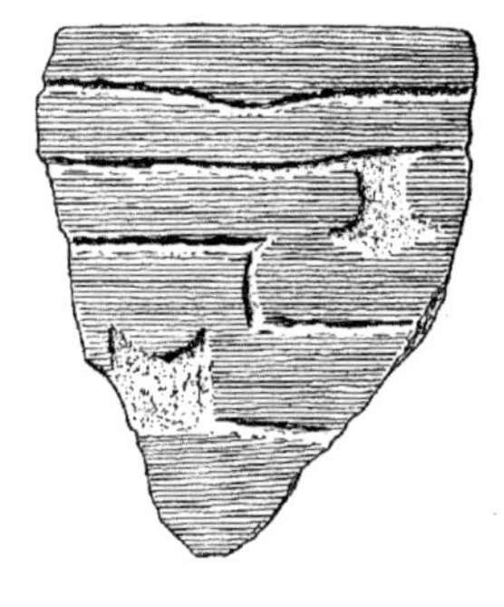

图3.14 莫纳格里约陶器，目前已知的美洲中部地区年代最早的陶器，比较粗糙，有简单的刻划纹饰

**莫纳格里约遗址，美洲中部最早的陶器** | 尽管在中美地区种植玉米和使用陶器之间的关系非常密切，美洲中部地区最早的陶器却发现于中-南美洲的过渡地区，这里的居民在原古时代晚期/形成时代早期仍然采用采集野生植物和栽培作物并重的混合型生计策略。莫纳格里约陶器组合的年代大约为公元前2500年（图3.14），拥有这一陶器组合的遗址分布于巴拿马太平洋沿岸南部地区、奇里基半岛和帕里塔湾。莫纳格里约遗址即是其中的典型，是一处海湾地区的贝丘遗址，其他遗址包括同为贝丘的莫莫斯特利、阿瓜杜尔塞岩厦和奎瓦拉德罗内斯洞穴遗址（参见“参考地图”20）。到了公元前1000年，巴拿马东部也出现了陶器。在此之前，大尼科亚地区就已经有了陶器，出现在尼加拉瓜的奥梅特佩岛和洛斯安赫莱斯，年代属第纳尔特中期（公元前2000年）。

这种混合型的生业经济和定居模式似乎格外适合过渡区，他们将这种生活方式一直延续到整个前哥伦布时代。人骨的同位素研究显示，不同时期之间，当地居民对玉米或是其他主食的依赖程度并没有增强。到公元前1000年，定居的村落已经遍布整个地区，学者们认为该地区的定居生活和陶器是在接受了广泛传播的相关知识后，本地文化自行发展的结果。

## 5. 格雷罗地区：太平洋沿岸，原古时代晚期和形成时代初期

陶器在莫纳格里约遗址出现后不久就到达了中美地区的太平洋沿岸。目前已知的中美地区最早的陶器来自马克斯港，遗址就在今天的阿卡普尔科城南侧，陶器的年代为距今3900年（Kennett et al. 2008：111）。马克斯港位于地峡北部延伸的

沿海平原的北端，也是一处贝丘遗址。对其年代最早的地层仅进行了小规模发掘（0.8立方米），没有发现陶器。但上面一层就出现了“痘纹陶”，因为陶器内壁会有植物纤维羼合料被烧掉后留下的小凹坑。羼合料是被加到陶土原料中以增强其坚固性的物质，类型多样，包括植物纤维、细砂、贝壳等，可以作为了解制陶技术共享情况的指征。痘纹陶的外壁有一层红陶衣，与形成时代初期索科努斯科海岸地区的陶器相似，厄瓜多尔也有类似陶器且年代更早（Grove 1981）。

## 6. 公元前2000年：原古时代的结束和形成时代的开始

到了公元前2000年，农业村落遍布整个美洲中部，成为形成时代初期开始的转折点。这些最早的中美地区居民使用了一整套技术，让它们共同发生效力，适应了这一地区并保障了稳定的生活。中美地区这一文化区出现在可以种植玉米并以其为主食的地区，使玉米成为所有可依赖的基础食物资源的基石。原来蜗居在简陋帐篷中的中美地区居民聚集在一起形成了村落，开始使用陶器，也仍然使用葫芦、石器、篮筐等容器。形成时代初期的开始，也是村落内的家庭出现一些身份差异迹象的时刻，有些家庭可以有更大的房屋和更豪华的墓葬。接下来的阶段会展现出财富和权力方面越来越大的差距，有一小部分人上升为精英阶层，迫使剩下的人支持少数人的统治。

日益加强的社会复杂化进程很大程度上要依赖定居生活。定居的出现使财富的积累成为可能，也为人口的增长提供了粮食保障。对食物生产的依赖可能也进一步刺激了人口的增长，因为“年长的儿童和近亲可以在整理田地、播种和收获这些劳动力使用的高峰期提供极大的帮助，……激发了人们繁衍后代的愿望”（Stark 1981：367）。

从全世界范围看，我们那些采用流动采食方式生活的祖先过着简朴但健康的日子，生活在小社群中，群体内遵奉平等互助和资源共享的道德理念。定居彻底打破了社会关系的平衡。即使在平等的部落村庄中，一些人也会享有更高的威望，也会对群体命运产生远非他人可比的影响。定居还带来了对物品的所有权和对土地的使用权，这些权利更加关注个人或家族组织的需要与利益，牺牲了社会整体。

那么，为什么要定居下来？首先，定居抵消了频繁流动的成本，食物和物品可以储藏起来以备不时之需，体弱多病者也不必饱受颠沛流离之苦。投入到建设或改善居住条件以及修筑农田上的劳动很快就会在接下来的几年中得到回报。

定居的代价是什么？适合永久性定居的地点很少，社群聚居地周围必须有丰富的可以长期利用的资源，包括食物、水和燃料等。在中美地区，由于缺少畜力和运输车，除了那些有可通航的河流提供便捷运输路线的地区，其他地区的食物和货物运输全部依靠人力，而非畜力和车辆。这种情况直到欧洲人带来有轮马车和拉车的牛马之后才有所改善。除了要有稳定的基础生活物资供给，定居的聚落还需要清扫和维护，还要能够防御外来的有所觊觎的人或野兽。

相比于流动的狩猎采集，定居是不太健康的，更为单调的饮食可能会导致营养缺乏症（如贫血），与更多人更近距离的接触则增加了传染病的风险。从另一方面看，新大陆居民的一个突出特点是，在欧洲人到来之前并没有受到传染病的太多影响，穿越白令海峡的艰难旅程可能起到了寒冷过滤器的作用，筛选掉了群体中健康状况不佳的个体，同时较小的人群规模也限制了传染病的传播（Dillehay 1991）。在对抗传染病方面，中美地区人民所具有的另一项优势是这里只有很少的驯化动物，限制了动物疾病在人群中寻找新宿主的机会。世界上的农业社会中，农场动物是疾病的主要来源之一，旧大陆的天花就是牛痘向人类传播的结果（Diamond 1999）。尽管新大陆在健康方面有着诸多优势，但任何聚集起来的人群都会带来影响健康的各种各样的问题，比如水源污染、糟糕的卫生状况和食物供给不足等。

定居带来的风险还包括愤怒的人群所具有的破坏力。如第一章所述，一个独立定居村落的最大规模可达数百人，比这更多的人口就无法仅仅通过尊重家中的长者和羞于在群体面前犯错的简单伦理原则来控制了。派系开始发展，不同派系之间的斗争只能通过获取更高层权威的裁判或暴力竞争来解决。在后一种情况中，失败的一方会离开村落，到其他地方建立新的自治村落。在前一种情况下，大家接受了中间人的调停，村落会维持一个较大的规模，冲突之解决几乎不可避免地会造成部分居民被疏远，失败的一方还有可能成为二等公民。同样重要的是，建立一个最高的权力机构会产生永久的行政官员，他们会将整个社区的权力握在自己手中，并在集体财富的分配过程中享受着更多的份额。

# 第四章　形成时代初期（公元前2000—前1200年）

形成时代，公元前2000—公元300年，中美地区文化在这一阶段开始结晶升华，形成了一整套独特的文化特征和行为模式。在形成时代之初，我们看到了一些关键区域中的小型自治农村，这是部落人群的典型居住方式（图4.1）。这些地方到了公元前1500年左右开始发生转变，社会秩序逐渐脱离平等自治部落的轨

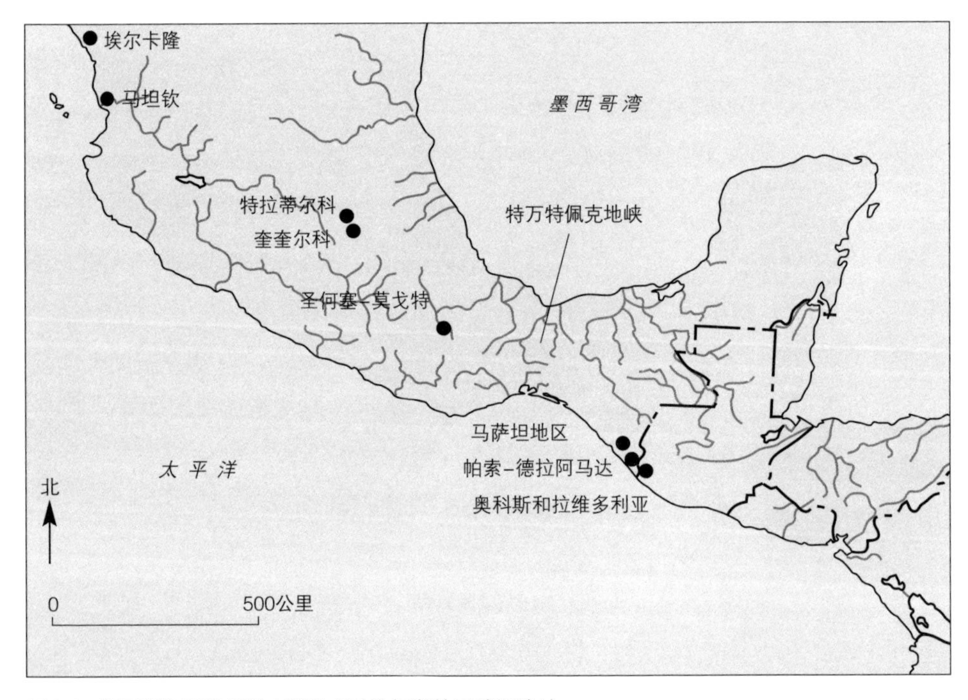


图4.1　第四章涉及的美洲中部形成时代初期的区域和遗址

道。到了公元300年，中美地区的全部居民都生活在个人和群体间都有差别的等级社会中，从政治形态上来看已进入酋邦和国家阶段，少数人统治大多数人，迫使他们为自己提供物资和服务。

在形成时代，定居村落和农业扩展跨越特万特佩克地峡，又遍布高地。随后，在地峡区和其他地区，奥尔梅克文化的仪式中心和独特艺术发展起来。瓦哈卡河谷和墨西哥盆地紧跟这一趋势，建立了国家，中心城市可以控制周围的农村，并要求它们缴纳贡赋。学界一般认为，形成时代包括几个重要的发展阶段，这一过程在广大区域内都有着生动的表现，这是我们在接下来六章（第四到第九章）要探讨的主题。本章内容主要涉及形成时代的最初阶段，有时被称为"初始期"，年代大约在公元前2000年到公元前1200年之间。

## 专栏4.1　中美地区：文化要素清单

早在20世纪初期，人类学和考古学还在研究已知世界文化的发展道路新领域的时候，"文化要素清单"就已经成为基本分析工具之一。任何一个文化的要素清单都会包括一套对这个文化来说最根本的物质材料和行为实践，一些特征是该文化特有的，一些则是文化之间共享的，这份清单主要是为了描述一个文化或亚文化的特性而设计的。这种清单是理解"文化区"这个概念的根本。"文化区"指的是具有特定的适应实践和物质文化遗存的区域。随着时间的推移，文化要素清单成了人类学和考古学研究中过时的方法，被认为与前沿问题无关。

这种轻视的态度是不合理的，因为掌握清单中所列的信息是考古研究的基础。如果不在以前研究的基础上了解一个地区物质文化遗存的总体模式，我们又怎么能理解新的调查或发掘揭示出的某一独特模式呢？事实上，文化要素清单也从来不是一个一成不变的核查单，而是一份会随着新信息不断更新和修订的指南。

这也是保罗·基希霍夫（Paul Kirchhoff）列出一份中美地区文化要素清单的目的（Kirchhoff 1981［1943］）。他在发表的时候只把这份清单当作草稿，并邀请其他同行来使用或修改，结果“基希霍夫的清单”成为经典，后来再也没有被修订过。下表中列出的主要文化特征和它们的空间分布都反映了20世纪40年代的知识背景和基希霍夫的主要兴趣点。

**表4.1　中美地区文化特征清单，据基希霍夫1943年版修改**
**（字体加粗的表头为新加内容）**

| | |
|---|---|
| **食物生产：**农耕[K] | |
| **基本农作物** | 玉米[K]，用碱化湿磨法处理[Km]；豆类[K]、南瓜[K]、龙舌兰[Km]、苋菜、鼠尾草[Km]、土豆[K]、红薯[K]、甜木薯[K]、辣椒[K]、菠萝[K]、牛油果[K]、木瓜[K]、美果榄[K]、槟榔青属李子[K]、棉花[K]<br>**农业技术：**男性耕田[K]，挖掘棒“寇阿”[Km]<br>**集约农业：**修筑梯田[K]，奇南帕式的灌溉农田[Km] |
| **动物资源** | 被育肥且不吠叫的狗[K]、鸭子[K]<br>**狩猎野生动物使用的工具：**吹筒枪[K]和陶子弹[Km] |
| **经济实践和物质材料** | |
| **产业和工具** | 建筑：石头或泥土[K]<br>陶器[K]：类似烤盘的盘子，用来烤饼[K]<br>抛光黑曜石，黄铁矿镜子[K]<br>冶金[K]：用来在石材上钻孔的铜管[Km]<br>**纺织和编织：**编织扇子[K]、兔毛装饰纺织品[Km] |
| **交换** | 市场[K]：专门化的市场[Km]，根据专长分区的市场[Km]<br>商人同时也是间谍[Km] |
| **交通运输** | 吊桥[K]、葫芦筏[K]、石头铺成的路[K] |
| **军队组织和装备** | 战争的目的是确保能抓到战俘献祭[Km]<br>军队内部有等级（鹰武士和虎武士）[Km]<br>镶嵌有燧石或黑曜石石片的木剑[Km]、长矛[K]<br>战士穿着连体衣[Km]、棉质胸甲[Km]<br>带双把手的盾牌[Km]、编织成的盾牌[K] |
| **社会实践和材料** | |
| | “卡布里”式的氏族[K]<br>桑拿室[K]、地穴式烤炉[K] |

续表

| 服饰上的地位标志 | 长头巾[Km]；凉鞋[K]，包括带跟凉鞋[Km]；唇饰和其他黏土装饰品[Km] |
| --- | --- |
| 产品方面的地位标志 | 可可[Km] |
| 仪式活动和材料 | |
| 神祇 | 有一系列神祇，比如特拉洛克[Km] |
| 牺牲祭祀有关活动 | 杀人献祭[K]：取走活人的心脏[K]，有一些特殊的活动形式（比如把人活活烧死、穿着被杀者的皮跳舞等）[Km]，把人头作为战利品[K]，食人[K]，一些特殊形式的自我牺牲（比如从耳朵、舌头、腿和性器官取血）[Km]，纸张和橡胶有特殊的仪式性用途[Km]，杀鹌鹑祭祀[Km]，用鲜血滴洒神圣之地[K]<br>与飞行有关的比赛或仪式[Km] |
| 仪式材料与礼仪 | 使用橡胶球的比赛[K]、黄铁矿镜子[Km]、以13为仪式性的数字[Km]、忏悔[K]、喝清洗逝去亲人身体的水[Km] |
| 死后生活和地下世界 | 有多个不同的世界的概念，通往它们的道路非常艰难[Km] |
| 知识实践和材料 | |
| 书写和书 | 象形文字[Km]、书籍呈折页式[Km]、历史年表[Km]、地图[Km] |
| 数学 | 数字符号[Km]、数字在不同数位代表不同的值[Km] |
| 历法 | 一年18个月，每月20天，此外还另有5天[Km]；用20个符号和13个数字来表达一个260天的周期[Km]；综合260天和365天两种纪年方式形成一个52年的周期[Km]；在特定时期结束的时候都有节庆活动[Km]；日期有好坏之分[Km]；人根据其出生日期来命名[Km] |
| 建筑 | 带台阶的金字塔[Km]、地面涂抹白灰[Km]、有圆环标记的球场[Km] |
| 音乐 | 用舌状鼓槌敲击的木鼓 |

需要注意，这张表格列举了39个特征，其中中美地区与其他美洲文化共享的特征用“K”表示，基希霍夫认为是中美洲独有的特征则用“Km”表示

这个清单其实包括好几个表，涵盖了中美地区与美洲其他五个文化区共享的特征和其独有的特征。基希霍夫最主要的兴趣是这些特征在地理分布上的重合部分，在某种程度上，分布范围可以帮助我们认识某种特征的古老性。由此产生的清单将一些不相干的东西放在了一起，比如中美地区和南美、北美洲的部分地区都有的“红薯、吹筒枪、人头战利品”。因此基希霍夫的清单看上去总是非常吸引人但又有点琐碎，例如，从中美地区和

亚马孙地区的四个共同特征（其中有一个是“编织扇子”）中，我们能得出什么更宏观的文化意义呢?

但这些信息依然非常有趣，特别是不按照其地理分布范围而是把它们当作文化核心的各种物质表现重新归类之后（Steward 1955，参见图2.4）。这个新的归类在表格最左边一栏用加粗的字体表示，它并没有涵盖所有内容，但把各种特征归到了相关的组别中（表4.1）。我们从食物生产类特征开始列表，因为基本生计方式为其他文化发展特征设定了界限，决定了聚落形态和剩余产品的潜力。剩余产品的出现促进了社会复杂化的发展和组织机构的出现，比如有特权和权力的精英阶层的确立。精英们控制着市场，派遣商人执行间谍任务，穿着凉鞋。基希霍夫清单中包含了这些与社会类型有关的线索。他鼓励其他学者修改他的清单，表4.1正是我们的修改稿。

## 一、形成时代的文化趋势

在整个形成时代，文化进化之力以成熟的表现权力和财富的艺术形式创建了复杂社会，其中与发达的信仰系统相关的图像尤其丰富。尽管相关的各区域文化都有其自身的特点，但每个文化内部，各文化要素高度整合：信仰体系通过赋予景观和气候灵力，将社会和自然环境紧密结合在一起；祖先崇拜使人得以超越时间的限制，还有两套并行的历法提供时间度量，使人们能够紧随地球和人生的季节变化。

### 1. 奥尔梅克文化的先驱

奥尔梅克文化是下一章的重点内容，它建立了中美地区第一批令人过目难忘的仪式中心，对我们来说，这是复杂社会的重要特征之一。在奥尔梅克文化的大遗址中可以直观地看到，先民们为了完成一项宏伟的设计投入的大量人力和物力。这些是谁的工程？奥尔梅克艺术描绘了一些特殊的个体，他们应该是精英阶层的领导者，主宰着农民的粮食和工人的生活。

更重要的是，奥尔梅克文化已经有了成熟的艺术风格，并且可能以一系列相互关联的符号和观念承载着一个信仰体系。这个信仰体系和图像传统来自哪里？它的前身是什么样的？为了回答这些问题，我们需要了解一下中美地区复杂社会的最早证据，涉及的范围包括特万特佩克地峡和地峡以西的高地地区，特别是瓦哈卡河谷。

人类历史上无数次发生过社会政治等级化取代平等主义的社会变革，这是建立国家级社会组织的先决条件。正如我们在第一章中已经提到，它曾经在世界上六个不同的地区独立发生，包括中美地区。在美洲中部地区，变革的萌芽出现在若干区域，索科努斯科地区的研究工作尤为丰富。该地区是太平洋沿岸山麓地区的一个狭长条带，从特万特佩克地峡向东南延伸，发现了早期定居的有力证据。很清楚，同样的过程也同时发生在其他地区，比如西部紧邻着的瓦哈卡高地。

## 2. 在考古材料中发现社会不平等

对于缺少文献记录的史前社会，考古学家通过物质遗存来分辨社会不平等。在平等社会，家庭、营地或是村落之间在职业的专门化、物质产品、房屋类型等方面几乎没有什么差别。流动的采食者们即使在农业村落定居下来，各个家庭之间也没什么差别，甚至一个区域内的各个部落也都很相似。每个村落都是独立自治的，还没有出现相对于其他聚落在行政或是经济上获得中心地位的聚落。

我们发现聚落系统由一个中心聚落和周围其他村落组成，而且中心聚落有规模更大、位置更显赫的行政或仪式性建筑，人口规模超过数百人，就可以认为村落之间的自治已经被打破，被中心权力取代，社会不平等和财富差异已经确立，尽管分化程度还不高。需要注意的是，这些区别可能是细微的，但也是明确的，一些个人或家庭已经成为权力的聚焦点，社会已经超越了平等的部落制度。简朴民政-仪式性建筑代表着、有时确实是后来各种大兴土木建设工程的基础。

社会和经济的不平等还表现在各种各样的物品、随葬品和房屋上，显示出有些人生活得更舒适，拥有更多的财产，还会将其中的一部分带入自己的墓葬。原古时代晚期定居农业村落的发展为聚集财富提供了可能，定居村民们可以不受限制地积累物品，而不必为了季节性移动采集，将个人财产限制在方便随身携带的物品上。

想想这一变化会对手工业生产和工艺品制造产生的影响吧。在定居之后，区域性的手工业专业化繁荣起来，因为手工业者可以将他们开发利用本地资源和加工多种材料的技术方法一代代地传承下去，工匠也会越来越多。当然，商品和原料的区域间贸易在古印第安人时代和原古时代就已经存在，但到了形成时代，贸易的规模显著扩大，类型也更加丰富，流通的物品更多，既包括原材料也包括产品，甚至还有奢侈品。

考古学家用“奢侈品”或“精英工艺品”“贵重物品”等词来代指那些实用工具以外的器物，它们不用于生产生活和其他基本需要，但贵重且具有重要的社会功能。需要强调的是，现代西方视角下的“奢侈品”是被我们的价值观强烈塑造的，这种价值观对自然和社会的看法与古人完全不同。这里“奢侈品”易于理解的定义就是古人精心制造的工艺品，它们吸引我们的是很高的经济价值。我们认为不论是在古代还是现代，奢侈品都是采用优质原料、经由大师以高超技艺生产、仅有一小部分人可以负担得起的东西。

现代社会对于奢侈品的理解往往就止步于此了，因为在我们简单直接的价值观中，个人财富的经济价值足以代表其所有者的社会经济地位。今天，我们很少去关注物质产品的其他方面，比如象征符号的精神力量、器物设计反映出的亲缘或其他社会关系、物质成分、制造工艺和可获性等，而对于古代社会来说，这些都是对器物价值至关重要的因素。这些对奢侈品内涵理解上的差异对我们理解古代社会奢侈品在其特定背景下重要意义的能力提出了新的挑战。

## 3. 烟与镜

考古学家有时只能猜测一些物品（包括奢侈品）的功能。考古学家内部有一个

图4.2、4.3 中美地区最早的镜子发现于形成时代初期，用细颗粒的石材制成，有一个光滑的凹面。现代镜子的主要功能是梳妆打扮和供人自我陶醉，但在古代中美地区，镜子主要是耀人的反光器，用来将光线反射到他人眼中或生烟点火。上图就是一例，下图雕像是埃尔比韦罗墓葬中典型的随葬品，该墓葬位于太平洋南部沿海地带的马萨坦地区。雕像显示了这种凹面镜是怎样用作装饰品佩戴的

广为流传的玩笑：当你不知道这件奇怪的物品属于什么类别的时候，就叫它“仪式用品”。尽管如此，这种倾向其实包含一个核心事实：奇怪的物品往往蕴含着精神功能。比起实用性的基本工具，在意识形态方面具有重要意义的象征符号在形态上受到的约束要小得多。比如磨玉米的磨盘和磨棒直到今天仍然在尺寸、形态和原材料方面与千年以前的同类物品一样，但是古代社会和现代社会的宗教仪式用品都会有各种各样的形态，包括对各种事物和力量的具象和抽象表达。

你认为图4.2的那件器物是做什么的？它是由一块非常坚硬、刀枪不入的石头打磨和抛光而成的，表面平滑内凹。这件精致的器物展现了珍贵石材加工技术的进步：先用另一块石头将原料磨出形状，再用沙子和泥浆抛光，最后达到如此精致的效果。从这件器物对称的形态和仔细抛光的表面可以看出，工匠在收尾阶

段非常小心。为了了解这件器物的功能，我们可以与其他文化中类似的产品进行对比，它的形态和原料会让我们觉得它可能是研墨、调颜料或化妆品的调色盘。出土背景当然也能提供线索，但形成时代的这种器物，没有一件是在使用背景中出土的，多数只是墓葬中的随葬品，或被描绘在雕像上。

正如图4.3的雕像所示，这种器物会被高高戴在额头上，就像矿工戴的头灯一样，也会像男性和女性雕像显示的那样，被用作挂坠或是其他胸部装饰物。从这些证据看，我们可能会认为这种器物是像珠宝一样的装饰品，也可能是重要官员佩戴的徽章或标志。总之，我们将它视为一种奢侈品，原材料特殊，制作工艺精湛，只有社会特权阶层才可以使用。

幸运的是，我们可以从年代更晚的例子中了解到更多有关这件器物功能的信息，并且可以通过实验来进一步验证。这个经过打磨抛光的凹面是一个反光的晶状体，即一面镜子（Carlson 1981）。原古时代初期的镜子虽然也有些反光功能，但不像现代的镜子那样直接反射出影像。和现代镜子一样，原古时代的镜子可以聚光投射，甚至在特定的情况下可以使火种由冒烟到燃烧。我们讨论过，在中美地区，萨满教和自然环境所拥有的精神力量是两个非常基本、古老又有力的主题。在萨满眼中，烟雾和火这两种元素的飘动和闪烁表明它们是生命精神的载体，镜子这样一种能产生烟雾和火的工具可以增强萨满的力量，使他们更好地控制或参与与自然界的对话。

当然，与所有人一样，萨满实际上能够掌握的控制宇宙的力量会受到限制。我们知道，从现代科学的角度，没有人可以通过意念控制来改变气候模式，也不可能在同一时间内出现在两个不同的地方或是变成其他生物。不管是用传统古法还是现代医学，许多疾病的发展不会受到任何精神或药物治疗的影响。尽管有以上所述的种种问题，萨满仪式的主顾和观者都会对萨满心存敬意，相信他们有变换形态和穿越时空的超能力，因此会自愿压制心中的怀疑，认为萨满的法力是真实的。萨满会使用一些手法和特殊道具等魔幻戏法来增强自己直觉力和感召力的真实性。这些道具有时候也被用作功能强大的护身符和等级地位的标志。明晃晃的镜子可以把光线投射到旁观者眼中，使之目眩神迷，萨满还可以用它创造出烟雾和火，这足以极大提升萨满的威望。这种镜子是中美地区用镜传统的最早例证，此传统一直延续到了殖民时代。

**不仅是烟与镜** | 有关烟与镜、萨满与权力的讨论让我们关注到一些日后成为中美地区成熟文化传统的关键因素的出现。尽管萨满的权力和奢侈品（镜子就是其中之一）的交换只是这个复杂故事中的两个要素，但它们是理解中美地区文化特征体发展的标志。现在让我们转向更宏大的模式。

## 4. 中美地区的“新石器时代”

在旧大陆特别是美索不达米亚地区和欧洲，向定居农业村落的转变被称为“新石器革命”。新的石器工具出现了——磨制石器加入主要由打制石器构成的工具组合中。在中美地区的原古时代，同样影响深远的一组变化也标志着“新石器”生活方式的诞生：以谷物为主食，以陶器和锥状石核生产的石叶为代表的新工具和文化因素，以及纤维编制工艺的发展（如编筐）、初级纺织品的出现等。

新石器时代的西南亚和原古时代晚期/形成时代早期的中美地区之间整体上的相似性很好地说明了同样的进化之力在两个完全独立的地区的相似作用，同时也恰当证明了在同样的进化之力作用下，进化的路径是如何不同。两个地区后来都出现复杂的、由世袭精英阶层统治的国家级社会；都拥有城市、高度发达的农业、大规模高密度的人口、由多样化的产品和活跃的贸易组成的复杂经济系统等。但是在西南亚，工具制造技术持续发展，进入青铜时代和铁器时代，金属工具在很多方面取代了石器，包括制作用来生产其他工具的工具。水力磨粉机等简单的石质和铁质复合机械成为工业革命中复杂机械的前身。

在中美地区，整体而言，金属始终未能成为重要的工具原料，直到公元1520年，他们使用的工具组合与形成时代之末就已经出现的“新石器”组合基本相同。金属的价值体现在其他方面，比如光亮度、延展性和声音，贵重金属还会被制成各种展示用的精美艺术品。在中美地区，轮子最广为人知的用途仅仅是装在陶制的小狗雕像下方做牵拉玩具，尽管这些很容易活动起来的小玩具可能在精神层面有一定的意义。利用转轮技术的工具只有两种：将植物纤维纺成线的纺轮和加工石材用的弓形钻。

## 专栏4.2 棱柱形石叶

批量生产产品是现代资本主义的基础，是全球贸易和工业革新的必要组成部分。非工业社会在创新、生产和消费方面要保守得多，但也有向流水线式生产、提高产品规范程度方向创新发展的实例。在中美地区，棱柱形石叶的生产是一种新的工具生产方式，并带来了全新的工具。这一创新最早发生在公元前1500年左右，到了形成时代，棱柱形石叶在许多地方所占比重已经超过了石片石器（Awe and Healy 1994）。

**技术**｜两边平直的石叶是从预制好的石核上打下来的，一般以黑曜石为原料，每次剥片都从预制好的石核台面贯通到底部，形成一个完整、可用、形如棱柱的工具，因此被称为“棱柱形石叶”（图4.4）。石核毛坯往往是块状的，一侧打击修理出平整台面，用来剥制石叶。石核预制好之后就不会再产生废料，因为不需要对产品进行进一步的修理，每片石叶的切割刃缘都像刀片一样锋利，所有的石叶都可以像拼图一样，拼合还原到原来的石核上。

**原料**｜为了从石核上剥下完美的石叶，石料的颗粒必须极细。尽管有时可以用内部有不规则节理的黑曜石或燧石等其他颗粒细腻的石料生产，但最好的棱柱形石叶是用最好的黑曜石生产的。

**优势和社会经济影响**｜这种生产方式产生的每一件产品都是完整的石叶，不需要另花时间和精力修整，也就不会在后续的剥片过程中产生废料（克洛维斯和其他类型的尖状器都需要进一步修整出锋利的锯齿形刃缘）。更重要的是，棱柱形石叶的超强实用性使它成为中美地区工具组合的基本

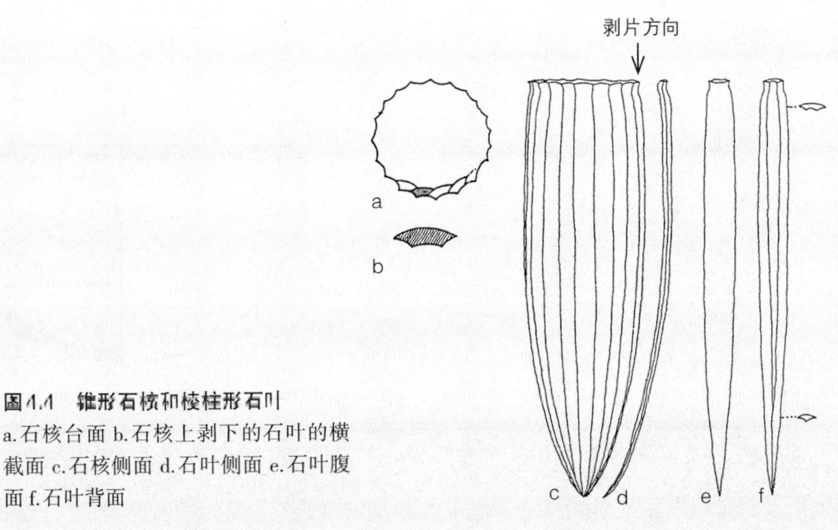


**图4.4　锥形石核和棱柱形石叶**
a.石核台面 b.石核上剥下的石叶的横截面 c.石核侧面 d.石叶侧面 e.石叶腹面 f.石叶背面

组成部分，从形成时代初期一直沿用到与欧洲人接触前。它们作为家用工具的一部分在整个中美地区随处可见，不论家户的经济地位高低都会使用。棱柱形石叶还被用在复合工具中，比如镶嵌到木柄的凹槽中做成非常有效的砍刀，西班牙人在与阿兹特克人激战的过程中就遇到了这种武器。

尽管有经验的生产者可以很容易就从预制好的石核上打下石叶，但想要掌握这个技术却并不简单，经常会出现误操作（Andrews 2003）。高质量的黑曜石也并不便宜，因此生产石叶是一项专门的职业，普通的农民或手工业者家中使用的棱柱形石叶是通过贸易获得而非在家自己生产的（Parry 2001）。棱柱形石叶的出现显示，不管为获取成品还是原材料，人们对贸易交换的依赖程度都越来越高。随着特奥蒂瓦坎影响力的扩大，棱柱形石叶之重要性达到高峰，成为远距离贸易的标志性产品。帕丘卡是一处黑曜石原料产地，位于特奥蒂瓦坎北部，盛产高质量且呈绿色的黑曜石。绿色是中美地区最高贵、最受推崇的颜色。到了形成时代末期和古典时代早期，帕丘卡的绿色黑曜石在中美地区各地都有发现，成为特奥蒂瓦坎贸易网络的名片。

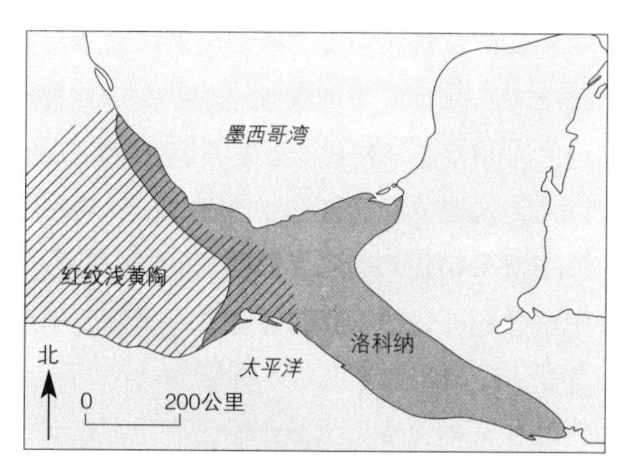


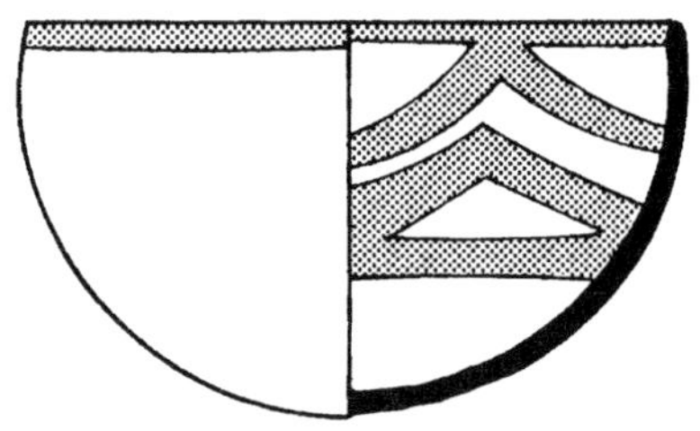

图4.5—4.7　在形成时代初期和早期，整个中美地区开始广泛使用陶器，但在地峡以西地区，器形非常简单（见上图），在陶器自然的浅黄色上简单绘制红色的装饰。与此相反，在地峡地区，即使是年代非常早的陶器（见下图，马萨坦地区的陶器）也具有超越实用的形态和功能，包括做工精良、装饰华丽的可能用于宴飨活动的器物，如华丽的大罐就非常适合装满啤酒类饮料以飨一众尊贵宾客。一些花纹和器表的处理方式似乎反映了同时期南美洲西北部海岸地区（今厄瓜多尔）的影响，但这些器物是本地制造的

**地区化：陶器和其他要素**｜即使是在中美地区内部，不同的区域在“新石器”特征方面也有差异，陶器就是一个很好的例子。这种地区化的趋势早在更新世之末就开始了，原古时代的狩猎采集者也需要对一个特定的地区了如指掌。随着定居的发展，地区化变得愈发明显，到了形成时代初期，随着最早的陶器的出现，我们可以划出两个相互影响的大文化区：地峡文化区，奥尔梅克文化在此出现，其居民成为中美地区第一批大型建筑的建造人；地峡以西的高地文化区，紧随奥尔梅克出现了更加复杂的文化（图4.5—4.7）。

广大的区域内如果共享相似的陶器造型的话，往往表明也共享着其他的文化特征。我们可以发现，在形成时代初期，地峡区和其西部的高地区有两套不同的文化因素，在表4.2中有总结。区别始于最基本的资源，即食物供给。虽然两个地区都以典型的“中美地区三组合”（玉米、豆类和南瓜）为主食，地峡地区的水生资源和林地资源更加丰富和可靠，因此比干旱的高地地区在生业经济形态方面更加复杂多样。

**表4.2　中美地区早期村落农业社会**

| 分区 | 地峡以西的高地地区 | 地峡及其以东的热带低地 |
| --- | --- | --- |
| 生业经济 | 玉米农业为主，狩猎采集为辅助 | 混合经济：农业有重要地位，有块根类作物和玉米，继续利用各种野生资源，如鱼、龟、鹿等 |
| 栖居模式 | 小型村落，分布分散 | 大型村落，松散聚集 |
| 陶器 | 简单，实用 | 器类复杂多样，有许多用于宴飨和仪式的社会上层用品 |
| 跨区域交流 | 常见，证据包括非本地产的物品、在整个大区内流行相似的陶器和雕像 | 有限 |
| 奢侈原料和产品 | 常见，除了黑曜石，贸易物品还包括铁矿石镜子、玉和其他绿色石材、鸟羽毛、海贝、可可 | 常见，除精致陶器，贸易物品还包括雕刻的玉器、绿色石材和云母 |
| 社会复杂程度 | 有限 | 明显，公元前1400年等级社会已经出现，从雕像中可以看出，已经有了萨满-酋长，物品分配有差别 |
| 仪式性建筑 | 有限 | 社会上层住所、球场 |

地峡地区和西部高地地区的区别远不止陶器风格这一项。整张表列出了反映两大区域之间文化模式差别的一系列特征（据Clark 2010b）

地峡地区这种混合式的生业经济可能带来了更为多样也更加集中的栖居模式，能够养活相对较高密度的人口。中心村落是他们的大本营，周围大量各式各样的营地和小村庄为有着特殊目标的采食者们服务。地峡地区的人们从事各种贸易活动，我们可以追踪到黑曜石之类的材料从其火山地区的产地到使用地之间的贸易路线。

但是，高地地区在远距离交换原料和商品上都显得更加活跃，无论是在高地的不同生态区域之间，还是在获取地峡热带区原料方面都是如此，外来物品包括玉石、宝石、色泽鲜艳的羽毛等。事实上，这两个地区奢侈品都很流行，尽管他们使用的原料种类不尽相同。在地峡地区，这些物品似乎更加集中在少部分人手中，该地区的社会上层住所和球场之类的大型建筑同样是社会等级的明确证据。

社会等级化意味着复杂社会中另一个常见的特征也已经出现，这就是“政治经济”（political economy）。政治经济包括了一整套与生产、分配和消费有关的物质和实践活动，都是受社会统治者的意愿所控制或影响的。平等社会中实行的是生业经济（subsistence economy）：关键性资源获取权方面的区别极其少见，重要的材料并不会产生可供个人控制的剩余。更复杂的社会也有在地方层面上运行的生业经济，例如，个体农耕家庭会自己生产生活必需品，但他们生产的剩余产品供养了统治阶级和日益壮大的专业工匠队伍。因此奢侈品的生产和贸易不仅告诉我们这一时期日益增长的审美品位和奢侈品使用等级化的社会背景，还表明生业经济已经成为一种更复杂的经济关系的基础。这种经济关系中，在统治者的控制下，不同阶层只能获得限定的物品。

## 二、地峡地区

原古时代晚期，钱图托地区发展出两个层级的区域聚落形态，但还看不出任何一个村落在聚落群处于中心地位或是比其他村落等级更高。到了形成时代初期，在与钱图托相邻、同样位于海岸带的马萨坦地区才出现了真正的聚落等级差异。这是该地区从平等社会转向等级社会、从部落转向酋邦的众多标志之一。

## 1. 酋邦的兴起

“酋邦的兴起可能是政治进化中最重要的一步了”（Carneiro 1998：37）。酋邦是一种政治组织形式，它将一系列村庄结合在一起，形成一个永久性的联盟，由其中一个村落的首领来控制，他也就成为所有村落的酋长。这种行政权威通常会变成世袭的父系继承制。社会整体的复杂化程度提高意味着村落原有的自治权消失，社会等级建立。酋长的家族等级最高，其他家族的社会地位则根据其与酋长家族的关系亲疏来决定。生业经济为统治者提供了可供支配的剩余产品。

从平等社会向等级社会转变的进化性变化在人类历史上曾经发生过很多次，但几乎同样多次，这些酋邦会很快解散成一系列独立自治的小部落。然而，在时机成熟的时候，酋邦会从部落村落中再次出现，而且一旦一个地区的社会开始向更大规模、更复杂发展的趋势充分确立，酋邦就会倾向保持延续。最终，酋邦会相对稳定地延续下来，以中心村落为核心的周围小村聚落之间的聚落等级关系会发展成社会等级关系，个体和群体在这一关系中各有不同的地位。

法国哲学家卢梭提出，独立的群体基于理性思考会与未来的统治阶层签订社会契约，自愿放弃自治权。这一观点在18世纪曾经十分流行，到现在还被广为接受，但将其用于解释从平等部落向等级酋邦的转变却是完全错误的。事实上，村落的自治权和部落的平等关系似乎是通过高压剥夺的，如果真的存在建立社会等级的契约的话，这种契约保证的是强大村落（或派别）对弱小者的欺压和盘剥。最强的欺压者会在兴起的酋邦中占有最重要的位置，而酋长几乎总是战争中的领袖。

我们可以将雅诺马莫人的首领看作潜在的酋长（图4.8）。在一个规模庞大、人口拥挤、位于中心地区的村落里，一个有魅力的酋长在狩猎、宴飨和结盟等特定场合中才能表现出强大的领导力。在这些场合之外，这些村落与形态更简单、位置更边缘的小村庄并没有什么区别。但是在其他中心村落的规模变得越来越大的时候，村落之间的关系会变得愈发紧张，村落首领就有了新的机会像酋长一样行事，扩展战争时期临时被自己的村落和盟友赋予的权力，直至获得对所有事务的永久性控制权。

图4.8　雅诺马莫男人在宴飨开场时展示他们的武器和集会华服

## 专栏4.3 雅诺马莫

为了解影响权力的动因如何从平等走向等级化、酋邦是怎样产生的，我们可以观察一下雅诺马莫，这是一个著名的部落文化，位于委内瑞拉南部。数十年来，他们与当代西方文明只有非常有限的接触，直到20世纪60年代还保持着原有的生活方式，仅出现了一些新贸易得来的金属器。这里对他们的介绍采用了现在时，用来表现他们几乎与外界隔绝的"民族志式现实"（ethnographic present）（Chagnon 1997）。

他们是平等部落中的农民，生活在十几个村落内，每个村子都只有不到200人，来自两三个家族支系。这些亲族组织为雅诺马莫的社会和政治组织提供了基础。最有权势的家族中年长的成年男性就是村落的首领，他并没有实际的权力，不能强迫追随者们服从他的指示，但一个好的领袖会很有威信，大家也都愿意跟从他的领导，部分是因为他的人格魅力，部分是因为他有很多亲属，可以率人袭击周边的村落来威胁甚至摧毁他们。首领同时也是萨满，会在致幻药物的作用下进入恍惚状态召唤自己的灵魂，并通过这种方式使追随者们相信他可以预见未来或是治愈病人。所有成年男性都会用这种由药物带来的超验式状态帮助他们获得战士般的勇猛斗志，促使他们通过杀戮来增强这种精神力量。

一个优秀的雅诺马莫首领可以管理有一两百居民的村庄。如果一个村庄的人口规模发展到了数百人，仅仅依靠首领有限的权威和基于亲属关系的社会控制手段就无法维持秩序了。如果村落内部爆发矛盾，雅诺马莫人常见的解决方式是分裂村落，较小派别离开本地，到更远的地方重新建立一个村落。只要还有无人争抢的宜居之地，这种开发新领地的办法是可以缓解社会矛盾的。事实上，中心村落会越变越大，其首领也会比周围其他小村落的领导者拥有更高的威信。这些小村落村民被迫承认中心村落首领的威信，因为他们处于较低的社会等级，或是由于在其他地方开辟一个新村落太过艰难。

雅诺马莫首领的权威建立在他能够召集的同盟数量的基础上，一夫多妻制不仅保障他有更多的子嗣，还将他的家族与配偶的娘家结合在一起。首领们会倾向于拥有最多的妻子，妻子对于雅诺马莫人来说也是财富：她们从事耕种和大部分其他劳动，生下的儿子可以进入他父亲的队伍，女儿可以许配给潜在的盟友。这些联姻和结盟的活动常常发生在宴飨过程中，在这种场合男性可以充分展示华丽的服饰和战斗装备（参见图4.8）。一个有多位妻子的男性可以举行大规模的宴飨活动，因为他们能够从自己的农田中获得足够的食物。

作为自给自足的农民，雅诺马莫人只有一些技术简单的物品，用本地原料在本地生产。在这一方面，首领跟其他人几乎没有差别。雅诺马莫人非常了解贸易在村落间非暴力关系中的价值。为了与其他村落保持贸易联系，村民们会声称自己无法生产某一类物品（比如绳子、猎犬幼崽等）。贸易中的奢侈品方面，可能涉及一些个人装饰品（羽毛、化妆品等）、特殊食物和药物。

这种部落生活模式可以帮助我们了解中美地区文化从最早的农业村落向酋邦的转变。雅诺马莫的例子说明了一组动因是怎样在限定条件下发挥作用的，特别是村落规模和位置的限定；也说明了这些动因影响社会危机的方式以及人们的解决办法。我们还可以看到宴飨和结盟的和谐模式是怎样迅速转化为充满敌意的致命袭击的。

## 2. 酋长成为职位：获取与赋予

永久性的控制权可以超越有领袖魅力的个人的生命：酋长的位置成了一个永久的制度性职位。因此，这个职位的承继就成了一项重要事务：因为如果每一任领袖都要通过与其他候选人的竞争才能获取这个职位，也就是要在每个家族中最强壮的男性间展开竞争，由此引发的内部分裂需要付出高昂的代价才能弥合。

人类学家对两种个体取得特定地位的方式进行了区分：获取（achievement）与赋予（ascription）。生为男性和生在高等级的家族中都是被“赋予”的条件，即这些条件的拥有者不会积极获取这些条件，它们被赋予他了。与之相反，熟练利用恐吓或外交手腕则是需要通过学习和实践“获取”的技能。“获取”与“赋予”是两个不言即明的词，但人际关系从不会那么简单而理智，在严格的精英体制中奖励所有获取的成就。但另一方面，尽管一个人可能仅因为有着高贵的血统就被赋予权力和荣耀，社会也可以通过暗杀等手段来避免自己成为出身名门的白痴的牺牲品。领导权世袭和赋予可能有助于维护社会稳定，但未来的领导人也必须证明自己的资质，否则其他男性近亲（偶尔可能是女性）很可能会夺取权力。

## 3. 性别与政治进化

有关领袖和酋长的讨论没有考虑性别中立问题——是否有女性首领？妇女们能否指挥战争或主持宴飨活动？形成时代初期男性和女性的社会角色是很难复原的。民族学材料的类比可以提供一些线索，考古证据和中美地区更晚阶段的文化传统中也有一些信息。将历史上已知的趋势逆推到更早的阶段是一种阐释方法，被称为“直接历史法”，因为此法沿着一条文化传承的直线，利用已知的文化去追述年代更早、了解不多的时代。可以想象，即使针对年代和地理位置都非常近的遗址，利用这一方法都必须非常小心；如果要跨越遥远时空进行追溯，显然会有极大的不确定性。此外，对态度进行定性远比确认工具的功能棘手；即使面对有丰富文献记录的阿兹特克人，我们想要了解他们的内心想法也非常困难，更不用说那些3000年前数百公里外的文化了。

我们还是能够识别出中美地区社会中许多要素的深层文化根源。尽管这一区域内各具差异的地区包含着很多不同的文化模式，但毫无疑问的是，一些特征在整个区域、每一个时期都能够见到。比如萨满教就流传很广，而且明显有非常深的根源。它也是权力的重要基础。萨满和医疗术士通常既包括男性也包括女性，因此形成时代初期的文化传统毫无疑问也会尊崇知识渊博的成年女性。然而同样真实的是，酋邦形成的民族学案例有力表明，战争和突袭行动是攫取政治权力的主要手段，这些活动普遍几乎只有男性参与。

在后来的中美地区文化中，女性确实扮演了重要的政治角色。阿兹特克女性拥有自己的财产，有广泛的政治权利，并且能够在熟练的手工业生产和民政管理中占据受人尊敬的政府职位，有时甚至可以统治城邦国家。但是，中美地区政治领袖出现的主要证据似乎偏重在男性身上；在记录最完备的民族学材料里，各种类型的社群从平等自治村落向等级社会转变的案例中，主要是由男性酋长来领导的。

## 4. 马萨坦的莫卡亚文化

这些概念有助于我们理解形成时代初期当酋邦开始从平等的部落组织中出现

时，索科努斯科海岸和其他地区发生的变化。考古学家将这个海岸地区的文化称为“莫卡亚文化”，这个词在现代当地人讲的米塞-索克语中的意思是“玉米之民”。莫卡亚文化第一期是巴拉期，属于形成时代初期，碳十四年代的范围大致为公元前1800—前1650年（Clark 1991）。巴拉期出现了该地区第一个大型聚落和年代最早的陶器。如上文所述，这种陶器从一开始就有着复杂的设计，可能是用来储存和供应饮料的大罐子。

对于“玉米之民”和形成时代初期地峡地区的其他居民来说，玉米仅仅在他们的生业经济中占了一小部分。当时玉米已经驯化了很长时间，但比起种植它所需要投入的大量劳动力，长仅3厘米左右的玉米穗能够提供的食物是非常有限的。莫卡亚文化中，玉米可能有特别的作用，比如用它的汁液来酿造可口的啤酒。对莫卡亚文化和地峡地区的其他居民来说，蛋白质和能量可能并不是他们种植谷物的首要目的。他们居住在沼泽地周围，一直有着各种各样的野生资源。

到了洛科纳期（公元前1650—前1500年［Clark 1991］），这一地区出现了两级结构的聚落形态，包括面积20万—75万平方米的中心聚落和面积仅1万—5万平方米的周边小村落（图4.9）。中心村落可能有1000人左右的居民，其社群规模已经远远超过仅依靠亲属关系建立的简单社会所能控制的上限。区域聚落形态和大型中心村落的出现表明，当时的社会需要酋长而非普通的首领来统领。酋邦的出现也得到其他证据的支持，比如镜子、表现不同社会等级人物形象的雕像、需要大量劳动力合作来修建的大型建筑等。

每一个中央村落都有环绕在自己周围的资源带，从各个遗址中发现的黑曜石的种类来看，这些中心村落分别独立与危地马拉高地三个不同的黑曜石产地进行贸易（Clark and Salcedo 1989）。马萨坦地区丰富的海岸和河口资源养活了这些酋邦，其居民在此生产食盐等各种各样用于贸易的产品。索科努斯科地区后来成为中美地区最负盛名的制作巧克力的原料可可豆的主产地之一。目前有关利用可可豆的最早证据来自形成时代中期的玛雅低地（Powis et al. 2002）。古典期的证据则更加丰富，包括玛雅书写系统中表示可可的文字和一个发现于玛雅古典时代里奥阿苏尔遗址的盛热可可的带纽盖壶（Hall et al. 1990）。毫无疑问，可可制品的年

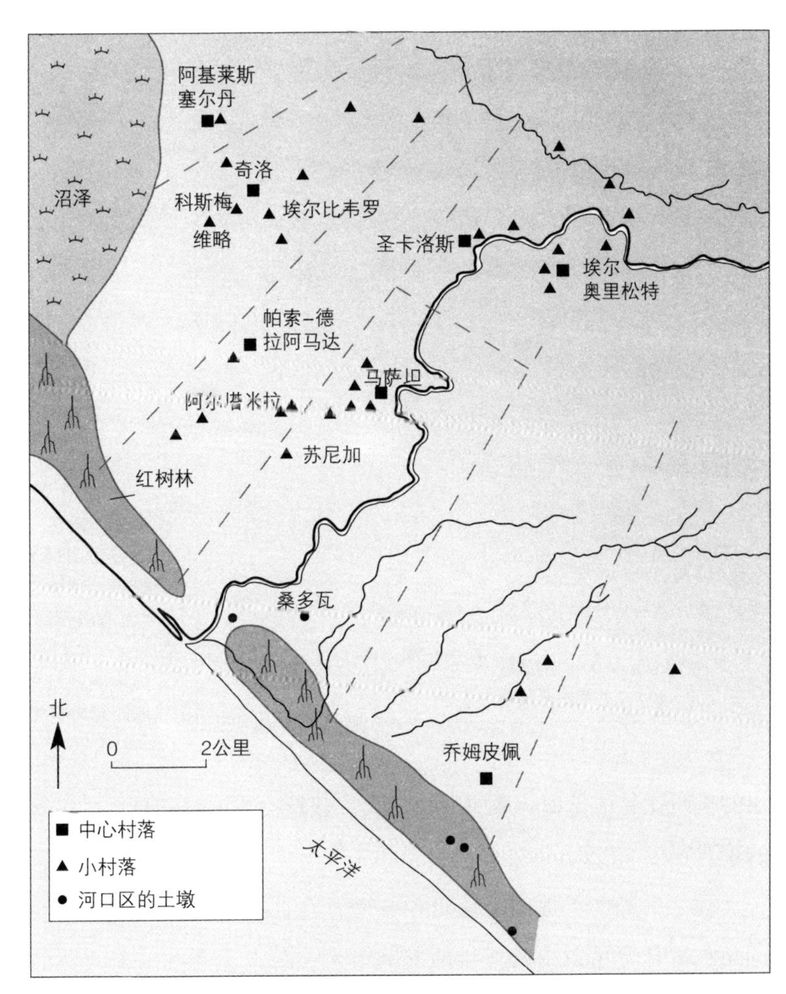


**图4.9　在公元前1500年的马萨坦地区形成了两个层级的聚落模式，大型村落可能是周围小型村落的行政中心。遗址的空间分布显示此时可能已经出现了酋邦等级的政治组织**

代可以追溯到形成时代的较早阶段，这一时期人们在热带地区培育可可树，用以生产这种宝贵而容易用于贸易的作物。

**帕索-德拉阿马达遗址：最早的球场和其他社会上层特征**｜帕索-德拉阿马达是所有洛科纳期遗址中最为知名的一个，该遗址发现多个仪式性建筑，是后来广泛分布的典型的民政-仪式建筑类型的前身，包括宫殿和球场（图4.10）。该遗址社会上

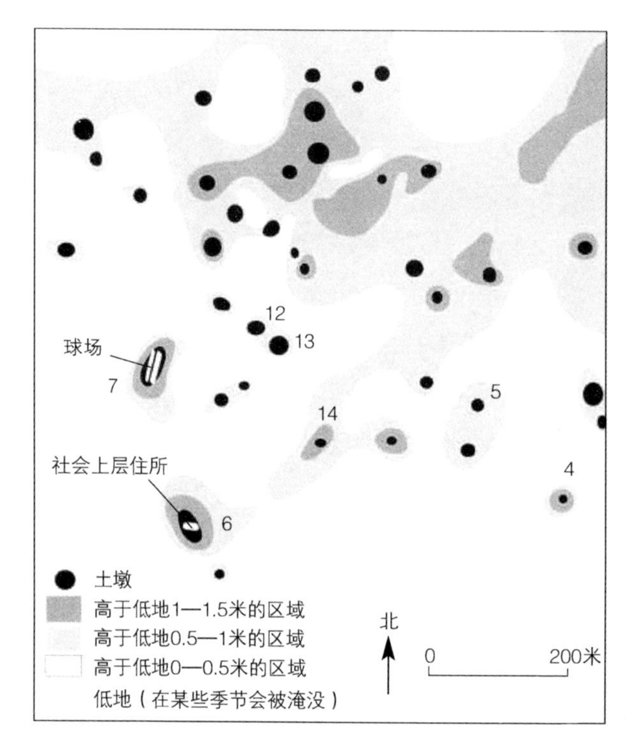


图4.10 帕索-德拉阿马达遗址的平面图显示出房屋散布在高地上的布局模式。对于这一时期来说，6号和7号土墩颇不寻常，分别是社会上层的住所和球场。尽管6号土墩也是一处庞大的建筑物，但它的规模和球场比起来就相形见绌了

层的住所比其他类型的房屋规模更大、建造得更好，遗址内的球场是中美地区最早的正式赛场（Blake 1991）。

在之后的中美地区文化史中，球赛在社群生活和社会关系中扮演了非常关键的角色。球赛可以由两人或两支队伍来参与，在赛场内来回移动一个橡胶球，与足球很像。正式的球场呈长方形，平均长40米左右，内部差异较大，有很多不足20米，而奇琴伊察的大球场则有150米长。帕索-德拉阿马达遗址的球场长80、宽7米，周围有很长的观众台，高约2米。正式的球场两侧有斜坡状的矮台，简单的比赛可以在平地进行（让人想起盖欧希遗址的“舞池”）。

这种以橡胶球运动为核心的活动对现代读者来说并不陌生，因为当今最流行的运动也是如此。我们现在看到的就是这类运动的前身，直到大约500年前的16世纪，一群到访欧洲的阿兹特克人展示了他们的橡胶球运动，类似的活动才开始在欧洲出现。这一则有关运动的趣闻有助于我们更好地了解形成时代初期的中美

图4.11 中美地区居民使用橡胶产品的历史比世界其他地区早了至少3000年。橡胶是一种有机质材料，在大多数考古遗址中都很难保存。保存最好的有机质材料是发现在饱水环境中的。图中的橡胶球是献给圣泉的祭品，发现于埃尔马纳蒂遗址。该遗址位于奥尔梅克文化的中心圣洛伦索附近，年代在距今3000年前（Ortíz and Rodríguez 2000）。这类橡胶球直径达12厘米，毫无疑问是用于球赛的。橡胶也可能是另一种热带地区盛产的奢侈品，在本地和遥远的地区都被广泛贸易

地区，现代运动爱好者也会觉得他们的球赛引人入胜。然而这里还有一个问题，就像上文提到的“奢侈品”一样，中美地区的球赛似乎对当代人来说并不陌生，但在当时的文化情境下，它承载的意义却是非常不一样的，与现代球赛相比其含义更精微。在后面的时期里，中美地区的球赛因如同牺牲献祭和重生的戏剧而格外知名，在下面的章节中我们会再次讨论这个话题。

橡胶是现代全球经济中至关重要的工业材料，中美地区人民也将它用在日常生活、休闲娱乐和宗教仪式等各个方面。阿兹特克人留下的文献中记载了橡胶的多种药用方法，玛雅人用橡胶来给武器装柄，还用它来制作防水衣物（Stone 2002）。中美地区人民还赋予了橡胶精神内涵，将橡胶树分泌出的汁液与流淌着的血液联系起来，运动中的橡胶球则代表着所有运动物体的生命力。众所周知，中美地区人民生活在生机勃勃的景观环境中，他们相信，无论是自然山川还是万千生物都具有内在的精神力量。他们崇拜那些展现出生命力量的事物，比如反射光线的镜子、微风中飘动的羽毛战旗、光芒四射的闪亮金属等。被投入比赛之后，跳动的橡胶球也代表了一股强大的生命之力。

这是橡胶非常重要的精神方面的价值，当然它的经济价值也很重要。如此有生命力的材料被赋予了很高的价值，在很大范围内进行贸易（图4.11）。最好的

橡胶来自热带地区的橡胶树（*Castilla elastica*），生长在海拔700米以下的地区，因此这种树胶也是地峡地区向高地地区提供的另一种重要商品（Tarkanian and Hosler 2011）。北部干旱区和中美地区西北边界的另一种植物银胶菊（*Parthenium argentatum*）可以生产质量稍差的橡胶。

帕索-德拉阿马达形成时代初期的球场为了解球赛传统源远流长的历史提供了重要的证据。在其他大型村落中可能也有类似的球场，“为了强化他们在当地和其所在区域内的地位和威望，村落中正在形成的社会上层可能出资修建了球场”（Hill，Blake，and Clark 1998：878）。在更晚的社群中，像帕索一样，还出现了另一种民政-仪式性建筑：社会上层住所，它们在空间位置上和球场紧密相关。

正如我们通常所认为的那样，民族学和考古学的证据都表明，在同一个文化中，特权阶层比平民有更大更好的房子。现代社会的价值观是非常明确的：令人印象深刻的房屋是我们社会中精英特权和地位的标志。在传统社会中，统治阶层的家族往往更加庞大，在那些实行一夫多妻制的地方尤其如此，家中还有仆人和其他侍从。这种家庭需要有更大的房子来满足统治者承担的行政和公共职责，比如款待客人或馈赠。房屋的装饰必须展现出统治阶层对资源的控制力和对细节的重视。对于盟友和下属来说，房子有任何年久失修或节省费用的迹象都是统治者失去权力和威信的信号，会导致他们把忠诚（还有贡品）献给其他统治者。

在帕索-德拉阿马达，6号土墩是一处居址，规模比平均值要大好多倍。这处土墩至少有六层，显示出顶部的平台和上面的建筑曾经被多次翻修过。相关遗物和垃圾表明这是一处日常居所而非“年轻男性之屋”之类的公共活动空间（Blake et al. 2006：207）。重建序列中的4号建筑，长22、宽10米。修建这种大型建筑需要投入大量的劳动力，6号土墩较晚阶段的2号建筑就需要488人工作一天或20人工作大约25天才可以完成（Blake 1991：36）。这种规模的劳动投入需要来自家庭近亲以外的支持，这也许是衡量形成时代最初阶段社群领袖不断增长的权力的另一个指标。

社会不平等还表现在对待死者的方式上。在大多数平等社会中，墓葬和随葬品都很简单，但随着社会关系的分化和等级化区别越来越明显，财富的力量扩张到了死后的世界。我们能想到成年男性和女性会用奢华的随葬品彰显其地位，但当儿童的墓葬也非常奢华时，就表明权势家族中最小的成员也有了特权地位。帕索-德拉阿马达遗址豪华的儿童墓为社会等级的出现提供了进一步证据。

## 5. 莫卡亚文化的衰落

到了奥科斯期（公元前1500—前1350年［Clark 1991］），开始出现规模400—1000人左右的社区。典型遗址为奥科斯遗址，位于沿海山麓地区的南部，与拉维多利亚遗址相距不远，后者是一处小遗址，其发掘最早确认了莫卡亚文化（Coe 1961）。在奥科斯期的某个阶段，中美地区的气候可能发生了变化，太平洋沿岸山麓地区变得更加干凉。由于采用了混合式的生业经济，当地居民可能并没有受到太大冲击，但帕索-德拉阿马达遗址的衰落显示了文化的中断，在洛科纳期之末，遗址中的球场已经被填满了泥土。

## 6. 地峡区域其他地方形成时代初期的发现

到了杰尔拉期（或奥科斯晚期，公元前1350—前1200年），新出现的陶器类型和雕像表明，其他区域文化开始朝着更加复杂精致的方向发展。到了公元前1200年，圣洛伦索-特诺奇蒂特兰崛起为地峡区和整个中美地区最重要的社群，这将在下一章详细讨论，在这里让我们关注一下形成时代初期的圣洛伦索地区。在此时期，地峡区和相邻地区的人群在流动，不断开发尚未有人居住或尚未开始农耕的地区，有时甚至会将原来居住在这里的村落农民赶走，迫使他们将定居村落的生活方式扩展到新的地区。

## 7. 作为年代标记的语言

上述人群迁徙的证据来自语言学。语言是民族身份识别最重要的标记之一，通过研究在不同地区构成不同语言的单词种类和语句结构，语言学家可以追溯某种语言使用者的移动路线。我们知道，美洲是在经历了多个持续多年的大移民潮之后才逐渐被人类占据的，由此可以推测，每个移民潮期间的狩猎采集者在迁移过程中讲的各种方言会比较接近，而与之前或之后的阶段差距较大（Greenberg，Turner，and Zegura 1986）。此外，古印第安人时代和原古时代的大部分阶段，狩猎采集群体保持着高流动性的生活方式和低密度的人口，更倾向于在非常广阔的范围内保持一种语言或一些相互可以理解的方言。

这可能是原古时代早期的情况，到了晚段，随着对各具特色的不同地区的深度开发和定居的发展，也就发展出了更具地方性的语言。语言学家有时可以追踪语言从其祖源分化出来的时间，这种方法被称为“语汇年代学”。它假设某些最基础的词汇，比如太阳和月亮、家庭近亲和身体部位的名称等，是很早就已经出现了的，并且会比其他词汇更加稳定、保持更长的时间。与那些几乎没有相同基本词汇的语言相比，有相同基本词汇且相对比较相似的语言被认为是在更晚近时期才发生分化的。两种同源的语言的共同词汇百分比的变化可以用时间计量，通行的假设是，两种语言在分化1000年后，可能有75%—80%的相同词汇。再过1000年，可能有约60%的相同词汇（75%—80%的75%—80%［Hymes 1960］）。尽管这种估算的错误率可能很高，但“在中美地区，语汇年代学为研究历史年表提供了相当可靠的参照”（Carmack，Gasco，and Gossen 2007：438）。

## 8. 作为族群标志的语言

民族和语言之间的关系非常紧密，也非常复杂。语言是群体身份的重要组成部分，但使用同一种语言的人并不一定信仰同样的宗教、拥有相同的风俗习惯或服饰打扮。因此在应用基于语言学建立的民族分化年表的时候需要格外小心。但在有多种证据的情况下，学者们可以用语言之间的相似性来证实或质疑有关古代族群和迁徙模式的理论。

学者们相信，形成时代初期地峡地区的居民讲的语言应该是原始的米塞-索克语，是索科努斯科地区现代土著语言的祖先（Campbell and Kaufman 1976）。因此，原始米塞-索克语可能是奥尔梅克文化的语言，包括地峡区北部和墨西哥湾低地南部，尽管奥尔梅克地区在公元前1500年是相当多样化的，但定居已经充分发展，是多种文化的大熔炉。

地峡以东，地处危地马拉的玛雅高地是玛雅语的起源地，该语言的使用者继续向北移动，到达尤卡坦半岛，之后向西推进到了墨西哥湾低地北部，这个区域被称作瓦斯特卡，因为当地居民讲一种被称作瓦斯特克语的玛雅方言。他们可能是受到了莫卡亚人群进入墨西哥湾低地中部和南部地区后带来的人口压力的影响，才长途迁徙数百公里。即使是在更东部的洪都拉斯西北部加勒比海沿岸，也出现了埃斯孔迪多港这样始建于公元前1600年的村落，有相当精致的陶器（Joyce and Henderson 2001）。从距离遗址仅65公里的约华湖沉积物中包含有玉米花粉来看，当地居民可能也种植玉米，到公元前1000年左右还开始了可可的利用（Henderson et al. 2007）。

到了公元1500年，中美地区变成了一个多种语言小区拼合成的地区（参见Longacre 1967，图15“美洲中部语言学地图”）。在表4.3中，从北向南列出了主要的语族和它们包含的最重要的几种语言。

**表4.3　欧洲人到达中美地区时当地的主要语言**

| 主要语族和一些示例（经选择） | | |
|---|---|---|
| 纳瓦 | | 纳瓦特尔，纳瓦特，纳瓦尔，皮皮尔 |
| | | 波丘特科 |
| 塔拉斯科 | | 米却肯<br>普雷佩查<br>塔拉斯科 |
| 托托纳科 | | 特佩瓦<br>托托纳科 |
| 库特拉特科 | | 库特拉特科 |
| 霍坎？（有争议） | | 瓦哈卡琼塔尔<br>托尔 |
| 瓦韦 | | 瓦韦 |

续表

| 主要语族和一些示例（经选择） | | | |
|---|---|---|---|
| 米塞-索克 | 索克 | | 索特潘湾索克<br>特克西斯特佩克湾索克<br>阿亚帕湾索克 |
| | | | 奇马拉帕索克<br>恰帕斯索克 |
| | 米塞 | | 米塞<br>萨尤拉米塞<br>欧卢塔米塞<br>塔帕丘尔特科 |
| 奥托-曼格安 | 西奥托-曼格安 | 奥托-帕梅 | 奇奇梅科<br>帕梅 |
| | | | 奥托米<br>马萨瓦 |
| | | | 马特拉钦卡<br>特拉维卡（奥奎尔特科） |
| | | | 奇南特科诸语 |
| | | 特拉帕内科 | 特拉帕内科<br>苏蒂亚巴 |
| | | | 恰帕内科<br>乔罗特加（曼格安） |
| | 东奥托-曼格安 | | 阿穆斯戈 |
| | | 米斯特科 | 米斯特科诸语<br>特里克诸语<br>奎卡特科 |
| | | 马萨特科 | 马萨特科语<br>伊斯卡特科 |
| | | | 乔乔<br>波波洛卡诸语 |
| | | 萨波特克 | 查蒂诺诸语<br>萨波特克诸语 |
| 玛雅 | 瓦斯特科 | | 瓦斯特科<br>卡比尔 |
| | 尤卡坦 | | 尤卡坦<br>拉坎东<br>伊察<br>莫潘 |

续表

| 主要语族和一些示例（经选择） | | | |
|---|---|---|---|
| 玛雅 | 西部玛雅 | 乔尔兰 | 乔尔 |
| | | | 乔勒蒂<br>乔尔蒂 |
| | | 泽尔塔兰 | 佐齐尔<br>泽尔塔尔 |
| | | 大坎霍巴兰 | 托霍拉巴尔<br>丘赫 |
| | | | 阿卡特科/波普蒂/坎霍巴尔<br>图桑特科<br>莫乔 |
| | 东部玛雅 | 马梅安 | 特科<br>马姆<br>阿瓜特科<br>伊西尔<br>西帕卡彭塞<br>萨卡普尔特科 |
| | | 基切 | 基切<br>楚图希尔<br>卡克奇凯尔<br>乌斯潘特科<br>波科姆奇<br>波科马姆<br>克克奇 |
| 辛卡 | | | 辛卡诸语 |
| 伦卡 | | | 伦卡 |

## 三、地峡以西的高地

地峡和相邻的海岸平原地区有多样的生计资源，与之相比，地峡西部地区的生活要更加艰难。在当地居民的混合经济中，可以采集利用的食物种类更少，可靠性也更差。此外，高地地区早期的玉米栽培通常很简单粗放，依赖夏季的降雨来灌溉结果。正如我们在第二章所说，在每年可靠的降水量达不到500毫米的地区，这种靠天吃饭的农业有很大的风险。考虑到原古时代晚期/形成时代初期的玉米棒尺寸非常小，每公顷土地的产量仅70公斤左右，高地的混合型经济的实行者们必须想办法来保障和提高产量。

瓦哈卡河谷是了解高地形成时代初期发展过程的一个很好的切入点，因为与高地的其他地区相比，瓦哈卡河谷的栽培技术和区域聚落形态等级化相对早熟。河谷平原提供了高地地区最广阔的农业用地，面积达1500平方公里，因为海拔高达1500米，很少有森林。因此，当地的食物生产潜力巨大，可以在其他资源相对匮乏时及时补充（Blanton et al. 1993）。

瓦哈卡河谷年代最早的村落出现在公元前1700—前1400年，位于河流沿岸的冲积平原上，地下水位非常高。在农田里打浅井就能抵达地下水层，有水渗出，保障农业生产。这种技术被称为“罐子式灌溉”，很高效又非常小型化，因此不需要像修筑大型运河式灌溉系统一样必须依靠超越家庭的大规模社会组织才能完成（Flannery et al. 1967）。

为了保证粮食安全生长，作物的种子必须被种到足够深的地方，这样生长出来的根系才能够通过毛细作用汲取地下水。在中美地区的农业传统中，农民通常用木制的挖掘棒来辅助种植，阿兹特克人把这种工具称为“寇阿”（图4.12）。如果用锄头和犁，需要先挖出一个坑或犁沟，播种后再填平。与之相比，挖掘棒直接插入潮湿的底土中，形成一个凹陷，在里面填入种子。这种方法尽管会消耗大量人力，但产出却很高，因为在播种的过程中，农民可以检测土壤的潮湿度，确保每一粒种子都尽可能有发芽的机会。此外，每一处有松软土壤的山丘上都会同时种植许多种植物，而中美地区最为重要的三种植物更是充分地利用了空间：豆类缠绕在玉米秆上，南瓜则铺满了地面。这些植物还会促进彼此的产量：豆类可以固氮，保持土壤肥力；南瓜则覆盖了地表，减少了土壤中水分的蒸发。这三种植物同样在日常饮食中维持了营养平衡，对于这个以植物性食物为主、缺少奶制品的地区是非常重要的。

瓦哈卡的单个农民使用挖掘棒最多可以耕种大约2公顷的农田（Kirkby 1973），1公顷的范围比两个足球场略大一些。了解这种工作能力是非常重要的，

图4.12 寇阿是一种挖掘棒，一端为用火烧硬的尖头，用途相当于今日的锄头、铲子和耙。但与这些工具不同，寇阿不是一种复合工具，不需要将刃部装到柄上挖掘用的一端。这些16世纪的图画来自萨阿贡的《佛罗伦萨手抄本》，是对中美地区人民生活百科全书式的调查报告。图中显示的是阿兹特克农民，但毫无疑问，他们的服饰和技术也适用于更早的阶段。上图中的农民从脖子上挂着的包里取出种子，下图中的农民则用寇阿照料玉米幼苗。参见图3.5，图中的农民用寇阿照料龙舌兰

因为它为中美地区一个以农业为生的核心家庭划定了能量投入的底线：为了通过农耕来养活一家人，2公顷或面积更小的土地上必须能生产出足够多的东西来满足基本需要。

在此我们假设每个人平均每天需要2000卡的能量，这只是一个大概的估计，因为儿童所需要的能量要少得多，而少部分成年人则可能需要更多。再假设采用混合型生计策略的人群和早期农民的饮食主要是以碳水化合物和蛋白质为主的，脂肪很少，2000卡的能量大概相当于每人每天食用比半公斤略少一点儿的食物。如果假设共同居住的家庭组包括核心家庭并偶有其他亲属总共大约5人的话，他们大概每天需要消耗2公斤食物，全年算下来整个家户需要至少730公斤食物。考虑到谷物收获和加工过程中的损失和为下一季农耕储备种子，实际需要的食物

量应该比这个值还高。

我们知道，瓦哈卡河谷的采食者会食用各种各样的野生资源，同时会重点利用少量关键性资源，野生豆类即其中之一。野生豆荚中有可食用的甜豆子，可以从灌木上直接采集。每公顷野生豆类豆荚的年产量可达170公斤，对于混合型生业经济策略来说相当高产。在原古时代晚期/形成时代初期，一块2公顷的土地上种植的几厘米长的玉米棒年产量仅140公斤。一项有关玉米种植的收益-成本分析显示，只有当玉米每公顷的产量达到200—250公斤的时候，从能量消耗和获得的角度来说，才值得清理野生资源用地来种植玉米等主要的农作物，而这一产量是早期驯化玉米的三至四倍（Kirkby 1973）。考古学家相信，玉米的产量在公元前1700—前1500年达到了这个标准，这一时期农业村落开始在瓦哈卡河谷出现（Blanton et al. 1993：55）。

有关这些早期的永久性定居村落的直接证据非常稀少，因为早期遗址往往叠压在晚期规模更大的聚落下面。聚落选址地一直集中在主要河流的两岸，因为这些地方地下水水位较高，用挖掘棒来种植就可以获得足够多的粮食。聚落中的房屋以松木为柱子、以芦苇编织涂抹厚泥为墙，以茅草为顶。“在房子旁边，每户人家都挖了储藏坑来存放收获的玉米……每个都能存放一吨的去皮玉米穗，可以供一个四五口之家吃一年。”（Marcus and Flannery 1996：73）

## 1. 高地最早的陶器

陶器最早在形成时代初期出现在瓦哈卡河谷和与其相邻的特瓦坎河谷。从我们所知的数百块陶片看，这些陶器没有纹饰，器类包括棕色或浅黄色的碗和钵，模仿葫芦制作的碗和罐，持续使用了很长时间。这些陶器的年代大约在公元前1500年，属于特瓦坎河谷的普龙期和瓦哈卡河谷的埃斯皮里迪翁期。

上文已经讨论了陶器和定居的紧密关系，在这里我们应当注意到，在考古工作中发现这样的信息往往是非常偶然的。陶器的风格和原料是反映年代和地域很好的指标（Pool and Bey 2007）（表4.4）。烧过的黏土跟石头一样易于保存，尽

**表4.4 陶器类型，厨具，日用器，有时具有仪式性功能**

| 类型 | 器形 | 说明 |
| --- | --- | --- |
| 盘 |   | 一种较浅的容器，高度小于直径的五分之一，用于烹饪和盛放食物 |
|  |  烤盘 | 大而重的平底盘，用来烤玉米饼 |
| 盛盘 |   | 相对较浅的容器，高度在直径的五分之一到三分之一之间，用于烹饪和盛放食物。盛放塔马里（玉米粽子）的容器就属于这一类型。“卡祖埃拉”（cazuela）则更大，用来盛菜 |
| 钵 | 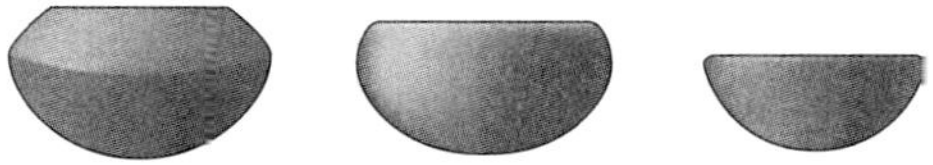 一般的钵 | 碗口宽大，高度是直径的三分之一到等于直径，有各种形状，有些造型仿生。用于烹饪和盛放食物。“摩尔卡赫特”（molcajete，研钵）是很大的碗，底部有条纹，用来磨碎辣椒和其他调料 |
| 特克马特式（tecomate）钵 | 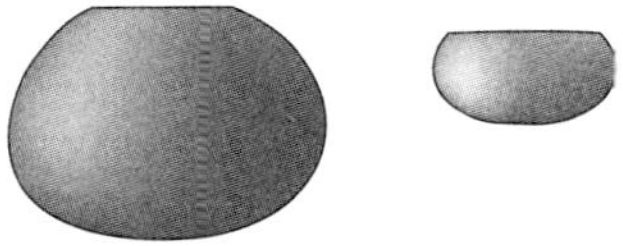  | 口沿内收的圆形钵或者像没有颈部的罐子；形态类似一个圆形的葫芦，它的前身可能正是葫芦器 |
| 三足/四足钵 | 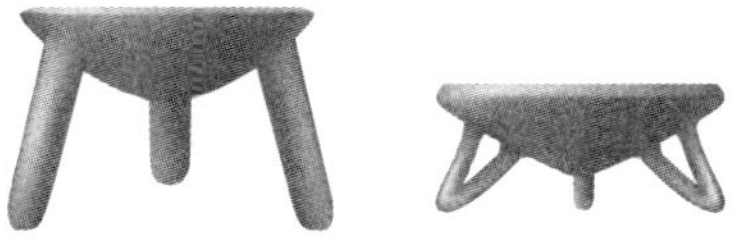 蜘蛛腿三足钵 | 有三条或四条支撑腿的钵，器足类型多样，从矮“乳突形”足到高“蜘蛛腿”足<br>特克马特式三足钵　球状三足钵（鼎？） |
| 筒形器 | 直壁碗状器。“三足筒形器”一般特指特奥蒂瓦坎式三足筒形器 |  |

续表

| | | |
|---|---|---|
| |  | 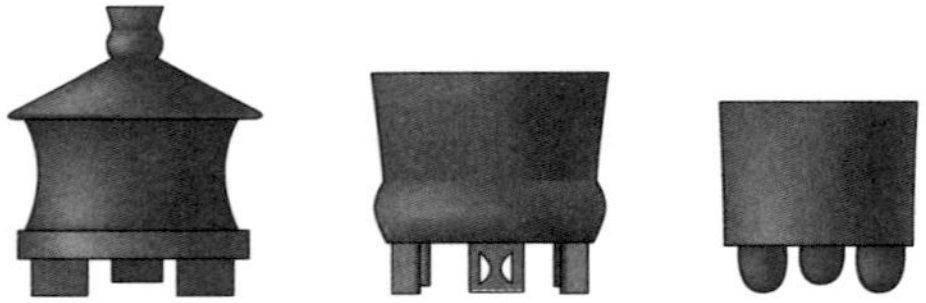 三足筒形器 |
| 复合型碗 |  折底碗 | 结合了几种不同的轮廓的碗，参见“复合型高杯”  <br>折身碗 折肩碗 |
| 盆 |  | 非常大的用于烹饪的碗状器 |
| 杯，高杯，罐 | | 容器，高大于宽，多数有颈。瓶、花瓶、杯子等器物多数有装饰，用作食器 |
| 杯 |   带流巧克力壶 龙舌兰酒酒杯 | 用于饮用的高脚杯 |

续表

| | | |
|---|---|---|
| 高杯（及复合型高杯） | 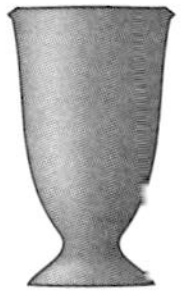 | 高大于宽，有装饰，多用于仪式，在生活场景中用于盛装饮料和饮用，也可能用作花瓶 |
| 罐 | 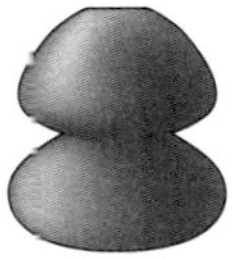 布莱式（Bule）：亚腰型 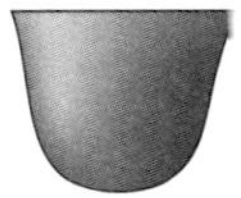　克雷特式（Crater）：圜底，敞口 | 大的烹饪或盛装器 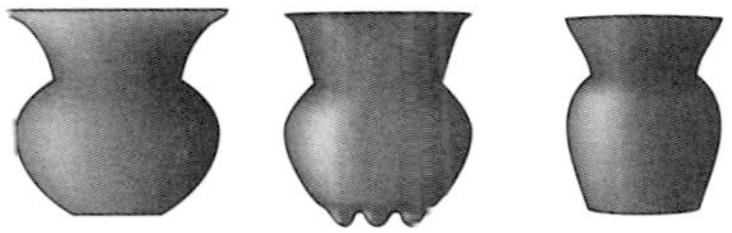 |
| 瓮 | 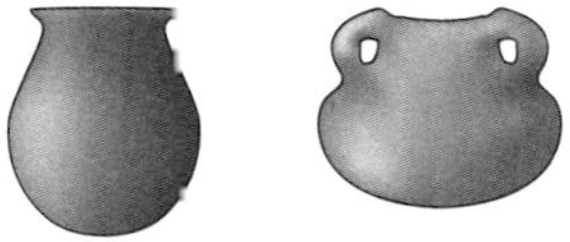 | 尺寸大，口部宽，用来收集和存放液体，有时有把手以便于携带 |
| 鞋形器或“帕托霍”（patojo） |  | 小罐子，有时呈卵圆形，一边能平稳着地，炊煮时可以斜靠在大罐子下，更好地利用灶火 |
| 仪式用器 | | |

续表

| | | |
|---|---|---|
| 明器 | 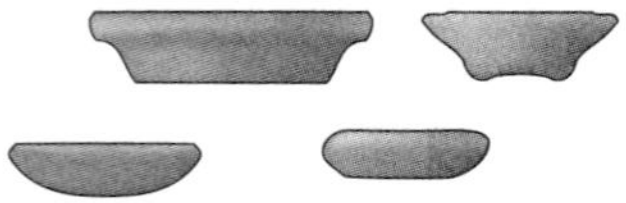 | 小型的瓶、罐等，用来在祭坛上供奉或作随葬品 |
| 火盆 | 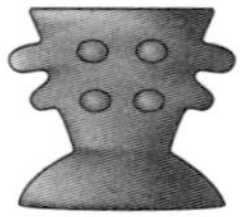 | 大而重的容器，用来焚香生火，有些模仿神明或祖先的形象 |
| 香薰 |  花盆式香熏 　长柄勺式香熏 | 焚香用具，独立式或手持式；形状各异，有些是带有孔和长柄的小碗；组合式香熏包括很多部件 |
| 烛台 |  | 有1或2处凹缺的焚香器 |

管它们不断破碎、尺寸越来越小，但并不会降解或分解。我们对于中美地区考古学文化的了解很大程度上基于地表调查的材料，这种调查可以获得不同时期的陶片，有时甚至会发现某一个地区年代最早的材料。

这看上去有些矛盾。考古学认为，在互相叠压的地层中，年代最老的东西应该位于最底部，那为什么早期的材料会出现在地表呢？简单来说可能有以下几个原因。陶片与其他土壤包含物一样，有向地表移动的趋势，有时是因为下面的小颗粒被压实而隆起，有时是因为犁耕。此外，中美地区多变的气候和地形导致地表剥蚀非常普遍，考古学家有时会发现不同时期的陶片出现在同一片地面上，这是因为不同地层的土壤都被侵蚀掉了，暴露出了基底部被压实的古老火山灰。这种火山灰被称作“特佩塔特”，在纳瓦特尔语里的意思是“石头垫子”。

## 专栏4.4／陶器器形

对考古学家来说，陶器的器形和表面处理方式对于了解中美地区文化和文化史是非常重要的，陶器类型可以作为某一文化阶段、某一地区及区域间交换的标志，除此之外，它还可以反映使用者的生活——烹煮了什么食材，盛放了什么食物，哪种符号有重要的含义，哪种器物是因优雅的外形而深受喜爱，哪种又是典型的实用器物（Minc 2010）。

陶器主要依据以下几个要素分类：原料构成（黏土、羼合料、表面处理的陶衣或灰浆）、器形（形态学）、功能、来源（遗址或文化）、年代（最初使用的年代，也包括当作传家宝“收藏”起来的年代）。陶器分析的“器形-变体”方法（Gifford 1960）一直被用来为分类设定标准，在玛雅地区尤其如此：研究者会划分出某一特定遗址使用的陶器的大体器形，再在每种器形中划分出不同变体，这些变体可能代表了不同陶工小群体的个性化工作。

表4.4介绍了中美地区最基本的陶器形态，主要依据外形和功能（次

要标准）进行分类。这些器物主要依据宽高比进行了分类，从最扁平的（盘子和烤盘）到最高的（罐子、花瓶和瓶子）排列。仪式用器是一个单独的分类，它们的功能与其他用于烹饪和社交场合的炊煮器和盛食器不同。这些器形从形成时代初期开始出现，至今仍在使用。需要注意的是，表中的器物并没有比例尺，只是表现其外形轮廓。器物的定义包括形态和功能两部分。复合器形结合了几种不同的形态，被单独列为一类，研究者有时会用“复合碗”“复合罐”“复合瓶”等不同的名称来形容同一件器物。

## 2. 祖先崇拜和铁拉斯拉加斯期的瓦哈卡河谷

我们对瓦哈卡最早的阶段埃斯皮里迪翁期的重建，很多是从我们了解更多、年代更晚的铁拉斯拉加斯期（公元前1400—前1150年）和之后的圣何塞期（公元前1150—前850年）倒推出来的，该时期位于瓦哈卡谷地埃特拉支谷的圣何塞-莫戈特变成了这一区域规模最大的遗址（图4.13—4.15）。在铁拉斯拉加斯期，圣何塞-莫戈特包括了15—30座房屋，社群规模较小的铁拉斯拉加斯遗址则有10户左右的人家（Winter 1976：228）。到了形成时代晚期，蒙特阿尔班成为瓦哈卡河谷的首都，圣何塞-莫戈特也继续发展，而铁拉斯拉加斯则继续保持小村落的规模，仅有10余户人。

与索科努斯科地区的例子一样，瓦哈卡的社会复杂程度同样表现在建筑上。在帕索-德拉阿马达遗址，“大型的”或“民政-仪式性”建筑是球场和社会上层的住所。在圣何塞-莫戈特，则有另一种“民政-仪式性”建筑：公共房屋，或称“男性之屋”。它的功能是根据晚期和民族学材料中类似的建筑推测的。还有一条证据也表现了这个建筑的重要性：它的方向是北偏西8°，与形成时代中期获得突出地位的奥尔梅克首都拉文塔的建筑方向相同。大型建筑和整个遗址的方位都表明，在掌握了天文和历法知识之后，建筑的朝向日益重要起来。

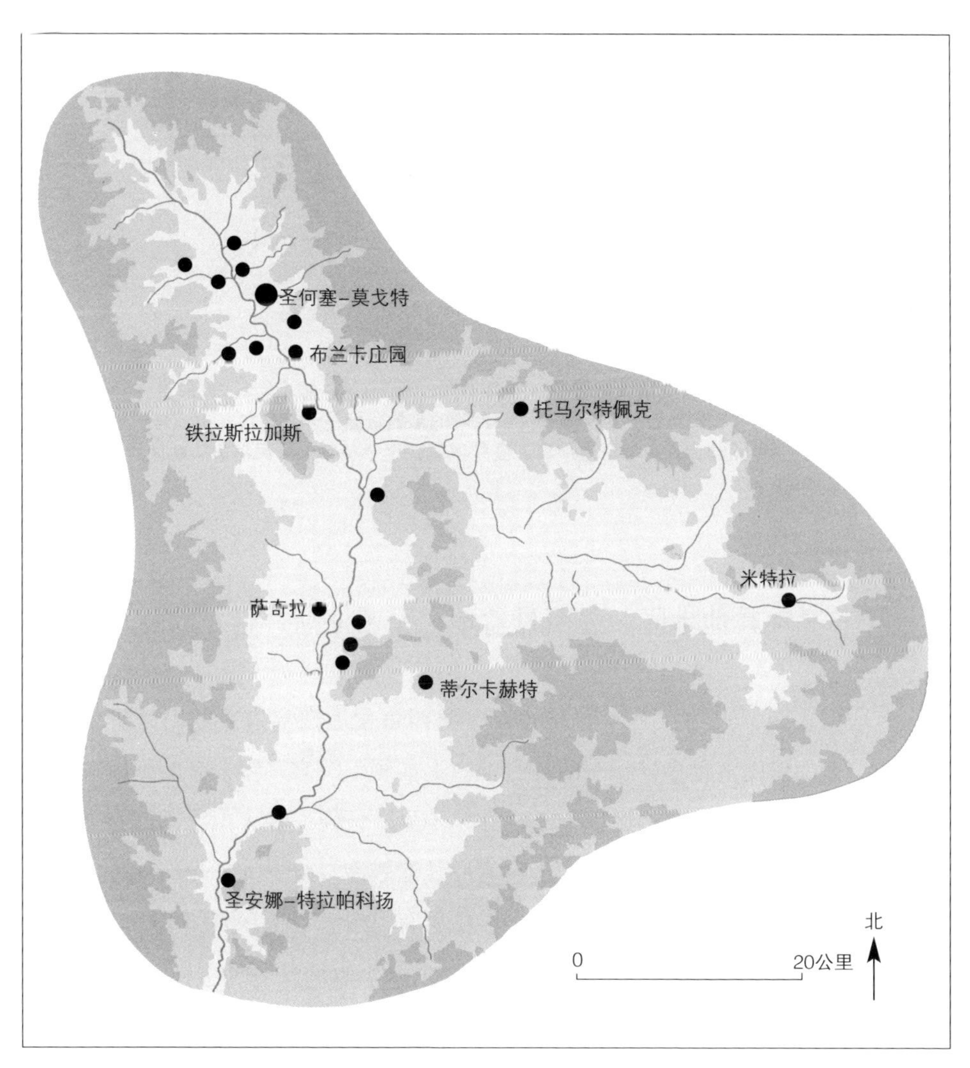


图4.13 瓦哈卡河谷向三个方向延伸，最好的农业用地位于北部埃特拉支谷，这里从早期开始，聚落数量一直最多。到了铁拉斯拉加斯期，该谷地出现了两种类型的社区：若干个仅有数十位居民的小村寨和圣何塞-莫戈特这样的一个中心村落

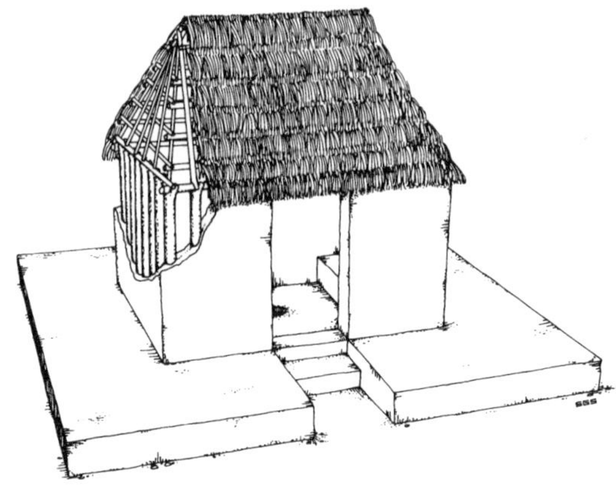

图4.14、4.15　圣何塞-莫戈特遗址建筑照片和复原图，长5.4米，宽4.4米，可能为一处“男性之屋”，村落中的成年男性在此集会。靠南墙处类似台阶的结构可能是一处祭台。中心有一个灰坑，内部填满了石灰粉，“可能储存起来与野生烟草、曼陀罗或者牵牛花等仪式用植物一起使用”（Marcus and Flannery 1996：87）

## 3. 高地其他地区：墨西哥盆地、莫雷洛斯、特瓦坎谷地

有证据表明，大约在公元前1500年，墨西哥盆地南部边缘的山区发生过火山活动。火山作用多种多样，有的是青烟直上如画，沉寂多年；有的则持续喷出鲜红炙热的岩浆，让一个地区数十年内寸草不生。任何一种火山活动都会有火山灰降落到地面，甚至更糟，会迫使采食者们长途跋涉寻找更加平静的地方。火山活动也会充分展现该地区山脉的生命力，给所有目击者留下深刻印象。在公元前1400—前1000年，中部高地的降水量显著增加（Messenger 1990），保障了粮食安全并扩大了不需要灌溉即可种植农作物的区域的范围。这意味着，如果核心地区的农业人口增加，这一阶段将是通过殖民周邻区域、缓解人口增长对有限的可耕地所造成压力的理想时机。

使用陶器的农民在整个高地建立起村落。在经过了我们知之甚少的陶器初现的普龙期之后，特瓦坎河谷的阿哈尔潘期显示出了对驯化作物的强烈依赖。在上米斯特卡地区，克鲁斯期早段（公元前1500—前1200年）出现了埃特拉通戈和尤

奎塔（Winter 1984）这样的聚落，它们在更晚的阶段变得非常重要。诺奇斯特兰（Spores 1984）和塔马苏拉潘河谷（Byland and Pohl 1994）的调查工作则揭示了一群广泛分布的小型农业聚落，使用简单的浅黄色陶器。

在莫雷洛斯的阿马特期（公元前1500—前1000年）和普埃布拉及特拉斯卡拉的索姆潘特佩克期（？—公元前1200年）也发现了类似的模式，陶器类型也与特瓦坎河谷的发现类似。这些小农村有些坐落于山脚的缓坡上，很明显，居民们采用了修筑梯田的方式，让侵蚀作用下的土壤不会流失，反倒增加梯田内的土壤厚度，以保障粮食生产。时至今日，这一发明创造仍然是美洲中部地区农业技术的重要元素。他们还在梯田的外围边缘种植龙舌兰来防止水土流失并增加产量，从古至今都是如此。

**墨西哥盆地** | 从大约公元前1500年开始，陶器开始在墨西哥盆地广泛分布。形成时代初期的遗址主要分布在盆地的南部（图4.16），形成了一个典型的“文化域”。有些学者用“早期文化域”一词来形容公元前1500—前1000年使用陶器的村民广泛分布的情况，特别是在墨西哥盆地。尽管这一术语在本地研究中很常见，但并没有取代“形成时代初期”这个使用更加广泛的名词。

这张地图显示，遗址沿湖岸和相邻的冲积平原分布。我们发现的最早的遗址是特拉蒂尔科和奎奎尔科。地图的右侧下部有一条与莫雷洛斯谷地相连的通道，那里的气候更加温暖，出现聚落的年代也比墨西哥盆地更早，但这两个区域内发现的本时期陶器非常相似，“我们倾向于认为……最早进入墨西哥盆地的定居农民来自莫雷洛斯”（Sanders，Parsons，and Santley 1979：95）。

不论墨西哥盆地形成时代初期的定居者是来自莫雷洛斯使用陶器的农民，还是采纳了周邻区域新文化模式的本地采食者，该盆地也像马萨坦地区和瓦哈卡谷地一样，发展出了同样类型的有两个层级的聚落系统。这一系统由一个有数百人组成的中心村落和周围多个仅有几个家庭的小型社区共同构成。这与部落的聚落模式一致，显示出社会组织的复杂程度在不断提高。大型村落近乎临界点的规模呼唤着更强有力的中心权力出现。

图4.16 墨西哥盆地，公元前1500—前1150年。在雨水多的年份，整个盆地都是温和的亚热带气候，但在干旱的年份，虚线以北的所有地区都是干凉气候。形成时代初期雨水较多、气候湿润，盆地南部早期聚落的发展在很大程度上要归功于这一地区更温和的气候以及距离莫雷洛斯河谷较近的地理位置，只需要穿过东南角的阿梅卡梅卡通道即可到达。在这一阶段，墨西哥盆地有两种类型的遗址：由数百人组成的中心村落（目前已发现4个）和小型村落

## 4. 墨西哥西部

墨西哥西部形成时代的发展模式与中部高地不同，表现出自身的独特传统。最早的表现就是沿海岸修筑大型贝丘。到了形成时代初期的较晚阶段，在更靠近内陆的区域，很多地方都发现了竖穴墓，但我们却对他们的主人知之甚少。竖穴墓的传统一直延续到古典时代，我们会在本书的第九和第十章进一步讨论。

**墨西哥西部海岸**｜与原古时代晚期/形成时代初期索科努斯科地区的钱图托一样，贝丘是我们了解形成时代初期太平洋沿岸地区文化传统的主要材料。其中

一些最令人印象深刻的贝丘遗址就建在墨西哥西部海岸。

马坦钦贝丘遗址（纳亚里特州）面积达3600平方米，高度超过3米（Mountjoy et al. 1972）。未校正的碳十四年代集中在公元前2000年左右，在海螺、软体动物和其他贝类遗存中发现少量网坠和其他石器。这些工具是原古时代适应模式的典型工具，马坦钦没有发现陶器，因此被认为是原古时代风格的遗址。

形成时代初期的埃尔卡隆遗址（锡纳罗亚州）位于距离海岸线大约100公里的沼泽地带。这一地区现在是“马里斯马斯国家湿地公园”，埃尔卡隆遗址是当地已发现的600余处贝丘中规模最大者。贝丘呈金字塔形，高度在25米以上，顶部长10、宽7米，底部大约长100、宽80米，全部由贝壳组成，包括大量未被打开的贝壳。一些学者认为埃尔卡隆是一处由食物垃圾构成的贝丘，但其他人从规模、形态和原料等方面考虑，认为这是一处大型仪式性建筑。跟钱图托地区的其他贝丘一样，遗址中的贝壳并不是吃剩的垃圾而是坚硬持久的建筑材料。埃尔卡隆遗址的年代可能要早于公元前1500年，但更可能属于公元前1500—前1000年的欧佩尼奥期。如果它真是一处专门建造的金字塔，那就是新大陆年代最早的真正的仪式性建筑之一，与北美洲早期有仪式性建筑的遗址年代相当，与位于路易斯安那州的波弗蒂角遗址中尺寸最大的土墩A规模相近。

## 5. 形成时代初期：中美地区文化区

到了形成时代初期之末（公元前2000—前1200年），用来定义中美地区文化的关键要素已经出现，并将会继续传播和发展。玉米农业是中美地区文化的基础，后来的人们普遍认为，农田（纳瓦特尔语称“米尔帕”，milpa）是宇宙统一性之精髓，是人神之间的纽带（Miller and Taube 1993：114）。地球本身就是神祇们的“米尔帕”，在此之外的地方充满了混乱。对于每一个中美地区居民来说，他们的“米尔帕”就是养活他们自己和他们的神明的方式。

大部分中美地区文化在接下来的3000年中持续使用的工具和技术在这一时期都已经出现，大部分栽培作物也已经被驯化。在农民定居的某地区之内以及区域和区域之间，土地的生产力是有差别的。当人口规模比较小的时候，社会的群体关系靠家庭关系来维持，很少有人为最好的土地竞争。

只有少数区域的村落规模扩大至其上限，到了部落组织所不能维系的程度。这是酋邦开始发展的标志之一。从上文所述的一些大型建筑中，我们可以看到酋长使用他人劳动的能力，但需要注意的是，在许多民族学材料中，大型台基和建筑物是由一小群人修筑的。进口物资和奢侈品显示远距离贸易路线此时已经确立，技艺高超的工匠已经掌握了加工宝石的技巧，开始为一小部分人生产精致物品。这一变革阶段的信仰系统还很难重建，但我们可以看到，与家户仪式活动有关的雕像传统已经出现，一些大型建筑也很可能具有仪式性功能。在这些基本要素的基础上，中美地区即将迎来奥尔梅克文化之花的盛开。

# 第 二 部 分

# 形成时代的复杂社会

## 形成时代早期到形成时代末期（公元前1200—公元300年）

| 地区 | 早期：公元前1200— | 公元前900— | 中期：公元前600— | 晚期：公元前300— | 末期：BC AD—公元300 |
| --- | --- | --- | --- | --- | --- |
| 北部干旱地区 | | | 科约特传统，科奇斯传统 | | 奇瓦瓦传统 |
| 东谢拉马德雷山脉 | | 拉古纳 | | | |
| 塔毛利帕斯 | | 拉古纳 | 拉佛罗里达期 | | 埃斯拉博内斯期 |
| 西北边境 | | | 博拉尼奥斯I期 | | 洛马-圣加夫列尔文化 |
| 墨西哥西部 | 圣费利佩期<br>*埃尔欧佩尼奥，卡帕查文化* | | 丘皮库阿罗期<br>*巴希奥，丘皮库阿罗* | 阿雷纳尔期<br>*竖穴墓传统，维齐拉帕* | 奥尔蒂塞斯期<br>科马拉期 |
| 米却肯 | | | 因菲耶尼约复合体 | 洛马阿尔塔斯期 | |
| 格雷罗 | 陶器初现，霍奇拉复合体<br>*特奥庞特夸尼特兰* | | | | *库埃特拉胡奇特兰* |
| 莫雷洛斯 | 巴兰卡期<br>*查尔卡钦戈* | 塞罗特帕尔特佩克 | 坎特拉期 | | |
| 墨西哥盆地 | 伊斯塔帕卢卡，萨卡特诺阶段<br>*特拉蒂尔科、奎奎尔科* | | 蒂科曼期<br>特拉帕科亚期<br>*奎奎尔科、洛马托雷莫特* | 帕特拉奇克、扎夸利、米考特利阶段<br>*奎奎尔科、特奥蒂瓦坎* | 特拉米米洛尔帕期 |
| 普埃布拉 | 特拉坦帕期 | 特克索洛克期 | | 特索基潘期<br>*阿穆卢坎、特拉兰卡莱卡* | *特蒂姆帕地区遗址群*<br>*乔卢拉* |
| 特拉斯卡拉 | 特拉坦帕期 | 特克索洛克期 | | 特索基潘期 | |
| 墨西哥湾低地北部 | 帕翁期 | 庞塞期<br>*帕努科* | 阿吉拉尔期<br>奇拉期 | 埃尔普里斯科期 | *圣安东尼奥-诺加拉尔*<br>*坦坎维特斯* |
| 墨西哥湾低地中北部 | | | | | 塔欣I期　*埃尔皮塔尔* |
| 墨西哥湾低地中南部 | 埃尔特拉皮切期 | | 雷莫哈达斯下层 | 雷莫哈达斯上层<br>*特雷斯萨波特斯* | |
| 特瓦坎谷地 | | 圣玛丽亚 | *普龙大坝* | *夸奇尔科、基奥特佩克* | 帕洛布兰科期 |
| 上米斯特卡 | 克鲁斯期中段 | 克鲁斯期晚段<br>*尤奎塔、埃特拉通戈* | | 拉莫斯期<br>*尤奎塔、蒙特内格罗* | |
| 下米斯特卡 | | | | 纽迪期 | |
| 瓦哈卡 | 圣何塞期 | 瓜达卢佩期<br>*圣何塞-莫戈特，维索* | 罗萨里奥期 | 蒙特阿尔班I期<br>*圣何塞-莫戈特、蒙特阿尔班* | 蒙特阿尔班II期<br>*蒙特阿尔班、代恩苏* |
| 特万特佩克 | | *拉古纳-索佩* | | | |
| 墨西哥湾低地南部 | 早期奥尔梅克<br>奇查拉斯期<br>*圣洛伦索* | 纳卡斯特期、帕兰加纳期<br>*拉文塔* | | | *拉莫哈拉和*<br>*早期文字* |
| 恰帕斯内陆高原 | | 帝力期、埃斯卡莱拉期<br>*圣伊西德罗、恰帕德科尔索* | 弗朗西斯卡期<br>*恰帕德科尔索、*<br>*拉利伯塔德* | 瓜纳卡斯特期<br>*恰帕德科尔索* | 奥尔科内斯期<br>伊斯特莫期<br>希基皮拉斯期<br>*恰帕德科尔索* |
| 恰帕斯和危地马拉海岸 | 夸德罗斯和霍科塔尔阶段，孔查斯期 | 弗龙特阿、埃斯卡隆、杜恩德期<br>*楚楚库利、拉布兰卡、埃尔梅萨克* | *伊萨帕* | 阿托、克鲁塞罗、吉连期<br>克鲁塞罗期<br>*伊萨帕* | 伊萨帕期 |
| 危地马拉高地 | 阿雷瓦洛 | 拉斯查尔卡斯，普罗维登西亚，阿雷韦洛、米拉弗洛雷斯-阿雷纳尔<br>*卡米纳尔胡尤* | | 阿雷纳尔期<br>*卡米纳尔胡尤* | 圣克拉拉期<br>*卡米纳尔胡尤* |
| 玛雅低地北部 | 埃卡布期、库普尔期 | | 蒂奥苏科期 | *埃德斯纳* | 查坎期<br>*贝坎、科姆琴* |
| 玛雅低地南部 | | 克塞复合体，斯瓦塞-布莱登复合体，马莫姆、奇卡内尔期<br>*库埃略* | *纳克贝、埃尔米拉多尔、塞罗斯* | | 霍尔穆尔期<br>*瓦哈克通* |
| 中美地区东南部 | | *查尔丘阿帕、普拉亚-德洛斯穆埃尔托斯、亚鲁米拉* | 瓦帕拉陶器圈 | *查尔丘阿帕* | |
| 中间地区 | | | 第四期 | | |

列举有代表性的期、阶段名称，遗址和事件用斜体表示

# 第五章　奥尔梅克人：形成时代早期（公元前1200—前900/前800年）

奥尔梅克文化是作为中美地区首个高度复杂的文化系统出现的，该文化开始于大约公元前1200年，一直繁盛到公元前500年或更晚，最重要的遗址包括第一时段（形成时代早期或奥尔梅克初始期，公元前1200—前900/前800年）的圣洛伦索遗址，第二时段（形成时代中期，公元前900/前800—前500/前400年）的拉文塔遗址。与此同时，其他复杂社会也在瓦哈卡谷地、莫雷洛斯、墨西哥盆地、墨西哥西部地区和格雷罗有所发展。总体上，这两个时段由第五章和第六章分别介绍，但是每一章的概览部分会包括两个时段的主题和考古材料（图5.1）。

图5.1　第五章涉及的美洲中部形成时代早期的区域和遗址

# 一、形成时代早期和奥尔梅克初始期

## 1. 碧如翡翠的世界

公元前1200年的中美地区是个遍布部落式园艺栽培村庄的世界。人们在河谷边水源充沛的低洼地种植作物，而高地区域甚至已经开始利用梯田和灌溉技术，以及改良后的驯化作物来提高产量。采食活动依旧扮演着重要的角色。人们继续狩猎，设陷阱，采集重要的植物资源。周围的景观可以明显分为耕地和之外的自然野生环境，在美洲中部高度分割的地形中，这种情形必然意味着一种关系，即临近水源的栽培耕地和其后作为背景山林的平衡对称关系。

村落和农田，庄稼一片绿色，这对于中美地区居民来说代表着天堂和大地的连接点，是水流和山脉硕果累累的汇聚处，万物繁荣来自年复一年农时的正常运转，也来自通过有效的媒介掌控精神之力。绿色，这一生命力的强大符号，在中美地区是最本质的神圣之力象征：最为珍贵的宝石是翡翠，绿咬鹃的蓝绿色羽毛则代表了无比高贵的权力。事实上，所有蓝色和绿色都是珍贵的象征，无论载体是羽毛、新鲜的玉米秆抑或是香蒲（湿地杂草）。例如，在中美地区，拥有绿色茎的植物最为神秘，是重要城市的标志，而这些城市会被赋予“托兰”或“图拉”之名，即香蒲之地。水也被比喻为蓝绿色的玉，或为雨滴，或为广阔的潟湖；蓝绿色的圆圈或圆盘是水的标志，也是玉的标志，是珍贵的象征，代表王室或神圣之人手中的王权和力量。

对于中美地区古人而言，圆盘也象征生命的日常量度——天。将一个时间单位与其他意义之间建立起的这种神圣而珍贵的联系并不令人意外，因为自形成时代开始，中美地区文化的主要关注点之一就是对时间的不同节律的变化的度量和崇拜。需要注意的是，玉、水、圆盘、时间等不同的质体通过一个高度灵活的比喻意义体系被联系起来。在这个体系中，任何一个质体的出现都传递着其他质体的一些含义。对于我们来说，了解这些是很重要的，因为这个体系与我们现代划分有机物或无机物、仪式或世俗的认知分类法有着根本的不同。

很明显，到形成时代早期，美洲中部地区适宜耕种的谷地已经遍布农耕村落，中美地区文化区也已经扩张到了其鼎盛时期范围中相当大的区域。两拨最主要的定居化浪潮分别发生在约公元前1500年（地峡地区、南部、中南部和中央高地）和约公元前1000年（玛雅低地地区、墨西哥高地西部地区）。这反映了总人口数的增加，以及一些村落规模的扩大，在某些地区的聚落面积已经大到超过部落居住人口数（数百人）的临界极限。我们看到，酋邦这种复杂社会组织形式可能已经出现在形成时代初期的恰帕斯-危地马拉海岸，可能也包括瓦哈卡的高地地区。令人印象深刻的公共建筑得以营建，奢侈品原料和成品交易的长距离贸易也活跃起来。这些现象都表现出强烈的共享文化因素，提醒我们关注那些在后来的中美地区文化史中极具代表性的主题的形成。

## 专栏5.1／玉

对于中美地区古人而言，比黄金或任何其他物质更为珍贵的是那些绿色和蓝绿色的、通常被称为“玉”的宝石。但是，真正矿物学角度的玉，即软玉，在新大陆却并未发现。其他绿至蓝色的硬质石料受到推崇，用于宝石加工雕刻。其中，最为重要的当数翡翠，这是一种钠铝硅酸盐矿物，翠绿的颜色来自其中的铁和铜元素。其他如玉般质地的硬质石料也为人所尊崇，包括蛇纹石、钠长石、石英和角闪石，其分布范围更为广泛。对于这些珍贵的蓝绿色宝石，阿兹特克语称之为“查尔奇维特尔”，不仅指翡翠，也包括一些在其北部干旱地区和西北边界发现的矿物：绿松石和硅孔雀石（硅酸铜矿物），以及在查尔奇维特斯矿区闻名的蓝绿色玉石，该玉石的开采主要发生在古典时代。其附近的阿尔塔维斯塔遗址显示出特奥蒂瓦坎贸易利益的影响。

美洲中部危地马拉的莫塔瓜河沿岸是唯一为我们所知的翡翠来源地

（Bishop and Lange 1993），尽管中子活化分析显示可能还存在着其他未知的产地（Bishop 2010：384）。最近的考察显示在莫塔瓜地区发现了之前不为人知的“奥尔梅克蓝玉”的产地（Seitz et al. 2001）。

这些似玉的石料（后文称作玉或绿石）最早由奥尔梅克的石匠开采加工，他们精通坚硬石材的成型工艺，工具是其他坚硬的也属于“玉”的石料，并且使用石英或玉石制成的砂来打磨。玉石作品的规格跨度相当大，从单颗的珠子到单体大型玉石雕像，比如发现于阿尔通阿遗址重4.42公斤，高14.9厘米的通体圆形玛雅太阳神头像（Pendergast 1979—1990）。玉通常被用以刻画神灵、个人、萨满的转化、动物、植物，以及抽象体。即便是最为简单和最小的玉器都是奢侈品，原材料稀有并需要高超加工工艺。也许是因为玉与水、植被的颜色相同，与生命之力密切相关，玉珠会被置于死者的口中。（图5.2—5.4）

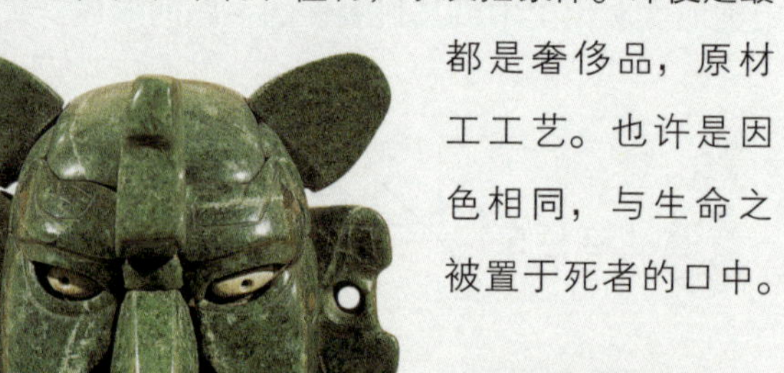

图5.2—5.4 玉器的制作贯穿在整个中美地区的文化历史中，它的处理方式反映了不同文化的审美趋向。这三个面具分别来自（从左至右）形成时代中期奥尔梅克文化（可能来自韦拉克鲁斯）、形成时代末期萨波特克文化的蒙特阿尔班以及古典时代晚期玛雅文化的帕伦克。它们分别显示了三种不同的加工风格。奥尔梅克面具为一件单体雕刻，上刻有旋涡图案。萨波特克文化面具由不同部分组成，像一个木偶脸，描绘出蝙蝠神的样子。玛雅的面具为伟大的帕卡尔王的马赛克肖像，发现于他的石棺中

在此文化史中，另一个重要的趋势就是文化中心随着时间的演进在不同区域之间的转移。第一章回顾了这种转变模式，引人入胜的遗址和事件塑造着其所在区域各具特征的文化史，但整个中美地区的焦点是不断变化的。各地区和各文化区的“崛起和衰落”是个令人着迷的课题，这一历史研究的本质在于对隐藏在兴盛和衰落之间原因的探索，甚至可以作为治愈文化退化的一剂良药。

## 2. 改变文化之物

恰帕斯-危地马拉海岸的莫卡亚人，在形成时代初始时表现出了政治上的早熟性，但在形成时代早期却经历了势力衰退。他们继续和周边保持着联系，从危地马拉高地获取黑曜石（Clark and Salcedo 1989；Clark 1991），使用与墨西哥湾低地、恰帕斯内陆高原以及瓦哈卡相似的陶制容器。在公元前1000年之后，这些联系似乎标志着来自外部的影响力逐渐增加——有可能是来自奥尔梅克人，来自统治着墨西哥湾低地的圣洛伦索（Blake 2010b）。陶器上的图像也发生了变化，出现了复杂的奥尔梅克主题，关于这些图像的解读恐怕要奥尔梅克的祭祀专家或是社会上层成员才能完成（Lesure 2000）。

**帕索-德拉阿马达的衰落**｜这一趋势在帕索-德拉阿马达是明显可见的，虽然遗址本身没有废弃，但球场已不复存在。我们已经知道球场是酋邦权力的标志之一，在此只能猜测这种权力已经丧失，在令人瞩目的正式球场举办球赛不再能够提升帕索-德拉阿马达及其统治家族的声望，抑或帕索的统治者已经“失去了球队参赛权”，本地社群已经无法继续维持这种展示财富和权威的表演了。

无论如何，本地人口数量依旧很高，也包括大量的小型中心和周围的村落。萨利纳斯-拉布兰卡是坐落在海岸河口环境的小型遗址，当地居民生活在木骨泥墙的房屋中，种植玉米的同时采集软体动物和其他海洋生物,也狩猎鹿并采集本地水果（Coe and Flannery 1967）。这种生业方式在沿海岸地区非常典型，可以一直向南到萨尔瓦多的西部，那里的查尔丘阿帕地区开始出现聚落。

## 3. 太平洋沿岸平原的东部和南部

海岸平原地区向上，在恰帕斯和危地马拉高地，农业村落沿着河谷和围绕着湖泊分布。恰帕斯内部的恰帕德科尔索、阿卡拉和普卢马希略发展为大型村落，普卢马希略专门出产小块打磨的钛铁矿，作为装饰品出口至圣洛伦索。

玛雅低地的孢粉分析显示刀耕火种农人的存在。一般认为，早期玛雅人由恰帕斯内陆高原和危地马拉高地迁移出来，再向北、向东居住在尤卡坦低地地区和其东部的河谷地带。

## 4. 墨西哥湾低地南部

与此同时，在墨西哥湾低地南部，社会复杂化的脚步加快。大型建筑似乎突然在此出现，但我们的观点也可能是基于片面的考古材料。这一地区的沼泽湿地环境使得保存和重现早期考古材料都变得非常困难。有限的考古证据显示在整个形成时代初始，村落散布在整个区域。在公元前1200年左右，该地区成为整个美洲中部建筑、艺术中（以及社会组织中）最复杂的地区。

是什么导致了文化平衡的转变？历史学家首先在最明显之处寻找答案：食物生产平衡中的一些不稳定因素导致人类与环境的关系不可避免发生变化。是否存在气候模式的变化？事实上，波及范围颇广的厄尔尼诺现象或拉尼娜现象可能已经出现，带来公元前1400—前1000年的降温。如果古代寒冷期的整体气候遵照与现在相似的模式，当时在恰帕斯-危地马拉海岸，就可能伴随出现上限为50%的降雨量减少（Messenger 1990）。考古证据显示人们倾向于一种混合生计模式，而并不是完全依赖玉米为主食，这样一来，似乎受到气候变化的影响就要小于严重依赖一些适应特定气候条件的农作物的情况。但是在形成时代初期，这些海岸地区可能已经开始专门种植可可或其他高价值的作物，气候的干扰会削弱本地的繁荣。

相反，墨西哥湾低地南部可能会较少受到寒冷天气的影响。此区域的年降水量变化不大，加之河岸地区采取的是几乎不受干旱气候影响的耕种模式，可以用挖掘棒扎坑，将种子播在湿润的土层。同时他们可能已经开始种植一种经改良的、适应热带气候的硬粒玉米（Grove 1981）。这种玉米在随后的形成时代中期传播到恰帕斯-危地马拉海岸（详见第六章）。就像我们在第四章中指出的，形成时代初始时期，一些地区的玉米可能作为一种特殊的食物，在未成熟时便被食用或发酵制酒。海岸地区在形成时代中期之前，作为研磨工具的磨盘和磨棒的缺失并不意味着玉米没有被栽种，而是代表着它并不作为主食。

我们称形成时代墨西哥湾低地南部的古代人群为奥尔梅克人，这个称呼适于欧洲抵达之时。在纳瓦特尔语中，该名称的含义是"'奥尔梅的居民'，'奥尔梅'即产橡胶之地，泛指热带低地地区，尤其特指墨西哥湾南部，那里是最优质橡胶的出产之地"（Covarrubias 1986[1946]：82）。高地阿兹特克人必须要进口橡胶，以征收贡品和贸易的方式获得。橡胶被用来制作球赛的球，也是重要的仪式装备——因为仪式性服装要用橡胶点来装饰。我们知道在形成时代，橡胶同样被珍视，在最后一章我们将讨论球赛是如何调动橡胶的内在活力的。

在本章和下一章，我们将看到奥尔梅克文化与众不同的特征，以至于形成时代早期和中期有时也被称为奥尔梅克早期和中期。在整个中美地区都发现了墨西哥湾低地南部的文化特征，但必须强调的是，比如说，在墨西哥盆地的一处遗址中发现了一些奥尔梅克风格陶器碎片，并不意味奥尔梅克"帝国"已经扩张至如此广阔的区域。另外，其他地区也在积极发展着自己的复杂社会因素，而且莫雷洛斯、瓦哈卡谷地以及墨西哥湾低地这些地区之间的交换模式本身也是相当复杂的。闲话少说，让我们首先检视一下这些区域文化中最为突出者——墨西哥湾低地南部的奥尔梅克的典型特征。

## 5. 奥尔梅克人：成熟中美地区文明的首次昌盛

奥尔梅克文化创造了中美地区首个成熟的复杂社会，奥尔梅克艺术也是中美地区最早为现代审美所广泛接受的伟大艺术风格。奥尔梅克主题最为重要的表现方式是雕塑，以广泛传播的造型和线条为审美语言，精妙而成熟地以本地独有的

图5.5　奥尔梅克人是中美地区杰出的雕刻者之一，尤其擅长用坚硬石块完成大型作品，他们通常会通体圆雕，完成雕塑的各面。“人物是奥尔梅克艺术的主要关注点……（但是）奥尔梅克雕刻者通常会雕刻那些在自然界不存在的复合型生物，将人类的特征与不同动物的特点混合起来。”（Joralemon 1996：51）拉斯利玛斯雕像是一件单体绿玉，重达60公斤。该雕像刻画的是一位年轻人，男性或性别不明，双手持抱一具似乎已经没有生命体征的“奥尔梅克超自然体”——有时也称为人形美洲豹，或奥尔梅克雨神，或奥尔梅克玉米神，它的形态特征包括开裂的头部、杏仁眼和呈咆哮状的嘴。坐着的人佩戴和手持萨满力量的标志（Tate 1999：183）

特征和方式表达出来。我们认为，公元前1200年开始昌盛的奥尔梅克是一系列中美地区特有的艺术传统和相关复杂文化中最早的一员（图5.5）。

奥尔梅克艺术以各种引人入胜的方式将这些主题加以展现，尽管将艺术从其社会意义上剥离出来对于构建现代理解的界限很重要，但是这样其实破坏了基本的古代整体性。奥尔梅克艺术品在今天的“艺术品市场”有极高的价值，这固然是因其古老和稀少，但同样因为其均衡、圆满和比例中蕴含着成熟的审美传统，以符合审美的形式表现了宏大的主题（图5.6）。

通过奥尔梅克文化，中美地区加入世界其他的原生文明行列，这些文明以其宏伟的建筑、令人震撼的图像和造型艺术品展示了精神和社会力量的融合。在复杂社会中，面向公众的世俗和神圣力量的表达是很常见的。试想一下古埃及的金字塔，或者更为现代的例子如美国的国会大厦。这一新古典主义风格的巨型建筑坐落在一个低矮的山丘上，支配着世界上最具权力国家的首都。为了将此设计以巨大的规模在气势威严的地方展现出来，美国人民选择了希腊式的建筑设计和其

图5.6　这些玉耳塞的刻线纹饰由朱砂装饰加以突出，并成对发现于拉文塔墓葬C的地面下。尽管未发现人体遗存，但这对耳塞发现时彼此相距15厘米，显示出它们可能是墓中高等级墓主的装饰品

民主之风，意图彰显美国财富和影响力的与日俱增。

通过这些形象的建筑性和艺术性的社会复杂化标尺，我们得以便捷地理解一个社会的其他方面，比如政治力量和区域间交流的程度和本质，这些特征是我们无法测量的。中美地区标志着社会复杂化的考古证据始于奥尔梅克，也包括通常集中于广场周围的大型建筑，并伴随有“大型或小型可移动的艺术品，应用于宗教仪式、王朝礼仪或其他方面；也包括带有图像主题的陶器、塑像，以及作为尊贵身份标志的玉和绿石”（Grove 1981：374）。在讨论奥尔梅克艺术品的类型和意义之前，我们先把目光投向其广阔的文化背景：景观和遗址。

## 二、早期奥尔梅克人及其邻居们

### 1. 地峡地区的生业方式

地峡地区内，墨西哥湾低地南部地区的社群是沿河流分布的。农人们利用磨制石斧将河流岸边的热带雨林砍倒焚烧，也就是用“刀耕火种”的方法清理出农田；每年河流泛滥会补充土壤，农业产量相当高。玉米很明显在墨西哥湾低地最早的一批遗址中已经发现被种植，改良的玉米品种很可能由贸易从中部高地传入墨西哥湾低地，再抵达索科努斯科-太平洋海岸，那里的磨制工具同墨西哥湾低地风格的陶器一起出现（Grove 1981：389）。墨西哥湾低地的黑曜石主要产自中部高地，与高地的玉米种子贸易可能也伴随着黑曜石的贸易，由此进一步稳定了相邻地区的文化交流。一些遗址的证据显示古人也食用树薯，这是一种富含淀粉的根茎类作物，现在作为西米露（木薯粉）的原材料为西方世界所知（关于古典时代玛雅树薯的使用，参见 Sheets et al. 2007）。

## 2. 景观在精神层面的改变

形成时代早期也见证了对常见景观事物的提炼和升华，包括山脉、洞穴和水资源（尤其是泉水），这些景观对于中美地区精神世界之康乐至关重要。在阿兹特克时代，“城邦”一词由“水”和“山脉”两词构成，用以表达水这一珍贵的生命精华的汇聚，周围山脉环绕，山中富集强大的精神力量。这些崇拜传统有着非常古老的根源，我们在奥尔梅克早期见到了这些信仰的艺术性和仪式性的表现。

阿兹特克人认为洞穴是神圣的，同奥尔梅克和其他美洲中部地区居民有着同样的理由：洞穴代表着通往有生命的大地躯体内的通道，是大地这一生命体的孔窍。在洞穴中，通灵者可以切实得到并施展其神秘而玄妙的力量——通灵者包括具有萨满之力的世俗统治者。

### 专栏5.2 何为文明?

文明并不是第一章讨论的基本社会形态的一种，而是伴随更为复杂的社会出现的一系列特征，这种复杂社会类型包括分等级的酋邦，尤其是分阶层的国家。一种文明可能以一个地区、族群，或是较为少见的一处遗址（特奥蒂瓦坎文明）来命名。文明表述的是一种毫不掩饰的社会上层视角，聚焦于那些最炫目的、权贵阶层使用的、清晰表达其身份的大型建筑。玛雅文明浮现在我们脑海中的是独特而精细的建筑和艺术风格，通过金字塔式神庙和雕刻石像碑表现出来。在这些遗迹和遗物上面，我们一方面立刻就能辨识出玛雅文明的特点，也能辨识出熟知的社会上层展示财富的方式，这些方式在形式和功能上都与古代埃及和苏美尔的神庙、金字塔以及大型雕刻作品非常相似。

这些大型建筑和雕刻赞美着阶层化国家中的一个社会等级，也就是统治者的强大权力，这种权力凌驾于其他社会阶级之上，这些阶层包括农民、工匠和奴隶，正是他们创造的剩余食物和物品养活了统治者及其随从。其实，农民和奴隶所创造的剩余财富尽管不是那么炫目，却是文明的另一个重要组成部分。一种文明的纪念碑性的艺术和建筑作品，也就是民政和仪式性建筑通常都位于城市的中心。在这里，为了理解用考古学方法可以认识到的社会组织特征，“文明”被分解成一个清单。我们要寻找的文明标志有以下几项。

**生业**

农业产生了食物剩余，可能标志着集约化种植和对主食的依赖。食物剩余由管理机构从农民那里以税收或进贡的方式收缴，并供给那些不事生产的社会上层和专业工匠。

**聚落模式**

- 至少包括三个等级（如城市、乡镇和村庄），标志着复杂政治组织的区域性管理。
- 有城市，规模大（至少5000人口），人口密集，与乡村聚落相比功用更为复杂，有按照手工艺专业生产或是族群划分的居住区。

**经济组织**

- 在获取关键资源方面各阶层有显著的差别。
- 劳动分工复杂：特殊的物品和服务由经过特别训练的个体完成。出现了职业专家，成为与占人口大多数的以农民-工匠身份谋生的群体不同的阶层。包括专事祭祀和管理的人员、商人和全职工匠。

- 长距离商贸：秩序化，并以盈利为目的，通常包括奢侈品。

**政治组织**

- 存在长期而正式的机构，统治者用以维持国家结构、内部秩序和外部关系。统治阶层拥有合法权力对反对者施以惩戒。

**社会组织**

- 分阶层的社会，拥有界限清晰、通常族内通婚的社会阶层，由经济和社会上占主导的统治阶层（贵族）领导。
- 总体而言，经济地位和居住地日益成为重要的社会整合机制，亲属集团的重要性仅限于社会阶层内部之整合。

**意识形态原则和知识传统**

- 国家宗教与过去的家族祖先崇拜这种民间传统共存或是要求凌驾于后者之上，力图代之以对等级化当权者的核心崇拜。这些当权者往往是社会上层成员，凭借出身或操纵国家信仰获得的财富拥有了身份。公共仪式和宴飨关注国家信仰和统治地位的维护，同时也向平民展现了财富，并偶尔和他们分享这些活动的结果。
- 书写和（或）其他记录方式的使用，以及算术、天文、历法等知识领域的成就。这些成就由服务于贵族阶层、经过训练的专门知识从业者完成并运用，有时贵族成员也会担任书写者等工作。
- 大型公共建筑，供贵族履行其民政和仪式职责，同时也供其居住。
- 独特而精致的艺术风格，尤其表现在各种奢侈品（从宫殿到宝石）上，由社会上层使用，以彰显他们掌控资源的权力。这些艺术风格有时被称为“伟大的传统”（Great Traditions），即与成熟的复杂社会相联系的、非凡且易于辨认的形式和图案。

正如我们将看到的，中美地区社会表现上述特征的形式非常丰富。比如，奥尔梅克有着精致的艺术风格和大型建筑，但最大的文化中心并不是真正的城市，职业的专门化也并不发达，书写和历法的成就尚停留在初始阶段。由此，我们可以推断奥尔梅克社会支撑起了一个有影响力的社会上层群体，社会组织方面只是出现了等级，并没有形成阶层，可能也没有国家式的政府。所以奥尔梅克文明只是被视为文明的出现而不是完全的发展。

## 3. 巨石头像和地下排水槽：圣洛伦索特诺奇蒂特兰的大型设施

圣洛伦索是中美地区最为重要的形成时代早期遗址。圣洛伦索周边地区是在形成时代初始（奥霍奇期，公元前1500—前1350年）开始有人定居，当时村庄农业的方式传播至整个地峡地区。早期的陶器与同时期索科努斯科和周边地区非常典雅精美的陶器有着相似之处，但是较为简单，是“一种更耀眼文化的乡村远房亲戚”（Coe 1981：123）。下一个阶段（巴希奥期，公元前1350—前1250年）为奥尔梅克文化搭建了舞台：一个巨型平台（1200米×600米）拔地而起，较周边地面高50米（图5.7）。这是一处“大型的由第三纪黏土和膨润土构成的自然隆起，但被人工加高了7米”（Coe 1981：119），在其顶端建起的就是被我们称作圣洛伦索的奥尔梅克中心。这个最早期的大型工程的体量说明该遗址的统治者能够指挥并组织大规模的劳工团队，“比起许多一个世纪之后或更晚时期的革新，这一创举是‘质的飞越’，开启了圣洛伦索（奥尔梅克）时期”（Grove 1981：377）。

从遗址的平面图可以看到，平台侧面布满深深的缝隙，早期的发掘者认为这是侵蚀作用形成的。之后的勘查则发现这是有意为之的景观改造。整个平台有着一定的对称性——有几组镜像对称的缝隙——但是该形状又无法被解读成一个肖像。

除了平台以外，圣洛伦索几乎没有其他形成时代早期的建筑余留。只有北部、中央和南部广场/庭院被认作圣洛伦索奥尔梅克初期的遗迹。很可能奥尔梅克时期的民政-仪式性建筑就是沿这条轴线分布的，但它们的存否、体量、朝向和布局都仅是推测。

奇查拉斯时期（公元前1250—前1150年）开始出现大型雕刻的制作。此后，

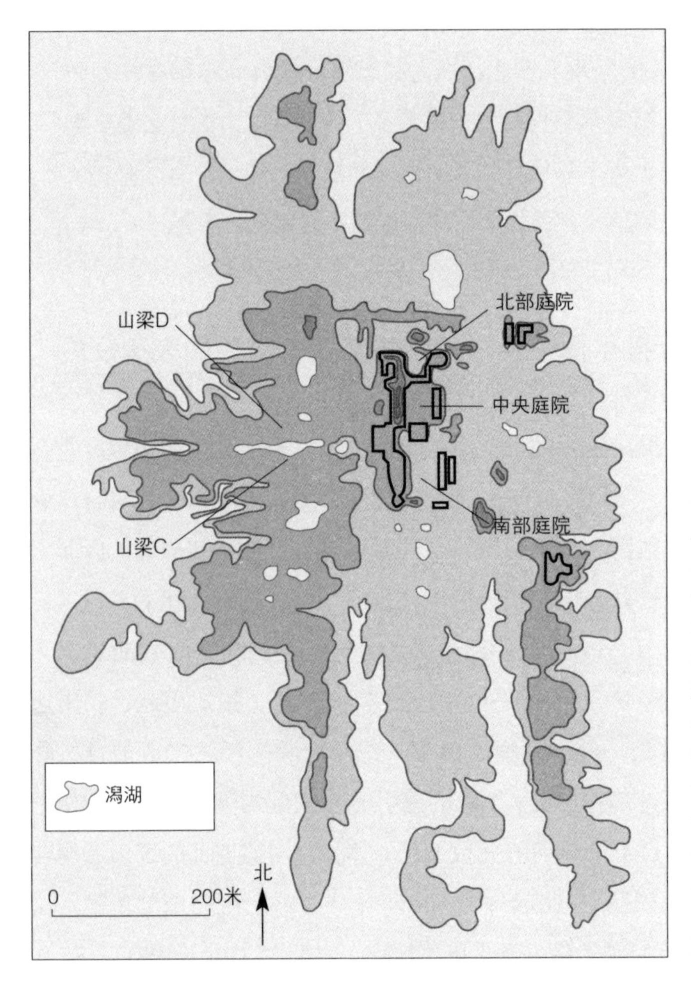


图5.7　圣洛伦索建于高台之上，奥尔梅克人“建造了向外凸出的六条山脊”（Diehl and Coe 1996：14）对其进行了改造，但是只在“山梁D”进行了发掘。山梁D本身大约长200、宽50、高6.5米，工程建造涉及6700立方米的土方移动量。形成时代早期对于高台的修整非常明显，但需要指出的是，平面图所展现的“北部”“中央”“南部”庭院仅是早期仪式性的建筑残迹。它们都被年代更晚的广场和神庙台基所覆盖

在圣洛伦索时期（公元前1150—前900年），该中心的发展达到了顶点。在此期间，大部分大型雕刻被创造出来，比如巨石头像，是墨西哥湾低地南部奥尔梅克文化的标志，而且“不同寻常的工程项目被付诸实施，比如石质排水系统等，以及似乎由这些排水沟渠所控制的人工池塘组合”（Coe 1981：128）。

大部分大型雕刻和景观美化使用了玄武岩，但是圣洛伦索附近区域缺少本地石材。玄武岩来自距此地西北50公里的图斯特拉山的塞罗辛特佩克。这些岩石多是由木筏借助沼泽中的水路运送的。运送任务本身定是一项壮举，因为一些纪念

图5.8 在圣洛伦索，“红色之宫”的发掘为我们一窥遗址中居住建筑的内部情况提供了难得的机会。发掘“显示了对石质材料铺张炫耀的使用方式，用之于石柱、管道、台阶等”（Cyphers 1996：65），这些全部造价不菲，因为石材都需要进口。弯曲的排水管道、巨大的石柱，都表现了奥尔梅克人在家居建筑中雄伟性的审美倾向，以及对于曲线形的偏好

碑重达20吨，并且“需要借助滚轮拖拽至垂直距离达50米的地方。几乎可以肯定的是，这需要强迫或诱使数百甚至上千的劳动力参与”（Coe 1981：141）。

需要重申的是，大型建筑建造过程中的各个阶段都需要大量人力。在平等社会，人们不会建造这种建筑，因为没有高效组织和领导众多劳动力的手段。每一个耗时耗力的建筑步骤都是圣洛伦索的统治者掌握大权的证明。

例如，进口石料不仅用以制作赞美统治者的雕刻，也用于建造社会上层成员的居所，比如“红色之宫”（图5.8）。这座建筑是“散布在大部分雕刻所在遗址中央上部”的几处高级建筑之一（Cyphers 1996：65），在其附近，是玄武岩工坊和大型雕刻修整工坊。这些工坊的位置表明，石料和将其加工为大型雕刻的过程是在贵族的控制下完成的。尽管圣洛伦索尚缺乏民政-仪式性建筑的遗存，但发现了一些可能与之相关的重要遗迹，包括远较普通夯打棕黏土质量为高的地面。其中一些地面有赭石层和白黏土层（膨润土），这一特点体现了奥尔梅克人重视铺设地面的嗜好。

平民的住宅位于高地的侧边和周围，目前尚未对其人口规模和生活方式进行

图5.9　这尊坐姿造像是圣洛伦索10号纪念碑，将近有119厘米高。造像是在圣洛伦索高台斜坡上的沟槽中发现的。该造像有着为人所熟知的开裂头顶以及咆哮的大嘴，它的双手套着“指节套环”，这是奥尔梅克研究者们通常用来描述该物品的词语，虽见于艺术品中，但并未在奥尔梅克遗址中发现实物。它们的用途目前还不清楚，学者们认为可能是用来加工木材的工具，或者是用来搏斗的装备

全面重建。考虑到地形、植被和当地建筑使用期短暂等因素，这些材料恐怕永远难以发现，而圣洛伦索平民的生活方式和人口规模可能只能通过对其他证据的推断来理解了（图5.9）。

高地顶部散布着池塘（遗址发掘者称之为拉古纳斯，lagunas），可能是为了提供建造平台和金字塔的某些材料而挖成的。但是其中一些池塘是石砌的，使用了昂贵的进口材料，并且与石砌水渠相连接。石砌水渠流过了“红色之宫”，这些经过改造的池塘也许还有仪式性用途，在仪式中表达对水的崇敬，或是展现对水流的控制，也有为人们提供随手可得的“自来水”的实用功能，用以清洁和沐浴。

## 4. 附近其他的奥尔梅克遗址：波特雷罗－努埃沃和埃尔阿苏苏尔

圣洛伦索周围地区包括了一些较小的聚落和特殊功能性的遗址（Symonds

2000）。“圣洛伦索”通常被称为“圣洛伦索特诺奇蒂特兰”是因为它与其北部几公里外的另一个遗址相当接近，这个遗址叫作特诺奇蒂特兰（不要与阿兹特克首都相混淆），它也被称为里奥奇基托，因其沿着奇基托河修建。特诺奇蒂特兰有一组组长土台和高大的土丘，每组围成一个广场，广场末端是金字塔式建筑。但是就像圣洛伦索本身平面图中通常展示的民政-仪式性建筑一样，特诺奇蒂特兰重视民政-仪式性的时间也较晚，并且“遗址的很大部分是在阿尔塔时期（公元900—1200年）被重建的”（Coe 1981：119）。

波特雷罗-努埃沃遗址位于圣洛伦索以东几公里处，是另一个主体使用期在后古典时代早期的聚落。但是一些学者将其与奥尔梅克文化联系起来，因为在这里发现了一些奥尔梅克风格的大型雕刻。该遗址圣洛伦索时期的遗存非常朴实，

图5.10 在洛玛德尔萨波特山顶部，有一个被称为埃尔阿苏苏尔的仪式性建筑群俯视着通往圣洛伦索的道路，并以一对双胞胎雕刻迎接着来访者。这对雕刻反映的是仪式中的状态，可能是变形的姿势，面对着美洲豹。这是一种舞台式的场景，将雕刻如此成组排布是奥尔梅克文化的特点。在这一例子中，该场景令人回忆起“之后时期中关于双胞胎和美洲豹的神话，最为著名的就是玛雅神话书《波波乌》中英雄孪生兄弟的故事”（Cyphers 1996：68）

这些大型雕刻可能全部来自圣洛伦索（Coe 1981：121）。

明确与形成时代早期的圣洛伦索遗址同时的埃尔阿苏苏尔遗址位于其南几公里处。遗址坐落在一座名为洛玛德尔萨波特的山上，可以俯瞰两条河流的交汇处，是一处“对于圣洛伦索的统治者而言非常理想的战略点，他们借此可以控制水路运输”（Diehl and Coe 1995：15）。在这里，大型雕刻的摆放颇具戏剧性：一对年轻的孪生兄弟面对着美洲豹（图5.10）。用我们目前的奥尔梅克图像研究知识来解读，这一场景通过人像的姿势和人与猫科动物并排的展现方式，提供了二元互通和萨满式转化的强大意象。对所有由高地地区前来圣洛伦索的人而言，雕像所处显眼的战略要地以及巨大的尺寸都是一种宣告，让他们知道进入的是一个这样的王国：统治者可以指挥技艺高超的工匠为其效力，他们的超自然之身拥有巨大的力量。

图5.11　在中美地区的所有文化中，木质遗物都是相当罕见的考古人工制品。木材易于腐朽，除非是保存在极端干旱（比如北部干旱地带的洞穴遗址）的条件中，或是完全浸入水中的环境，就像这些在埃尔马纳蒂泉中发现的奥尔梅克半身像一样。这些木雕形状简单，显示它们可能有时会被套上仪式性服装，这在阿兹特克人中是常见的做法，以此赋予简单的雕像以灵力

## 5. 埃尔马纳蒂

从圣洛伦索可以看到的一处景观是其东南20公里处的埃尔马纳蒂，这是一座底部有泉水的小山。由此，这个遗址结合了神圣景观的两个重要因素，即山和水。奥尔梅克初始期，可能早至公元前1500年，便已开始在这些泉水边举行仪式性活动。祭品就在现场制作，包括石雕（人像和一个调色板一样的雕刻脚印）、几十个奥尔梅克风格的木雕像（图5.11）、橡胶球以及儿童骨骼（Ortiz and Rodriguez 2000）。在阿兹特克时代，中部高地地区有在泉水和水流漩涡地点向水神祭献儿童的活动，而惶恐儿童的眼泪被认为有着“同感的”魔力，可以促进自然水流的流动。埃尔马纳蒂的重要性不仅体现在它是早期的仪式性遗址，更在于其特殊的保存环境使得大量有机人工制品免遭腐烂。

### 专栏5.3 巨石头像

奥尔梅克人通过多种媒介获得了雕刻家的美誉，雕刻的尺寸千差万别，从不超过成人拇指长度的小人像到重量超过50吨的巨大王座或祭坛。他们最为出名的雕刻就是巨石头像。最早的一件发现于19世纪中期，开始仅发现了顶部，发掘者认为是一个巨型水壶的基座。自此以后，共有17个巨石头像重见天日。

大多数学者相信这些巨石头像是壮年男子的造像，很可能是遗址的统治者——包括圣洛伦索、拉文塔、特雷斯萨波特斯和附近的科巴塔。他们佩戴着头盔式样的帽子，可能是球员的护具。其中一些佩戴着条状或圆形的耳塞，是磨制石质装饰品，镶入耳垂上被拉大的穿孔中。面部较平，浅浮雕手法雕刻的五官很大。头像背面较前面更为平整。

写实性肖像的雕刻绝不容易，需要能够生动地表达肖像个体的高超技艺，不能有粗劣的、模式化的简化。一些巨石头像在这方面较其他更为成功，最为粗糙的是科巴塔的雕像（也是最大的头像，高达2.7米），最为生动的当数圣洛伦索的1号和2号巨石头像。

我们对巨石头像的“生命”周期知之甚少。学者们指出它们可能是由大型雕刻改制而成的，这些雕刻在很长时间中被称为祭坛，而事实上可能是作为某些统治者的王座。例如，拉文塔的4号祭坛就大到足以进行这样的改制。由王座到巨石头像的改制，可能是为了纪念统治者生命历程中某个关键点的仪式，或者是纪念他的死亡。

关于巨石头像的展示方式尚不清楚，甚至连是否被公开展示也不清楚。一些头像被发现时埋于地下。在圣洛伦索这些巨石头像大致沿一条线埋下，原因却难以阐明。在拉文塔，一个头像被发现位于金字塔底部。考虑到奥尔梅克人爱好用雕刻作为戏剧性场景中的元素（见第六章对拉文塔的讨论），我们可以认为这些头像可能展示了社群的统治者家族可以创造一系列强大统治者的力量。这些雕刻上的坑洼处显示了对其进行的人为毁坏，可能是在去神圣化仪式过程中造成的，也可能是外来者（社群的敌人）或本社群的敌对派在夺取原统治者权力后采取的侮辱行为。有时，一些巨石头像可能会被打碎，作为一些更小的雕刻的原料，或者被制作成磨石等工具。

图5.12—5.14　这17件已知的奥尔梅克巨石头像始于形成时代早期。其中包括来自拉文塔的巨石头像，我们将在第六章讨论。巨石头像是由玄武岩制成的，圣洛伦索的头像原料来自图斯特拉山的塞罗辛特佩克。这些原料可能是通过墨西哥湾低地南部的河网系统运至奥尔梅克中心地区的，情景复原图显示了一件巨石头像和一座祭坛（或是王座）被移动到木筏上在河中运输的场面。运输队伍是农闲季节为了公共事务从农民中征召组成的。这件来自圣洛伦索的半身塑像可能是该中心的统治者之一，头上戴的可能是球赛护具

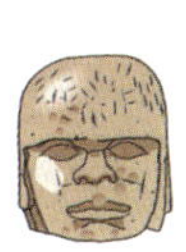

## 6. 奥尔梅克艺术的主题和模式

在对圣洛伦索和其近邻有所熟悉之后，让我们将话题转到对奥尔梅克艺术更为宽泛的讨论上来。某些主题反复出现并交织，有些在形成时代早期已经出现，许多主题和玉米崇拜相关。这些主题最为重要者包括：

· 大型建筑形式，如巨型的人工堆筑平台，上面是台状土丘，围成广场；

· 大型雕刻，表现被神圣化的世俗力量，如巨石头像和被认为实际上是王座的“祭坛”；

· 曲线雕刻风格，通常刻画对象为人类或人兽结合体，其面部特征可能包括呈咆哮状的矮胖面部、露出獠牙的嘴、杏仁眼、火焰眉，以及开裂的前额或头顶；

· 转换/改制的大型石雕，例如，由“祭坛”改制为巨石头像；

· 将雕刻摆放成戏剧场面，比如巨石头像、埃尔阿苏苏尔孪生兄弟；

· 转换/萨满转换，包括转换中的姿势，例如埃尔阿苏苏尔孪生兄弟以猫科动物姿势面对一只美洲豹；

· 对孪生兄弟和二元性的崇拜，例如埃尔阿苏苏尔孪生兄弟；

· 崇拜是通过贡品和牺牲实现的，如自我献祭、人祭，如埃尔马纳蒂那样，还有用身体软垂的生物献祭（参见图5.5）；

· 婴孩和儿童是神圣力量的代言，像埃尔马纳蒂那样的儿童献祭，用空心雕像表现的儿童（存在大量这样的例子，比如在普埃布拉的拉斯博卡斯和米斯特卡阿尔塔的埃特拉通戈的发现）（Blomster 1998）。

## 7. 萨满和转换

奥尔梅克艺术中重要的主题是力量和转换，尤其是个体在转换成超自然自我过程中所获得的力量，此超自然的自我是本我的一种“共质体”，就是中美地区研究者所称的灵伴“那瓜尔”，该词语来源于阿兹特克语对这种现象的称呼“那瓦伊”。玛雅语是“维伊”（uay）。灵伴能够往返于两个世界，即日常生活世界和精神之力的世界。从考古角度而言，我们在奥尔梅克人带给中美地区文化的庞大仪式建筑和雕刻中寻找有效宣示这种力量的证据，也在对具有强大力量的生物的艺术表现中寻找这种力量的根基，这些艺术表现或者是穿着高等级装束的成年男子雕像，或者是那些似乎将美洲豹和人类特点融为一体的人形美洲豹雕像。学者们相信，民政-仪式性建筑组合和奢侈品中表达的政治力量的基础是它们对萨满力量的有效展示，此萨满之力可能是控制农业丰饶的力量。

## 三、高地的发展，地峡西部地区

### 1. 聚落模式和聚落系统

从地形景观角度观察考古遗址的分布，我们可以发现大量关于创造这些遗址的社会的有关信息。首先，因为古代农业人群只有有限的交通工具，通常居住在农田附近，从农业生产力的差别大体可以判断不同社群获取关键资源能力的不同。其次，因为社群的规模可以反映其社会复杂性，各聚落不同的规模也就反映了社会政治复杂化的模式。就像我们曾指出的，平等的部落村落通常都是一样的规模，村落分布一方面要使其可用土地最大化，另一方面也要保证其独立于其他周边村落（参见表1.1）。当一个较大的聚落出现在一系列较小聚落的中央位置时，就标志着政治等级的出现，这个较大聚落成为“首都”，由一个亲属集团统治，该集团建立了牢固的世袭权力以利用该区域内的资源。

### 2. 瓦哈卡：圣何塞期（公元前1150—前850年）

圣洛伦索的规模和仪式特性标志着它是该地区的首府，尽管我们对周边支持它的聚落知之甚少，对其获得支配地位的过程也不了解。而这一过程在瓦哈卡谷

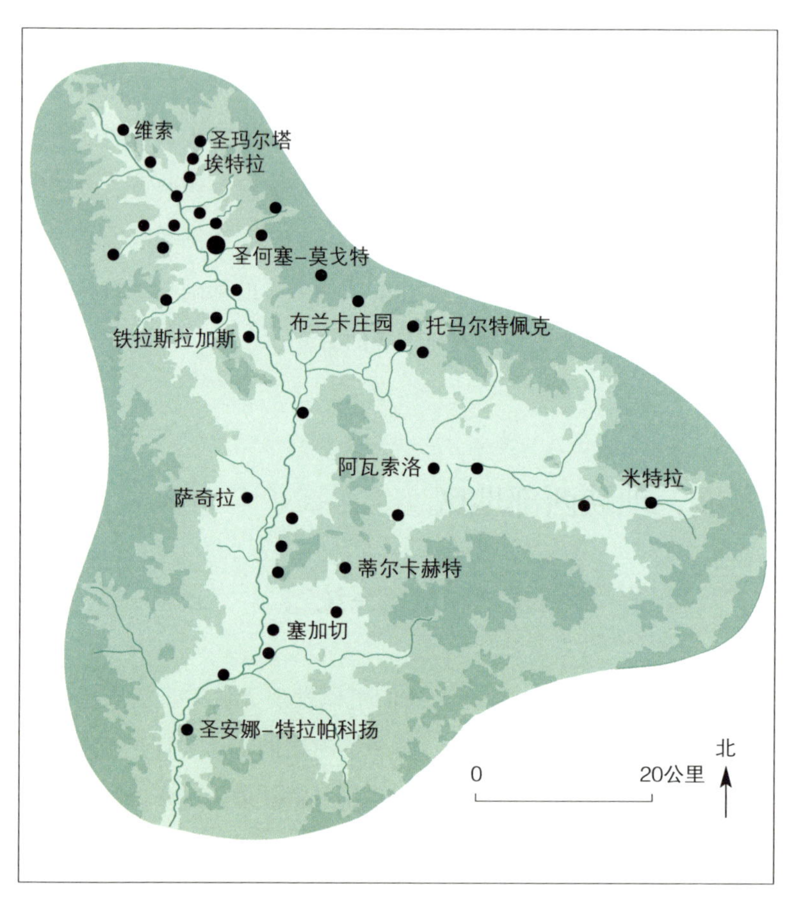


**图5.15 瓦哈卡谷地圣何塞期的聚落比之前的规模更大，数量也更多。这些聚落不断在谷地中最好的土地上集聚，也聚集在圣何塞-莫戈特周围**（Blanton et al. 1993：58—61）

地则清晰多了，萨波特克文明诞生于此，并在圣何塞期（公元前1150—前850年）的初始就经历了文明的“关键时刻”（Marcus and Flannery 1996：93）。以圣何塞-莫戈特遗址为中心的聚落系统是该地区等级化出现的最重要标志（图5.15）。另外，考古学家认为农作物产量可能因两个简单的灌溉方式得以提升，当地人直至现在还在使用它们：一是“盆式灌溉”，即挖很多浅井，从井中取水浇灌周围植物；二是渠道灌溉，建设小规模的灌溉系统，将水从溪流引入农田。

**圣何塞–莫戈特和铁拉斯拉加斯**｜在整个圣何塞期，瓦哈卡谷地的人口翻了三倍，达到2000人，居住在大约40个聚落中，这个聚落数量是前一时期的两倍。更令人印象深刻的是谷地人口的一半都集中在圣何塞–莫戈特，这一聚落占地20万平方米，而外围相邻村落占地共达40万—50万平方米。相反，铁拉斯拉加斯村落在圣何塞期刚开始时，仅略小于圣何塞–莫戈特，而在整个时期一直保持着同样的规模，大约有不超过10户人口（Winter 1976）。我们可以推测整个河谷的政治决策中心在圣何塞–莫戈特，很多如铁拉斯拉加斯这样的小型村落承接其指令并执行（Kowalewski et al. 1989：67）。

考古学研究对最大型的聚落有偏好。较之圣洛伦索，尤其是与后期一些中心性的、真正的城市相比较的话，圣何塞–莫戈特显得颇为简陋，但它还是因其相对更大的规模引起了我们的重视。铁拉斯拉加斯这样的小型遗址也很重要，却被考古研究所忽视。该遗址反映了中美地区文明基础的另一个基本特征：小型社群是本地区规模更大、更加引人注目的中心社群的附庸。社会上层和他们的全套装备完全依赖于无数小型聚落的农人–工匠供奉的食物、物资和劳力。在铁拉斯拉加斯发现的房屋种类（图5.16、5.17）与整个中美地区的居址都非常相似，甚至今日边远地区的农舍还是这样。

每一间这样的房屋所从事的活动内容相当广泛，既有所有中美地区农人–工匠通常的活动，也有在专业匠人居住的某些房屋中进行的特殊活动。更为不同寻常的是，在一些大型聚落的少数房屋中，进行着珍稀物品的专业生产。房屋的活动区域不仅包括了建筑本身，也涉及周围区域。在房屋周边还发现其他遗迹单位，包括灶、墓葬、垃圾堆，还有袋状储藏坑，其中许多可以储藏1吨的干玉米，足以为一个五口之家提供一年的口粮。

**其他等级标志：生业和符号**｜圣何塞–莫戈特遗址也有不少像铁拉斯拉加斯遗址中发掘的小型房址。圣何塞不仅规模大、内部多样性强、存在居住密度不同的居民区，房屋从规模到完成质量也各不相同。聚落中的男性拥有至少一座特别的会议厅，经过历年重修。更令人印象深刻的是由建筑1和建筑2组成的一座多层建筑，高达数米，平台横跨18米（图5.18）。建筑的表面为大块卵石和砾石修砌，其中一些石块来自5公里之外。建筑的规模和来自外地的建筑用料显示圣何塞-莫戈特的统治者能够命令其周边村落居民与之合作（Marcus and Flannery 1996：109—110）。

是何原因导致多数人执行少数人的意愿？此问题的答案会因社会的不同存在差别，但是我们所知人类历史中的全部例子似乎都包含了一定程度的强迫：或者是心理上的，或者是肉体上的，或者二者兼有。正如我们之前提到的，有时这种情况的发生是因为人口密度不断增长，部落村庄内与其他人争吵不休的部分人群通过离开村庄、寻找新土地耕作的方式，简单地一走了之。较弱的一方不得不臣服于强者的意志。

强势一方可能利用一系列组合因素达成其实力的发展，包括耕作点的精明选择、良好的同盟缔结策略、十足的运气和健康的两性后代——男孩将成为下一代统治者，女孩则与强大的同盟联姻。同样，正如我们在帕索-德拉阿马达和圣洛伦索见到的那样，实力也可以通过与强大的自然力和超自然力的联盟来获得。在

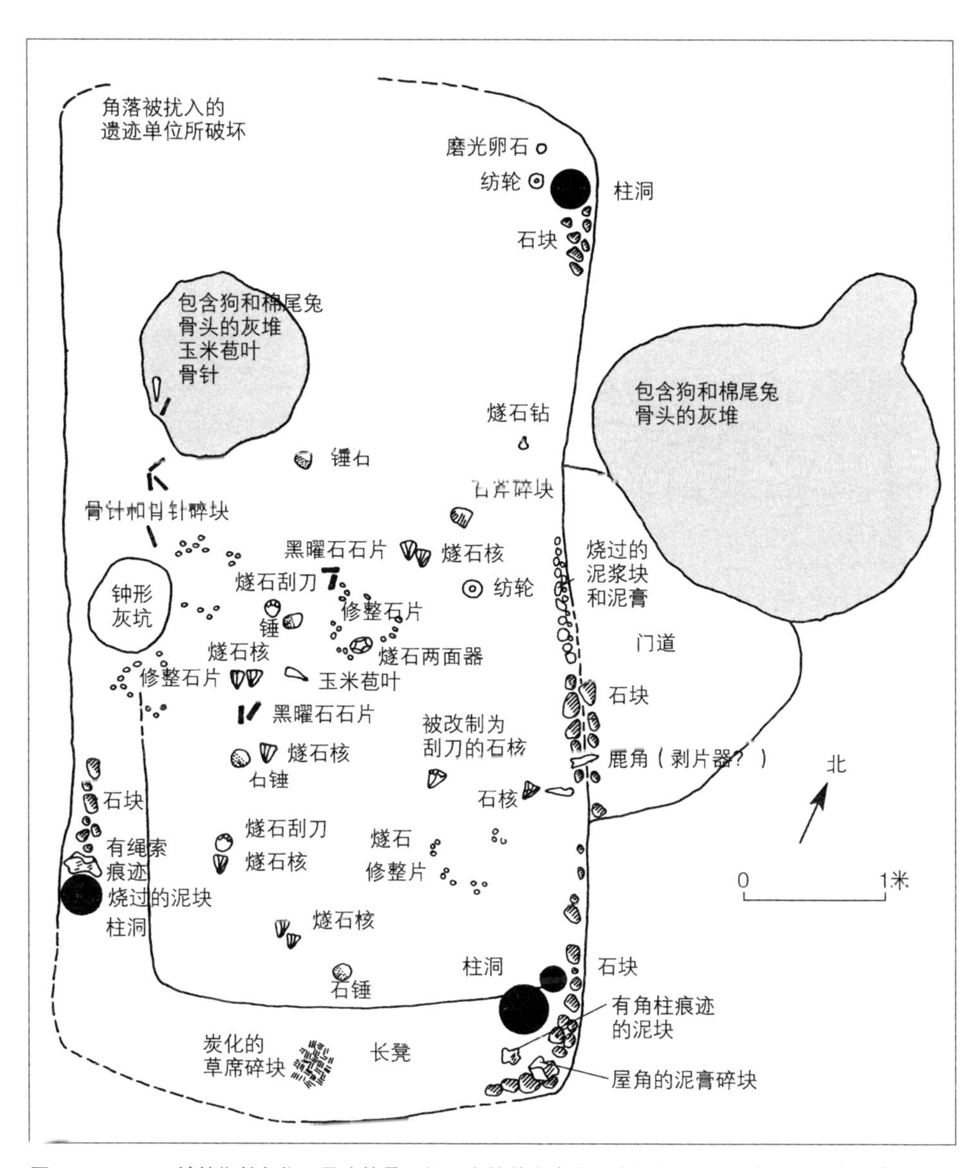


图5.16、5.17　铁拉斯拉加斯1号建筑是一间不大的单室房屋，大概长8、宽4米，是一个家庭生活和工作的空间。左页照片显示了表土被移除、房屋暴露出来但尚未发掘的状态。上面的平面图反映了发掘出土的石器、骨器和陶器的分布，显示了屋内的活动模式。农民-工匠的普遍性活动包括食物的获取、制备和储存，还有一些工具的制备和修整。社群中的一些家户可能从事专门化的石器、骨器、皮革制品和陶器制作

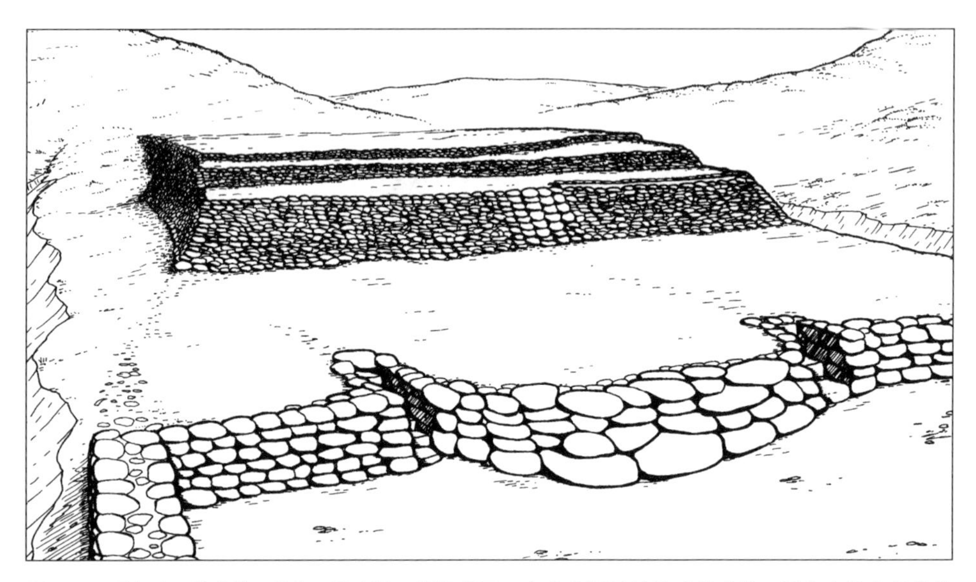

**图5.18 圣何塞-莫戈特1号和2号建筑一起组成了一座令人瞩目的仪式性建筑。平台上的大规模公共建筑已经被毁，它们是由木骨泥墙构成，圆面包形的土坯砖是一项发明。公共大型建筑可以用作多族群聚落中展现互相团结的场所**

整个中美地区变化无常的自然环境中，控制着大地和天空的力量同样掌控着人类的命运。形成时代早期瓦哈卡谷地陶器上的图案表明，不同人群对于大地和天空力量的认同可能已经促发了某种初期的族群意识（图5.19）。两类图案分别为地震和闪电的程式化表现。“这两种图案的分布几乎是互斥的”（Marcus and Flannery 1996：96），其中小型村落多见闪电图案的陶器，铁拉斯拉加斯的陶器则以地震图案为主，圣何塞-莫戈特遗址则二者兼具，“墓葬和房址废弃遗存中的遗物反映了祖先‘天空之灵’的二分现象”（Marcus and Flannery 1996：96）。

这些主题似乎显示了与墨西哥湾低地奥尔梅克文化共享的意识观念。是什么促使了这些地区之间的联系？一个原因在于两区域如此接近，又拥有各自独特的资源，瓦哈卡谷地是距离南部墨西哥湾低地最近的高地。形成时代早期的物资交流网将许多区域联系了起来。图5.20显示了形成时代早期货物交流的区域（Niederberger 1987：727；Wheeler 1976：326）。

黑曜石和陶器在这些区域内流动着。瓦哈卡向东输送的物品之一是磨光石镜。

铁矿石为瓦哈卡本地出产，圣何塞-莫戈特是用这种石料制作镜子的中心，其中一些产品在圣洛伦索遗址发现。我们并没有直接的证据来描述形成时代早期长距离物品流动是怎样发生的。有可能是流动的商人携带着瓦哈卡的磨光石镜或太平洋海岸的贝壳这种小型而高质量的物品四处贸易。想象一下这样的图景：圣洛伦索的统治者急切地注视着商人们将包裹从背上卸下，期待着一面完美的石镜，以获得对超自然世界的完美透视。

## 3. 中央高地的其他地区：普埃布拉、莫雷洛斯和墨西哥盆地

商人们通过几条主要路线往返于墨西哥湾低地和中央高地之间。其中一条向西，之后朝北通过特瓦坎谷地，进入广阔的普埃布拉南部平原和莫雷洛斯东部。由此，经过阿梅卡梅卡山口就来到了墨西哥盆地。

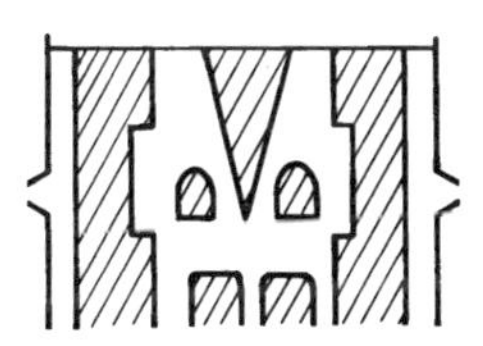

这些高地河谷和盆地也经历了与瓦哈卡谷地相似的人口增长和聚落扩张，这一现象可能与中部高地公元前900—前800年时凉爽、潮湿的气候间隔期相关（Messenger 1990）。大型聚落出现，成为一群小型村落的中心。村庄周围是平整的农田，而梯田系统则可以引导雨水流动，使泥沙沉积增厚土壤，让山坡变得高产。

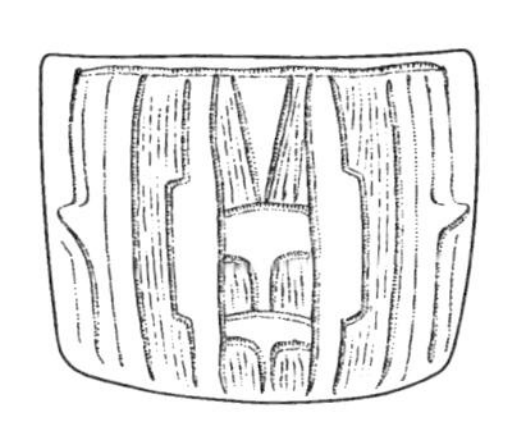

**图5.19　瓦哈卡谷地圣何塞期的陶器刻画着奥尔梅克的闪电（上数一、二，火焰蛇形图案）和地震（上数第四，有开裂头顶的奥尔梅克超自然物）符号。许多小型聚落的陶器上只有一种图案，只有在中心聚落圣何塞-莫戈特，两种类型图案的陶器都有，而且比例相当高**

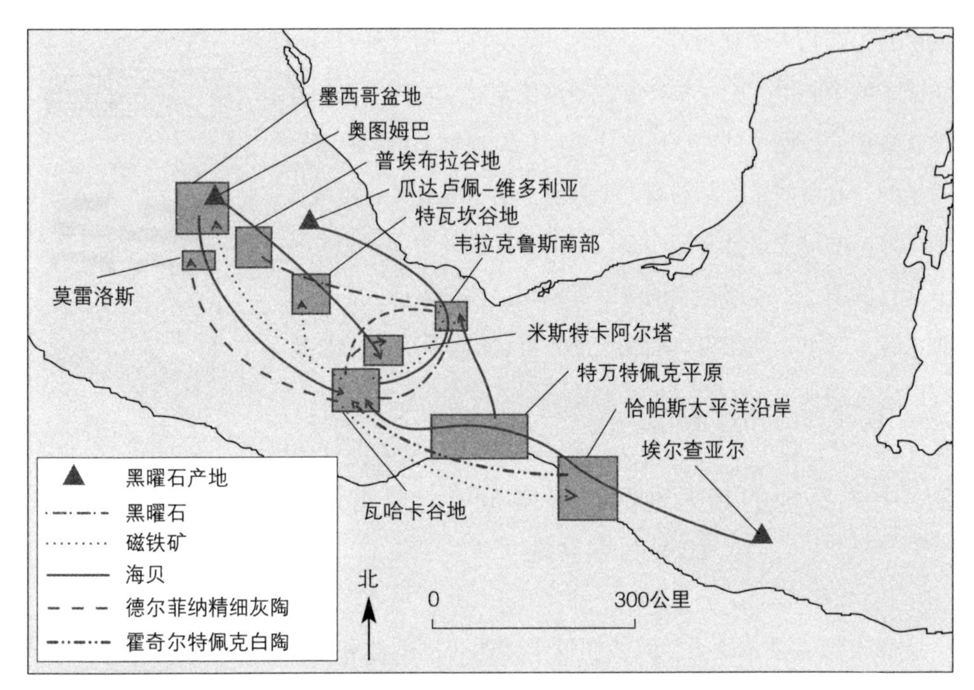


**图5.20　形成时代早期的贸易网联系起了中美地区的大部。黑曜石的获取是其中一个主要的推动因素，而这条贸易路线也带动了包括陶器在内的其他物品的交流。除了原材料和制成品，观念和图像也在大范围传播**

**普埃布拉**｜在特拉坦帕期（公元前1200—前800年），普埃布拉南部山地里村落星罗棋布，农民们用低矮的石墙砌出小块梯田，并用简单的水渠灌溉。一些遗址作为高地和墨西哥湾低地贸易中枢的角色出现。拉斯博卡斯就处在这条路线的战略位置上，但是我们对这个小型遗址知之甚少，部分原因是遗址内的陶雕像招致现代盗掘者将其盗掘一空（图5.21）。

**莫雷洛斯**｜在形成时代早期，莫雷洛斯出现定居的农人。阿马特期（公元前1500—前1100年）的村落规模都很小，只有100—200人，但到了巴兰卡期（公元前1100—前700年），查尔卡钦戈成为本区域最大的遗址，居民有数百人（Hirth 1987：353），而对于山坡和阶地的人工改造则预示着民政-仪式性建筑即将出现。该遗址的地理位置绝佳，在拉斯博卡斯以西40公里，周围几座陡峭的小

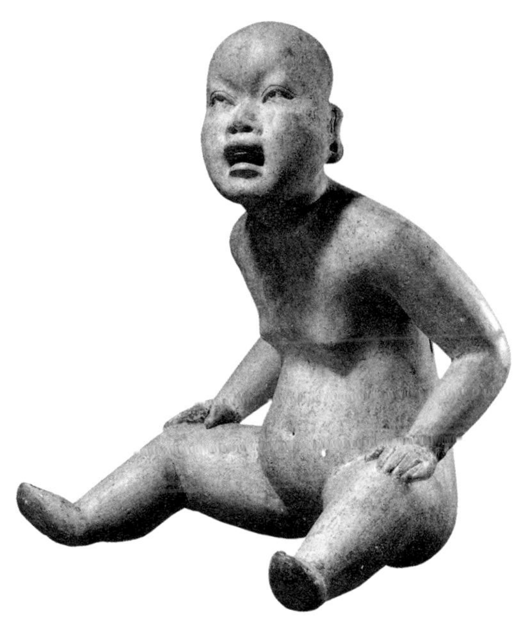

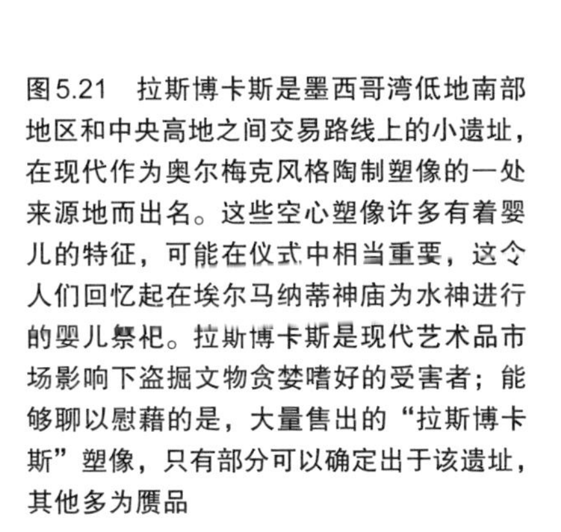

图5.21　拉斯博卡斯是墨西哥湾低地南部地区和中央高地之间交易路线上的小遗址，在现代作为奥尔梅克风格陶制塑像的一处来源地而出名。这些空心塑像许多有着婴儿的特征，可能在仪式中相当重要，这令人们回忆起在埃尔马纳蒂神庙为水神进行的婴儿祭祀。拉斯博卡斯是现代艺术品市场影响下盗掘文物贪婪嗜好的受害者；能够聊以慰藉的是，大量售出的“拉斯博卡斯”塑像，只有部分可以确定出于该遗址，其他多为赝品

山耸立在平原之上，有一条常流溪水和优良农田。查尔卡钦戈内民政-仪式性建筑在形成时代中期达到顶峰，我们将会在第六章加以详细讨论。

**莫雷洛斯和墨西哥盆地**｜从查尔卡钦戈向北望去，映入眼帘的是墨西哥最为壮观的山峰之一波波卡特佩特活火山，遗址距它的最高峰不到50公里。火山西侧是阿梅卡梅卡山口，将气候更偏热带的莫雷洛斯和高海拔的墨西哥盆地连接起来。在上一章，我们注意到，村落农业模式进入盆地地区要晚于莫雷洛斯，并且这种使用陶器的定居农业复合模式事实上可能是由莫雷洛斯引入墨西哥盆地的。

**科阿佩斯科**｜科阿佩斯科位于阿梅卡梅卡山口中，是墨西哥盆地最为古老的村落之一，但是很明显只是在公元前1150年左右存在了大约100年。尽管时间很短，但是村庄的人口却相当可观，可能达到1000人，居住在44万平方米范围内的几十座房屋中（Tolstoy 1989；Tolstoy and Fish 1975）。科阿佩斯科远离繁盛的特拉帕科亚/索哈皮尔科等遗址所在的湖区。但是，它位于经过莫雷洛斯连接盆地

和南部墨西哥湾低地的要路上。遗址内并没有民政-仪式性建筑，家户之间的差别体现在房屋规模和人工制品的质量上，一些陶器和塑像有圣洛伦索的奥尔梅克风格。

**形成时代早期的墨西哥盆地**｜这一时段大约从公元前1200—前800年，包括伊斯塔帕卢卡、阿约特拉（公元前1250—前1000年）和马纳蒂阿尔（公元前1000—前800年）三个时期（相互间有重合的时间），还包括“盆地第一中间期”的第1段。在此时期，盆地地区经历了显著的人口增长，90%的人口分布在南部。在更为干旱的北部，仅有的聚落规模都很小；而在南部，气候更为适合依赖降雨的农耕，村落不断发展壮大，有些超过千人。随着人口规模和社群规模的增长，聚落之间的空间随之减小，但似乎没有聚落扮演过区域中心的角色，也未发现民政-仪式性建筑。湖边有一些形成时代早期的遗址。在埃尔特雷莫特和圣卡塔琳娜发现了房屋、储藏坑和垃圾堆积，里面有玉米遗存（Tolstoy et al. 1977）。

盆地地区两个重要的形成时代早期的中心是特拉蒂尔科和奎奎尔科。后者是以形成时代后期特奥蒂瓦坎的对手而闻名的，但随着希特莱火山的爆发，该遗址被厚厚的熔岩和灰烬覆盖，竞争也就以其失败告终。这个精彩的故事将会在第八章中详细介绍。我们对于奎奎尔科在其鼎盛和覆灭期之前的认识，是通过气锤凿出的零星材料推测而来的，那是最艰难的考古发掘现场之一。关于特拉蒂尔科形成时代早期的发展，我们了解得更清楚一些。

**特拉蒂尔科**｜特拉蒂尔科位于盆地西部湖泊系统之上的山麓地带。遗址包括三个小型村落和一座大型墓地（图5.22）。比起在形成时代早期周边相邻聚落中所扮演的政治角色，该遗址的重要性更多体现在其遗物之丰富上。

特拉蒂尔科遗址是20世纪早期由砖厂工人首次发现的，当时他们正在开采遗址的土来做建材。工人们所发现的完整陶器和玉器很快就引起了前哥伦布时期古物收藏家的注意。米格尔·科瓦鲁维亚斯（Miguel Covarrubias）是一位艺术家，也是位关注古代中美地区生活的有远见的民族学家。他认识到这些容器和雕像与

图5.22　互相叠压在一起的人骨说明特拉蒂尔科墓地曾被反复使用。需要注意的是，这些人骨的埋葬方向并不一致；有些是“直肢葬”，即人骨伸展呈仰卧的状态（“屈肢葬”指身体呈胎儿蜷曲的状态）。陶器被作为随葬品的一部分同死者一起下葬

其他“原古期”（当时对形成时代的称呼）遗址出土的遗物很相似。在绝对测年技术肯定他的解答多年之前，科瓦鲁维亚斯已经认识到奥尔梅克文化是中美地区首个出现的伟大文化，早于玛雅文化。他也成为19世纪40年代特拉蒂尔科遗址首次科学发掘的首个负责人（Porter[Weaver]1953）。

特拉蒂尔科墓地的墓葬总数估计有500座，其中375座已经有考古记录。墓主性别和随葬品的研究显示，奥尔梅克风格的陶器更多出现在女性的墓中（Tolstoy 1989），如果不是文化同化的话，这种现象表明，在文化交往（如果不是文化适应的话）中，女性更易于吸收奥尔梅克文化习俗，但是这一点还没有得到充分证明。特拉蒂尔科的陶工在其理念和实践方面都相当老练。其他陶制品包括印章（图5.23）和小塑像（参见图5.28）。除了墓葬，该遗址还有许多钟形储藏坑，以及一些可辨识的房屋台基。

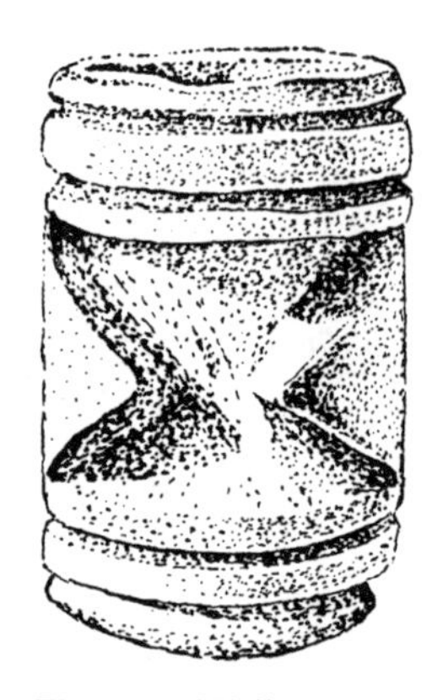
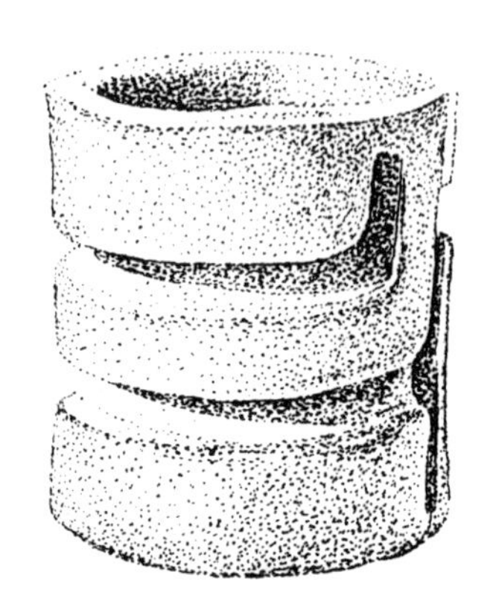

**图5.23　特拉蒂尔科的陶器包括印章，以及陶罐和陶塑像。印章通常由黏土制成，有时也用石料，从形成时代早期到后古典时代晚期都在使用。这些滚轮印章让人联想起古代美索不达米亚的滚轮印章，它们用来压印在湿黏土上作为所有者的标记。中美地区的滚轮印章是否有此功用不得而知，它们在特拉蒂尔科遗址的分布显示全体社会成员都在使用这种印章，而并不是由富人独享。这些滚轮印章和扁平印章可能被用来蘸涂料或墨水印在皮肤或衣服上。滚轮印章似乎“在形成时代早期（至公元前900年）的墨西哥中部地区（墨西哥谷地、莫雷洛斯和普埃布拉）有大量出现”（Grove 1987：274）。在此之后，扁平印章占据了主导**

特拉蒂尔科的陶制容器形式多样，包括许多动物形象，还有许多复合式和新创的造型（图5.24—5.26）。杂技柔术造型是奥尔梅克艺术的常见主题（图5.27），陶容器上刻画的杂技人物说明古代中美地区特别关注身体之变形，就像杂技表现的那样。阿兹特克的杂技艺人令西班牙征服者惊讶，并在1528—1529年被送至欧洲进行巡演；教皇克雷芒七世也为之折服，并因此感谢上帝令他生活在可以目睹此奇迹的年代（Honour 1975：61）。身体变形更微妙的隐喻内涵是其表现出的萨满能力和灵伴观念，即这样的变形象征着转换为动物自我（animal alter ego）之身。魔术技法只涉及自我变形魔法的肉体变形方面，“至少某些奥尔梅克和西墨西哥竖穴墓中杂技塑像和瑜伽姿势的艺术品意在表现萨满的转换技能”（Furst 1995：71）。

特拉蒂尔科与奥尔梅克之间的联系一直被着重强调，但实际上只有一小部

图5.24—5.26　特拉蒂尔科陶器的两个不同例子（包括图5.27），显示了造型和完成的精湛水平。（左侧和中部）这件陶瓶（17厘米）有黑色增光陶衣，上面刻画有“火焰睫毛”的怪兽（左侧的展开图），与瓦哈卡谷地陶器上的“闪电”符号相似。右侧图中动物形象的容器表现了一条张开大嘴的鱼，容器的出水口就是鱼嘴部（13厘米）。这种具有光泽的黑色表层并不是真正的釉层——釉层要到新大陆与欧洲人接触之后才被引入，它是一种增光陶衣（黏土和颜料混入泥浆中，制成可流动的溶液，被施于容器表面）

分陶器具有墨西哥湾低地风格，更多的则显示出与墨西哥西部陶器组合的相似性，例如马镫嘴形容器。从这一点可以看出中美地区形成时代早期文化影响的多元性。盆地东南边缘的科阿佩斯科遗址似乎与其南部的查尔卡钦戈以及远在西南和东南的特奥庞特夸尼特兰、圣洛伦索在符号体系和物质文化方面有着更为明显的相似之处。而墨西哥盆地西部的物质遗存更类似于墨西哥西部以及莫雷洛斯西北部（今库埃尔纳瓦卡）的瓜卢皮塔等遗址。该遗址是一座砖厂，非常重要，因为它最早的遗存是形成时代早期第一个被系统研究的聚落（Vaillant and Vaillant 1934）。

## 4. 北部干旱区

在这些地区，整体上严苛的干旱环境更适合移动性狩猎采集经济模式的持续，这种形式甚至延续到了殖民时期。然而，人们通常还是会接受任何可以使生活变得更加容易的发明创造，由此就有了玉米的北传。有证据显示，玉米早在公元前1200年时就被种植于美国的西南部，那里是美洲中部北部干旱区向北的外延（Smith 1995）。这是混合型经济策略复杂性很好的例子，移动采食者种植玉米作为其生业经济策略的额外补充，而玉米明显是通过贸易在几百公里外的中美地区获得的。

图5.27　这件“杂技演员”肖像容器来自特拉蒂尔科，是一位男性墓主的随葬品，其他随葬品显示他可能是一名萨满；容器的出水口在左膝盖处（高25厘米）

图5.28　特拉蒂尔科的塑像相当多，这也成为该遗址的一个特点。这些塑像包括奥尔梅克的空心“拉斯博卡斯”类型，以及更为普遍的、正如此图展示的“漂亮女士”类型

## 5. 墨西哥西部

在墨西哥西部，原古时代和形成时代初期的遗存很少。形成时代初期，该地区出现最早的陶器，显示了农业村落的普及，这些村民明显是从东南部进入本地区的，西进的路线有两条，形成了北部的埃尔欧佩尼奥文化和南部的卡帕查文化（Mountjoy 1999：253）。

我们对于这两个文化的了解主要来自它们的墓葬模式，以及陶器等随葬品。关于居址即先驱性的农业村落本身，两地都没有直接的考古证据。也许这些房屋的存在时间很短，或者现在已经埋于沉积物或后期村镇之下。无论如何，埃尔欧佩尼奥和卡帕查都保留了该地区最早的且颇为独特的陶器。

**埃尔欧佩尼奥文化**｜这一考古学文化的名称来源于埃尔欧佩尼奥遗址和其他墓地遗址。大约从公元前1500年开始，埃尔欧佩尼奥人开始挖掘竖穴墓（图5.29）。这种风格的竖穴墓可能是墨西哥西部形成时代晚期竖穴墓传统的前身（详见第七章）。

尽管缺少居址的遗存，墓葬的发现也为我们了解墨西哥西部最早的定居者的生活方式提供了可能（Oliveros 1989）。一些在墓葬中发现的造型简单的陶罐和陶碗有着“相似的、通常发现于奥尔梅克遗址中的刻画图案”，而出土的小型塑像也显示出头骨变形这种奥尔梅克特点（Mountjoy 1998：253，254）。一些人类颅骨本身的形状也会被加以重塑，这在中美地区之后的文化中相当常见。颅骨环钻术　　在大脑周边位置切除部分颅骨以缓解不适感——在任何文化环境中都是相当危险的，但是这个欧佩尼奥文化个体却存活了下来，其颅骨切割边缘显示了自愈的迹象。

其中一座墓葬中发现了球员的小造像（图5.30），并与一套微型球赛用具共出。墨西哥西部最为古老的球场建筑遗存可以早到公元前600年，尽管毫无疑问，球赛是可以在规模合适的任何平整的场地上进行的。墨西哥西部与热带低地的橡胶资源距离遥远，当地人可能从本地植物中提取类似乳胶的材料制作胶球。较之

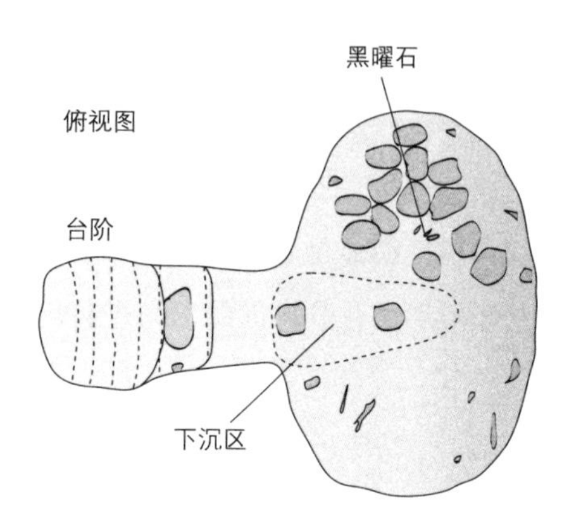


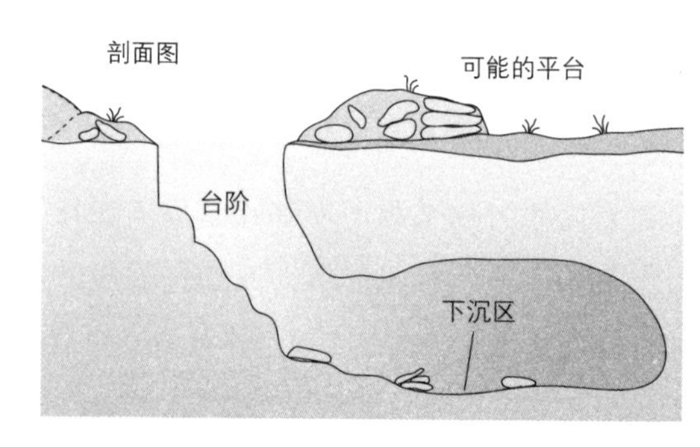


图5.29　埃尔欧佩尼奥文化提供了墨西哥西部最为著名的文化特征的最早例证，这就是竖穴墓。这幅锡塔拉地区4号墓的平面图和剖面图显示了该墓葬类型的特点，即“短阶梯墓道入口通往单间墓室”（Weigand and Beekman 1998：36）

图5.30　这些来自埃尔欧佩尼奥墓葬中的塑像表明在墨西哥西部也举行球赛，尽管那里没有发现正式的球场。最初的一组16个塑像，包括男性和女性，可能构成了一幅男人们正在进行球赛而女人们斜倚着看球的场景。图中这些男性穿戴着护腿或护膝，手握击板或“又大又重的、有厚层填充物的手套用来击球”（Day 1998：153）

墨西哥湾低地的橡胶球，这种材料制成的球在比赛中弹性较差；考虑到在所有物质中寻找生命精神的中美地区嗜好，诸如橡胶之类的地峡地区产物受到整个中美地区贪婪追求的情况就不难理解了。

**卡帕查文化**｜在欧佩尼奥遗址西南100公里处的科利马，可能早在形成时代初期就出现了卡帕查陶器组合，并一直延续到形成时代早期甚至中期。卡帕查特征的陶器来自墓葬，包括形制鲜明、表面经过精致处理的各种容器。许多陶器呈葫芦形，比如被称作“布莱”的容器（参见表4.4）。有些陶器由陶管连接起来的多个器身组成，即罕见的“三联式”形制。墓葬本身有时被认为是竖穴洞室墓，但其实只是简单的竖穴墓（Kelly 1980）。

墓葬是我们认识卡帕查文化仅有的考古学材料，这必然会使我们对该文化的认知产生偏差。精致的陶器少见而珍贵，是极受尊重的人用它们作为随葬品的原因。居住址也可能存在一些精致器具，但主要是大量素面陶器，或是实用器，即在房屋周围使用的日常炊器、盛器和储藏器。素面陶器在该地区广泛分布，但因为缺少保存良好的考古背景，难以进行分期研究，但它们可能都属于卡帕查文化的实用容器组合（Mountjoy 2010a）。

卡帕查文化之来源还存在分歧。基于一些卡帕查图案与同时期的厄瓜多尔太平洋沿岸马查利亚文化母题的相似性，有人提出南美洲文化影响的假设（Kelly 1980）。但卡帕查物质文化与奥尔梅克母题有着更多的相似性（Mountjoy 2010a）。卡帕查物质文化在沿哈利斯科和纳亚里特的海岸都有发现，时代为形成时代早期、中期和晚期（公元前1200—前300年）。

## 6. 格雷罗

如果以格雷罗为卡帕查人群可能的起源地，那么离格雷罗越近应该表现出与墨西哥湾低地奥尔梅克共享的越多。尽管格雷罗的地形较为破碎，但这一广阔区域被巴尔萨斯-梅斯卡拉河流的支流系统联系起来，又因其拥有众多资源而如磁石般吸引着各种贸易活动，这些资源包括热带产品（棉花、可可、橡胶）、海洋产品（贝壳）、矿物-金属（银、金、铜和锡），以及各种宝石（包括多种玉石）和梅斯卡拉面具、雕像等制成品。

在整个中美地区文化史中，格雷罗都因其崎岖的地形而险阻重重。很早之前人们就知道磨光石面具等可携带的奥尔梅克风格艺术品来自格雷罗地区，但是因为它们都为盗掘而来，很少能够了解其具体出处。定居村落生活似乎开始于公元前1400年（Paradis 2010），但是该地区形成时代早期的社会组织模式却鲜为人知，直到格雷罗东部令人瞩目的中心聚落特奥庞特夸尼特兰被发现（Martinez Donjuan 1995），改变了与奥尔梅克世界的其他地区相比格雷罗更加边缘的认识。

**特奥庞特夸尼特兰**｜在特奥庞特夸尼特兰，奥尔梅克与格雷罗之间的联系显而易见，并且该遗址与其东北80公里处的查尔卡钦戈遗址曾结为联盟（Jimenez Garcia et al. 1998：37）。特奥庞特夸尼特兰遗址位于距阿马库萨克河和梅斯卡拉河汇流处8公里的山脉河谷地带。遗存分布面积约160万平方米，其中只有一小部分经过探查，发现了各种式样的房屋和梯田。遗址使用时间自公元前1400—前600/前500年，鼎盛期大约在公元前1000—前800年（Martinez Donjuan 1995）。在此期间，特奥庞特夸尼特兰的洛梅里奥斯居址区（包括特拉科索蒂特兰区），出现了几组有石头基础的长方形房屋，围成一些院落。居民们制作贝壳和黑曜石装饰品，而这两种原材料都是由外地进口的（Reilly 2010）。

特奥庞特夸尼特兰的重要性不仅体现在它在格雷罗所处的位置上，也表现在其仪式性建筑的早熟上，尤其是被称为“围场”的仪式活动区。该区域是首个已知的下沉广场式民政-仪式区，被房屋和平台环绕（图5.31）。该建筑的朝向和特殊遗迹表明其具有计时功能。

“围场”的石砌工艺有着很高的水准，对称排列的大型雕刻上装饰着典型奥尔梅克风格的人物，他们杏仁形的眼睛和咆哮状的嘴显示出与墨西哥湾低地雕刻的紧密联系。其中一块石头上刻着一朵花和两个条形，可能是“10花”之日的

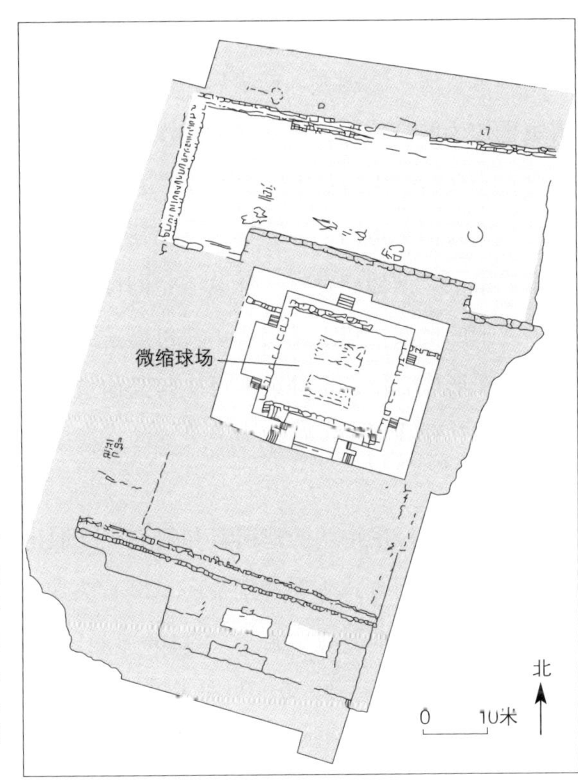


**图5.31　特奥庞特夸尼特兰的下沉广场建筑群，包括图上方和下方对应的北侧和南侧平台。它们环绕起一个下沉的、类似迷你球场的庭院。球场内有四个几乎一样的奥尔梅克风格雕像，不同于那些墨西哥湾南部低地的雕像，这些雕像全部是浅浮雕雕刻，刻在大型平面板材上，每一个都有大约1米高**

日期标志（Jimenez Garcia et al. 1998：40）；若真如此，这就是中美地区抽象历法观念最早的符号象征，每个条形等于五。这些雕刻被摆放在特定位置，使得每当春分时节，其中两个雕刻在太阳升起和落下时投射的阴影可以通过“围场”的中心。

“围场”的中心似乎是一座迷你球场，遗址的其他区域则有一座I字形的广场（78米长）。球场的一端为一座土坯建筑，是一个汗蒸浴室。我们在其他场合已经遇到过球场，而特奥庞特夸尼特兰的汗蒸浴室则是最为古老的实例之一，汗蒸后来成为中美地区文化的重要特征。事实上，汗蒸浴室在美洲原住民的生活中相当普通，在北美、中美和南美都有发现。这不由得令我们想到该传统极其古老，可能是由旧大陆带入美洲的。正式的汗蒸浴室——因卫生和健康的原因建造供人们进行蒸汽清洁的永久性房屋——在形成时代晚期到后古典时代晚期的中美地区遗址中非常普遍。欧洲人入侵之后，西班牙殖民者废除了汗蒸浴室，因为在西班牙浴室也作为妓院使用；但在新大陆没有这种不道德的联系，汗蒸浴室一直延续到了今天，在新时代的健康体制中赢得了新的拥趸。

正如我们曾指出的，球赛可以在任何级别的场地进行，毫无疑问它在正式球场出现很久之前便已存在，汗蒸浴室同样也可以在任何封闭空间中实现——由树枝围起来的框架再覆上动物皮革就可以达到预期效果。正式汗蒸浴室的实物证据显示，在形成时代，这种蒸浴可能与其他贵族活动形成了正式关联。就像球赛和宴飨一样，汗蒸浴可能也作为中美地区发展中的贵族阶级成员之间建立联系的有效方式。

特奥庞特夸尼特兰的建造者和雕刻工匠取得了令人瞩目的成就，在这里我们又一次发现了埋藏式水渠和至少一个巨石头像（高1、宽1米）。水渠将水运往农田，似乎有着下水道的功能。大约100米长的灌溉渠得到了发掘，“墙体由巨大的石块所砌成。内侧空间70—90厘米宽，90—150厘米高，在1米长的渠道内可以运输或储存1立方米的水”（Martinez Donjuan 1995：66）。

特奥庞特夸尼特兰另一项中美地区的“最早”是拱形穹顶这一重要建筑形式，有时也被称为“假拱顶”，因为它的高拱顶并没有使用旧大陆所发现的连续的梯形石（图5.32）。这种托臂式穹顶在玛雅低地地区的建筑中最为著名，在形成时代晚期和古典时代普及开来。在特奥庞特夸尼特兰遗址，托臂穹顶作为高等级墓葬的顶部使用。在一座墓中发现了“覆有一薄层红色颜料的骨头碎片和小块马赛克”（Martinez Donjuan 1994：160）。

这种托臂穹顶墓在该地区的其他遗址也有发现，比如在奇尔潘辛戈的科维苏尔遗址。特奥庞特夸尼特兰在其形成时代早期之末达到鼎盛期，作为所在区域的首都；该地区的一些遗址在形成时代中期蓬勃发展，我们将在第六章中讨论。到了形成时代中期之末，即公元前600年前后，特奥庞特夸尼特兰遗址被废弃。

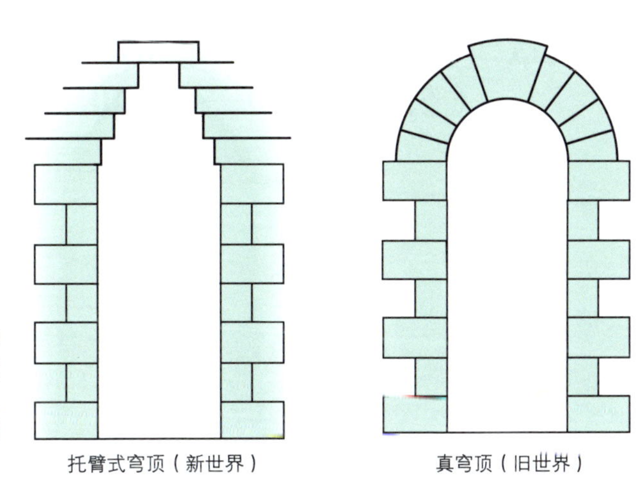


**图5.32 托臂式穹顶和真穹顶的比较。这些互相叠压、逐渐成拱的石块只能跨越有限的空间，因此这些拱室都有着很高的拱顶，但拱室本身却相当狭窄**

## 7. 为形成时代中期搭建舞台

作为形成时代早期的中心聚落，圣洛伦索未能作为奥尔梅克的首都而生存下来。在酋邦系统中，不同中心的社会上层家族团结起来的倾向会和互相敌对的离心倾向达到某种平衡。权力归根结底是强迫他人完成自己意愿的能力，强迫就是使用暴力或是以暴力来威胁。自命不凡的统治者会集结追随者和盟友发动袭击和制造冲突，并向他们许诺可以获得受袭者仓库中的财富。曾经强大的统治者，比如圣洛伦索，因何威风扫地了呢？他们的肖像又是因何被毁，伟大的仪式性聚落因何成为废墟的呢？

通过奥尔梅克艺术，我们见识到了贵族与控制植被和气候的超自然力量的紧密联系。气候或是农业周期中的小波动，足以令大众失去对统治者神力的信仰（Drennan 1976）。任何一个酋邦都可能走向衰落，但复杂社会的一般制度和关键性资源获得方式的差异性则不会消失。在人口稳步提升的情况下，几乎不可避免，一群社会上层会被另一群所替代。

# 第六章　奥尔梅克人：形成时代中期（公元前900—前600年）

形成时代中期见证了墨西哥湾低地和周边地区奥尔梅克文化的第二次和最后一次繁荣。在此之后，墨西哥湾低地南部区域就再未取得过中美地区的文化控制权。在该时段中，其他区域文化在规模和复杂程度上都有提升，重大发展出现在墨西哥湾以西和以北的高地，以及恰帕斯内陆高原、危地马拉高地、玛雅低地和中美地区东南部（图6.1）。

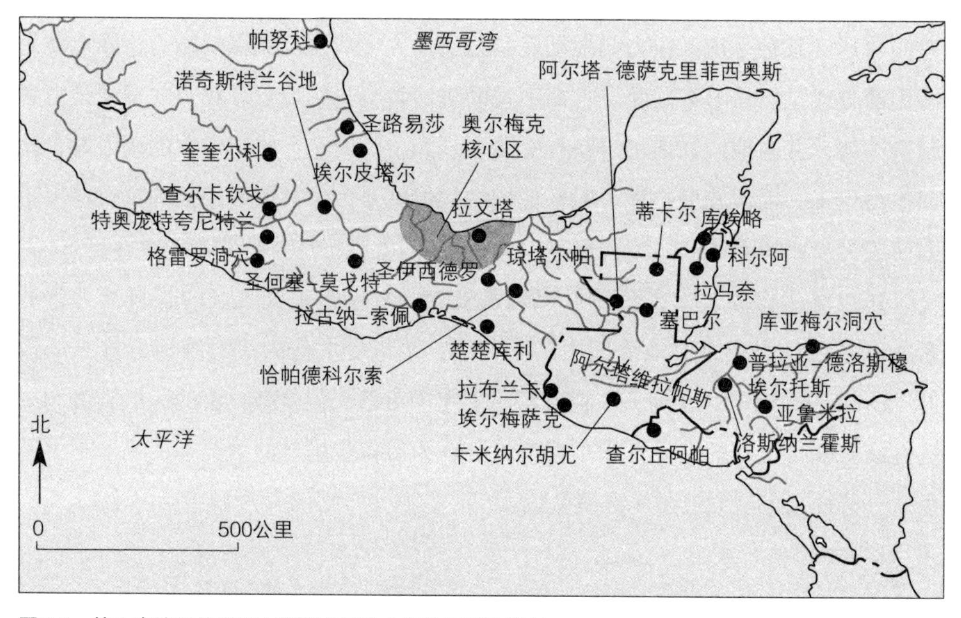


图6.1　第六章涉及的美洲中部形成时代中期的区域和遗址

# 一、高地西南部的发展

## 1. 格雷罗：特奥庞特夸尼特兰和洞穴遗址

格雷罗东部地区在奥尔梅克世界所体现的早熟性是个有趣的谜题，其中包括了一些非常可靠的证据碎片以及许多缺环。可靠的证据包括几个为人所知的考古遗址、大量诸如雕刻玉器这种可携带艺术品，以及一些大型雕刻和洞穴绘画。主要的遗址材料在第五章中进行过讨论。特奥庞特夸尼特兰在形成时代中期继续了它的繁荣，并且似乎很明显已经成为该区域聚落的地区性首府，这一点在同时期奇尔潘辛戈周围的科维苏尔遗址和特米斯科Ⅱ期墓地都得到了证实。

很难获知格雷罗可携带艺术品在当时的重要性，因为其中大部分是通过盗掘获得的，而非系统的考古发掘，因此其考古背景不清楚，并且也遭到了盗掘的破坏。与盗掘-毁坏循环相伴的是相对较少但也很严重的另一个方面：对流行的盗掘文物的仿造。尽管一想到那些富有但不择手段的艺术收藏者买到了赝品，并被骗了大量的钱财会使人产生一种冷酷的满足感，但这种造假行为会进一步混淆我们对于奥尔梅克文化及其图像和文化发展序列的认识。尽管学者们对于盗掘极为反感，却不能对盗掘文物熟视无睹，因为这些遗物往往最漂亮而且图像最丰富，对于格雷罗这种我们尚缺乏了解的地区尤其如此。

图6.2—6.4是一些格雷罗地区发现的遗物。它们反映出对奥尔梅克社会上层生活有重要意义的物质和主题的一小部分，并且清楚表明了格雷罗在形成时代早期和中期文化复合体中的重要地位。格雷罗出土的鼻烟吸管反映了社会更趋复杂化的趋势。当社会向等级化发展时，佩约特仙人掌、蘑菇甚至烟草这些有致幻作用的物品都可能受到控制，也就是这些物品会被保存起来，专门供那些经过特殊训练、可以理解和解读这些致幻剂所产生的幻象的人使用。在阿兹特克时期，普通人使用致幻剂是极端危险的，甚至会危及生命。这种基于阶层的禁令可能是与其他区分社会上层的方式一同被建立起来的。致醉和致幻使用特权可能创造了一条连接社会上层群体成员的纽带，他们可以通过外表形状的改变、通过得到神灵

图6.2—6.4　形成时代格雷罗生产的精美艺术品。右侧这件磨光翡翠窄斧（长28厘米）是一件规范化的仪式性器物，在形成时代早期的整个中美地区，石斧是刀耕火种农民清理森林的工具。窄斧上刻画了一位衣着华丽的人，戴着面具，手持一捆束和一短杖，正在站立或行进当中。左侧物品来自霍齐帕拉地区，这件黏土制作的跪像（高14.4厘米）表现了一位古代中美地区的出神者，通过吞食、口吸或鼻吸致醉或致幻物达到超凡的状态。这件艺术品可以早至形成时代早期（公元前1500—前1200年），是“最早的在雕刻和象征性方面都令人惊叹的鼻吸管”（Furst 1995：77）。中间物品是一具绿色翡翠玉石制成的站立塑像（高8.3厘米），具有奥尔梅克超自然物的特征，却表现出农人的姿势，前额系有绑绳背负着口袋或篮子

的启迪、通过穿戴图像符号丰富的服饰彰显与超自然世界的强大联系。

## 2. 来自格雷罗的大型艺术品

奥尔梅克-格雷罗风格的载体不仅包括黏土和绿石，也包括不可移动的物品。圣米格尔-阿穆科的石碑（图6.5）为我们展现了两个清晰有力的图像：捆束（可能为羽毛捆成）和“鸟蛇”。捆束代表了一种蓝绿色的贵重品，即绿咬鹃的羽毛，直到西班牙殖民者入侵之前都被中美地区的皇室用来装点头饰。和现在流行的方式一样，其他茎状绿色物品（香蒲、玉米秆）在形状上也以此捆束为代表，使其

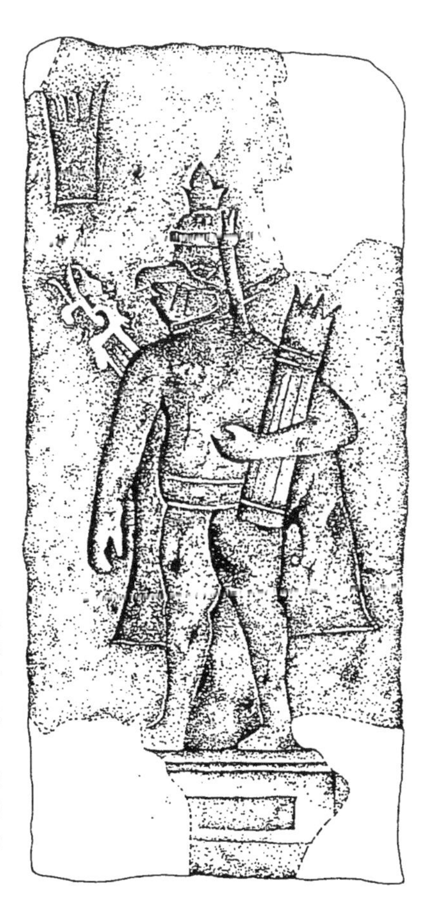

图6.5　圣米格尔-阿穆科（格雷罗）遗址中一具刻有人物的石碑（站立纪念碑），人物造型与图6.2窄斧上的行进人物相似，二者都身着盛装，头戴面具，面向左侧站立，腿部和头部以侧面示人，躯干则朝向正面。阿穆科石碑上刻画有两个捆束和两个鸟蛇形象：人物手抱着一捆束，在“该形象头部旁边有一个图像化的同样的捆束”（Taube 1995：88）。他佩戴着鸟形面具，肩膀上有一鸟头。捆束和鸟的形象都是神圣和世俗权力的简明象征（高85厘米）

具有了农业丰产、沼泽湿润、复杂社会人口密集的丰富含义——这些都是统治的职权和利益所在。

“鸟蛇”是鸟与蛇的杂交混合种，是中美地区常见形象“羽蛇”更为确切的学术名称。纳瓦特尔语中这一形象被称作“克察尔科阿特尔”，即绿咬鹃（克察尔）和蛇（科阿特尔）的合称。熟悉最流行的中美神话的人们会将它视为神和文化英雄的合体，这位英雄是11世纪图拉的统治者，后来离开图拉消失在东方，并预言自己会归来。西班牙人曾宣扬科尔特斯的到来就是克察尔科阿特尔的转世归来。

由此，鸟蛇于形成时代早、中期在图像场景中的出现便值得关注了。想象一只闪闪发光、色彩斑斓的蓝绿色飞翔之龙吧，集合了中美世界珍贵而强大的各种动物的特点，也具有统治者自身的特性；代表着天空，是神圣雨水的来源，是日月星辰顺时运动的依托。

其他令人印象深刻的图像是在格雷罗地区山洞发现的壁画。山洞、神谕、神界和世俗的统治者——这些词语目前我们已经相当熟悉。格雷罗的洞穴通常位于偏远的峡谷，比如胡斯特拉瓦卡、奥斯托蒂特兰、卡卡瓦西西基和特克萨亚克，但其壁画主题并不是地方性的，而是普世性的，这些图像是在古典时代成熟起来的特奥蒂瓦坎那样的壁画传统的滥觞。奥斯托蒂特兰壁画C-1（图6.7）表现了另一种坐在长凳上的王室装束的人物形象。奥斯托蒂特兰壁画1-d中的形象更为有趣（图6.8），他除了头饰以外，别无其他衣物，并与一只美洲豹连在一起。

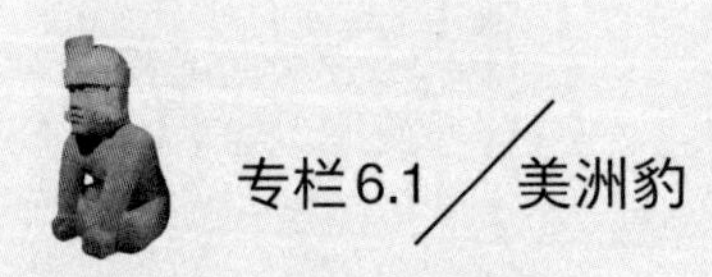


我们大部分人生活的区域中，能够真正造成恐慌紧张的动物只有携带疾病的微生物。但是在前现代世界中，许多大型猛兽不仅是各地区神话中的重要角色，也是人们防范的对象。这些潜行的掠食者危害生业，威胁着独立的家户和在农田里劳作的农人，也威胁着那些远距离交换货物和信息的商人。

**图6.6　在卡拉克穆尔生物圈保护区（墨西哥）中一棵树上回眸一望，这只年轻的雌性美洲豹是少量幸存美洲豹群体中的一员，该群体数量下降到之前的三分之一，人口增多导致热带雨林遭到破坏，使它们的生存空间受到挤压**

在中美地区，野生动物中最为凶猛的就是美洲豹（拉丁名称*Panthera onca*或 *Felis onca*，纳瓦特尔语为ocelotl，玛雅语为balam）。它是新大陆最大也最有攻击性的大型野生猫科动物（新大陆并不存在驯化的猫科动物）。除了美洲豹，美洲中部本土的其他猫科动物还有豹猫（*F. pardalis*）、美洲狮（*F. concolor*）、虎猫（*F. wiedii*）和美洲山猫（*F. yagouaroundi*）。小斑虎猫（*F. tigrina*）只见于哥斯达黎加和南部地区，而猞猁（*L.rufus*）只出没于北方干旱区和更北部的山地。

美洲豹体重超过40公斤，鼻子到尾端大约2米长，长着有力的下颌、令人望而生畏的尖牙、剃刀般锋利的爪子。黄褐色皮毛上绽出黑色的玫瑰花结，皮毛为全黑色的数量更为稀少，它们是美丽与危险的化身。美洲豹生活在热带雨林之中，毫无疑问曾经活动范围更广，包括开阔的台地地区，但后来因人类狩猎被赶回丛林。（图6.6）

美洲豹是夜间捕食动物，通常从树顶一跃而下，并且是猫科动物里少数的真正善于戏水者。它们捕食的对象为热带雨林中较大的哺乳动物，比如猴子、鹿和貘，也捕食豹猫这类的其他猫科动物。它猎捕“所有动物——陆生的、树栖的、水生的、食肉的和食草的”（Saunders 1998：21）。由此，其习性和栖息地赢得了与其体格和力量相称的尊重。中美地区起源神话中，将第一次创世的毁灭归因于美洲豹。它有着凶猛的名声，实际上不大愿意攻击人类，却“几乎曾被视为食人动物记录在案”（Rabinowitz 1986：201）。同样被广泛认为是人类最致命敌人之一的北美狼也是如此。

正相反，美洲豹有充足的理由畏惧人类，前哥伦布时期的人们因为各种目的猎捕它们。活捉之后，它们会被用在包括牺牲在内的最残忍的祭祀活动中。在玛雅科潘和特奥蒂瓦坎，美洲豹遗骸似乎显示这些动物曾在伟大统治者的葬礼和其他祭祀场合被杀害。在阿兹特克的特诺奇蒂特兰，美洲豹遗体与其他贵重物品一起埋藏在大神庙金字塔中，而活着的则关在神庙附近类似动物园的笼子中，并以人祭牺牲的躯体作为其食物。在艺术中，美洲豹的象征意义普遍存在，并且“很少被描绘成人类的狩猎者，但是美洲豹、美洲豹扮演者或神话里的美洲豹会出现在祭祀场景中，有时还相当活跃”（Benson 1998：62）。

美洲豹最有价值的部分是它的自然天性，备受珍视，因此成为最有力量的萨满国王的灵伴。这一自然本质被表现在美洲豹的整体形象中，比如美洲豹形的王座、特奥蒂瓦坎壁画的美洲豹形象，或是图拉和奇琴伊察食人心脏的美洲豹浅浮雕。有时美洲豹身上的重要部分也可以作为整体的代表，比如奥尔梅克图像中不可或缺的尖牙和豹嘴，或者玛雅史诗《波波乌》中英雄孪生兄弟之一身上的斑点。美洲豹身上第二有价值的部分是其毛皮，整个中美地区都用它来装扮统治者和神灵。国王坐在铺有美洲豹毛皮的王座上，阿兹特克社会上层武士军团“美洲豹武士”则用美洲豹毛皮制作其制服。

我们将在后面关于形成时代中期墨西哥湾低地奥尔梅克文化的讨论中回到社

图6.7、6.8　格雷罗的洞穴壁画预示了中美地区伟大的壁画传统。（上）奥斯托蒂特兰壁画C-1中的人物又是一个戴着鸟类面具的形象，“身体与羽毛斗篷和背架相联系”，呈俯冲的姿势。他坐在长凳或王座之上，座具的十字交叉之眼和尖牙之间的天空之带表明这是一只奥尔梅克的天空之龙（Rilly 1995：39—40）。（下）在奥斯托蒂特兰壁画1-d中，男子与猛兽摆出特定的姿势“以显示它们之间性的联合”，美洲豹的尾巴似乎是此男子生殖器的延伸。也许这一幕想要传达这样一种观点，即“人类的精液拥有猫科动物的力量和威力，与其共享生命之力”（Jimenez Garcia et al. 1998：45）。这一图像也从视觉上宣示了神圣美洲豹与统治者之间的特殊联系——至少有一位玛雅统治者名为“美洲豹之阳物”

会上层借用猫科动物力量的话题上来。由于社会上层权力的迹象多与格雷罗东部地区相关，很明显在形成时代早期和中期该地区都是重要的区域，在随后的时代才愈发边缘化。在这些时期，这片区域是奢侈品交易的中心，商人把绿石、太平洋海岸贝壳和美洲豹皮毛带至更加深入内陆的遗址。在其中一条常用的贸易线路上，有特奥庞特夸尼特兰和其南100公里的同时代的查尔卡钦戈遗址，该遗址后来成为特奥庞特夸尼特兰的继承者。

## 3. 莫雷洛斯：查尔卡钦戈的顶峰

查尔卡钦戈正好位于贸易路线的交叉路口上，使得下到格雷罗、上至墨西哥盆地、向东和向南到瓦哈卡和墨西哥湾低地得以连通。查尔卡钦戈处在一片肥沃平原尽头隐约可见的雄伟山峰的脚下，山下流出的泉水给当时这处居址及其居民提供了农业所需和繁荣发展的水源（图6.9）。查尔卡钦戈在坎特拉期（公元前700—前500年）达到顶峰，拥有500—1000的人口以及民政-礼仪建筑和大型仪式性艺术品。诸如绿石这样的外来原料被进口，经再分配进行本地的手工业活动，房屋和对待死者的方式的差别表明了社会的分化。坎特拉期晚段，查尔卡钦戈遗址经历了迅速的衰退，公共房屋和住宅被弃置不用。

查尔卡钦戈遗址坎特拉期的公共建筑在广阔的阶地从山脚下沿坡地朝北方铺

图6.9　查尔卡钦戈遗址引人注目的环境背景是其依托查尔卡钦戈山和德尔加多山而建

展下去。阶地上设立的建筑包括阶地1“中心广场”坡上的一座社会上层人士的居址。在阶地25，有一座类似特奥庞特兮尼特兰的下沉式中庭，墨西哥湾低地未见此类建筑。这种建筑可能代表着通向冥世的出入口，是大地巨兽之口。下沉中庭的中间是一个有台面的祭坛，具有著名的圣洛伦索和拉文塔风格，除此以外并未在墨西哥湾低地以外被发现（Grove 2010）。

查尔卡钦戈遗址中最大的4号建筑，是一座大约70米长、几乎同样宽的高大平台。在那里发现了一批高等级墓葬，随葬品包括玉石装饰和一面铁矿石镜子（Grove and Cyphers 1987：29—31）。查尔卡钦戈遗址的众多墓葬代表了社会各个阶层，通常被发现在房屋的地面之下。人骨化学分析显示随葬最丰富的墓葬的死者生前食用肉类，而最为简单的墓葬的死者生前更偏向素食（Schoeninger 1979：53）。

这当然反映了获得高质量、高蛋白食物方面的差异性，同样表明一个事实，即农人的食谱较狩猎采集者更为稳定，但缺乏多样性，部分原因在于居住地周围

图6.10　查尔卡钦戈21号纪念碑是一面石碑，高2.4米，立于一座平台前方。石碑刻画了一位身着裙子、脚踏凉鞋、佩戴头饰的女性，手执一个系有条带的捆束。这位女性和捆束立在一只程式化的大地巨兽之上

野生动物资源更为有限。这也使我们回忆起肉类在宴飨中古老的角色，以及在平等的狩猎者中，分享猎物是如何起到稳定族群作用的。平等社会的首领和酋长们在生活中尤其关注其特权的稳固，特别会通过宴飨庆祝活动与其他有权力的人物缔结联盟。

在这些萌芽中的酋邦中，女人们扮演着什么样的角色？查尔卡钦戈遗址为我们提供了一个线索，这可能是中美地区最早的刻画女性的仪式性艺术品，表现了她们正在获得权力的仪式状态。在21号纪念碑上（图6.10），该女性的角色和地位如何？来自哪里？根据广泛流传的中美地区习俗，产生了两种截然不同的解读。一种认为这个女子是一位高贵的外来者，来自婚姻联盟；捆束代表她的嫁妆，可能标志着将会持续送往查尔卡钦戈的贡品（Cyphers 1984）。另一种解读却认为纪念碑显示了女性对政权的控制，“庆祝查尔卡钦戈女性统治者在位期间的一次事件”（Bruhns and Stothert 1999：224）。

查尔卡钦戈的石刻相当出名，最不寻常的并不是石碑，而是雕刻在悬崖四周的浅浮雕雕刻。一般人称作“国王”的1号纪念碑就是例证（图6.11）。它刻画了一件与真人等大、坐在壁龛或山洞中的人物形象。壁龛出入口大约高1.5米，从里面散发出螺旋纹样。此场景之上为其他程式化的图像，“！形雨滴从三朵精致的雨云中落下”（Grove and Angulo 1987）。还有四套同心圆，前面说过是珍贵之物、水和王权的象征；另有三个同心圆装饰着壁龛内人物的头饰。在此场景中，毫无疑问水是非常重要的——该浅浮雕刚好位于查尔卡钦戈主要排水渠上方的山坡上。如果对此图像更细致观察的话，可以发现壁龛顶部有一只眼睛，由此壁龛可以被解读为山洞，即大地巨兽之口。因此，这一场景中的个体就使用了三个神圣的位置元素：山丘、水和山洞。

这一人物自己也身着盛装，坐在一件精致的凳子上，手持一件精美装饰的物品。图像研究者们曾认为该个体为一位统治者，持有的物件是仪式棒，为其职位的象征（Angulo 1987：136—137）。壁龛内部和外侧的卷曲符号是中美地区一种古老的雨云图形（Taube 1995：97）。尽管对这些符号只有如此初步的解读，我们还是能够感受到一位大权在握的人物，端坐于神圣之地，生命之水从此地流淌向人间。

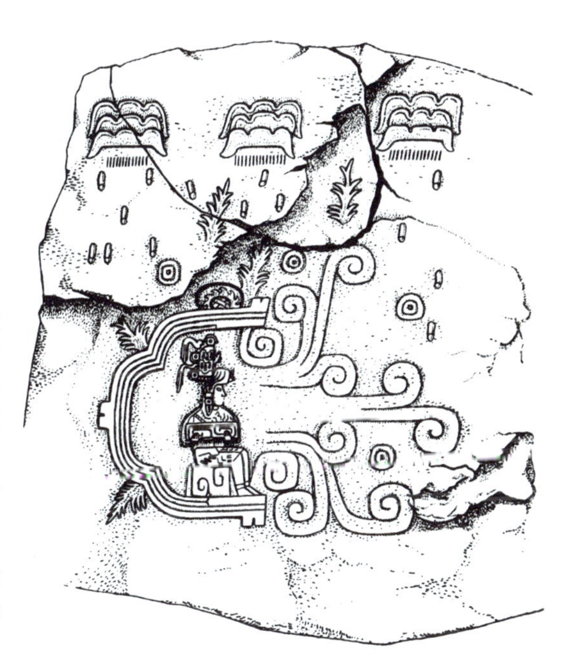

图6.11　查尔卡钦戈的“国王”，也可能是一位“王后”。岩画艺术是中美地区重要的艺术传统之一，开始于奥尔梅克时代早期。这件浅浮雕石刻描绘了一位身着盛装的人物，坐在一个类似山洞的壁龛中，周围环绕着象征雨和风的螺旋图形，可能为飓风（Oliveros 1995）。从主题和完成手法上看，这是一件典型的中美地区岩画艺术品。它与雨和造雨相关，并且为一件岩石雕刻，即在岩壁上雕琢的图像（Mountjoy 2010b）。在中美地区，在岩壁上的雕刻远比绘画更为常见

图6.12　这件白陶罐来自墨西哥盆地，表现了奥尔梅克主题，描绘着一只张着大嘴、有着开裂头部和火焰眉毛的美洲豹

## 4. 墨西哥盆地：萨卡滕科和奎奎尔科

形成时代中期的墨西哥盆地是一片繁盛的土地，此时人口从大约6000人上升为2万人，依旧几乎全部生活于盆地的南半部分（Sanders 1981：165）（图6.12）。一些村庄的规模相当之大，包括奎奎尔科、夸奥特拉尔潘和奇马尔瓦坎。但是形成时代中期墨西哥盆地其他一些规模小得多的遗址却更为人所知，包括埃尔阿沃利略和萨卡滕科。这两处遗址位于瓜达卢佩山脉的南侧，该山脉位于盆地西部，今天以瓜达卢佩圣母殿而闻名，就在墨西哥城的北部。这些村落距离湖边很近，村民们以农业为生的同时也会获取湖中资源。埃尔阿沃利略的面积大约有8万平方米，从公元前900年延续至公元前500年。萨卡滕科大约有它的两倍大，并且延续到公元前50年。两个遗址的废弃堆积中都发现了大量小塑像，表明它们曾在仪式中被使用并随之丢弃（Tolstoy et al. 1977）。

在大致同一区域中发现了另一种考古遗存。在圣克拉拉的科阿蒂特兰附近，19世纪70年代修筑路基开挖深沟时，发现了深埋在地下的形成时代中期的灌溉水渠。修建这些规模宏大的灌溉系统工程需要投入巨大的能量，修造者是那些依靠降水灌溉庄稼的农民，希望以此减少年复一年降水量波动而造成的影响（Nichols 1987）。事实上，从公元前900—前800年，墨西哥盆地的降水量显著提升，促发农田系统的扩展和人口的加增，但在之后的公元前800—前550年，又恢复了干燥气候（Messenger 1990）。

## 5. 普埃布拉：阿马卢坎灌溉系统

同样的总体气候条件也影响着东部的普埃布拉地区。那里的特克索洛克期（公元前800—前300年），排水和灌溉系统在阿马卢坎山发展起来。就像墨西哥盆地的例子一样，这一时期的普埃布拉也见证了颇具特征的大型村落的发展。比如莫约钦戈遗址出现了有差别居住区和与之并存的简朴公共建筑。高等级房屋被建在高地上，由土坯筑成；在低洼地带，木骨泥墙式的小屋则为农民和手工匠人提供了居所。

## 6. 特拉斯卡拉

在普埃布拉-特拉斯卡拉地区北部的特拉斯卡拉，气候条件较之普埃布拉更为干燥寒冷，就像温暖潮湿的墨西哥盆地南部与盆地北部更具挑战的气候之间的反差一样。在特克索洛克期，出现了一种新的磨制石器，通常由板状玄武岩制成，具有几乎与现代园艺锄头一样的刃部（Garcia Cook 1981：249）。这种相似性太过明显，以至于它们被认为具有“锄头”的功用，用来耕种田地或疏浚灌溉水渠。事实上，这些“锄头”是用来刮取龙舌兰植物长叶纤维的浆汁的。龙舌兰是一种完美的台地边缘植物，其营养价值也很早就被人们所知，这些刮浆工具显示龙舌兰纤维被以一种相当高效的方式处理，由此发展出一种专门工具。

## 7. 墨西哥湾低地北部、中北部和中南部

在普埃布拉和特拉斯卡拉以东，东谢拉马德雷山脉的墨西哥湾一侧，为奥尔梅克核心区北侧的墨西哥湾低地地区，有少量与奥尔梅克文化联系的证据，但并没有受到奥尔梅克中心区的完全影响。在两个区域的最北端，属于塔梅西河和帕努科河流域，形成时代的遗址也沿着河流发展起来，其居民实行着一种河流资源和农业并用的混合生业经济。在帕努科遗址，半圆形的木骨泥墙建筑沿河散布数公里。遗址中有纺织品的证据，包括陶器上的织物印痕（Wilkerson 2010c）。

在其南部，墨西哥湾地区的中北部绵延大约200公里，分布着4条支流。在形成时代早期，该区域与更北的地区共享着大体类似的文化特点，但是到了形成时代中期，它走上了一条更为独特的发展之路，在一些遗址中发现了一些奥尔梅克风格的小件遗物。

圣路易莎和埃尔皮塔尔为墨西哥湾低地中北部的两个中心，有着非常长的居住期，并且在形成时代中期成为重要的聚落。圣路易莎位于特科卢特拉河边，拥有着墨西哥湾沿岸地区最长的遗址使用期，自8000年前沿用至今。从形成时代早期，圣路易莎就是一个种植玉米（可能也有棉花）的农业村落。本地出产的陶器

包括了对奥尔梅克风格的模仿品，建筑则建立在土丘之上。在这里，形成时代中期从公元前1000年延续至公元前300年，并以大型村落而著名，其中一些有着非常大的火塘，可能供多个家户使用（Wilkerson 1983）。

埃尔皮塔尔遗址的使用期相对较短，但更为戏剧化，从形成时代中期开始出现，在形成时代晚期得到爆炸式的发展，在公元100—600年达到繁盛。对于该遗址的讨论将在第十章进行。

墨西哥湾低地中南部的遗址在这一时期相当分散，尽管也有一些单独的奥尔梅克风格雕像的发现，最北的发现地位于米桑特拉附近的洛斯伊多洛斯，还包括埃尔别洪，后者位于最北端的海岸地区，在那里发现了一座石碑。

## 8. 瓦哈卡谷地和米斯特卡地区

在高地的西南部，瓦哈卡谷地北部的埃特拉支谷，文化持续向复杂化发展。形成时代中期发展出三级区域聚落体系，即包括两个层级的决策管理聚落。这是从遗址规模、位置和民政-仪式性建筑等考古资料获得的认识。圣何塞-莫戈特依旧是整个瓦哈卡谷地最大的遗址，其他遗址也存在公共建筑，似乎标志着社会上层居住者对周边属地小遗址的管理职责。

这种政治属地的推断来自多条证据，周围同时期遗址的相对规模和复杂程度是一个重要指标；另一个证据则是其物质文化的相似性，尤其是陶器风格标志着共有的文化。埃特拉支谷在公元前850—前700年的瓜达卢佩期，具有瓦哈卡谷地风格的陶片“从北方的维索到南部的铁拉斯拉加斯都可以被识别出来”；在更向南和向东的特拉科卢拉和巴耶格兰德支谷，出现了一种特别的陶器风格，“这种区域多样性告诉我们，动态的变化正在进行，谷地的其他地区出现了相互竞争的聚落中心”（Marcus and Flannery 1996：111）。

整个瓦哈卡谷地居住着2000—2500人，在大约45个社群中，其中一半分布在埃特拉支谷，瓦哈卡谷地一半的人口居住在圣何塞-莫戈特60万—70万平方米的范围内。圣何塞8号建筑是一座已毁的大型建筑的平台，该平台由填土和面包形土坯制成，表面砌石。

法布里卡-圣何塞是其附近的一座遗址，专门制盐（来自盐水泉）和制作建筑用石块，规模很小，只有10来间房屋，缺乏民政-仪式性建筑。但即便在这样的小型社群内，身份差别也相当明显，可以从建筑模式、物质文化和对待死者的方式看出来。法布里卡-圣何塞可能通过婚姻与圣何塞-莫戈特发生了联系（Drennan 1976）。最为奢华的墓葬的主人都是成年女性，表明女性在社群中处于最高地位。

这与在中美地区流传甚广的一种习俗有关，叫作“社会上层同层联姻”。同层联姻（hypergamy）是一个像“一夫多妻”（polygyny）一样的词语，后者指“许多女性”，被用作描述一种许多妻子共享一名丈夫的婚姻状态。同层联姻意指“高级配偶”，在中美地区通常指妻子的等级相对较高，该地区流行通过婚姻将政治疆域联系到一起。一般来说，低等级中心的君主会娶其高等级领主的女儿为妻，也就是女性的地位要比他高。阿兹特克王会确保他们的皇室女儿们是其盟邦最重要的妻子。如此，他们的后代就可以统治该低等级中心，并且与其高等级中心通过家庭纽带和政治协议保持密切的联系，这种情形最终会产生覆盖广大地区的社会上层家庭团体，并且社会上层们对这种团结的忠诚超越对其子民的忠诚。这种方略简单而有效，在形成时代早期得到了很好的发展。

尽管圣何塞-莫戈特在人口上显示出其主导地位，但也有竞争对手。在埃特拉支谷北端，与它相隔不到20公里的地方有个小得多的地点——维索，却有令人印象深刻的公共建筑，可与圣何塞媲美（图6.13）。虽然圣何塞位于支谷中心，维索在瓦哈卡山谷的边缘，但后者却作为瓦哈卡山谷和奎卡特兰-卡尼亚达（峡谷）之间的联络点，连接着瓦哈卡山谷与特瓦坎山谷和普埃特拉；还是瓦哈卡山谷和米斯特卡阿尔塔（西北部的一个小山谷系统）之间的联系点。

**米斯特克和米斯特卡**｜“米斯特克”是一个将地理、族群、语言、艺术和书写风格放入一个颇为凌乱的大包裹的概念。“米斯特卡”指讲米斯特克语的人群，大约在公元前1000年从瓦哈卡谷地西北山谷中其他奥托曼格安语使用者中分离开

图6.13 维索，瓦哈卡谷地。3号建筑的复原图显示它可能是一座单间神庙，坐落在4号建筑之上，有着2米高、15米宽的平台。整个建筑涂有白灰膏，并覆以茅草房顶

来（Monaghan 2010）。该区域被称作上米斯特卡，米斯特克语的使用者们自这一区域沿河谷向下迁至海边，定居在被称为“海岸米斯特卡”的地区。他们还从上米斯特卡向西迁移，到了较低且更为干旱的格雷罗东部边境地区，该地区被称为“下米斯特卡”。最后，在古典时代，米斯特克语使用者迁移到瓦哈卡谷地，在萨波特克人中建立了自己的王国。

在形成时代初期，生活在上米斯特卡的人们已经可以通过长距离贸易来获得贝壳和黑曜石；到了形成时代早期，交易模式变得更加多元化，可以从更多的原料产地获得更多的黑曜石，而贝壳也分别来自太平洋和大西洋海岸（Winter 1984：208）。形成时代中期则见证了进口到这一区域的玉和其他绿石量的提升。

在诺奇斯特兰河谷，尤奎塔和埃特拉通戈是两个早期聚落，前者在形成时代中期规模很大。尤奎塔和维索遗址遗物的相似性显示了二者在这一时期的联系。到了形成时代晚期，市场被建立起来，尤奎塔遗址就有市场。

# 二、地峡及其东部地区

## 1. 特万特佩克地峡太平洋海岸和南部的毗邻地区

瓦哈卡河谷的东南部，特万特佩克地峡太平洋海岸与索科努斯科的海岸平原和更为东南的区域有着共同的发展趋势。海岸平原形成了一个连续的文化区域，北起特万特佩克峡谷的西侧，瓦哈卡东南部的山岭在那里和大海交汇，向东南直达萨尔瓦多的西部，在那里平原又为山脉所阻隔，有将近700公里的距离。

在最西端，拉古纳-索佩遗址在公元前500年时，规模增大至90万平方米，人口也增长到1000人，成为形成时代中期（里奥斯期，公元前800—前400年）主要的贸易中心。拉古纳-索佩遗址以出口用于制作首饰的海贝而闻名；同时作为其他物品的贸易转口港，比如来自中央高地和危地马拉高地的黑曜石，该时期其文化面貌显示了玛雅文化的影响（Zeitlin 1993）。

向下进入海岸地区，楚楚库利成为形成时代中期一个重要的中心遗址，出土了与奥尔梅克文化相关的雕像和陶器，面积35万平方米，有着几十座土丘，分为几组，每组都围出一个广场。拉布兰卡在海岸地区更向东南，曾经是个小型遗址，但在形成时代中期的孔查斯期得到了迅速发展，面积超过100万平方米，成为形成时代最大的遗址之一。这种增长发生在其周边地区遗址的数目和规模普遍增长的大背景下（图6.14）。

拉布兰卡是三处拥有超过20米高的巨型土丘的遗址之一（其他两处为拉萨尔卡和埃尔因菲耶诺）。拉布兰卡有40多座居住平台，分组围成不同的广场。1号土丘超过25米高，底部长140、宽120米。其他土丘则不足10米高，分布无明显规律。1号土丘是“中美地区形成时代中期最大型的建筑之一，只在体量上比拉文塔的大土丘略小”（Love 1991：57）。建筑和遗址规模相比较的证据可以充分说明拉布兰卡是当地的主要中心。至于陶器、玉和绿石，以及其他宝石工艺制品，拉布兰卡遗址出土此类物品的数量要远多于其他遗址。

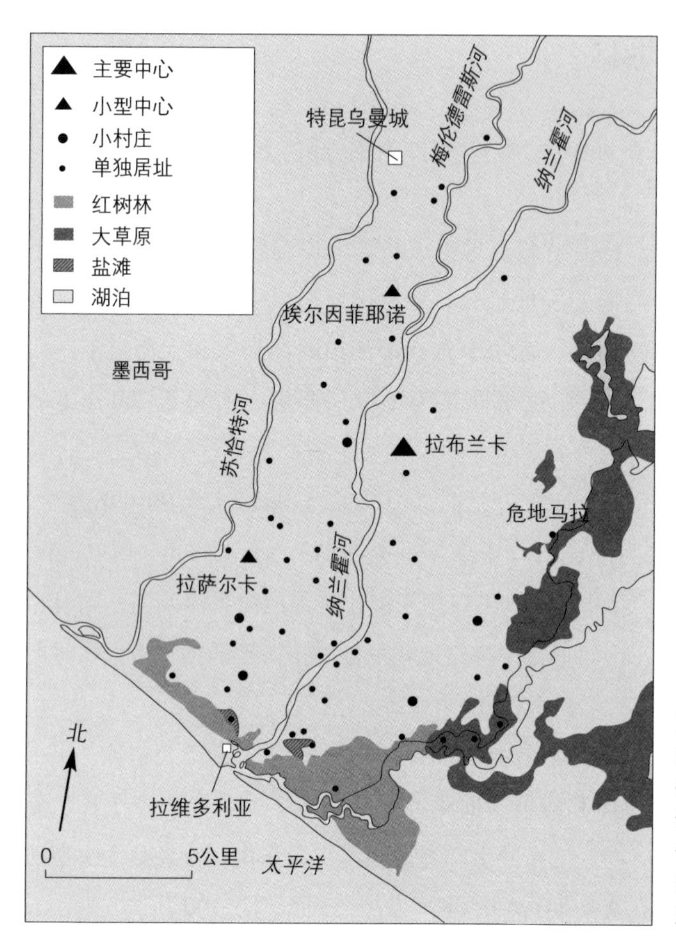


图6.14 纳兰霍河地区，在南部太平洋海岸，今天墨西哥和危地马拉的边境线附近，该地区在孔查斯期出现有三个层级的区域聚落等级形态，以埃尔因菲耶诺和拉布兰卡为区域中心

**埃尔梅萨克：村落虽小，遗物奇特**｜我们如何衡量这些不同类别的考古材料？在形成时代社群中，奥尔梅克陶片可以在多大程度上反映不同个体和家户的地位和等级？在考古遗址中，贵重物品是衡量等级的常用标准：出土奇特陶片的可能是最高等级居住者的房屋。这一点在逻辑上讲得通是因为它符合我们的普遍经验，即富人倾向使用更好的东西，并且比穷人用得多。但是我们必须记住，无论在古代还是现代，即便是朴实无华的家庭也会拥有一些高等级物品。并且时尚总在变化，当一种新时尚到来时，即使其材质和工艺都有所下降，一些被奉为经典的风格也会被其拥有者因样式老旧而拒绝。因此，最大房屋的居住者们可能已

经接受了一种新风格，而他们低等级的邻居仍然在使用漂亮的旧物件。

需要记住的是，我们认为埃尔梅萨克是危地马拉的一座“边远海岸小村庄”，所在的沼泽环境使其适应了一种海岸资源的渔猎采集和农业相混合的策略（Pye and Demarest 1991）。埃尔梅萨克遗址从形成时代初期开始有人居住，遗址最早的层位显示了居民对贝类的严重依赖。随后，埃尔梅萨克转向专门制盐，遗址发掘的最上层地层的年代为形成时代中期。该时期的陶器有着奥尔梅克的母题，也发现了玉器。

但是埃尔梅萨克的生业模式似乎相当简单，如果这些是社会上层物品，那么“为什么一个边远海岸的小村庄会生活着一群贵族？……似乎没什么能解释贵族存在的合理性”（Pye and Demarest 1991：96）。然而，从形成时代初期到形成时代中期结束这超过1000年的变化过程中，此村落显示着本地社群对于外界影响的吸收和改造，因与外界的接触而发生着变化。随着这些变化的发生，“本地社会上层出现，遗址获得了沿海线路上运输节点的额外功能，向恰帕斯、瓦哈卡和其他西部地区出现的酋邦运输外来物品”（Pye and Demarest 1991：97）。

**查尔丘阿帕**｜太平洋海岸平原开始于拉古纳-索佩遗址，结束于萨尔瓦多的阿瓦查潘地区，该区域是太平洋海岸平原南部和中美地区东南部的边界。在形成时代早期，这里是中美地区文化的最东南端，奥尔梅克文化经过长距离传播至这一相对偏远区域的原因似乎与从萨波蒂坦谷地西北山区的伊斯特佩克获得黑曜石和绿石有关。

该地区形成时代早期的聚落似乎都由简单的农业村落组成。奥尔梅克文化的影响从公元前1200年持续到公元前400年，引发了查尔丘阿帕的发展，使之成为这一区域重要的政治、信仰和商业中心（Willy 1984）。这种影响的实质形式我们尚不清楚，可能是对该地区的武力征服，可能是建立贸易殖民地，也可能是通过引入奥尔梅克女性通婚而提升当地社会上层人士的地位。无论是何原因，雕刻、陶器、塑像，尤其是建筑这些物质文化上的表现十分明显。在形成时代中期，查尔丘阿帕遗址北部的埃尔特拉皮切区建成了20米高的金字塔，是当时中美地区最大的建筑之一。在其附近的拉斯维多利亚斯，发现了描绘四个身着奥尔梅克风格服饰的人物的浅浮雕（参见图7.3）。

## 2. 奥尔梅克的影响

具有奥尔梅克主题的遗址可能共享着复杂的图像（图6.15）甚至是社会政治系统。此外，它们也都扮演着共同的基本经济角色，即为大型中心提供诸如可可、盐和贝壳等物品。这些贸易可以解释“那些分散在中美地区各地（圣米格尔-阿穆科、霍克和查尔丘阿帕等）的奥尔梅克风格浅浮雕作品，也包括那些在查尔卡钦戈和恰帕斯海岸的作品（皮希希亚潘、帕德雷彼德拉、楚楚库利）”（Grove 1981：387）。另外，有野心的社会上层将奥尔梅克仪式活动作为一种提高

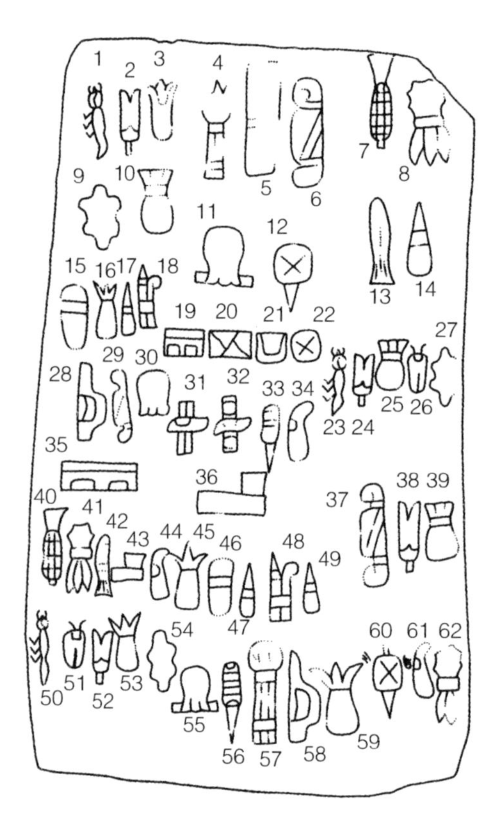


图6.15　发现于韦拉克鲁斯砾石采石场的卡斯卡哈尔之石，长36厘米，其上刻有62个符号，使用了28个不同的形状。一些考古学家相信这些符号是奥尔梅克书写系统的一部分（Rodriguez Martinez et al. 2006）。该石块被严重破坏的出土现场和一些陌生符号使得一些学者对这一发现的真实性表示质疑。出土此石块的遗址保存下来的部分时代为大约公元前900年，其他在拉文塔遗址附近发现的雕刻符号时代为公元前650年（Pohl et al. 2002），这为奥尔梅克核心地区文字的发展提供了依据

自己权威和地位的方式。在之后的时期，本地的发展把这些图形和活动置于他们自己的区域性范畴当中。

## 3. 奥尔梅克中期和拉文塔

圣洛伦索的巨型平台显示出宏大设计下的巨大劳力付出，但它所提供的关于奥尔梅克初期建筑的线索却非常有限。拉文塔，作为形成时代中期中美地区最重要的遗址，提供了大型建筑及其与雕塑之间关系的清晰视角。

**拉文塔**｜尽管在20世纪因地方建设部分受到损毁，该遗址民政-仪式建筑的规模和主要遗迹仍构成异常庞大和复杂的聚落（200万平方米）。拉文塔至少已经具有一座真正城市的某些特征（Gonzalez Lauck 1996：75）。

拉文塔位于美洲中部最大的滨海冲积平原，发源于东谢拉马德雷山的河流纵横其间，有着2米的年降水量。这些河流被用作高速通道，两岸土壤因河流泛滥得以更新，作物可以一年三熟。拉文塔周围地区早在形成时代初期（公元前1750年）即有人居住，拉文塔遗址本身的使用期大约开始于公元前1200年，其主要建筑的营建在之后不久便开始。拉文塔不会受到洪水的威胁，它被营建在一座盐丘之上，地质特征导致它仍然在缓慢抬升。

在拉文塔，我们发现了最早的以大型建筑标示聚落朝向的证据，方向为北偏西8度，与其他遗址一致，圣何塞-莫戈特也是如此。拉文塔遗址的朝向被解读为与8月13日南北向的银河的朝向重合，那一天是热带地区的第二个太阳直射日（Freidel et al. 1993）。在形成时代末期的特奥蒂瓦坎和玛雅地区，8月13日是公元前3114年现世世界被创造的日子。这样的观念萌发如此之早颇为令人兴奋，但拉文塔遗址朝向的另一个更为直接的原因可能是该遗址被视为地峡地区本身的模型：拉文塔的人们长途跋涉以寻找建筑材料和贸易物品，“他们探索着地峡地区的实际空间和文化认知领域，以缩小的比例来模仿了解到的世界的地形地貌”（Tate 1999：173）。

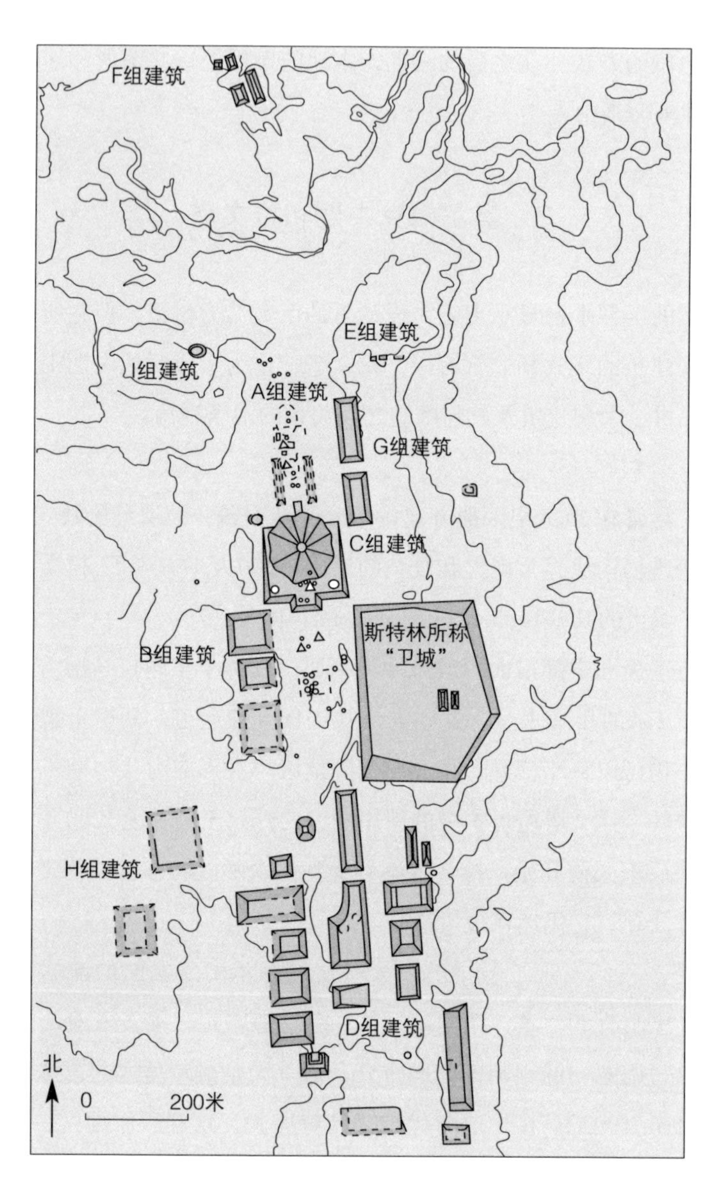


图6.16　拉文塔遗址平面图以C组建筑为中心，包括其平台上的金字塔C-1。该金字塔有30米高，占地面积约10万平方米，在今天其形状为一个受到侵蚀的锥体，学者们猜测是否这就是当初原本的设计，有意模仿一座火山，比如以西60公里的图斯特拉山中的一座。“在其南侧发现的建筑遗迹……表明这是一座外观呈阶梯状的金字塔式建筑，转角内折”（Gonzalez Lauck 1996：75），并且有台阶一直通往顶端

综上，该遗址的布局体现了一种在之后时期常见的模式：有一座朝向广场的金字塔，广场边缘由低矮的建筑来界定（图6.16）。此布局中，主金字塔通常在最北端，侧翼的平台则通常是较低矮和复杂的仪式性和行政性建筑的台基——这些建筑包括庙宇、祭司住所和宫殿。金字塔之上通常会有一座神庙。我们将会看到，中美地区的遗址会依此主题呈现很多变化形式。

金字塔C-1占据着该遗址的首要地位，其大部分区域并未进行过探索。传统上认为它属于形成时代中期。该金字塔构成了A组建筑的南端，此建筑群是限制进入的仪式区域。土丘A-2位于一列巨大玄武岩柱的一端，丘下埋着以大石柱搭建的“石柱之墓”，其内有两或三具年轻人的遗体、玉雕像和其他玉器（图6.17—6.20），还有一件社会上层珍视的黄貂鱼刺制成的头饰。这些和其他随葬品与大量“有机物痕迹混杂在一起。还有红色的朱砂，其出土情况显示原来应该是在捆束状的包裹内的，因此这些遗体可能在安葬前已被包裹好了”（Stirling and Stirling 1942：642）。

随葬品在许多文化的许多遗址中都有发现，但拉文塔的随葬品在数量和豪华程度上在整个中美地区都是与众不同的，其中很多并不是出在墓葬中。A组建筑有超过50件的祭品，包括一些迄今发现最为精彩的奥尔梅克文化遗物。在很多情况下祭品会包括精致的陶器、磨光的铁矿石镜子以及仪式性石斧，其中大部分

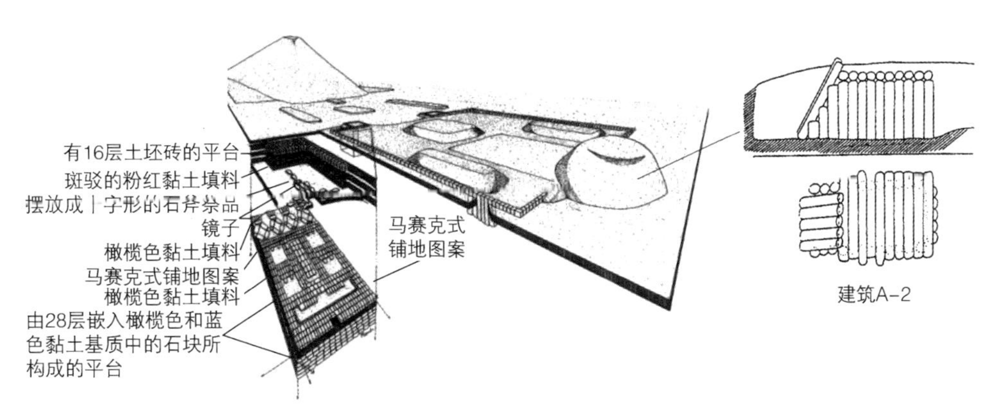


图6.17、6.18　拉文塔，建筑A-2墓葬和其中发现的雕塑。墓葬是由玄武岩石柱所建造。在安葬了死者和其随葬品之后，这个建筑整个被埋了起来

图6.19　拉文塔的金字塔C略北部为A组建筑，包括建筑A-2和马赛克式铺地图案祭祀坑。马赛克式图案是一件大型祭品，大约4.5米乘4.5米见方，400多块蛇纹石块被放置在沥青基面之上。沥青是一种常见的贸易品（Wendt and Lu 2006）。祭祀坑深7米，在蛇纹石图案上是多层彩色黏土（Stuart 1993：107）。此复原图整合表现了不同层位多次埋放祭品的情况以显示丰富的多层埋葬特征（见Gillespie 2010）

**图6.20　玉制端坐的妇女（高7.5厘米），佩戴着一面赤铁矿镜子为项坠，显示着奥尔梅克妇女所拥有的自主权力**

与墓葬并没有关系，而是代表稀有材料和大量劳力的供奉，以完成内容丰富的图案；而完成后的图像作品随后被埋葬。最为有名的例子当数“美洲豹面具”马赛克拼图了，它可能是一棵生命之树，或是一幅描述拉文塔与冥界联系的宇宙结构图（Reilly 1995）。

处在祭品尺寸序列另一端的是4号祭祀坑，这一场景包括16个人物，分别由玉、蛇纹石和砂岩制成，还有6件略大的磨光石窄斧形物（图6.21）。这些人物都是男性，并且都被表现为颅骨变形的形象。它们都经过有意放置，其中大部分人物组成一个围绕四个中心人物的半圆形，这些个体似乎都在一个单独砂岩制的人物面前游行，该人物背向石窄斧形器之“墙”站立。

在遗址中还有许多其他的仪式性遗物，包括石碑、巨石头像和“祭坛”。这些“祭坛”包括桌面形的4号祭坛，可能作为统治者的王座，其正面雕刻的正是统治者的形象（参见图5.14）。拉文塔不仅为我们提供了最大的奥尔梅克雕刻组合，更重要的是提供了这些雕刻组合的考古背景，显示了它们如何与特定建筑联系，如何被嵌入仪式性背景中，又如何被成组摆放以展示明显有意义的场景，尽

图6.21 拉文塔，作为祭品埋葬的人像（大约18厘米高）和石窄斧形器（大约24厘米高），是奥尔梅克人将物件摆放成有意义场景的喜好的典型代表。所有人物和窄斧形器都是由细密纹理的玉、蛇纹石雕造，仅有一件单独背对窄斧形器之“墙”的砂岩人物除外

管其中的意义对我们来说并不总是清晰的。

**琼塔尔帕地区**｜拉文塔的腹地包括了低地南部地区奥尔梅克文化区东缘的琼塔尔帕地区。琼塔尔帕地区是格里哈尔瓦河和乌苏马辛塔河汇入墨西哥湾时形成的沼泽三角洲。在这里，地球又赋予了除火山喷发和地震两种地质活动以外的一种活力（或者叫不稳定性，取决于个人的视角）。河流反复漫过堤岸，泛滥形成

新的河道；可供居住的土地像大鳄鱼在一些地方沉入水底，在另外一些地方浮出水面。尽管有着如此不稳定的情况，琼塔尔帕地区在形成时代初期已经开始有人居住，在形成时代早期增多起来。

沿着帕霍纳尔水渠系统的调查显示，在拉文塔的巅峰期（拉文塔期晚段，公元前800—前500年），“帕霍纳尔水渠体系沿岸遗址包括两座或三座有大型土台的中心遗址”（Von Nagy 1997：267）。萨帕塔和拉恩克鲁西哈达这些遗址与拉文塔附近次级中心聚落相当，显示出边缘地区的聚落系统随距离增加衰减的状况，即代表区域行政中心的最大型遗址的规模只相当于核心地区的次级中心遗址。拉文塔的崩溃在这里也产生了回响，沿着帕霍纳尔水渠体系的不少遗址也被废弃。

## 4. 恰帕斯内陆高原和恰帕德科尔索

毗邻墨西哥湾低地地区南部的恰帕斯内陆高原，因为受到形成时代初期太平洋海岸平原和形成时代早中期奥尔梅克文化的影响，显示出文化的复杂性（Lowe 2007：96）。公元前900—前500年是恰帕斯内陆高原历史上最具活力的时期，出现了一系列有拉文塔模式仪式中心的社群：最高的金字塔在长广场的一端，广场两侧则为平台土丘。

圣伊西德罗是建在恰帕斯内陆高原和墨西哥湾低地之间贸易路线上的一处重要遗址。该遗址形成时代早期的仪式性遗存包括金字塔和磨光石斧祭祀坑；拉文塔的斧形祭品以玉制作，与此不同，圣伊西德罗和其他格里哈尔瓦中部遗址出土的斧形祭品“是由非常柔软的青灰色粉砂岩匆忙制作而成的”（Lee 1974：8）。圣伊西德罗遗址持续使用至古典时代，现在已经被淹没在马尔帕索水库之下了。

现代恰帕德科尔索城就在3000年前的遗址之上。正式的民政-仪式性建筑出现在帝力期，即公元前1000—前750年（Sullivan 2012），平面布局与拉文塔和圣伊西德罗颇为相似。恰帕德科尔索是恰帕斯最为重要的酋邦，与恰帕斯内陆高原四周都有联系。尽管米拉多尔遗址出现时间较早，大约在公元前1400年，但该遗址和其他区域性民政-仪式中心的布局与拉文塔（以及恰帕德科尔索）相似。

恰帕斯最南部的中心为拉利伯塔德，建立于大约公元前750年，明显用以控制危地马拉高地、其东南地区、恰帕斯内陆和墨西哥湾低地之间的贸易。该遗址的民政-仪式性建筑始建于公元前700年，占地45万平方米，包括一座长100米的十字形土丘，其两侧各有一座金字塔，高约20米，里面都有贵族墓葬。

## 5. 危地马拉高地

在形成时代初期，农业村落零星点缀在危地马拉高地上，到了形成时代早期（拉斯查尔卡斯期，公元前1000—前750年），在玛雅高地南部最大的谷地中，卡米纳尔胡尤在大约公元前1000年出现，并且变得愈发复杂，有带台基的木骨泥墙建筑。这些建筑和与其相关的精致陶器的发现，显示这一村镇已经变为行政中心，可能从事奥尔梅克人所需物品的贸易。该遗址与中美地区最为人知并且目前所知仅有的真玉产地——莫塔瓜河谷的东北部很近。

## 6. 玛雅文化

恰帕斯的内陆地区和危地马拉高地被认为是玛雅文化的起源之处，这些地区都是玛雅语的使用区域。就像米斯特克语的使用者一样，说玛雅语的人群包含多种文化特征，但也共享一种民族模式，语言本身就是定义民族的基本因素。在与西班牙人接触之时，整个尤卡坦半岛、恰帕斯和危地马拉高地居民讲多个种类的玛雅语，与今天拉丁语系语言的使用情况相当接近。玛雅语多样性最强的地区在恰帕斯和危地马拉高地，因此许多学者相信这里是玛雅人的起源地，在整个形成时代，他们不断迁徙到低地地区。

## 7. 玛雅低地地区南部

在原古时代，恰帕斯-危地马拉高地的北部就有人类居住；花粉证据显示在原古时代晚期，早至公元前2500年，热带雨林就被清理以种植玉米（Pohl et al. 1996）。当时已经发现陶片甚至区域性陶器类型传统的出现，但到了形成时代早期，大约公元前1200—前1000年，定居和陶器使用人群才开始出现在尤卡坦半岛（Houston 2010b）。

这些聚落最早期的证据大部分被掩埋在晚期居住遗存之下。比如，公元前900—前750年克塞文化陶器是佩滕西南地区的阿尔塔-德萨克里菲西奥斯和塞巴尔遗址最早期的物质遗存。这些遗址的居民可能是由南面的恰帕斯内陆高原和危地马拉的阿尔塔维拉帕斯高地北部迁徙而来的，这两个地区的人口密度很高，使用的陶器也与克塞文化相似（Andrews V. 1990）。但佩滕西南地区与地峡地区的接触也是证据确凿：在塞巴尔发现了一处玉窄斧窖藏，玉窄斧"排列方式与奥尔梅克文化拉文塔完全相同，同时发现一件奥尔梅克玉穿孔工具"（Coe 2011：57）。

斯瓦塞和布莱登期的陶器传播更为广泛，最东到达伯利兹，那里库埃略遗址的斯瓦塞/布莱登期陶器出现于公元前1200年，并持续到公元前600年。人们先筑起低矮的土台，再在台上建起直径约6米的柱子茅草结构房屋，呈圆形或半圆形（图6.22）。库埃略在整个形成时代和古典时代都有人居住，古典时代是一处低等级仪式中心。该遗址在考古上的重要地位在于，它是目前所知最早的玛雅村落之一，其早期阶段得到充分研究，提供了有关玉米生业建立和早期陶器生产的信息。在布莱登期（公元前900—前600年），玉和黑曜石被进口至该遗址，玉器出现在儿童中，是可继承而得的等级的证据。同时，房屋的规模扩大，在公元前600年，从大约4米乘8米增大为6米乘12米（Hammond 1991）。一座形成时代中期的建筑被认定为汗蒸屋，是已知最早的此类建筑（Hammond and Bauer 2001）。

伯利兹其他拥有很早遗存的遗址有科尔阿和拉马奈。普利特罗塞尔湿地的花粉证据显示，玉米和树薯早在原古时代晚期便已存在，在圣安东尼奥和科布沼泽，大约公元前1000年时上升的水面使得农人们需要将田地排干，这种强化利用的举措显示人们为了避免移居而投入额外努力的意愿。

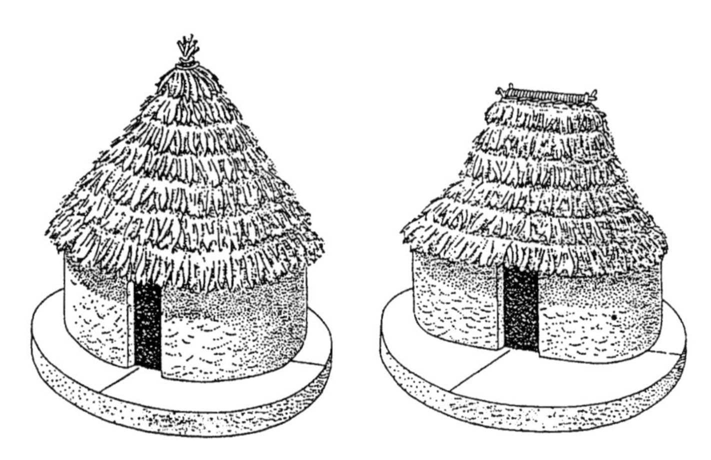

图6.22 库埃略遗址形成时代中期的房屋复原图，这是一种传统玛雅农民仍然会营建的建筑类型。房屋的柱式框架是由小型树枝搭建起来的，形成一个“木骨”结构，之后再用泥来“涂抹”成墙。在许多地区，会进一步用石灰泥对外表进行密封。房顶则通常覆盖棕榈叶

其他遗址的开发是从形成时代早期和中期开始的，这些遗址包括伯利兹的阿尔通阿、圣丽塔-科罗萨尔和诺穆尔，佩滕西部接近恰帕斯内陆高原的阿尔塔-德萨克里菲西奥斯、塞巴尔、彼德拉斯内格拉斯以及佩特斯巴通地区的洞穴堆积，还包括佩滕北部和中部区域的蒂卡尔、里奥阿苏尔、亚斯阿和塔亚萨尔。马莫姆期（公元前700—前400年）佩滕北部地区的发展显示，形成时代中期的玛雅低地遗址并不都是简朴的农村。公元前750年的纳克贝遗址有一些接近20米高的建筑。

## 8. 玛雅低地北部

形成时代中期，尤卡坦半岛北部出现了最早的连续居住聚落。先驱者们在迁徙中选择了两条路线，一路进行着刀耕火种的原始农业。较早的迁徙者来自佩滕南部地区，向北迁徙到达半岛西侧，在齐比尔诺卡克、齐比尔查尔通和科姆琴开始定居。另一支迁徙者稍迟从佩滕东北和伯利兹向北到达半岛的东部。

## 9. 玛雅莫塔瓜地区

整个莫塔瓜地区散布的都是小型聚落，但通过对待死者的不同方式也可以看出一些社会等级上的差异，有些墓葬随葬玉器和奥尔梅克风格母题的陶器等贵重物品。在科潘河谷，戈尔东洞穴和深埋在河谷底部的堆积显示，早在公元前1400年已有人在这里居住，起始年代可能更早。形成时代中期的墓葬在晚期堆积之下，但在这个后来成为玛雅科潘城邦的地区，当时可能只生活着几百人。

## 10. 中美地区东南部

在莫塔瓜支流的东部，山地乡村一直延伸到南美洲，中间分布着一些河流谷地的冲积平原、蔓延在洪都拉斯东部和尼加拉瓜蚊子肆虐的沼泽地带以及一些太平洋海岸平原，这些区域不时受到中美地区文化的影响。通常从形成时代中期到后古典时代，最靠近莫塔瓜和恰帕斯、危地马拉以及萨尔瓦多西部的太平洋海岸平原的地区，最可能与中美地区共享同样的文化特征。在很多时段，中美地区的东南边界不断变化，经常会覆盖以上区域。因此，在形成时代中期，阿瓦查潘地区是太平洋沿岸平原中美文化区的最东南端；到了形成时代晚期，该地区的发展变得更为地方化；进入古典时代，该地区又重新加入了中美文化区。同样，在玛雅文化影响到来并将其牢牢并入中美文化圈之前很久，科潘遗址就已经有人定居并不断发展。

形成时代中期，莫塔瓜谷地东部的发展中心在一片南北向区域中不断发生变化，该区域北起洪都拉斯的加勒比海岸，沿着苏拉-乌卢阿水系到约华湖，再向南到达太平洋岸的丰塞卡湾。形成时代中期，沿着乌卢阿河的埃斯孔迪多港和普拉亚-德洛斯穆埃尔托斯的聚落发现了木柱茅草结构房屋建筑的地面。在埃斯孔迪多港，有一座建筑明显比其他的规模更大，可能具有公共或社群的功用（Joyce and Henderson 2001）。

普拉亚-德洛斯穆埃尔托斯（西班牙语意为死者之岸）最出名的是墓地，其墓葬清晰反映了等级差异，其中一座精致墓葬的墓主为儿童，“佩戴一条白色贝壳珠项链，正中为一件雕刻贝壳，两侧各有一个小翡翠吊坠。腰间系着一条由90多颗翡翠珠组成的串珠腰带。与其形成对比的是，同一遗址的一座成人墓中只发现人骨遗存”（Stone 1972：58）。

没什么能比盛装打扮的儿童和无装饰的成年人之间的对比更能明确展现酋邦社会等级差别的特征了。尽管该遗址缺少宏伟的建筑，墓葬中玉器的使用和一些陶器的图案还是可以看到奥尔梅克文化的影响。墓葬中还有许多非常有特点的小塑像（图6.23），它们是“无彩绘、高度抛光、手工制作的实心造像”（Stone 1972：61）。

乌卢阿河之南的约华湖是洪都拉斯最大的湖泊（长22、宽14公里），沿湖有一条交通繁忙的路线直达太平洋边的丰塞卡湾。湖的北端就是洛斯纳兰霍斯遗址。孢粉分析证据显示，在这一热带山区，玉米种植可能早在原古时代晚期便已开始（Rue 1989）。洛斯纳兰霍斯遗址是作为贸易中心发展起来的，发现了贝壳、黑曜石、翡翠和外来陶器。雕刻纪念碑证明了形成时代中期奥尔梅克文化的影

图6.23　在普拉亚-德洛斯穆埃尔托斯遗址，很少有完整的小塑像被发现，中美地区发现的小塑像几乎都是如此，因为它们可能会在通过仪式或危机仪式这类特殊仪式中使用，之后就被毁成两截。就像我们看到的，小塑像是最为古老的陶制品，每个地区都有自己独特的传统。普拉亚-德洛斯穆埃尔托斯的塑像也有着突出的个性，“几乎每一个塑像都有自己的特点……每一件……都有自己的表情，不需要躯干来帮助表达情感”（Stone 1972：61）。躯体本身也是有表现性的，呈现了多种不同姿态的裸体女性形象

响，可能与贵重物品的交流相关。虽然还没有确证，但这些遗物可能属于哈拉尔期（公元前800—前400年），这也是遗址的最早期，该遗址持续使用到公元1200年。到了形成时代中期，洛斯纳兰霍斯仍然是重要的中心聚落。其中心广场有两座接近20米高、建于形成时代中晚期的土丘，另一个宏伟工程是一条长1300、宽15—20米的壕沟。这似乎是一个防御工事，可能用来防范中美地区边界地带的本土掠夺者。洛斯纳兰霍斯西北7公里的洛德瓦卡遗址也是在形成时代中期出现的。

洛斯纳兰霍斯遗址以南60公里的亚鲁米拉是另一座形成时代中期交易贵重物品的贸易中心，使用期从公元前1000年延续至公元200年。和洛斯纳兰霍斯一样，亚鲁米拉遗址的选址也看重防御，西面有一条大壕沟，东面则是乌卢阿河的支流乌穆亚河（图6.24）。像洛斯纳兰霍斯那样，亚鲁米拉遗址也有巨大的土丘，包括了19米高的“埃尔塞里托”（Dixon et al. 1994）。

## 11. 中间地区：洪都拉斯东部洞穴

在洪都拉斯的东部，河流在西南－东北向的山脉中流向东北。形成时代中期，这片山区中的洞穴提供了埋葬死者的神圣场所。在阿关河上游300多米的库亚梅尔洞穴中，发现了随葬精美陶器的人骨，其中的一件陶器上有奥尔梅克风格图案（Joyce and Brady 2000）。这是奥尔梅克文化影响力达到的最远地点之一，并且该时期可能也是本地区与中美地区文化联系最紧密的时期。这种联系的动机可能来自此热带环境中种植的可可，但并没有发现能够确认此推测的居住遗存。

位于奥兰乔河谷的塔尔瓜洞穴，与一处大约1公里外的居住址相关，该洞穴“可能为一处亲族墓地”（Brady et al. 1995：40）。该聚落拥有几十处建筑平台，一些有3米多高，30米长。居住者都是农民，但洞穴中人骨的碳稳定同位素分析显示玉米并不是他们的主食，他们可能依赖树薯过活。洞穴中的墓葬遗存被很好地封存起来，进入洞口后，要沿着裂缝前行600米才能到达。一些个体有随葬品，他们已脱节的骨骸被小心地“堆叠和放置在地面以上大约25厘米的壁龛中，随葬了一件破碎的陶器和两块破损的精制玉器”（Brady et al. 1995：39）。

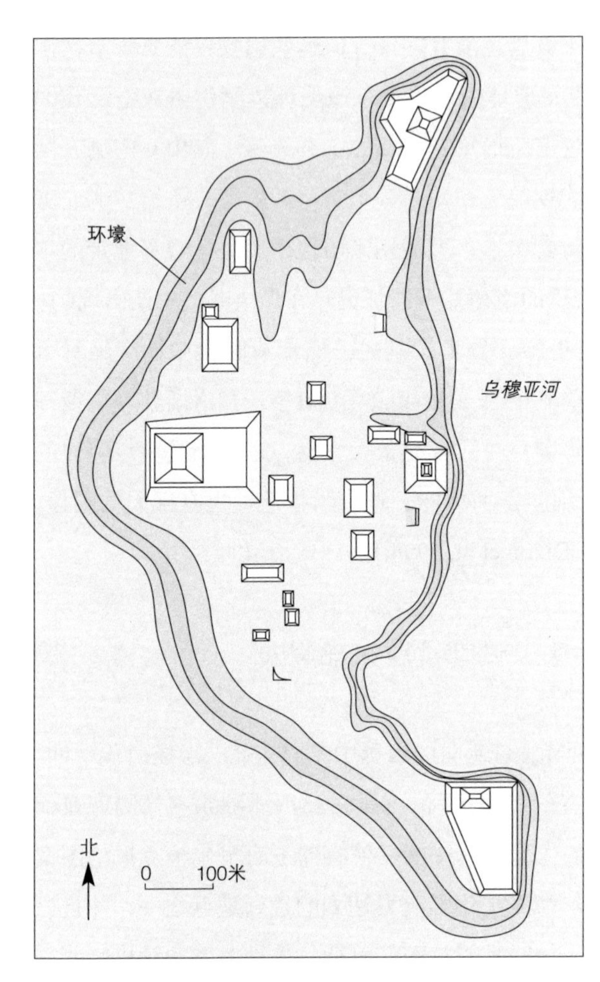


图6.24 亚鲁米拉遗址占地面积超过30万平方米，如图所示，以排布有序的一系列仪式性建筑为特点。该遗址位于科马亚瓜河谷中部，开辟了一条太平洋和加勒比海之间的南北向贸易通道。遗址中发现的遗物证明了这一点，这些遗物包括两侧海岸的贝壳装饰品、危地马拉玉和其他外来物品。埃尔塞里托（左侧），作为遗址中的主要土丘，在整个河谷地区都能看到

## 12. 向后奥尔梅克时代的转变

大约在公元前600/前500年，一些区域面临着重大的变革。奥尔梅克文化的核心区墨西哥湾低地不再是其他地区意识形态的主要来源地，反倒开始接受太平洋海岸南部等地区的强烈外部影响。在瓦哈卡，整个河谷之前一贯的区域聚落形态被一个重要中心区域的发展所打断——在该地区蒙特阿尔班将冉冉升起。

# 第七章　形成时代中期到晚期文化（公元前600/前500—前300年）

纵观世界，文化历史不断重复的模式就是特定区域的发展、繁荣和衰落，这个区域衰落的同时，又迎来另一个区域的繁荣。更准确地讲，另一个区域的繁荣可能正是因为权力中心的衰落，或者甚至可以说，新的区域崛起是已有权力中心衰落的原因。随着考古和历史材料的日益丰富，因果关系的问题变得更容易解决。

奥尔梅克人为我们创造了第一个对广大区域有着强烈影响力的中美地区文化，也抛出了首个中美地区谜团：他们的文化如何以及为何衰落，而墨西哥湾南部这片自形成时代早期便已是充满活力的文化中心地带，如何又为何到公元前400年时便无人居住，而且这种状态一直持续了近600年（Clark 2010b）。无可否认，特雷斯萨波特斯确实变得愈发重要，但尽管它有时被吹捧为奥尔梅克第三大都市（排在圣洛伦索和拉文塔之后），它的文化发展轨迹更接近形成时代晚期强烈的地方性发展（Pool 2000），并且它位于墨西哥湾低地的中南部地区，在形成时代早期到中期的奥尔梅克文化中心以西。

大约公元前600年至大约公元前300年是一个转折期：中美地区从拥有一个对周围广大区域（文化域）产生强烈影响的中心文化的时期，过渡到广泛的区域性发展的时期（图7.1）。“奥尔梅克文化影响”是一个模糊的概念，因为圣洛伦索和拉文塔与查尔卡钦戈、查尔丘阿帕等地区互动的实质很难界定：军事征服的可能性很小，但以艺术品形式出现的奥尔梅克人模样的武装小塑像表

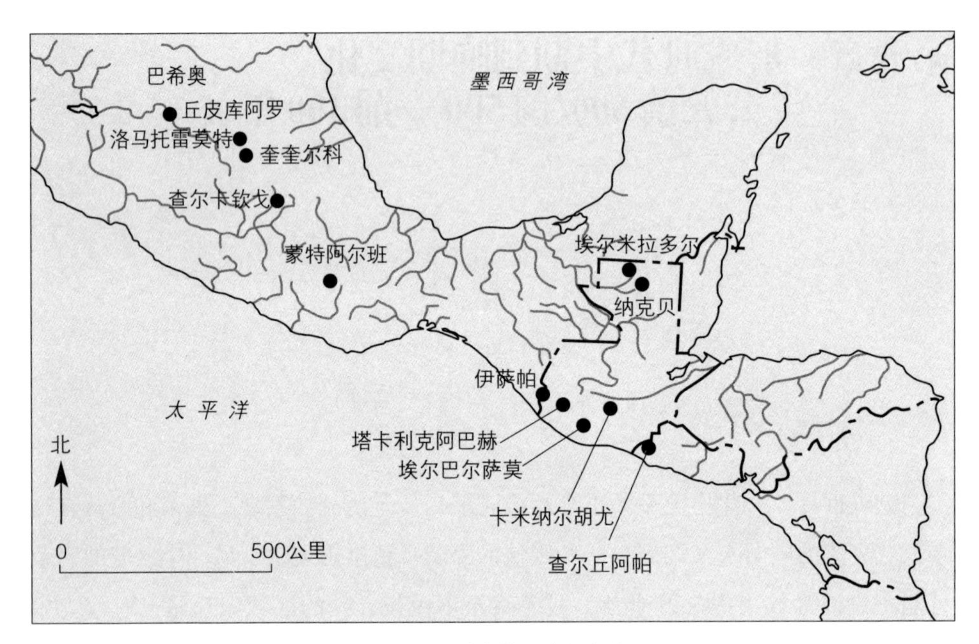


**图7.1　第七章涉及的美洲中部形成时代中期至晚期的区域和遗址**

明，正规军事化的观念随着这样的奥尔梅克图像被传播到各地（图7.2、7.3）。商业联系可能是动机所在，高等级的奥尔梅克人鼓励不同地区的领袖接受奥尔梅克习俗和风格，打造出地方性政治结构，并将他们加入奥尔梅克贸易网当中。

不将“奥尔梅克文化影响”这一概念解读为浮夸的“帝国形成”是相当重要的，因为“帝国”指代远比形成时代考古证据展现的社会更为复杂的组织形式。就像米格尔·科瓦鲁维亚斯在1942年所说的，奥尔梅克文化是否为其他地区汲取灵感以形成其自身发展的“母文化”尚在争论之中（Diehl and Coe 1996；Flannery and Marcus 2000；Arnold 2000；Hansen 2005）。然而有一点是毋庸置疑的，墨西哥湾低地南部文化独有的奥尔梅克图像在北到墨西哥盆地的特拉蒂尔科，向南和向东至佩滕地区的米拉多尔盆地、洛斯纳兰霍斯、亚鲁米拉和查尔丘阿帕，向西到达圣何塞-莫戈特和特奥庞特夸尼特兰的广大区域都有发现。反之却不成立，在形成时代早期和中期，以上任何地区都没有发展出由本地形成并同样扩散至如此广阔区域的母题。

图7.2、7.3　形成时代中期的尚武精神体现在对全副武装的人物的刻画上。这些被刻在莫雷洛斯查尔卡钦戈遗址的持矛者（下），与萨尔瓦多查尔丘阿帕附近的拉斯维多利亚斯遗址（上）的雕刻人物有相似的姿势和服饰元素。两个遗址之间的直线距离超过1000公里，并且有墨西哥湾低地的南部地区相隔。当然，奥尔梅克风格的特征在中美地区更为遥远的地方也有发现

对于奥尔梅克文化的影响我们有两种解读：一种是播下了中美地区各地未来文化发展的种子，另一种是只为已经蓬勃发展出自身复杂社会的区域顺带提供了一些有趣的艺术母题。从第一种强调首个伟大文化域的解读到第二种强调更多的区域性发展视角的转变，在理解公元前600年之后的发展中更加重要。此时，墨西哥湾低地的南部地区正在遭受人口崩溃，新的复杂社会的中心在其他地区崛起。在从公元前600—前300年的时段中，最为重要的发展出现在瓦哈卡谷地。

## 一、地峡西部：蒙特阿尔班的崛起

### 1. 瓦哈卡谷地：令圣何塞–莫戈特失色的蒙特阿尔班

圣何塞–莫戈特的规模及其凌驾于其他遗址之上的统治权似乎在罗萨里奥期（公元前700—前500年）到达顶峰。在此期间，圣何塞是瓦哈卡谷地埃特拉支谷的中心社群，周围分布着小型村落。在其南部，谷地正中心大片区域完全无人定居生活。其东部即谷地的特拉科卢拉一翼，则见证了聚落的增长，以耶圭为中心，还包括东端的米特拉。南部的萨奇拉支谷似乎经历了与其他两条支谷同样的发展模式，蒂尔卡赫特是该区域的中心社群（Spencer and Redmond 2001）。

圣何塞是整个瓦哈卡谷地（全部人口在罗萨里奥期至少有3500人）最大的聚落，大约1000人居住在60万—65万平方米的范围内。“在这座四处延伸的聚落之中，有七个贵族居住区，发现有装饰的精致灰陶……公共建筑和社会上层居址形成的‘城市中心’，占地面积至少42万平方米”（Marcus and Flannery 1996：125）。

随着瓦哈卡谷地人口的增长，新的酋邦在支谷中建立起来，它们之间的竞争似乎以酋邦间的特有形式进行：袭击和劫掠。恐怖性战术并不是“文明”社会所特有的，在人类历史中，酷刑和谋杀由来已久。平等社会可能难以承受组织内部的敌对关系，但是会与其他组织在所有关键资源方面发生竞争，使用该社会最为尖端的科技和恐吓战术。

随着社会变得愈发复杂，它们所界定的关键资源也会越来越多。任何地区的农人都知道哪块田地可以出产最好的庄稼，并能够维持其高产。酋长们知晓珍贵矿产的来源地，并且也知道那些可以将原材料加工为奢侈品的最好的工匠。有时这些资源已经归属于其他人，想要获得它们就需要满足控制方的对等需求，奥尔梅克与其影响下的酋邦聚落之间可能就是发生了这种联系。否则，对这些资源的获取就可能导致混乱和谋杀，以及对胜利的庆祝。

中美地区形成时代中期到晚期的圣何塞-莫戈特出现了一些社会性暴力制裁的线索。一类证据是瓦哈卡谷地的区域聚落形态（参见图7.5），似乎显示谷地的每一条支谷都形成了一个聚落连贯的区域，各区之间都有宽10公里以上的无人区相互隔离。

在圣何塞-莫戈特，民政-仪式性中心提供了胜利与失败的证据。1号土丘是座经过很好改造的俯瞰整个聚落的自然高地，顶部台基28号建筑上的一座大型木骨泥墙神庙被一场大火所焚毁，这场大火是如此猛烈，似乎并不是意外所引起。在中美地区文化历史中，烧掉一个社群的神庙是颇为常见的突袭手段。在阿兹特克图像文字记录中，“征服”一词被描绘为一座房顶冒出火焰的神庙。28号建筑的神庙在一场突袭中可能也经历了同样的遭遇。

1号土丘上还发现了有关战事更有说服力的证据。14号和19号建筑之间有一个过道，过道门槛内嵌着一块雕刻纪念碑（图7.4），上面绘有一个身体扭曲的裸体男性，明显“是一个被杀或献祭的俘虏。该纪念碑安放在连接两座大型公共建筑的过道的门槛中，任何通过该建筑的人都会践踏其上”（Blanton et al. 1993：69）。该纪念碑显示了人们对于流血行为的高度重视，并将其作为永久性的纪念。在整个中美地区，鲜血都是人类献给神灵世界的礼物。自我献祭（用自己的鲜血献祭）中使用的锋利工具包括黄貂鱼刺、黑曜石和玉制仿黄貂鱼刺以及龙舌兰棘刺，它们是那些经常以此进行自我圣洁化的人的贵重个人物品。相反，该纪念碑反映的是一种社会层面的牺牲：通过特殊的方式（突袭或其他恐怖活动）获得牺牲者，并通过仪式夺取此人的生命。

受害者的两脚之间保留了一段图像文字信息。下方的字符被解读为“1”，上方的字符则是“地震”，连在一起形成了萨波特克仪式历法中某天的日名。有可能“这是牺牲者自己的日名，‘1地震’是260天历法中的一天”（Marcus and Flannery 1996：130）。

不幸的“1地震”可能并不是第一个从260天历法中取名的人——这个习俗毫无疑问要远远早于形成时代中晚期，甚至可能源于东北亚地区。该纪念碑的年代得自对其上地层的碳十四年代测定，是已知最为古老的使用姓名图形字符的例

图7.4 如何以纪念碑的形式表现痛苦的死亡？圣何塞-莫戈特的3号纪念碑（1.45米长）描绘了一个这样的人物：他的眼睛肿胀而开裂，嘴唇呈痛苦状收缩，整体姿态脆弱，胸腹部绽出的程式化的团状物，表现的是被开膛破肚后流出的内脏。另外，这通纪念碑上刻有可能是很早的字符。这些符号由一个圆形和三角形组成，“作为程式化的血滴。在随后的时期中，同样的符号被雕刻在举行牺牲祭祀的神庙台阶上”（Marcus and Flannery 1996：130）

证，也是首个出现的萨波特克象形文字。萨波特克书写系统后来成为中美地区最重要的书写系统之一（Urcid 2001）。

随着规范化的名字和图像符号等重要文化特征的出现，加上前面提到的区域聚落形态和突袭、破坏的资料，瓦哈卡谷地政治竞争的证据已经齐全，共同显示出社会变化的动态。

## 专栏7.1 占卜历法

260天历法是数字1到13依次和20个日名配合而成的（表7.1），数字和日名组合在260天之后完成一个循环。如果我们的日历略微改动，去除月份名，但保留30数字日期序列，与每星期的7个日名配合，我们将得到一个210天的特殊历法——“第1个周一，第2个周二……第30个周二，第1个周三……”。

表7.1　日名表

| 顺序 | 阿兹特克的特诺奇蒂特兰 | 萨波特克 | 低地玛雅 |
|---|---|---|---|
| 1 | 鳄鱼 | 鳄鱼 | 大地巨兽 |
| 2 | 风 | 风 | 风 |
| 3 | 房屋 | 夜晚 | 黑暗 |
| 4 | 蜥蜴 | 蜥蜴 | 成熟的玉米 |
| 5 | 蟒蛇 | 蟒蛇 | 蟒蛇 |
| 6 | 死亡 | 黑色 | 死亡 |
| 7 | 鹿 | 鹿 | 手 |
| 8 | 兔 | 兔 | 金星 |
| 9 | 水 | 水 | 水 |
| 10 | 狗 | 狗 | 狗 |
| 11 | 猴 | 猴 | 猴 |
| 12 | 草 | 干旱 | 恶劣的雨 |
| 13 | 芦苇 | 芦苇 | 成长的玉米 |
| 14 | 美洲豹 | 美洲豹 | 美洲豹 |
| 15 | 鹰 | 鹰 | 月亮/鹰 |
| 16 | 秃鹫 | 乌鸦 | 蜡 |
| 17 | 地震 | 地震 | 大地 |
| 18 | 匕首 | 寒冷 | 匕首 |
| 19 | 雨 | 多云 | 风暴 |
| 20 | 花朵 | 花朵 | 君主 |

注：20个日名序列的使用在中美地区被广泛共享，就像列表所显示的，一些共有的日名位于不同序列的相同位置（Adams 1977：302；Marcus and Flannery 1996：20）

每一组的13个数字与日名相配，形成学者们所称的13天小周期，同一小周期中的日子有许多共同的占卜特征。对于阿兹特克人而言，首个13天周期包括1鳄鱼、2风、3房屋、4蜥蜴、5蟒蛇、6死亡、7鹿、8兔、9水、10狗、11猴、12草和13芦苇，“所有的日子都是好的，如果男童在此时段出生的话……他就会成功……如若一个女童在此时段出生，她就会既成功又富有”（Sahagun 1979［1569］：2）。第二组日期由1美洲豹开始，到了这一循环的第8天，20个日名已经用完，第9天为9鳄鱼，又从头开始新一组日名周期。

260天历的占卜历法在整个中美地区都有发现，尽管在各地出现的时间和日名并不完全相同。阿兹特克人称其为托纳卡特库特利，有时玛雅文化学者也称为卓尔金历，这是一个现代玛雅词语。260天的时间周期与多种自然现象相联系，比如一些地区的玉米生长期，但最为基本的对应是人的妊娠期。在传统社会，生育保障着未来，怀孕的各个方面都很重要，因此，将初孕到诞生这段时间视为一个基本周期是可以理解的。

在整个中美地区，260天历中的每一天都与吉、凶以及不同的征兆相关，而这些又会相应地影响在某天出生（或受孕）的个体。为了避免带有不祥预兆的生日，阿兹特克人会使用某些“含混”因素：生日的确切日期可能被父母和接生婆所隐瞒，命名仪式可能会发生在出生之后的几天（Sahagun 1979 [1569]: 3）。虽然只有仪式专家才可能从历法中做出最复杂的预测，但吉日和凶日是广为人知的。例如，那些出生在“2兔日的人们除了喝酒什么都不做”（Sahagun 1979 [1569]: 11），萨阿贡的资料提供者在“预言之书”中用一整章描写了各式各样的醉酒者。可怜的2兔日之人，他们的命运无法逃避。

## 2. 蒙特阿尔班

在大约公元前500年，瓦哈卡谷地的聚落系统经历了剧烈变化，新的政治首府蒙特阿尔班在三条支谷的汇聚之地兴起（图7.6）。蒙特阿尔班坐落在400米高的山脊上，位于之前无人居住的缓冲区中心，人口在公元前400年就达到5000人，超过了瓦哈卡谷地总人口的一半，其他260个聚落中的大部分都不足100人。蒙特阿尔班人口聚集的趋势只是刚刚开始，到公元前200年，这里的人口超过17000人（Marcus and Flannery 1996：139）。

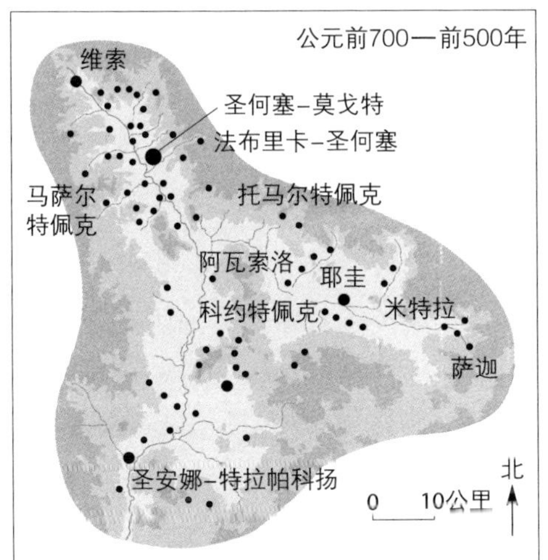


图7.5　在罗萨里奥期，即公元前700—前500年时，圣何塞-莫戈特成为瓦哈卡谷地最大的遗址。谷地三条支谷中都有超大型聚落，但在此时期中央区域却存在一大块无人占领的地区，可能是为了避免冲突

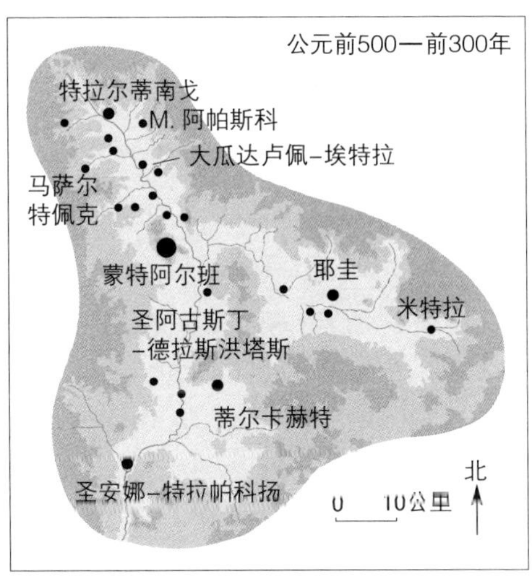


图7.6　蒙特阿尔班早期Ⅰ段（或蒙特阿尔班Ⅰa，公元前500—前300年），见证了蒙特阿尔班在谷地中央区的建立。圣何塞-莫戈特遗址急剧缩小（其他瓦哈卡分期名称见Lind and Urcid 2010：354—355）

蒙特阿尔班形成之初的大量人口显示，初创此中心的家庭来自“大量的河谷社群”（Blanton et al. 1993：69）。当然，在这个与农业用地和重要饮用水源的垂直距离如此远的地点建造一个新的中心耗费巨大。中心区居民的物资供给需要大量劳力，建于蒙特阿尔班早期Ⅰ段的河谷最早的永久性灌溉系统可能就是为了提高粮食产量。陶器类型等早期Ⅰ段其他方面的变化显示出更大的社会变革。陶器类型似乎证实了当时的陶器已经由专业工匠批量生产，用以满足新兴的区域性交换系统的需求（见专栏7.2）。

## 3. 玉米的新形式：玉米饼

物资供给的另一方面是各类食品。玉米很多世纪以来都是最重要的主食，其价值部分缘于容易干燥和储藏。食用之前，干玉米粒会被浸在加入石灰粉的水中。这个过程被称为“石灰化”（nixtamalization）（在纳瓦特尔语中nixtamal意为石灰浸透的玉米），可以使玉米粒软化。一个附加的好处是，这一过程增强了玉米的蛋白质、烟酸和钙，而钙是中美地区食谱中所缺乏的矿物质，因为那里缺乏牛这样的大型牲畜，也就没有牛奶和奶酪这种富含钙质的副产品。

经过浸泡后，玉米粒会被磨成粉，之后可以制作成多种食物。最为“速食”的玉米食物是玉米粥（atol）；精致的食品为塔马里（玉米粽子），制作过程是在玉米粉中加入肉块、豆子和调料等，再用玉米皮和玉米叶包裹蒸熟。今天人们最为熟悉的玉米食品是玉米饼（tortilla），它是由平底鏊加工成的小圆煎饼，可以包裹其他食物（比如豆子）或是蘸着鳄梨酱等酱料吃，也可以简单地直接食用，即便不再新鲜也可以吃。玉米饼可以存放多日，干燥后会变轻，依然可以食用。

由发现的玉米面团和一种今天依然使用的鏊判断，最早的玉米饼明显是在这一时期才出现的。轻而耐久的玉米饼是那些需要长时间远离家园的劳工和战士的理想食品。社会和经济变动导致大型政治中心的突然崛起以及河谷其他地区社群人口的下降，这种变化必然需要制作新型食品供劳工们食用。玉米饼可能就是解决方法之一。

## 4. 蒙特阿尔班的近邻和早期大型建筑

在蒙特阿尔班早期Ⅰ段，周围有三个各具特征的邻区，可能代表了从瓦哈卡河谷不同地区迁入的人群。在大广场，几乎全部大型仪式建筑都建于较晚的时期，但似乎在最初阶段，大型广场本身便已经作为开阔的空间场地存在。

在一座可能建于蒙特阿尔班早期Ⅰ段的仪式性建筑中，有一组浅浮雕人像，因其不寻常的姿势被称为“舞者”（图7.7、7.8）。目前为止，已经发现300余座舞者像，其中许多被作为后期建筑的台阶而重新利用。许多学者认为这些人是人祭牺牲者，与对圣何塞-莫戈特发现的相似人像解读的逻辑相同；但是另一个观点认为，这些人是正在进行成人礼之类的年龄仪式（Piña Chan 1992）。

图7.7、7.8 蒙特阿尔班早期I段的遗存大多被后期建筑所破坏，但也有一系列发现于土丘M（一座建于古典时代的建筑）底部的浅浮雕雕像幸存下来。这些舞者雕像风格和类型相同，但每一个都表现出个人化的死亡或仪式中恍惚的神情。就像圣何塞-莫戈特3号纪念碑所表现的被掏去内脏的尸体一样，蒙特阿尔班的舞者们似乎都毫无生气地瘫倒着，嘴部张开，双眼紧闭，他们呈八字张开的姿势通常显示的是身上有伤，尤其是生殖器遭到破坏。许多个体的身体或头部附近发现了图像字符，可能是他们的名字。这些人物几乎与真人等大。图中雕刻分别高1.17米和1.4米

## 5. 城市和聚落模式

蒙特阿尔班在其早期Ⅰ段时是一座城市吗？拥有5000名居民的蒙特阿尔班满足了城市定义中最为基本的条件：一个人口密集的大型社群。另一个标准则是人口组成的多样性，包括不同的经济地位、职业专长、社会等级、族群和政治权力。这些基本判定标准对考古学家如此有吸引力在于它们是可量化的：人口规模和密度、社会经济甚至族群多样性证据都是可推测的（Sanders and Webster 1988：521—522）。

除了衡量社群本身的这些特征，我们也会考察大范围内的区域聚落模式，以确定该遗址是否在整个地区内起到中心作用，不管它是否处于地理意义上的“中

心地点”。在专栏7.2中描述的地理模型有助于对聚落形态的考古学解读，因为我们可以从中推断起主导作用的社会发展进程。瓦哈卡谷地的遗址分布图显示，位于埃特拉支谷中心、靠近一流农田、延续几百年的圣何塞-莫戈特是该地区最大的聚落，无疑是其区域性首府或中心地点。在罗萨里奥期的瓦哈卡谷地，遗址似乎都围绕各中心地点分布，这种形态显示出各分立地区行政管理的重要性。

何种过程创造了蒙特阿尔班早期Ⅰ段的聚落形态？在此，我们看到了另一种行政中心地点模式，它呈现出一种被称为“首府中心”的超大变体模式，就是说一个社群已经在其所在地区取得了足以控制整个区域的首府地位。按照地理学者的推算，在这一首府中心聚落模式中，主导性中心聚落的规模至少是次级中心聚落的两倍。换句话说，在上述中心地点理论模式中，三个谷地的平等中心已经荡然无存。

蒙特阿尔班在该地区横空出世，成为一个现成的都市化社群。尽管它可能并没有满足定义“城市”的全部标准，却一定已经是中美地区城市形式的先驱，而且成为整个瓦哈卡谷地的首府，直到公元200年。

## 专栏7.2 / 交换及市场体系

人类学家认识到物质在任何社会内部和外部都是通过各式交换机制流通的，这些机制包括礼物、贡赋、税收、物物交易和售卖。这些交换行为受到一系列机制的影响，从核心家庭内部的慷慨馈赠到现代证券交易，更加正规化和制度化的交流方式有赖于社会复杂化的整体发展（Hirth 1984a）。在古代中美地区，集市体系是最为复杂的交换模式之一，随着时间的推移发展成在不同地区的城镇定期举行的复杂网络。到了后古典时代，也可能更早，大型城镇维持着日常市场的运转。一般来说，食物和其他物品的交换方式是以物换物，会尽可能达到等值。最终，正规的交换媒介得到使用，一个由标准物品的数量来衡量价值的体系被建立起来。阿兹特克

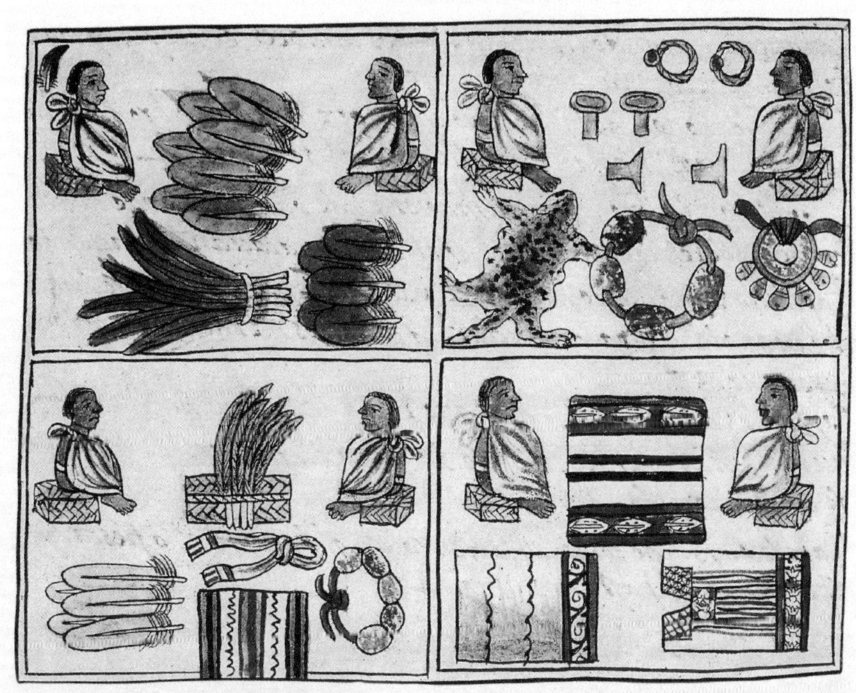

图7.9、7.10　到了后古典时代晚期，市场贸易和长距离贸易都变得高度精细化并紧密相关，统治者控制着市场和利润丰厚的长途贸易行会——波奇特卡。许多波奇特卡的贸易物品是珍贵的社会上层物品，被统治者们当作礼物彼此赠送，而其他许多商品则被运往大的城镇市集交换。《佛罗伦萨手抄本》上的这些插图描绘了阿兹特克商人（Sahagún 1961［1569］）。（上）四幅描绘了商人及其商品的图像，包括羽毛、织物、玉珠串、金属和宝石首饰（如耳饰、唇饰和铃铛）以及美洲豹皮。（左）行进在路上的商人们（拥有自己的行会）或他们的搬运工。搬运者能够携带重达23公斤的物品（Hassig 1988：64）

的交换媒介包括织物、可可豆和铜片。（图7.9、7.10）

长距离交易在中美地区由来已久，本地交换是定居农业发展的固有特性。但是将交换行为标准化、使其拥有特定的内容和时间间隔是一场重要的变革。这场变革可能发生在蒙特阿尔班Ⅰ段（Feinman，Blanton，and Kowalewski 1984）。在邻近的上米斯特卡地区，尤奎塔的市场繁荣起来（Winter 1984：209）。这些发展是社会复杂性的清晰表现。例如，供求规律支配着各种社会的经济行为；某人在投入时间和劳力提供某种用以交换其他物品的产品之前，必须确定其他人需要此产品，而需求的部分原因在于这些人也要相应投入时间和劳力去产出其他人需要的物品。尽管这种交换在采食社会中就已经出现，但集市代表了一个使这些交换规则更加正规化的体系。并且“市场交换”这一中美地区经济组织的组成部分在形成时代中期到晚期就已经出现，今天的传统城镇仍然存在市集，与“市场经济”这一现代西方世界资本主义体系的特征非常不同（Heilbroner 1975）。

**市场管理** | 市场在很大程度上依赖于对供求关系的不规范的预期和参与者之间的商誉运转。同时涉及职责管理问题，需要一些人维护交易广场、公平分配经营空间，以及在市场结束时清扫。欺诈和盗窃行为必须得到仲裁。在阿兹特克首府特诺奇蒂特兰的特拉特洛尔科大市场中，每天都有上千个买主和卖家，由包括男性和女性在内的整套专家机构进行管理。其他城市的市场中也有这种全职管理者。在小型城镇和村庄，本地首领会承担这一职责，对市场交易征收小额赋税，召集市场权也是重要的王朝特权。这种趋势最早在市场发展中的哪个阶段出现已经无从知晓，但贵族对市场的管理与形成时代中期的其他主要特权是一直相伴的。

**市场体系和历法** | 一个区域的市场体系包括许多在不同时间开放的小型市场，因此必须为这些市场建立定期而连续的时间开放安排，比如每五天一次，或每二十天一次。尽管大多数买主和卖家可能是本地人，但一些特殊的卖家则可能是在整个区域流动的贸易者，在每个市场开放之时都会携带特殊物品从一个市场转移至另一个市场。很明显，一个区域性的共享历法，即使是由20个日名组成的短历法都会对买卖行为起到调节作用。有充分的理由推测占卜历书也规范了经济交易行为。

## 二、高地地区的其他区域和墨西哥西部

在更北和西面的高地地区，莫雷洛斯的查尔卡钦戈和格雷罗的特奥庞特夸尼特兰的衰退都显示着奥尔梅克文化影响的减弱。在这两个地区，尽管农村依旧繁盛兴旺，但已经没有可以控制整个区域的主要政治中心了。在普埃布拉的特克索洛克期（公元前800—前400年），农业村落以具有民政–仪式性建筑的大型城镇为中心分布，比如特拉兰卡莱卡（详见第八章）。在这一阶段末期，出现了设防的遗址。

在东谢拉马德雷山脊以东，墨西哥湾低地的北支也经历了持续的聚落规模扩展和农业的强化，埃尔皮塔尔、圣路易莎和拉斯伊格拉斯这些大型社群表明复杂的聚落等级化的出现。

### 1. 墨西哥盆地

墨西哥盆地经历了人口的持续增长，像萨卡滕科那样的农业村落占据了湖边地区，在盆地南部出现一些大型中心如奇马尔瓦坎、夸奥特拉尔潘，以及最重要的奎奎尔科，深入讨论将会在第八章进行。

特奥蒂瓦坎谷地是盆地最东北且最干旱的分支，形成了特奥蒂瓦坎聚落。盆地中大型遗址占地面积达到40万—50万平方米，奎奎尔科的人口在当时可能达到1万人（Sanders 1981：165），明显成为周围许多小村落的中心，每座小村落占地面积大约10万平方米。蒂科曼遗址（公元前500—前50年）占地面积大约20万平方米，该遗址的58座墓葬显示了死者间的等级差异（Vaillant 1931；Tolstoy 1978）。

我们注意到上一章所提到的灌溉是中部高地的早期创新之举，到了形成时代中期，灌溉也被使用在墨西哥盆地和其他地区以确保更高的粮食产量。随着大量人口从雨水更丰富、农业更有保障的盆地南部迁到了盆地的北方谷地，灌溉就成了开拓更多边缘地区的重要手段（Nichols 1982）。这代表为了提升土地品质而进行的劳力投资，即一种农业活动的强化。这种强化尝试使得土地更有价值，增加

了土地所有者维持其改良过的土地的力度。

**洛马托雷莫特中的保护人–委托人关系**｜洛马托雷莫特反映了形成时代中期至晚期聚落形态的差异性。该遗址是墨西哥盆地西北夸奥蒂特兰地区的一个村落。在公元前650—前550年，聚落规模发展达到最大，大约2000人生活在400多座有围墙的院落内。每一个院落都“包括一间或更多的木骨泥墙房屋、大量的室外活动空间、垃圾倾倒处和储藏坑”（Santley 1993：74）。院落的外层土坯墙内也有露台，露台之下有墓葬。

院落都是成组分布的，“院落或院落组之间在房屋建筑质量上”几乎没有差别（Santley 1993：74）。随着时间的推移，院落之间开始出现明显差别，一些家户变得更加富裕。这些变化可能是由保护人–委托人关系的发展导致的，这是一种不平衡的相互关系，特殊资源的需求者（委托人）需要向更有权力的人（保护人）发出请求，由此形成了一种受恩惠和效忠的关系，可能会牵扯到整个家庭和家族，并且代代相传，埋下了社群内永久性不平等的种子。

比方说，首批前往夸奥蒂特兰地区开拓的农耕人群会选择河边的深厚土壤。随着时间的推移，那些最好的土地都被占据，人口又不断增长，其他家族即与拥有最好土地的家族没有直接继承关系的家族，不得不在高风险的地区耕种。鉴于该半干旱地区降雨量的波动，在一些年份中，这些贫困的农民若没有富有邻居或远亲的帮助，将会陷入饥荒。这些施助者的土地价值通常会因为对灌溉系统的劳力投入而得到提升，产量通常会有盈余。

根据目前全世界传统社会的情况，人类学家发现当附庸者因债务而远远落后，尤其是困难的情况持续多年后，这种附庸关系就会变为永久性的，并持续“一代接一代。（包括）保护人在获得土地、劳力和其他资源能力的增长，最终其本人和家庭在社会和经济地位上都得以提升”（Santley 1993：78）。

这种附庸关系提供了一种关于聚落社会等级发展的不同视角。一种关于酋邦如何运转的标准模型，它建立在酋长不断集中积累物资的基础之上，之后又通过物品的重新分配来获得忠心的支持者。这种模式提高了酋长的地位，以获得土地、劳力等重要资源。酋长权威的建立和维持的实际情况可能包含多种强化举措。

## 2. 墨西哥西部

公元前600—前300年，墨西哥盆地西侧河谷地区出现了人口的持续增长：托卢卡和米却肯的遗址数量稳定增长，一些区域中心也发展起来。农人们也在向北迁徙，到达莱尔马河以北，即人们所称的巴希奥地区。

巴希奥是中美地区的边疆区域，是“北中美地区”的一部分。该地区有时与其南部更大的中美地区共享同样的文化特征，而在其他时间则是移动采食者的家园（Lopez Austin and Lopez Lujan 2001）。巴希奥在形成时代中期至晚期首次有人定居，到了古典时代末期（公元800年）人口数量有所下降，公元1300年又得以恢复。在最早阶段的聚落中，最为人所知的是丘皮库阿罗，这是一处墓地兼聚落的遗址，而今已被水库淹没。丘皮库阿罗的昌盛期是在公元前300—公元300年，我们在第八章将有更详细的介绍。

墨西哥西部形成时代早期至中期的墓葬材料为了解埃尔欧佩尼奥和卡帕查文化提供了依据，这在第五章进行过讨论。这些文化可能是竖穴墓传统的文化源头。公元前500—公元300年，这一墓葬传统在墨西哥西部广泛传播。竖穴墓在南美洲北部的太平洋海岸也有发现，可能早至公元前500年（Foster 2010：662）。墨西哥西部竖穴墓中发现的精美陶器，尤其是那些小塑像，使其成为现代盗墓者的目标，这些盗墓者为了获取塑像卖给收藏家，不惜破坏墓葬、考古背景和其他遗物。近期，一些未遭破坏的墓葬被发现并得到了系统的发掘，它们与所属的特乌奇特兰文化将在之后的几章中进行讨论。

### 专栏7.3 / 中心地点模式

用于描述社群发展状况的地理模型假定了三种主要的聚落分布模式，是基于前工业时代社会中影响人口在景观中分布的三种不同过程而设定的，

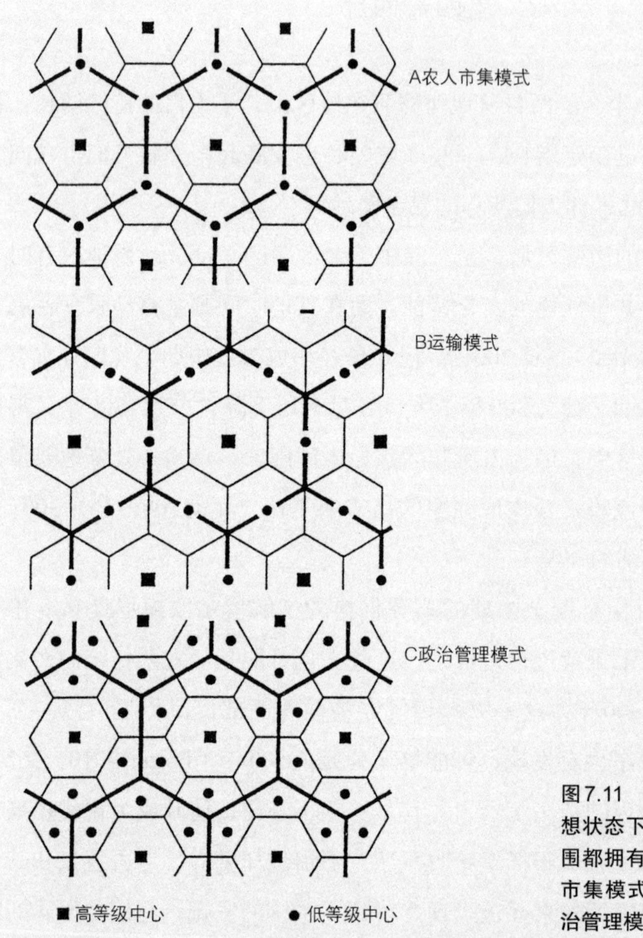


**图7.11 在中心地点模式的理想状态下，高等级中心社群周围都拥有自己的领地。A 农人市集模式，B 运输模式，C 政治管理模式**

分别是农人市集（商人）模式、政治管理或运输（以贸易和旅行为目的）。尽管图7.11所显示的为纯粹的理想状态，在现实生活中似乎永不会出现，但它们却反映了三个决定社群位置最为重要的因素，因此对于考古学相当重要。请注意，这些理想模式中的六角形本身，就是在特定区域中放入任意数目物品的最高效的放置方式，比如自然界中存在肥皂泡、蜂窝中的蜂室以及许多其他六角形模型。

第一类商人模式受限于市场体系，就像专栏7.2中提到的那样。在此模式下，聚落的空间布局在遵循农田范围最大化的同时，要尽可能缩小农业村落和市场城镇之间的距离。请看模式示意图，只有商人模式中的遗址可以尽可能地在更为广大的范围内分布，每一座“低等级”村落都可以在三个“高等级”城镇中做出选择，以作为其获得商品的市场。这种模式使农人的竞争优势最大化；在完美的竞争体系下，每一座城镇都会吸引周围区域，还可以共享周围六个村落中每个村落领地的三分之一，每个城镇就可以享有三倍于己的领地（1＋1/3×6＝3）。市集中心和农业村落在周围环境中均匀分布时，这种模式运作得最好，而且该模式在没有其他限制因素时才能出现。这些限制因素包括因互相存在敌意而造成的无人区域、强大城镇的强制性聚集，还有影响人们因战略或运输的原因选择地点的地貌特征因素。

在以运输效率为最重要因素的地区，村落可能只简单作为城镇间的休息点分布。例如，在形成时代早期的莫雷洛斯和普埃布拉，查尔卡钦戈和拉斯博卡斯两处遗址得以营建的部分原因就在于它们位于河谷末端重要的位置。圣洛伦索可以俯视一些河流运输线路的汇流之处。运输模式假定，低等级中心聚落的位置将有利于高等级中心聚落之间的联系，它们与两个高等级中心相关联，而不是像农人市集体系中的三个城镇。在以运输效率为主导的环境中，每一个中心区域会吸引其周围六个村落中各一半的资源（1＋0.5×6＝4），这样就拥有了四倍于己的领地。

当地区政治形式迫使高等级中心聚落关闭其边界以保护其腹地免遭侵害时，其他村落就挤在城镇边上，这种模式被地理学家称作“政治管理模式”。如果每种模式都有相同数量的高等级城镇，那么这种管理模式就能够为每个城镇提供最多的村落，形成最大领地（1＋6＝7），因为即使在严格的政治边界限制之下，每个村子也在尽力使其活动空间最大化。这种聚落分布模式的一个例子是后古典时代晚期的墨西哥盆地东部地区，在此区域每个城邦国家都被其附属聚落所围绕。当整个地区的统治者内萨瓦尔科约特尔决定打破城邦首府的这种地方忠诚关系时，他打破城邦国家层面的

"管理原则"，将各城邦的附庸村落安置在靠近其他城邦的位置，以确保整个区域的凝聚性（Evans and Gould 1982）。

很少有聚落体系完全符合这些理想模式，大多数聚落有着相异的地形和各种各样的资源。因此中心聚落模式到底能够告诉我们什么？它们对于考古学家之所以重要，是因为使我们了解了决定聚落模式的文化和地理方面的因素，对这些因素的认识来源于考古学证据（调查和发掘）以及有关社群间政治和商业联系的民族学材料。由此，中心地点模式突破了文化过程研究法的知识局限性，提供了一系列新证据。农业遗址均等分布在相似的环境中对我们来说似乎本应是一种"常态"，因为我们凭直觉就可以知道人们希望最大限度地利用他们可以利用的资源。然而，考虑到这一模式和其他模式受制于多种因素，与"常态"不同的聚落形态会提醒我们特别关注多种影响因素，如特殊资源的吸引、敌对区域的威慑（如蒙特阿尔班营建之前瓦哈卡谷地中心的缓冲区）或资源的匮乏（大多数北部干旱地区聚落稀少）。

## 三、地峡及其东部地区奥尔梅克人最后的岁月

### 1. 奥尔梅克末期，公元前600—前300年

在公元前600—前300年，奥尔梅克文化逐渐被人们所遗忘，而其他地区得到了兴旺的发展。圣洛伦索和拉文塔两处遗址在大约公元前400年都遭到废弃。墨西哥湾低地通常被称为奥尔梅克第三首府的特雷斯萨波特斯始于圣洛伦索期，兴盛于拉文塔期，似乎也完成了文化发展进程。事实上，该遗址是第一件奥尔梅克风格巨石头像的发现地，最后又有一件头像发现于此。然而，奥尔梅克艺术只代表了特雷斯萨波特斯雕刻艺术品中很小的一部分，我们对该遗址在奥尔梅克时期的具体情况知之甚少。在下一章我们会回到对该遗址的讨论上来，在这里需要注

意的是，在古典时代到来之前，墨西哥湾地区南部这一真正的奥尔梅克核心地区的考古因素在该遗址发现得相当有限。

## 2. 太平洋沿岸南部

从形成时代初期到形成时代早期/奥尔梅克文化初期，再进入形成时代中期，地峡地区形成了广泛而紧密联合的多种文化，它们共享相同的陶器风格和雕塑母题，开展原料和制成品的贸易。奥尔梅克文化的两大中心圣洛伦索和拉文塔借助索科努斯科沿岸酋邦已有的文化实践，带动了从西北部的拉古纳-索佩到东南部的查尔丘阿帕之间的贸易和管理型中心聚落的发展。当伟大的奥尔梅克中心遗址轰然倒塌，珍贵物资和商品贸易的动力也骤然消失，随之消失的是思想和意象。奥尔梅克母题在海岸地区的出现几乎只是形成时代中期特有的现象。形成时代中期到晚期，尽管奥尔梅克贸易不复存在，但特万特佩克地峡太平洋海岸平原及南至萨尔瓦多的中心聚落得到了充分发展，开始兴旺起来。

在这一文化体的最西端，拉古纳-索佩依旧是一个大型贸易中心，在大约公元前200年之前，它似乎更多受到来自包括玛雅在内的东方文化的影响，而不是它西北方的邻居蒙特阿尔班。沿着海岸一直向东南，我们发现了其他形成时代中期依旧繁荣的遗址：楚楚库利、伊萨帕、拉布兰卡和塔卡利克阿巴赫。

更向东南，埃尔巴尔萨莫遗址的使用期从公元前500年延续至公元前200年。这是一座大型的中心遗址，有着多座高达10米的土丘，沿着北偏东16度有序地排列着，并且形成了一系列长广场（Heller and Stark 1989）。该遗址是埃斯昆特拉地区形成时代中期晚段颇为庞大的聚落体系中的第一等级聚落，该地区有着三到四个聚落层级，表明了相当复杂的行政等级制度（Bove 1989：75）。图7.12显示了该地区近1000年中遗址的发展，从形成时代早期一直到形成时代末期。向上进入埃斯昆特拉的北部，现代村庄圣露西亚-科特苏马尔瓦帕附近地区，也曾在形成时代早期开始了人口的扩张，并于古典时代进入繁荣期。

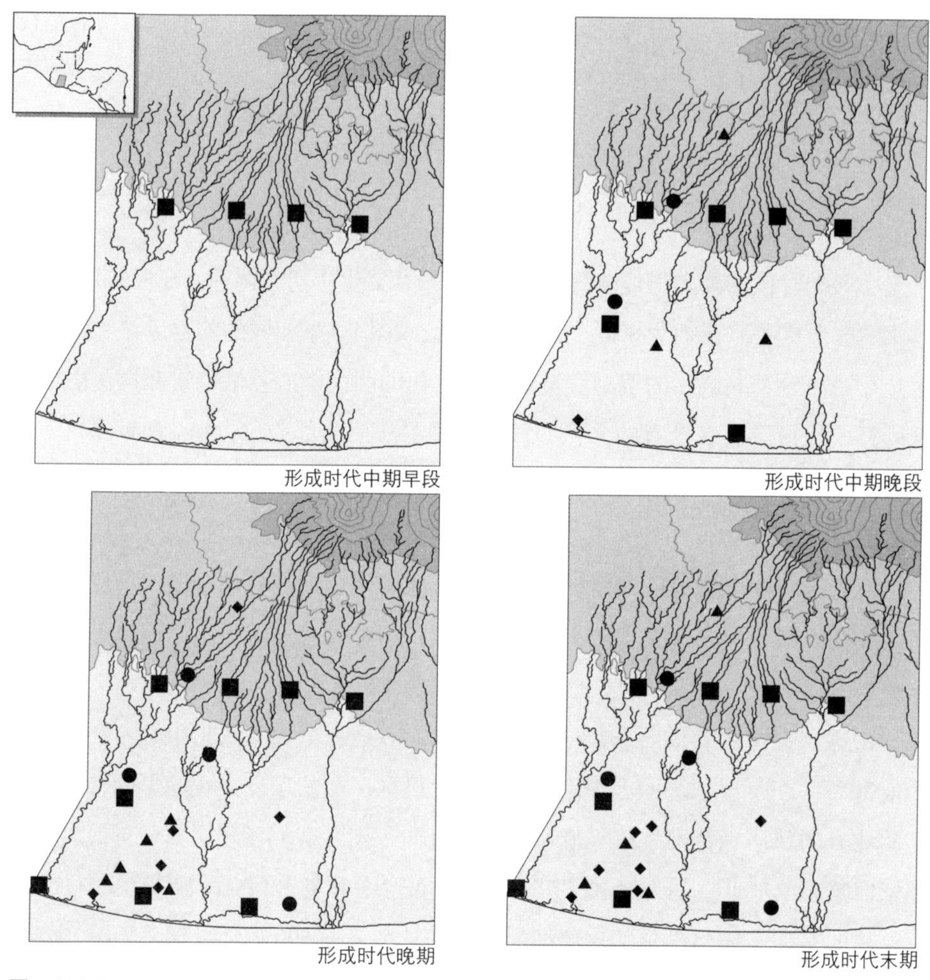


图7.12　埃斯昆特拉地区聚落系统的发展。在形成时代中期早段，主要遗址都沿着山麓的底部分布（自西向东分别为克里斯托瓦尔、埃尔巴尔萨莫、蒙特阿尔托和埃尔塞里托）。该地区中的每一座最高等级中心聚落都有“至少20万平方米，10座土丘，其中两座达8米”（Bove 1989：85）。在形成时代中期晚段，更多种类的生态区被人类所占据，虽然大体而言最大的社群依旧是上一时期的那些，但在其附近和海岸地区出现了新的都邑性聚落，海岸平原上还出现了第三级和第四级聚落。在形成时代晚期和末期，遗址的数目和规模有所增加，多数在海岸平原那些已经建立、仍然强大的都邑性聚落控制之下。依据中心地点理论，这种格局似乎表现出一种农人集市模式和政治管理模式的结合，在诸多影响因素中，极具地方性的海洋资源是造成与理想模式偏差的主要因素

## 3. 危地马拉高地：卡米纳尔胡尤

卡米纳尔胡尤在马哈达斯期（公元前750—前700年）和普罗维登西亚期（公元前700—前400年）的发展包括人口的翻倍增长（Brown 1984：214）、农业创新以及为扩大遗址附近沼泽地区可耕地面积而建设的排水设施。毫无疑问，这些举措为卡米纳尔胡尤和危地马拉河谷形成时代中期至晚期涌现的其他小型聚落的人口增长提供了保障。陶器的类型包括扁平鏊（煎饼用的浅锅）和有关节臂的小雕

图7.13　卡米纳尔胡尤的马哈达斯期是以土丘CIII-6内一个窖穴中的发现为基础界定的。右侧的9号石碑（高1.45米）发现于这座土丘，这种弯曲的雕造手法与之前的奥尔梅克艺术和之后的玛雅石碑都很相似。它刻画了一个做着手势的人物，嘴里冒出的涡卷形纹饰是一个泛中美地区的符号，代表着声音的表达：演讲，发声，或是该图像的情形：呼吸（Houston et al. 2006：140）。在阿兹特克人中，更为精致的涡形符号代表更具音乐性或诗意的话语

图7.14　19号石碑（高1.09米），来自卡米纳尔胡尤的马哈达斯期，刻画着手握巨蛇的男子。他和巨蛇似乎都戴着面具，可能代表天空和大地之神（Stone 1976：72）

像。该时期的雕刻传统包括弯曲的浅浮雕（图7.13、7.14）。

在韦尔贝纳期（公元前400—前300年），卡米纳尔胡尤的盟友向西可达太平洋沿岸，向东则到达莫塔瓜河谷；之后沿河向东直至加勒比海，与西北方向族群的联系却中断了。在卡米纳尔胡尤的东北有着两种重要的资源：距离35公里的埃尔查亚尔黑曜石矿，以及75公里外的莫塔瓜玉石矿。黑曜石矿对于卡米纳尔胡尤的贸易网络至关重要，但在形成时代它可能并没有有效控制该玉石矿。

### 专栏7.4／巧克力

本书的大部分读者近期有很大概率可能品尝过巧克力。巧克力是全世界最为流行的食物之一，并且是最可以让我们以“奢好”形容的食物。我们喜欢甜味的巧克力，但是它在未加工状态下的味道多少有些苦，需要额外添加调味料使它更为可口。中美地区人们也喜欢甜味的巧克力，也会在美味的菜肴中食用，比如莫雷（mole）酱料就用在普埃布拉一道著名的炖火鸡菜品中增加风味，也作为药品和壮阳剂的引子食用。

巧克力来源于可可树的种子，它的林奈分类法名称是由一个表达“众神之食物”的希腊语源词和一个纳瓦特尔语源词“可可”（Kahcow）组成的。该纳瓦特尔语词是个舶来品，来自玛雅语，并有可能最终追溯到米塞-索克语（Kaufman and Justeson 2006）。这些派生词表明了可可树在中美热带地区的长期种植史，尽管它可能是由南美洲起源的（McNeil 2006：4—5）。学者们相信中美地区最早的可可种植可能发生在形成时代太平洋海岸的南部地区，可可在贸易中的价值可能促进了该地区文化的早熟。可可是重要的贸易物品，而玛雅的贸易之神埃克丘阿赫正是可可的保护神。

可可贸易可能将可可带到了无法种植它的高地地区。在阿兹特克人的记载中，将此归功于托尔特克文化英雄托皮尔钦·克察尔科阿特尔，认为

**图7.15　左侧是一位玛雅君主，身体朝向一个可可罐，该场景绘于一件古典时代的容器上**

是他把可可带到了图拉，一起带来的还有其他热带地区的财富，比如玉、绿松石、金、银、羽毛和棉花（Codex Chimalpopoca 1982：29）。和其他精美商品一样，可可的使用很大程度上仅限于社会上层、王室、贵族以及商人等富有的平民。他们通常会将可可当作饮料，混合以蜂蜜、辣椒、香草和提取自圣耳花（拉丁名 *Cymbopetalum penduliflorum*）的调料。可可饮料的制备包括在专门的容器中混合、过滤和打泡，精通这一艺术的阿兹特克女奴可以赢得社会上层居址中的一座房屋，而不必沦为人牲被放在石块上献祭（Sahagún 1959［1569］：44）。

巧克力会出现在重要的阿兹特克宴席上，也是阿兹特克王宫的昂贵饮品。在这些场合，可可饮料是会与仆人分享的，但一般人若在平时饮用则会让人皱眉。无论如何，可可在阿兹特克市场是可以随时购买的，可以是可可饮料，也可以是可可豆。

事实上，可可豆在整个中美地区都被视作货币，对其品质的维护非常重要。可以想到的是，这些价值不菲的物品会被无良商人伪造，他们使用“苋菜籽面团、蜡和牛油果核”来制造假的可可豆（Sahagún 1961［1569］：65）。

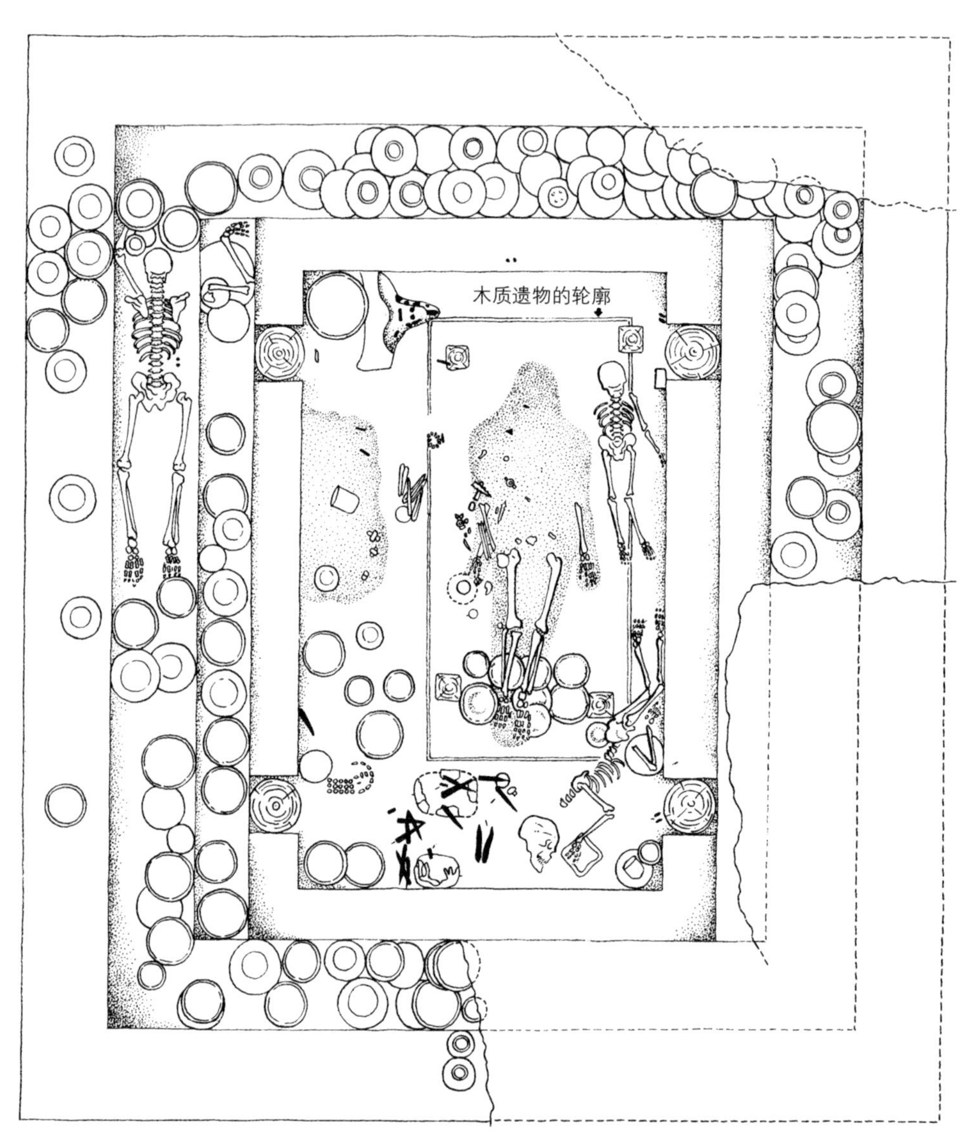


图7.16 卡米纳尔胡尤，建筑E-III-3中的墓葬II平面图。中间是墓主遗体，被包裹后覆上了朱砂。其他人骨是作为葬礼的一部分被埋葬的殉葬人牲。四个圆柱支撑着墓葬的屋顶，其他圆圈代表着大量作为随葬品的陶制容器。随葬品包括玉珠、黑曜石、肥皂石和骨质工具、石英晶体、黄貂鱼刺、绘有图案的葫芦和云母片

卡米纳尔胡尤的建筑包括由土筑平台围成的线性排布的广场和用作墓地的圆锥土丘。事实上，遗址中最大的土丘E-Ⅲ-3就是在这个时期建成的，正是米拉弗洛雷斯文化的兴盛期（Hatch 2010）。该土丘有20米高，70—90米宽，里面埋葬的两位死者可能是此社群的统治者（图7.16）。

## 4. 恰帕斯内陆高原

只要墨西哥湾低地南部的奥尔梅克中心与其南部、东部地区的贸易依旧持续，恰帕斯内陆遗址就能够借此兴盛繁荣，贸易物品包括可可、翡翠、羽毛、美洲豹毛皮等贵重物资，以及黑曜石这些实用品。随着圣洛伦索尤其是拉文塔对外需求的终止，恰帕斯内陆中心遗址也由此衰落，一些遗址几乎被遗弃（Clark 2010a）。拉利伯塔德是西北-东南向的格里哈尔瓦河谷贸易路线上最南端的遗址，兴建于公元前7世纪，有大型仪式建筑，到公元前300年之后便不复存在。其他诸如恰帕德科尔索、圣伊西德罗、米拉多尔等遗址则持续繁荣，但注意力似乎转向了玛雅低地的新兴力量，比如危地马拉北部佩滕地区的纳克贝和埃尔米拉多尔。

## 5. 玛雅低地地区的南部和中部

公元前600—前300年的玛雅低地地区，呈现了比之前丰富得多的考古遗存，无论从建筑还是陶器方面都是如此。陶器中包括马莫姆“蜡染”陶器，这一名称来自以蜡质在陶器上绘制图案的技术，绘制了蜡质图案的部分在上陶衣时不会粘到颜料，烧制后蜡质熔化，形成可以永久保留的图案。马莫姆陶器中的蜡染图案通常是波浪形的。

许多遗址经历了稳定的发展。在阿尔塔-德萨克里菲西奥斯遗址出现了居住平台，到了圣费利克斯-马莫姆期（公元前600—前300年），出现了第一座金字塔平台。在佩特斯巴通地区，公元前500—前200年是蓬塔-德奇米诺和阿瓜特卡两处遗址首个重要的时期。在30公里之外，形成时代中期早段即出现的伊桑遗址也发展起来。

再向北，到达佩滕地区，纳克贝和埃尔米拉多尔的巨大变化标志着玛雅低地复杂社会的兴旺繁荣（Hansen 2005）。纳克贝早在公元前8世纪就出现了大型建筑，平台高达18米。形成时代中期至晚期也见证了瓦哈克通和蒂卡尔大型建筑基础的营建。佩滕和其他地区大型建筑的兴起将会在第八章进行讨论。

在中美地区，圆形建筑颇为少见（Pollock 1936），形成时代的玛雅地区此类建筑可能被用作社群公共活动的中心。伯利兹的卡阿尔佩奇遗址中的圆形建筑既是活动平台又是墓地（Aimers et al. 2000）。

## 6. 玛雅低地北部

玛雅低地北部人群的大量定居要晚于佩滕和其他玛雅低地南部区域。就像我们在上一章提到的，人群沿着尤卡坦半岛的两侧向北推进。这些早期聚落持续发展并形成了重要的自身特点，比如齐比尔查尔通在公元6世纪就出现了玛雅低地最早的汗蒸浴室。这些聚落开展了与危地马拉高地之间的长距离贸易。在公元前600—前300年营建的聚落包括贝坎、奥斯金托克、科姆琴、卡巴、乌斯马尔和亚克苏纳。

## 7. 趋势展望

公元前600—前300年，许多地区的发展都预示着大型遗址将要兴起。地峡地区这一中美地区文明萌芽期的温床让位于西部的高地地区；蒙特阿尔班将发展为一座都城；而在玛雅低地南部，其东部的纳克贝和埃尔米拉多尔将成为有史以来最大的玛雅遗址。

# 第八章　形成时代晚期国家的出现（公元前300—公元1年）

在中美地区，公元前300—公元300年这段时间为形成时代的结束阶段。本章讨论的对象即形成时代晚期（公元前300—公元1年），第九章的主题是形成时代末期（公元1—300年）。需要注意的是，一些学者特别是玛雅学家，并未划分出“形成时代末期”这一个阶段，而是将形成时代晚期延伸到公元250年或300年，衔接古典时代的开端。我们出于自己的目的，使用更详细的阶段划分有利于凸显这600年间的重要趋势，即中美地区文化从酋邦林立的局面发展到一些酋邦演变为国家的过程（图8.1）。

## 1. 社会阶层化

国家是最复杂的政治组织——所有的现代人都或多或少地在一个或多个国家的庇护之下。包括中美地区在内的世界六大文明发源地，向国家的进化都涉及社会关系的一个重要变化。在酋邦社会，亲属关系也会将所有家庭整合在一个社会中，其中每个家庭的社会等级取决于它与统治者关系的密切程度。相比之下，国家出现了社会阶层（因此有分层社会一词），所有阶层（或阶级）都会在同其他阶层的对比中被分成不同等级。亲属关系依然重要，但它提供的是阶层内部的社会凝聚力——亲属关系无法为低等级和高等级社会成员之间的关系提供基础。

在分层社会中，上层阶层或阶级比下层更容易获取政治职位、权力和财富。

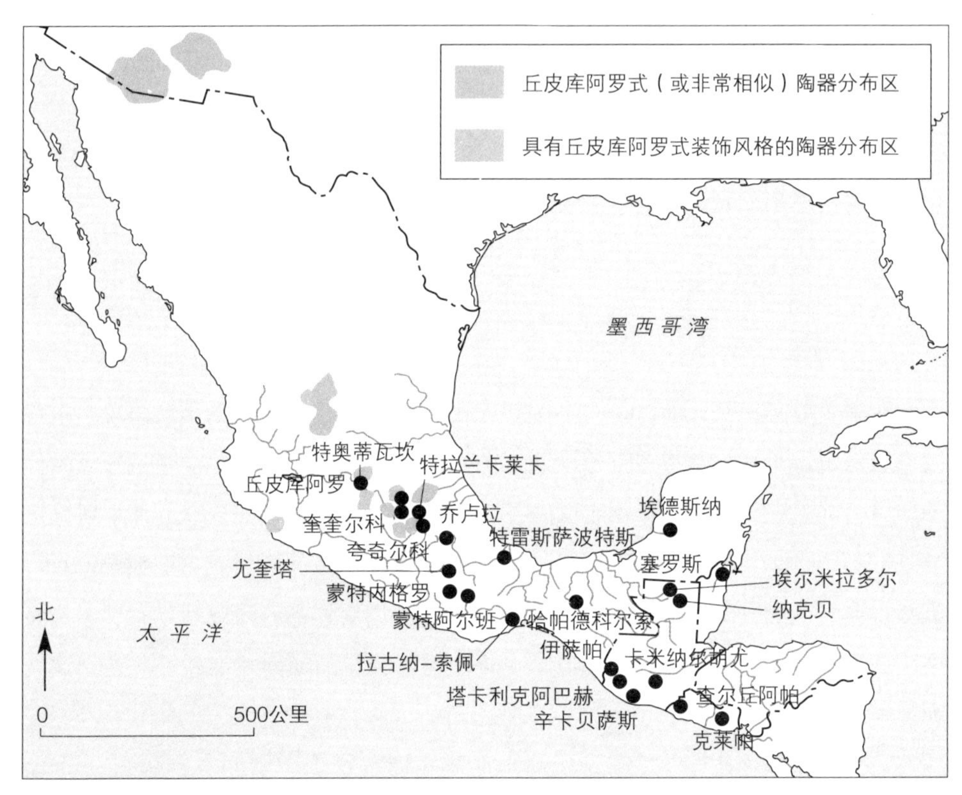


**图8.1　中美地区形成时代晚期的文化区域和遗址。形成时代晚期墨西哥西部墓葬文化系统：北部的丘皮库阿罗和竖穴墓文化，特帕尔卡特佩克河谷文化区（形成时代末期属于丘皮库阿罗文化），以及巴尔萨斯中部河谷的巴尔萨斯-米斯卡拉文化（Jiménez García et al. 1998）。这些地区都出现了农业村落，但除了墓葬中出土的陶器外，我们对这些文化知之甚少**

出土丘皮库阿罗或非常相似的陶器的地区。图拉地区遗址：滨河特佩希，图拉；墨西哥盆地遗址：塞罗-德尔特帕尔卡特、夸纳兰、夸奥蒂特兰、奎奎尔科、特奥蒂瓦坎、蒂科曼；莫雷洛斯地区遗址：瓜卢皮塔［库埃尔纳瓦卡］；米却肯地区遗址：克伦达罗区域；墨西哥西部地区遗址：科阿瓦亚纳谷地；西北边境：拉克马达遗址

出土具有丘皮库阿罗装饰风格陶器的地区。墨西哥盆地遗址：特拉帕科亚、萨卡滕科；北部干旱地区；巴希奥地区：莫雷洛斯阶段的瓜纳华托区域；北部干旱地区东北部遗址：图兰辛戈；北部干旱地区的墨西哥西北及美国西南部；萨卡特卡斯和杜兰戈地区的卡努蒂约文化；阿瓜斯卡连特斯地区未知的被盗遗址；莫戈永和霍霍卡姆文化

事实上，社会阶层化给那些控制资源的人带来了诸多好处，因为一旦社会转型开始，权力拥有者将会重组社会关系，保住后代的社会地位。人类学家用“制度化”这个术语来描述政治职位和权力等级是如何长久建立起来的。在现代通常的用法中，“制度化”意味着某人对精神或刑罚措施的归服，但这里的意义完全不同：建立世代相传的正式官职（国王、将军）和行政部门（税务局、军队）。想想与此形成鲜明对比的移动狩猎采集者，他们的“官员”由最有能力完成特定工作的人组成。

将权威和权力的地位改造成国家体制下制度化和永久性的公职，意味着建立一种超越任何个人人格、技能和寿命的政治结构。同时，像军队和官僚机构这样的制度化部门会确保社会上层对关键资源的获取是有法律保障的，甚至会由合法的暴力执行，这可以对付外部敌人和内部异见者。

维持这些制度化的职位和部门成本很高，而平等社会的游群或农业居民没有足够的剩余物资来供养诸如官员和士兵甚至全职工匠等非生产者，即使他们意识到自己需要这些非生产者。在酋邦及其等级化宗族中，一些复杂社会的元素出现了：农业生产有足够的剩余来支持像酋长和一些重要人物（如祭司和工匠）那样的专业人员。酋长的村落可能比其他村落更大、更宏伟，宗族间可能合作修建一座令人印象深刻的酋长之屋，或一座顶部建有神庙的巨大金字塔，或一系列能够生产更多粮食、养活更多人口的沟渠和水坝。但酋长主要依靠个人魅力和高等级带来的威望治理社会——本质上说，这种社会只是一个扩展的大家庭。

**人口及分层**｜人口众多且稠密虽不能保证维护社会和经济不平等的国家级别机构的出现，却是这些机构产生的必要先决条件，因为国家比酋邦更加依赖剩余产品，更多的农民和工匠则会产生更多的剩余产品。大规模的农业和手工业人口也会创造出自身复杂的经济依赖网络，正如我们所见的那样，会出现反映市场和交换系统形成的证据。

中心社区聚集了成千上万的居民，这些城市人口的密度和多元性进一步要求经济相互依赖，以及对复杂经济和社会关系的管理。人民和物品需要得到保护，免遭外敌侵害，而统治者养活的军队，必须首先忠于统治家族，并保护其利益。在防御设施和政治边界的发展中，可以看到军事力量制度化的证据。有时，人群迁徙的证据可以证明一个地区因成为某个扩张国家占领的目标而产生的政治动荡。

**意识形态和分层** | 最后，随着成熟的宗教和王朝图像特征被社会上层工匠和仪式专家提炼出来，独特的符号系统元素产生了。和其他许多农业社会一样，在中美地区，探寻太阳年对于农业活动的时间安排是至关重要的。形成时代的遗址开始出现一些经过特意设计的建筑，表明标记季节变化的重要性。“地平历”则利用景观特征或建筑来追踪和预测诸如两分两至等重要的节气。

太阳历和260天的占卜历相配合，成为记录时间的有效方法。这种计算和定位过去及未来事件的能力，进一步增强了社会上层已经享受到的社会分层带来的好处，因为他们可以记住自己的历史，也可以向大众解释超自然事件。在形成时代晚期和末期的中美地区，历法和文字紧密相连，二者在诸如石碑和墓葬壁画等王朝纪念性作品中得到共同表达，并且成为新兴国家重要的公共符号。

## 2. 陶器风格区和贵重物品的长距离交换

从考古学上说，形成时代晚期和末期代表了复杂酋邦和简单国家形成的政治统一地区的出现，可以通过几个特征来识别。最重要的是，这个时期出现了独特的区域性陶器风格区，各区中的陶器在陶土类型、器物形状和表面装饰方面都形成了本地风格。本章将讨论以下几个陶器圈：墨西哥盆地周围中部高地的丘皮库阿罗陶器、瓦哈卡谷地的灰陶、危地马拉高地米拉弗洛雷斯陶器、玛雅地区广泛分布的奇卡内尔陶器，以及从中美地区东南部贸易到玛雅地区附近的乌苏卢坦陶器。

这些陶器区“通过积极模仿和通婚形成的陶工迁移、赠礼、贸易或这些因素的某种结合，产生了一系列频繁的接触和联盟”（Stark 1997：282）。在中美地区的某些时期，曾经出现范围非常大的“风格区”，如在形成时代早期和中期，奥尔梅克图案被广泛使用。然而，在形成时代晚期，这种风格区收缩了，显然是各地区人口增长的结果，这些地区各自发展为统一的政治区域，同时也共享了艺术传统（Stark 1997：283）。

同时，独特的陶器也被视作用于长距离贸易和贵族之间交换礼物的珍贵物品。在中美地区，从一个地区到另一个地区的贸易必然会运输更小更有价值的商品，而非几乎在任何地方都可生产的主食或大型实用物品。毫无疑问，社会上层人士以某种直接的方式（可能是赞助或参与远行）或通过向商人征税的方式控制着远程贸易。这种安排可能将贸易与赠礼结合起来，从这个意义上说，不同地区精英群体之间的礼尚往来可能是这个广大贸易网络的一个重要特征。一个人会因为收到一篮子来自远方贸易伙伴的漂亮陶器而受人尊敬，在不违反互惠规则的情况下，他可以将其中一部分转给其他贸易伙伴。然而，虽然这种安排颇具礼节性，但长距离贸易都是为了统治者的利益（也要考虑成本）而进行，因为贸易提供了可可豆、绿咬鹃羽毛、玉石、精美纺织品和彩陶，社会上层可以用它们彰显和证实自己的地位。

彩陶最基本的用途是在宴会上盛装食物。从形成时代早期开始，这种容器就经常出现在与强调首领权力和热情好客密切关联的考古背景中。回想一下，即便是玉米，在其产量还没有高到足以当作主食之前，种植的目的可能就是作为啤酒的原料，用一种低度酒精饮料使社会和政治场合活跃起来，以此形成一种节日氛围。

宴会的食物当然也很重要。到了形成时代晚期，几乎所有中美地区的粮食作物都被驯化且广泛种植了，我们可以想象当时的食物已经包含了典型中美地区菜肴的风味。一名酋长为来访的商人举行宴会，他们可能是来自其他贵族家庭的成员，将会享用喷香的辣味炖菜、热气腾腾的塔马里（玉米粽子）和可可饮品。用来盛放食物的彩陶拥有一种宾客易于理解的风格化图案，表明酋长与一个相当大的地区内其他重要统治者的联系。

# 一、地峡西部高地的雏形国家

## 1. 墨西哥盆地：特奥蒂瓦坎和奎奎尔科

对形成时代晚期宴饮和贸易等统治者行为的洞察，有助于我们理解那些并无宴饮和结盟的直接证据地区的文化过程。例如，在形成时代晚期，特奥蒂瓦坎于墨西哥盆地崛起，在古典时代早期将成为新大陆最大的城市，人口接近10万人。事实上，在前哥伦布时代的新大陆，只有1519年的阿兹特克首都特诺奇蒂特兰能达到类似规模。然而，尽管特奥蒂瓦坎毫无疑问地令人印象深刻，但我们对于它早期的统治者及其获得权力的方式几乎一无所知。我们只知道，通过吸收整个墨西哥盆地的人口，特奥蒂瓦坎达到了令人震惊的人口规模；并且我们可以假设，为了支撑这个空前的人口数量，特奥蒂瓦坎肯定已经开发了适当的资源，比如充足的食物和淡水供给。

形成时代晚期初始阶段，墨西哥盆地的人口仍然集中在南部地区，正如形成时代晚期聚落模式图（图8.2）所示，湖泊周围尤其是南部低矮的山麓上分布着大量遗址。与前一时期相比变化非常显著。盆地北部新建了一些社区，最引人注目的是，两个非常大的区域中心遗址出现在盆地的两端：西南的奎奎尔科和东北的特奥蒂瓦坎。奎奎尔科的人口最后可能达到2万人甚至更多；形成时代晚期特奥蒂瓦坎的人口至少也有这么多，且增长很快（Sanders 1981：165）。直到奎奎尔科被火山爆发所摧毁，它和特奥蒂瓦坎之间的竞争才宣告结束。

## 2. 奎奎尔科和老火神

奎奎尔科建有盆地内第一个大型民政-仪式中心，也有盆地内第一座大型金字塔，形状为截顶的阶梯状锥体（图8.3）。该遗址始建于形成时代早期，可能与科阿佩斯科大约同时建立。公元前400—前200年，遗址上建起了最后一座金字塔建筑。

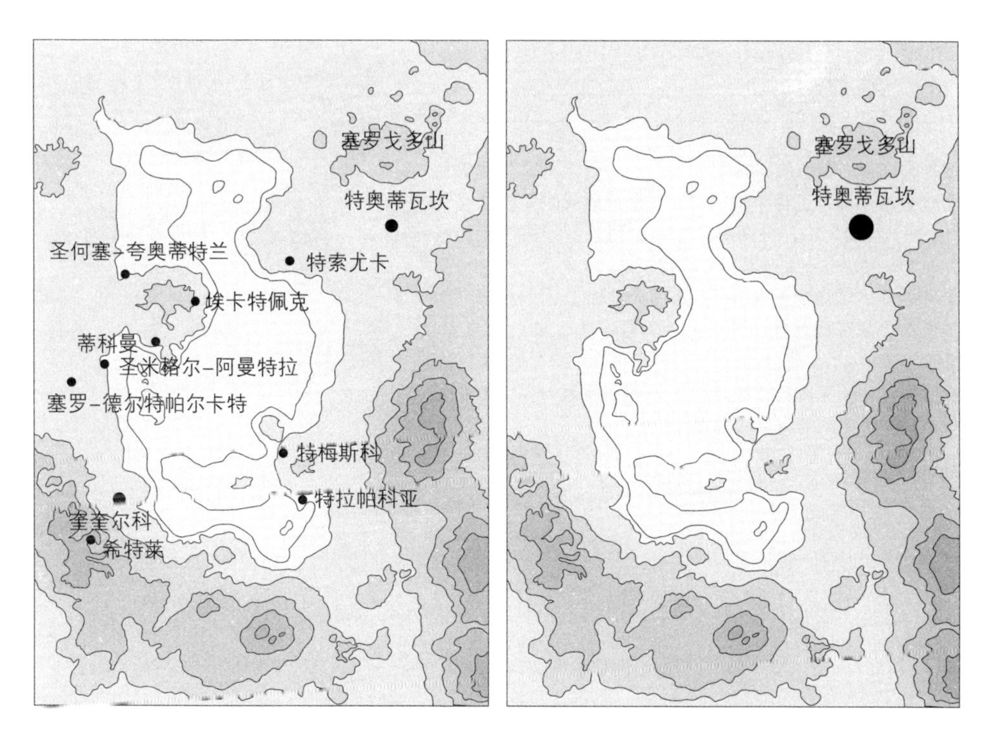


图8.2 墨西哥盆地形成时代晚期（公元前300—公元1年）（左）与形成时代末期（公元1—300年）（右）聚落模式对比图。奎奎尔科衰落后，小的区域中心都消失了，特奥蒂瓦坎统治了整个盆地

许多考古遗址都被掩埋了，但很少有遗址被掩埋得如此彻底，因为奎奎尔科是被附近的希特莱火山熔岩流吞没的。我们不知道希特莱火山究竟何时爆发，可能是在公元前400年到公元400年之间。然而，波波卡特佩特火山也于公元前250年至公元50年间爆发（Seibe 2000），严重破坏了盆地南部的社区。奎奎尔科被希特莱火山喷发所淹没，火山灰形成深达10米的覆盖层，延伸约80平方公里，完全封闭了考古遗存，以至于必须使用电钻进行发掘，几乎无法保存细节或了解聚落模式和居住建筑。事实上，除了主金字塔以外，我们对奎奎尔科知之甚少，但了解它是如何衰落的有助于这一时期重要历史进程的重建。首先，形成时代中期的奎奎尔科的重要性是以农业和贸易为基础的。正如我们已指出的，盆地内当时90%的人口都居住在中南部地区，这里降水量高，种植有把握，灌溉技术的应用更是提高了产量。到形成时代中期晚段，来自丘皮库阿罗地区、莫雷洛斯、格雷

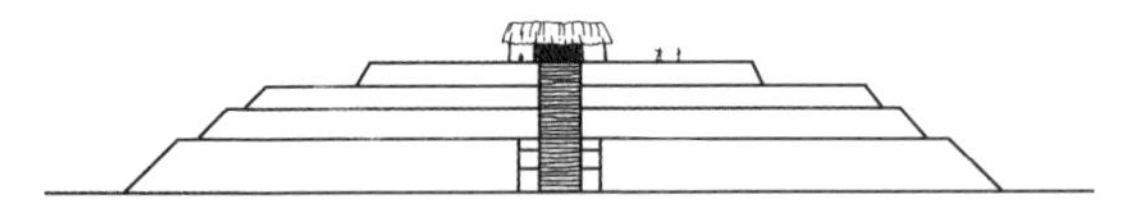

图8.3、8.4 奎奎尔科笼罩在火山的阴影之下，其建筑和仪式中都在崇拜这种不安的关系。形成时代晚期的金字塔（上图）状如火山，分两个阶段修建而成。如图所示的最后一个阶段，边长约135米，高20米。老火神，阿兹特克人称之为“韦韦特奥特尔”，其形象非常普遍。此神“历史悠久，从形成时代中期开始，其标准的形象一直持续，几乎没有改变”（Miller and Taube 1993：93）。它经常以石质雕刻（少见陶质）出现，一般被描绘为一个坐着的人（右图），头上戴的扁平圆帽象征火盆

罗的巴尔萨斯地区和蒙特阿尔班的陶器表明了贸易的盛行（Muller 1985：256）。

到公元前100年，奎奎尔科遗址及其周边人口大约2万人，面积约400万—500万平方米。在它的背后，希特莱火山非常活跃，就像今天的波波卡特佩特火山一般冒着烟。如此看来，老火神与奎奎尔科联系最密切真是非常合理的，阿兹特克人称此神为“韦韦特奥特尔”（图8.4）。在奎奎尔科的塑像和金字塔附近一座4米高的纪念碑上，都发现了韦韦特奥特尔的肖像（Pérez Campa 1998）。石雕戴着圆盘形的帽子，象征着火盆，焚烧时会冒烟。这与遗址的圆锥状金字塔非常呼应，金字塔顶部正有一座祭坛，在那里焚香和燃烧祭品的烟雾将直达天堂。这又进一步呼应了希特莱火山这座圆锥形冒着烟的金字塔形山丘。这是中美地区仪式中如何通过复制的方式来试图获取自然界之力的好例子。

火山爆发时，伴随着壮观且可怕的烟雾和岩浆。希特莱和波波卡特佩特火山的影响导致奎奎尔科人和其他人群为了逃命而离去，不少证据表明许多难民都逃到了特奥蒂瓦坎。首先，形成时代晚期到末期聚落模式的变迁表明人口从盆地内其他地区向特奥蒂瓦坎大规模转移。此外，在特奥蒂瓦坎的家户中发现了韦韦特奥特尔的火盆，但并无大型金字塔供奉此神。这表明由于这个神祇与古老族群的联系，它成为重要的家庭守护神，但是，由于身处火山并不活跃的墨西哥盆地北部，它可怕的破坏力并不会得到公开的崇拜。奎奎尔科则成为一个朝圣之所，在

灾难发生后几个世纪都有人来此觐拜，但直到古典时代早期，才有少量人在此居住，有个村子甚至一直延续到欧洲人到来之时（Muller 1985：257—258）。

## 3. 特奥蒂瓦坎和流水的神圣

在特奥蒂瓦坎，活火山并未威胁到人们的生存，但缺水的威胁是存在的。在特奥蒂瓦坎谷地，年平均降水量徘徊在500毫米左右，这是种植农作物的最低要求。假如是简单依赖降雨的农业，一年或两年低于平均降雨量可能就会严重影响食物供应。农民只能依靠从遗址背后的塞罗戈多山下涌出的泉水，以及山谷中的风暴所带来的仅能湿润土地的降雨。因此，特奥蒂瓦坎人崇拜风暴神（可能是玛雅查克神和阿兹特克特拉洛克神的早期版本）也是可以理解的，当然，有可能是另外一个一些学者称之为"伟大的女神"的神祇才与塞罗戈多山有关。然而，为了优先获取保证农业丰产的水源，特奥蒂瓦坎人依靠的不是对神灵的虔诚，而是驾驭发掘泉水和风暴的灌溉潜力的技术。

在形成时代晚期之前，特奥蒂瓦坎谷地是人类聚落的一个极为边缘的区域，在特奥蒂瓦坎人定居并扩张其灌溉系统之前，这里并没有发现人群长久居住的证据。塞罗戈多山南坡早期岩层形成巨大的玄武岩陆架，其下方流出的泉水将特奥蒂瓦坎下游谷地（从特奥蒂瓦坎西南边缘到特斯科科湖）变成一片沼泽。特奥蒂瓦坎城就建于谷地中部靠近泉水之处，从这里一直到特斯科科湖，形成时代晚期开始了包括运河灌溉和排水耕地开发的农业集约化进程（Sanders 1976：117—119）。使用的技术是在沼泽中挖掘运河，并将挖出的泥土堆到高地上，从而形成一些形状规整的河洲，这是高产的农业用地，周边有高效的运河系统为之服务。这项技术在后古典时代晚期的特诺奇蒂特兰创造出了"奇南帕"（浮园耕作法，被误名为"漂浮的花园"）。

灌溉水渠和排水农田是更大的农业集约化模式的一部分，这种模式在中美地区广泛应用，从形成时代一直延续到整个古典时代和后古典时代。这是人口增长和将种植扩展到农业边缘区域以满足人口需要之间的反馈关系的一部分，它促进了诸如梯田和灌溉等技术创新的发展。一些边缘区域变成产量很高的农田，这反过来促进了更多的人口增长。

与此同时，随着更多高产土地被某些家族控制，他们变得更加富有和强大，因为他们手中的土地价值越来越高。那些古老的特奥蒂瓦坎家族可能已经占据了最好的土地，而新来者造成了突然的人口爆炸，给城市统治者带来劳动力资源的猛增，可以被用在农业集约化工程上。当然，为了维持社会秩序和满足他们的基本需求，这群难民也需要谨慎和勤勉的施政和社会计划。在第九和第十章，我们将探讨特奥蒂瓦坎是如何处理这些机遇和问题的。

## 4. 墨西哥西部墓葬文化：竖穴墓和丘皮库阿罗

20世纪初，当从古墓中盗掘的独特且精美的陶器和塑像出售给墨西哥和美国的艺术收藏家时，墨西哥西部的前哥伦布文化才首次引起现代世界的注意。墨西哥西部的墓地和竖穴墓被盗墓者毁坏得如此彻底，以至于直到最近才发现少量保存完好的遗址并进行了系统发掘。对形成时代晚期墨西哥西部最重要的两个文化——丘皮库阿罗文化和竖穴墓文化的认识，主要是从盗掘的材料外加少量发掘资料中得到的。形成时代晚期形成的竖穴墓文化经常被认为与特乌奇特兰文化的圆形仪式性遗址有关。鉴于这些遗迹盛行于形成时代末期和古典时代，我们将在第九和第十章进行详细讨论。

**丘皮库阿罗文化**｜尽管丘皮库阿罗文化通常被认成是墨西哥西部文化的组成部分，但它距墨西哥盆地仅200公里，而离墨西哥西部竖穴墓中心区域和特乌奇特兰建筑分布区则有400公里（详见下文和第九章）。丘皮库阿罗文化遗存发现于巴希奥地区，地处北部干旱带最南端，除了形成时代晚期、古典时代和后古典时代晚期外，这个地区始终处于中美地区边界之外。在上述时期，温度和降雨的大范围改变造成该地区整体生产潜力的周期性变化，从而导致文化活动的出现。

在巴希奥盆地东部，沿着从托卢卡谷地北流而来又向西至米却肯和墨西哥西部的莱尔马河，丘皮库阿罗文化在形成时代晚期出现了。它以彩陶和独特的陶塑闻名，这些发源于本地的器物在整个中美地区被贸易交换和复制（图8.5、8.6）。不幸的是，目前已知的大多数丘皮库阿罗器物都是被盗出土的，几乎没有保留原始情境，而莱尔马河岸边的丘皮库阿罗遗址本身由几个邻近的形成时代晚期墓地组成，如今已深埋在索利斯大坝的水下（图8.7、8.8）。由于这些发现的零碎性，我们很难知道丘皮库阿罗文化的确切年代。对几个遗址发现丘皮库阿罗陶器的检视，大致提供了一个年代跨度：公元前650—前100年（Braniff 1998：102；Gorenstein 1985：45）。

在丘皮库阿罗，有关社会复杂程度和行为的推论来自对墓葬的发掘和随葬品组合的复原。这些资料包括约400具人骨，其中部分很明显是人牲，以及大约50具狗的骨骼、模型明器灶；随葬品包括陶器，两类风格差别明显的陶塑，陶哨、陶笛等乐器，以及人股骨制成的骨锉等。

我们知道丘皮库阿罗文化的居住遗址都位于莱尔马河及其不同支流交汇处的山顶上（Sánchez Correa 1993：96），但

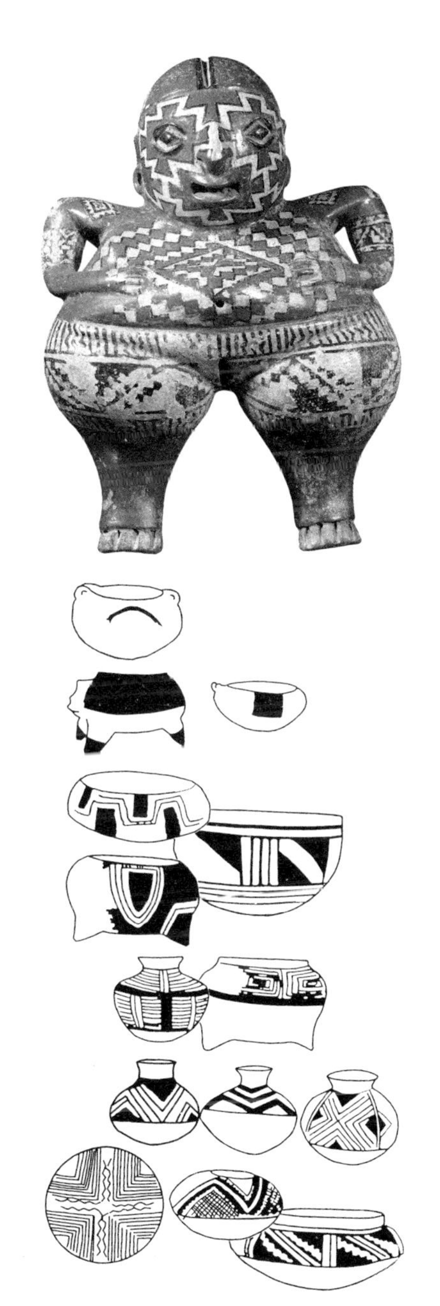

图8.5、8.6　丘皮库阿罗陶塑（上图，见Porter 1956：617）和陶器（下图，见Braniff 1998：76）

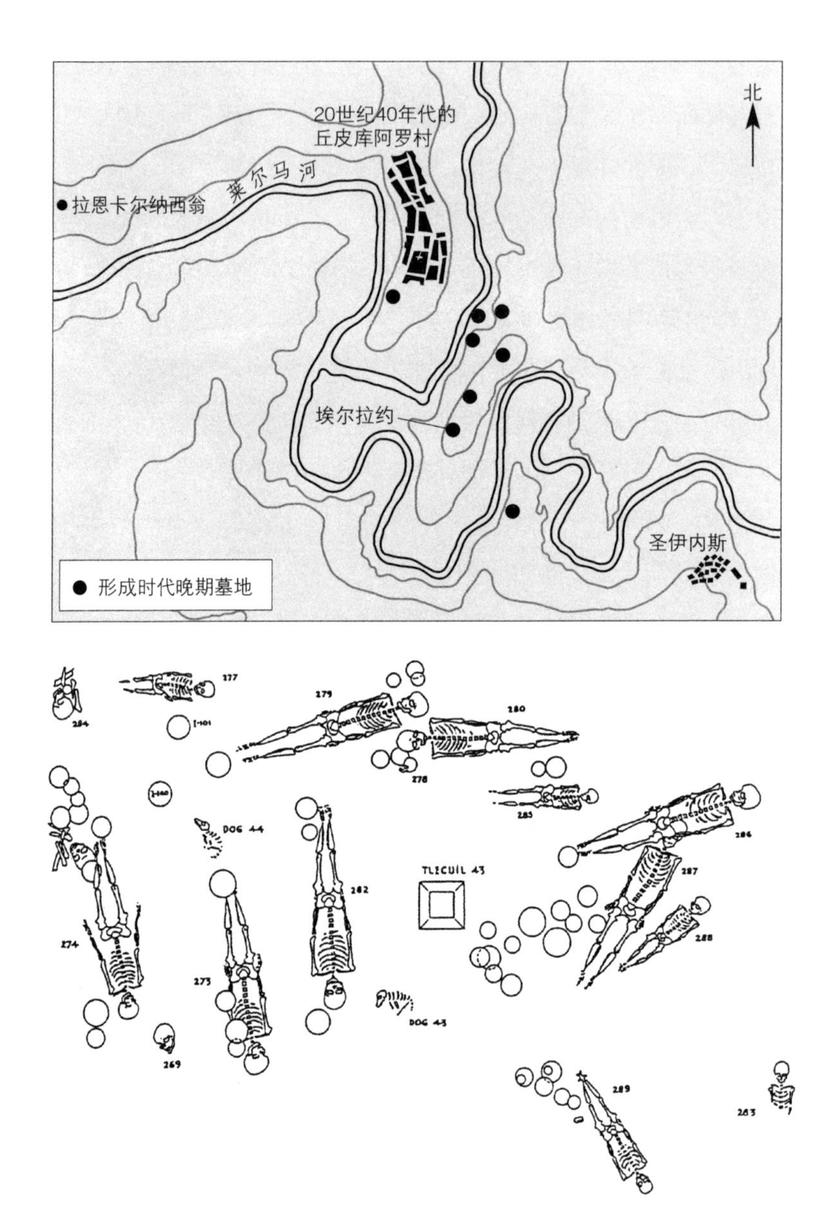


图8.7、8.8　丘皮库阿罗形成时代晚期的考古遗址分布在现代村落的周围。黑色的圆点代表了20世纪40年代发掘的形成时代晚期墓地。埃尔拉约墓地第111号灰坑发掘出土的人骨，被葬在简单的墓坑内，而非墓室之中。仰身直肢葬是最为常见的葬式（如在特拉蒂尔科遗址），但俯身屈肢葬也有发现。墓葬中的随葬品包括陶器（图中的圆形）和狗牲，后者毫无疑问是为了在地下世界陪伴墓主的。墓地中建有灶，还有一例是灶修在一座墓葬的上部

对这些遗址的大小和规划布局几乎一无所知。山顶的居住模式对于考古学家来说非常有趣，原因多种多样，其中重要的一点是，它表明了一种应对区域暴力的防御姿态。当然这样的选址可能也有其他原因，比如需要避免附近河流泛滥的危害，或者为了居住在肥沃的农田附近但又不直接在农田上。

丘皮库阿罗对其他地区的“影响”一直存在争议。丘皮库阿罗地区和墨西哥盆地之间的区域，散布着形成时代晚期的聚落。事实上，后古典时代托尔特克王国的首都图拉，就是在这个时期开始有人居住的，其形成时代晚期的陶器组合具有丘皮库阿罗和墨西哥盆地的特征（Mastache and Cobean 2010）。此外，尽管年代还未确定，但丘皮库阿罗文化的繁盛期与奎奎尔科和其他墨西哥盆地遗址的繁荣时期最为吻合，而此时，竖穴墓文化则刚刚在墨西哥西部出现。

因此毫不奇怪，丘皮库阿罗陶器的特征在墨西哥盆地及其周边同时期遗址中都有发现。事实上，丘皮库阿罗文化似乎并非是在其所在的地区逐渐发展起来的，而可能是墨西哥盆地的人群迁移来而形成的，并且可能是“以奎奎尔科为核心的国家扩张体系的一部分，具有军事特征”（Florance 1985：45）。随着奎奎尔科的消亡，“丘皮库阿罗这里的边境人口更易受到墨西哥西部古老人群的文化渗透”（同上）。

## 5. 中部高地其他地区

墨西哥盆地在墨西哥中部地区通常是人们关注的焦点，因为在特奥蒂瓦坎（形成时代末期到古典时代中期）和特诺奇蒂特兰–墨西哥城（后古典时代晚期到现在）鼎盛时期，墨西哥盆地的文化一直占据着统治地位，但是其周边区域也有重要的遗址和文化。这些地区在建立和保持强大文化存在的程度上有相当大的差异，这种差异似乎与农业安全密切相关。例如，图拉和托卢卡地区比南部地区更冷、更干旱，因此种植农作物风险更高；那里的聚落在形成时代晚期才出现，比南部区域要晚。

## 专栏8.1 美容变身

美的观念是受文化约束的。前代学者用“牙齿残缺”和“颅骨变形”等词语来形容古代中美地区人民（Romero 1970）。如今，我们将他们面部和身体的改变称为“美容变身”，因为今天有很多人会选择类似的方式诸如穿刺身体、文身甚至装饰牙齿等来彰显他们的个性。

身体穿孔在中美地区很常见，最简单和最普遍的例子可能是为了佩戴管状耳饰而在耳垂上穿孔，一些孔相当大。约2厘米的下唇，经常也会被刺穿悬挂唇饰，另外还会在鼻子上穿孔挂其他饰品。我们假设玛雅人是文身的，并且临时文身可能是用有图案的陶印章在皮肤上戳印出来的（参见图5.23）。身体穿孔和文身只能在软组织上留下痕迹，除了图像、雕塑或民族史资料中的描述外，我们很难找到直接的物质证据。

在古代中美地区，有大量关于牙齿整形和颅骨重塑的证据，其年代至少可以追溯至形成时代早期，并且一直延续到西班牙人入侵时期。牙齿整形包括改变牙齿底部的形状，在牙齿表面锉出图案和/或将诸如翡翠、黄铁矿以及绿松石等宝石嵌入牙齿上的钻孔中等（图8.9）。在古典时代晚期（详见第十二章），玛雅人这种行为似乎达到了流行高峰，而且似乎是在一个人刚成年时做的。人骨证据表明，这种行为可能会导致健康问题，比如牙周脓肿。

对头盖骨进行塑形更为常见。这一过程必须在一个人还是婴儿且头骨仍然柔软时开始。为了达到扁平的效果，必须用平板夹住头骨；如果想达到长圆形的效果，就用带状物紧紧捆绑头骨一圈，这样天灵盖就会缓慢地且永久地变成预想的细长形状（图8.10）。和牙齿整形一样，颅骨塑形也是中美地区广泛存在的古老习俗。一些学者认为这是精英阶层的特权，但一些普通墓葬中出土的人骨也显示出这些习惯。

对玛雅人来说，对眼是美丽的。这一美容变化是由头饰故意诱发的，

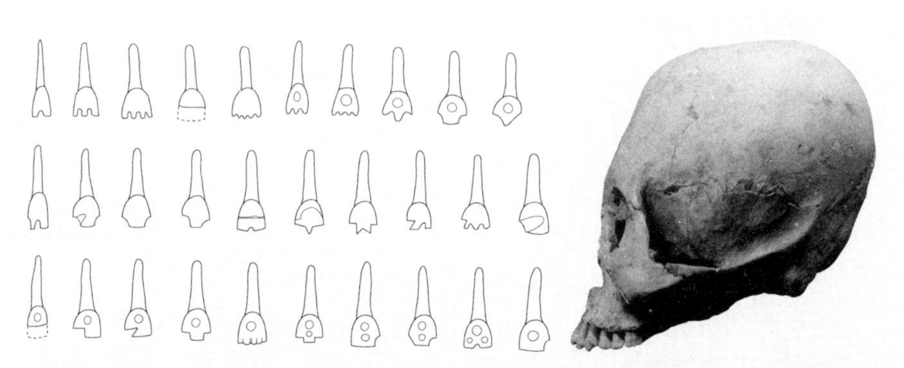

图8.9、8.10　如左图所示，牙齿重塑有一系列形状。右图是一个平整后的头骨，通过在他婴儿时期将头颅夹在木板之间而形成

即在佩戴者的眼前正中悬挂一个物体。玛雅艺术为我们了解文化约束下的美的观念提供了很好的视角：强调长着粗壮凸起鼻子的细长头部（参见图12.14），集中目光的对眼，闪烁的灿烂微笑和奇特的表情。在当今通过身体艺术进行自我表达的文化氛围中，玛雅文明是一个丰富的灵感来源。

**莫雷洛斯**｜莫雷洛斯地区位于托卢卡东南部，与上文讨论的地区相比，它海拔更低，气候温暖湿润，农业种植更加稳定，因此它具有更悠久的人群定居史也是毫不奇怪的。当查尔卡钦戈遗址废弃（公元前500年）时，由包含数千人的大型区域中心构成的聚落群正广泛出现，每个中心周边都围绕着农业村落。在莫雷洛斯北部，墨西哥盆地的影响力很强，该地区的聚落群开始被纳入奎奎尔科或特奥蒂瓦坎统治的影响范围内，并共享他们的社会文化发展水平，即从酋邦向国家级社会过渡。

墨西哥盆地的黑曜石盛行于莫雷洛斯地区，其中来自特奥蒂瓦坎附近的奥图姆巴的原料占了一半。这种重要工具材料的进口可能是统治者的特权之一，“他们是从事资源储存，以及与原料产地附近的人群有着特殊交换关系的社会上层群体”（Hirth 1984：146）。这对于莫雷洛斯北部和墨西哥盆地的社会上层都有利，并且加强了社会分层，因为获取这一关键资源的途径是被上层控制的。在莫雷洛斯南部，社会文化的变迁步伐并没有因为墨西哥盆地的影响而加快，西南部的陶器显示出与格雷罗地区更为密切的关系。

**普埃布拉和特拉斯卡拉**｜莫雷洛斯东北部也形成了同样的区域聚落形态，仪式中心延续发展到古典时代及以后，周边围绕着农业村落。普埃布拉拥有丰富的农业用地，从形成时代以来就支撑起大量的人口，并且像墨西哥盆地同时代的农业专家一样，开始实验提高生产力的方法，比如阿马卢坎的灌溉水渠（图8.11）。这些本地的梯田和灌溉系统值得一看，因为它们告诉了我们有关劳力消耗和完成更大型项目的潜力。仅仅为了修建阿马卢坎系统，就需要挖掘至少8万立方米的泥土，用木质工具挖掘和移动，并用篮子运走。这还只是开始，水渠每年都会淤塞，因此需要反复挖掘和搬运。

在一些遗址，人们致力于大型建筑的修建。到了后古典时代，乔卢拉是

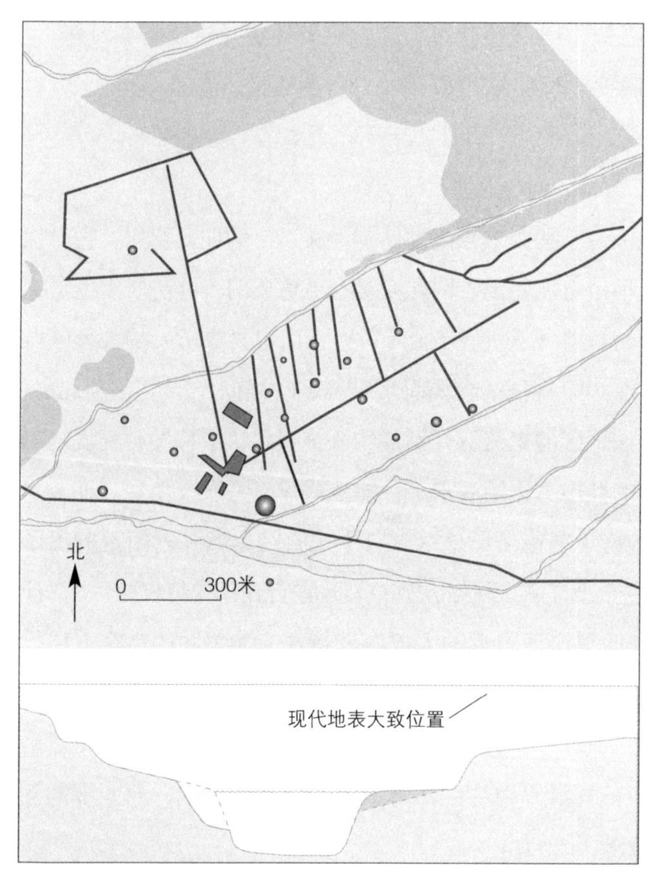


图8.11 在特索基潘阶段，阿马卢坎（普埃布拉）遗址开始有人群居住，其面积有60万—120万平方米。该遗址的布局值得研究，包括金字塔和一组灌溉沟渠，它们代表了中美地区一种普遍的趋势，并为我们提供了一个由村民自己修建并维护灌溉系统的概念。对于像特奥蒂瓦坎这样人口众多的城市来说，那些需要劳动力的项目，其可行范围要大得多。如图所示，阿马卢坎的灌溉系统长达8公里（Fowler 1968）。挖掘的沟渠剖面显示了投入劳力的程度：沟渠在地表以下深2.5米，底部宽约4米

普埃布拉最重要的城市——它是西班牙人看到的第一个与欧洲城市规模相当的城市，也是后古典时代羽蛇崇拜的朝圣中心。乔卢拉遗址始建于形成时代初期，其民政-仪式建筑从形成时代晚期开始修建。和特奥蒂瓦坎一样，乔卢拉可能也吸收了大批受到波波卡特佩特火山爆发影响而逃亡的难民（Plunket and Uruñela 1998a）。

霍奇特卡特尔和托蒂梅瓦坎也建有带金字塔的民政-仪式中心。特拉兰卡莱卡建筑精美（图8.12、8.13），人口从形成时代早期以来就持续增长，到形成时代晚期多达1万人。数十个仪式建筑显示出后来特奥蒂瓦坎的著名建筑特征，即“斜坡-立面”风格（详见第九章），建筑的正面为斜坡状底座外加上部的垂直长立面，这在普埃布拉其他遗址也有发现，表明这种建筑风格起源于此，并被墨西哥盆地所接受（Uruñela and Plunket 2007）。特拉兰卡莱卡在形成时代晚期结束时人口已经大减，到形成时代末期被废弃。

特拉兰卡莱卡向北约10公里就是瓜卢皮塔-拉斯达利阿斯遗址，面积比特拉兰卡莱卡小得多，但布局类似，因此考古学家昵称之为“小特拉兰卡莱卡”（García Cook and Rodriguez 1975）。遗址位于两条溪谷之间，金字塔和房屋台基分布在一条向东延伸的山脊上，农业梯田沿着山脊的斜坡向下展开。和特拉兰卡莱卡遗址一样，瓜卢皮塔遗址也显示出与远方文化互动的证据，比如，其陶塑和一些陶器特征与丘皮库阿罗-奎奎尔科交互圈类似。瓜卢皮塔和特拉兰卡莱卡遗址距离西部的奎奎尔科都不到100公里。

**特瓦坎** | 在特瓦坎地区，夸奇尔科遗址在圣玛丽亚晚期和帕洛布兰科早期（公元前500—前150年，公元前150—公元250年）发展起来，这是特瓦坎谷地第一个重要的社群，对谷地内大多数区域来说，“它是一个最初的‘中心地点’”（Drennan 1979：169）。如图8.14所示，该社群内有壮观的民政-仪式建筑，可以俯瞰居住区和农田。建筑清楚地体现出等级差异。在中心广场周围，一些房屋建在石面台基之上，高1—2米，其他的只是“简单的编木条并抹泥，有时甚至没有石墙地基”（Drennan 1978：78）。

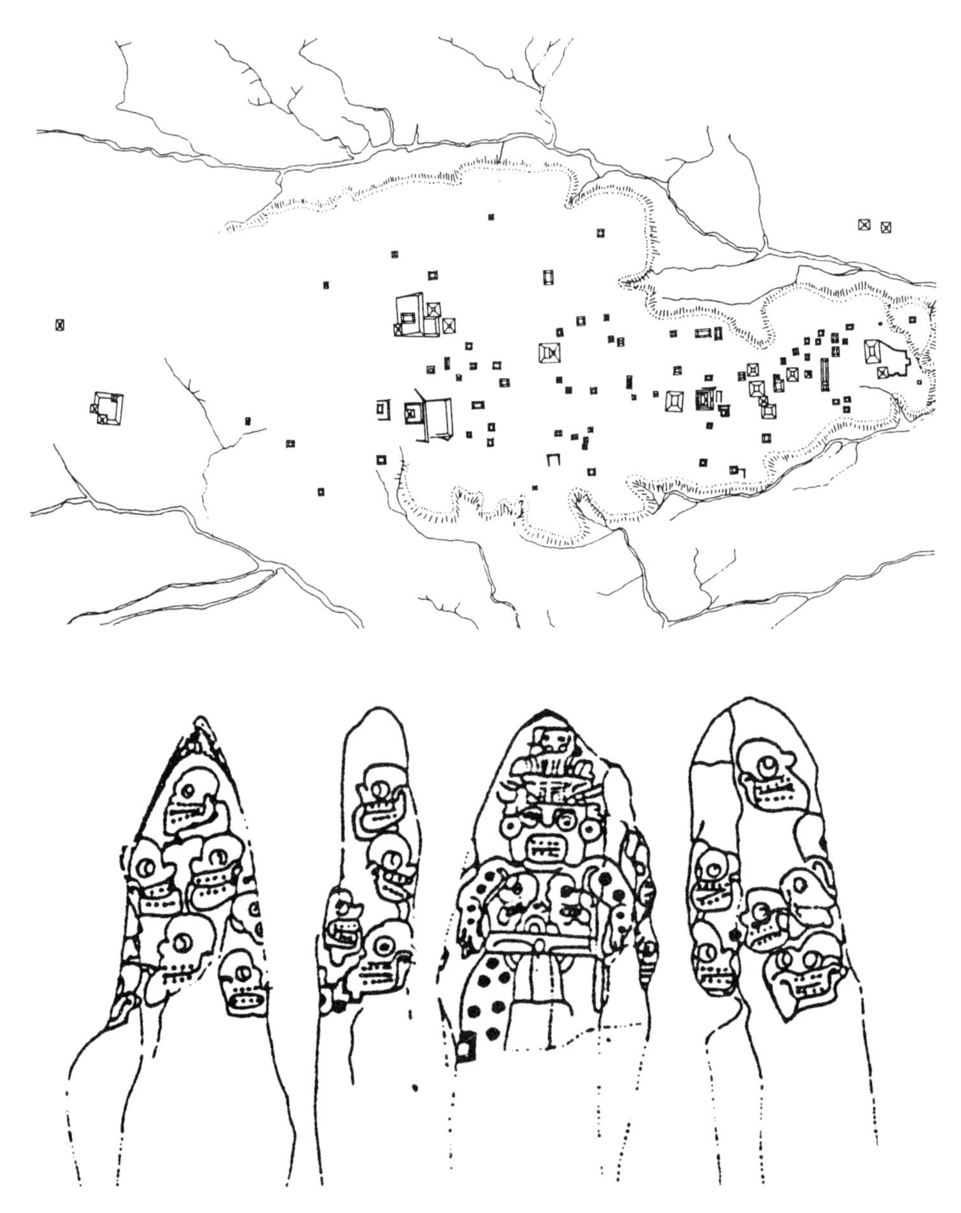

图8.12、8.13　特拉兰卡莱卡遗址（普埃布拉）。年代在公元前1100—公元100年，遗址位于两条峡谷之间的一座火山山脊之上。遗址平面图（上）标注出大型建筑，一些土墩高度至少达到15米。居住区范围超过了这个区域，并延伸到东北方向的平原上。（下图）7号纪念碑描绘了一个代表死亡的神灵或个人。他嘴部没有血肉，身体和石碑背面均刻有骷髅图案；身上的斑点可能代表其本质内的美洲豹部分（Aguilera 1974）

图8.14　特瓦坎谷地的夸奇尔科遗址平面图显示了其规整的布局。遗址西北区域（左上角）以一个中心广场为中心，面积大约150米×125米，周边围绕的土墩“高2米到9米不等……均是相当精致的石质建筑遗迹”（Drennan 1978：23）。在公元前150年，夸奇尔科遗址面积达到最大，约30万平方米，而且人口数百人；到公元1年左右，遗址被废弃了。尽管遗址在后古典时代又重新有人居住，围绕中心广场的土墩也随之扩大，但其民政-仪式建筑的格局在形成时代晚期就形成了。遗址东南部（右下）是一片居住区，其房屋土墩沿着灌溉沟渠散布

夸奇尔科衰落的原因并不清楚，但部分可能要归因于特瓦坎地区持续增长的人口。到公元1年，谷地内不再只有一个重要聚落，又出现了六个相互竞争的大型聚落，可能都是小型酋邦的中心聚落。另外，这些新建的遗址均位于防御性的山顶，不像夸奇尔科在相对低洼的位置而易受攻击。其中一个新的遗址，夸尤卡特佩克将在第九章中讨论。向更具防御性的聚落模式转变，可能与日益强大的蒙特阿尔班有关，下文将会讨论。

特瓦坎谷地再往南，距离夸奇尔科约25公里的普龙大坝是一座令中美地区

形成时代晚期任何民政–仪式建筑都相形见绌的大型建筑。大坝分四个阶段修建，从大约公元前700年开始，到帕洛布兰科时期结束。第一座大坝可能是“一个小村庄内合作”修建的，大致需要10个人工作100天，随着后续阶段的逐层加高，“工作量大大增加”，要完成第四阶段的工作需要附近所有19个聚落的劳动力（Woodbury and Neely 1972：98）。事实上，如果这是一座为当地灌溉土地而修建的工程，第四阶段估计蓄水264万加仑，仅能灌溉300公顷多一点的土地，并不足以满足当地的粮食需求。

公元250年前后，阿罗约–伦乔迭戈地区和普龙水坝被遗弃。可能是因为考虑到回报，下一阶段的劳动力投入实在是令人生畏；或者由于大型政治体的野心破坏了地方的小社区群，本地区变得不再安全。

## 6. 奎卡特兰峡谷

奎卡特兰峡谷位于瓦哈卡谷地北部，是特瓦坎谷地南部一段狭窄的延伸，它处于两个谷地之间的自然路线上，而且，像特瓦坎谷地一样，它也反映了蒙特阿尔班在形成时代晚期和末期日益增长的政治实力，证据就是大约公元前200年聚落分布的变化。这个时期标志着峡谷由佩尔迪多期（公元前600—前200年）转入洛马斯期（公元前200—公元200年）。此时，峡谷北端（即靠近特瓦坎谷地的一端）的小遗址被基奥特佩克山周边的防御性遗址所取代（Spencer and Redmond 1997）。基奥特佩克位于特瓦坎谷地和瓦哈卡谷地北部河流的交汇处，这些河流汇合后流向墨西哥湾低地中南部，因此它是这三个地区的重要连接点。

奎卡特兰峡谷更南处，亚诺佩尔迪多和洛马–德拉科约特拉遗址体现了从低洼遗址到更具防御的山顶遗址的转变（图8.15、8.16）。二者之间的对比很好地说明了地峡西部高地许多地区经历的过程，即平原上的农业村落被废弃，取而代之的是更具防御性的山顶遗址。

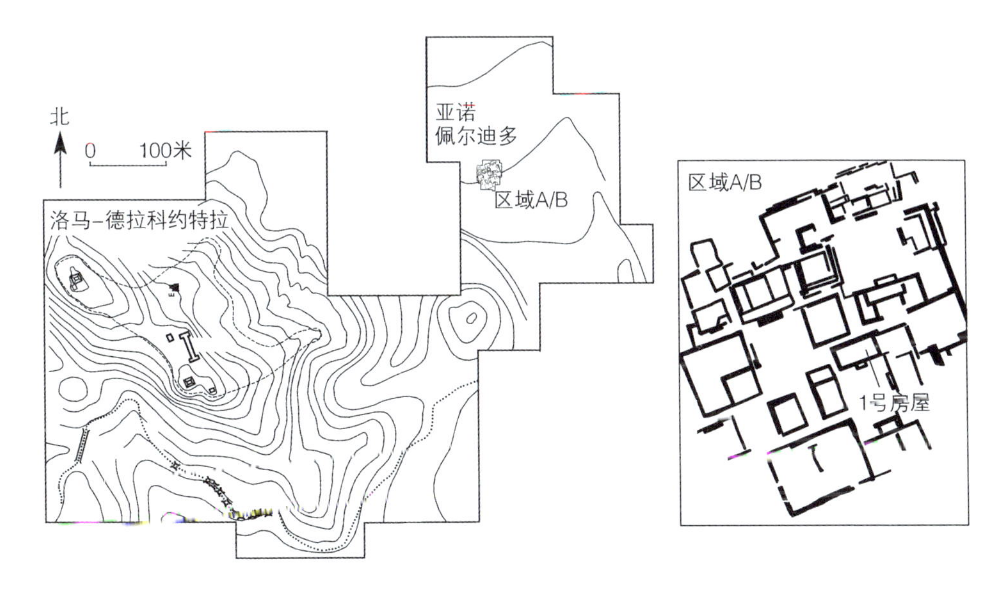


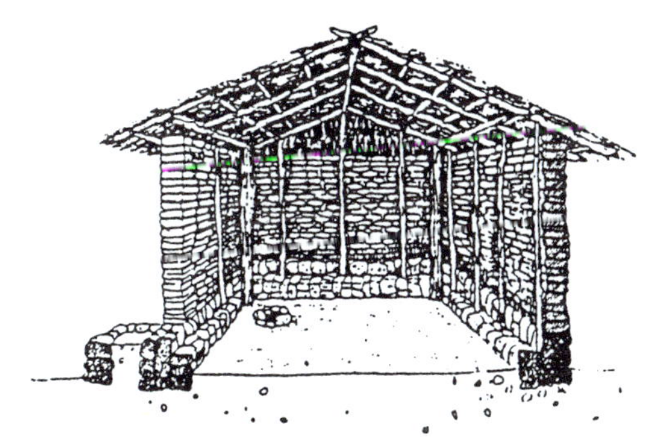

图8.15、8.16　大约公元前200年，在奎卡特兰峡谷地区，亚诺佩尔迪多遗址被火烧毁。位于洛马-德拉科约特拉顶部的新聚落，具有更为规整的建筑群，包括几座金字塔式建筑和一座球场。如区域A/B平面图所示（边长35米），亚诺佩尔迪多的房屋和仪式建筑分别围绕着各自的庭院，分为四组院落。居住区建筑由小型单户家庭房屋组成。复原图显示1号房屋的灶位于房间的角落

## 7. 米斯特卡

在奎卡特兰峡谷西部，上米斯特卡地区破碎的山区地形提供了必要的隔离，从而保证了米斯特卡文化独特的区域发展，但河谷为邻近地区提供了交通便利，所以观念和物品的交换依然很活跃。上米斯特卡地区在形成时代晚期开始了一系列重要的文化变革，包括社会阶层化、国家和国家宗教的兴起以及三级聚落系统的出现等（Spores 1984）。

尤奎塔遗址仍然是诺奇斯特兰峡谷最重要的社区，这是一个中心城市，人口约6500人，几乎占据了峡谷一半的人口，“它是从瓦哈卡谷地、奎卡特兰峡谷或特瓦坎谷地来的旅行者或商人进入这个地区所见的第一个城市”（Winter 1984：208）。也许因为它地位的脆弱和蒙特阿尔班的扩张，到了形成时代晚期结束时，尤奎塔被遗弃了，一个多世纪无人居住。

尤奎塔遗址位于水量丰沛的水系上游，这些水系汇成里奥贝尔德河，向南奔流150公里进入太平洋。这条河穿过海岸平原至少30公里，该地区的一部分被称为海岸米斯特卡。不同于从地峡向东南延伸的太平洋海岸平原，格雷罗-瓦哈卡海岸并非一大片连续的沿海平原。相反，山脉中断了连续性，海岸米斯特卡也相对隔绝独立，却是该地区少数相对舒展的海岸平原之一。

这种隔绝使得这个地区的永久性聚落形成缓慢，但到了形成时代晚期，该地区已拥有大量社区，可能具有“因地位差别而形成的两级聚落，贵族控制了威望物品以及大规模的建筑活动”（Joyce 1993：71）等特征。在塞罗-德拉克鲁斯和里奥别霍两个遗址中，彩陶来自瓦哈卡谷地和另一个未知的地点。长距离的贸易网络，本地贵族通过显示与外部力量接触以及积累和使用珍贵物品的能力来证实和强化自己地位的需求，都在上述类似的进口活动中得以证明。

## 8. 蒙特阿尔班

在墨西哥盆地可见的城市化进程在瓦哈卡谷地几乎同时发生，到蒙特阿尔班Ⅰ期结束时，该遗址人口达到17000人，成为当时新大陆最大的城市之一。当墨西哥盆地谱写着因自然灾害而加速人口聚集的传奇史诗时，瓦哈卡谷地正上演着一出完全由人为主导的戏剧，一个酋邦通过“接管其邻近酋邦，并最终将它们变成更大政治体下的附属行省”而成为一个国家（Marcus and Flannery 1996：157）。

正如我们所见，从公元前500年开始，蒙特阿尔班就将瓦哈卡谷地的大多数人口都吸收到了遗址中。但相对于墨西哥盆地大部分地区都几乎废弃而言，这一结果没那么严重，蒙特阿尔班以外的聚落规模大小不一，组成了三级甚至四级聚落等级，这是国家级别组织的有力标志。遗址类型包括山顶防御性遗址。到公元前100年，整个谷地都在蒙特阿尔班的控制之下，正如在奎卡特兰峡谷所见的那样，邻近地区也受到了影响。

我们本希望从蒙特阿尔班大型建筑的发展中获得其持续增长的影响力和力量的直接证据，可惜的是这一阶段几乎没有留下什么遗迹。在第七章中，我们注意到“舞者”雕刻显示了蒙特阿尔班对其敌人的震慑。很可能，到公元前最后几个世纪，清理和平整山顶广场的大工程已经在进行，并且大型建筑的主要布局已经形成，但后来的建筑事件破坏了这一证据。

### 9. 蒙特内格罗

为了理解这一时期的蒙特阿尔班看起来是什么样的，同时期遗址蒙特内格罗可以作为一个例子（图8.17）。位于米斯特卡的蒙特内格罗遗址可能就是由来自瓦哈卡谷地的人群所建。建筑的相似性可能反映出“一种共享的政治文化传统的延续”，而非简单的传播（Balkansky et al. 2004：55）。位于蒙特阿尔班和米斯特卡之间的佩尼奥莱斯地区在形成时代晚期和末期就有大量聚落，其中发现了蒙特阿尔班Ⅰ期和Ⅱ期的陶器（或者是本地模仿），但少见米斯特克陶器（Finsten 2010）。正好位于佩尼奥莱斯以西的蒙特内格罗，可能是一个前沿据点，其“防御性位置暗示了它可能处于萨波特克人和敌对邻居的边界或附近”（Marcus and Flannery 1996：169）。这个边界似乎一直从蒙特阿尔班向外推进，也使得他们的新邻居有些敌意。在这个时期，许多遗址都位于山顶的现象证明了防御位置的必要性，也表明更大、更强、更有组织性的文化正以黩武的方式扩张。

## 二、地峡及其东部

大地峡地区一直是奥尔梅克文化活跃的核心地区，但到了形成时代晚期，其

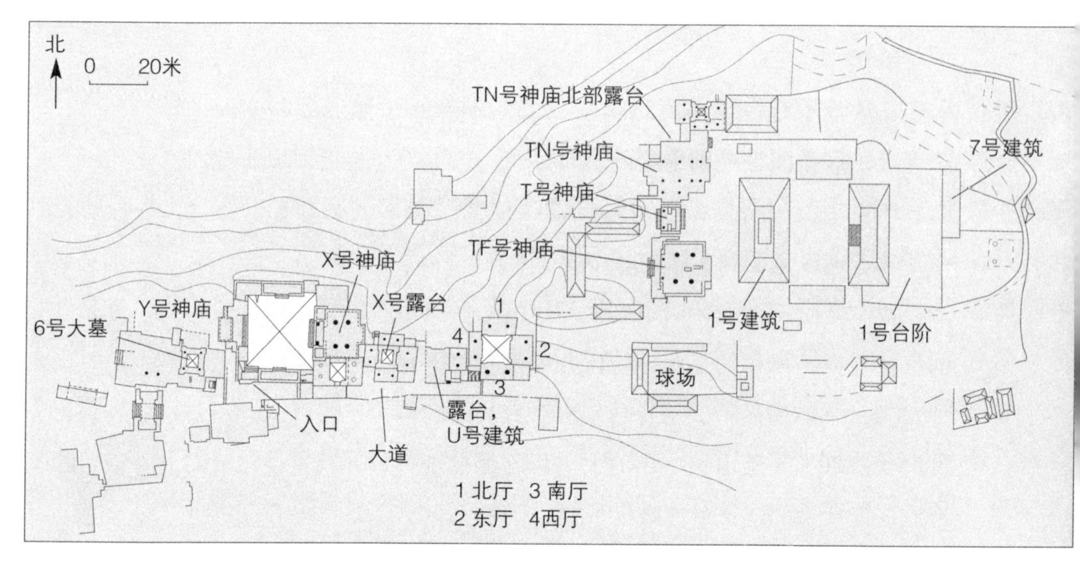


图8.17 蒙特内格罗遗址位于蒙特阿尔班西部60公里的一座山顶上。遗址的总平面图显示了其大范围的山顶布局。请注意，一些建筑特征在稍晚的蒙特阿尔班及其他遗址的民政-仪式建筑中也能见到，比如四座邻近建筑围绕着一个庭院，以及柱子的使用等，柱子可以形成更大的封闭房间，在这种寒冷和高海拔（海拔2900米）的环境中保护居民。第1—4号和6号建筑可能代表了贵族的居所

他地区正在推进圣洛伦索或拉文塔统治者无法想象的政治扩张计划。尽管如此，地峡地区依然保持着一种早熟，我们在这里发现了中美地区长纪年历系统和象形文字最古老的表达。作为保存历史记录的两种联合手段，需要注意历法和书写的相互依赖性。每个伟大世界的书写系统都有着不同的原始功能：美索不达米亚书写系统，现代欧美书写系统的前身，是为了计数和讲述神话历史故事而发展起来的；而中国的书写系统则起源于占卜目的。

## 1. 墨西哥湾低地，中南部和南部

位于墨西哥湾低地中南部帕帕洛阿潘平原的特雷斯萨波特斯遗址出土了两个形成时代早中期的奥尔梅克巨石头像，但我们对遗址内聚落的了解却是从形成时代晚期和末期开始的。该遗址包括四个相似的大土墩组合，每组都呈东-西走向，并带有一座广场，广场西侧都有一个金字塔神庙土墩（Pool 2007：248—250）。其中三组建筑分布在超过200万平方米的范围内，第四组建筑位于西北方向约2公里远。

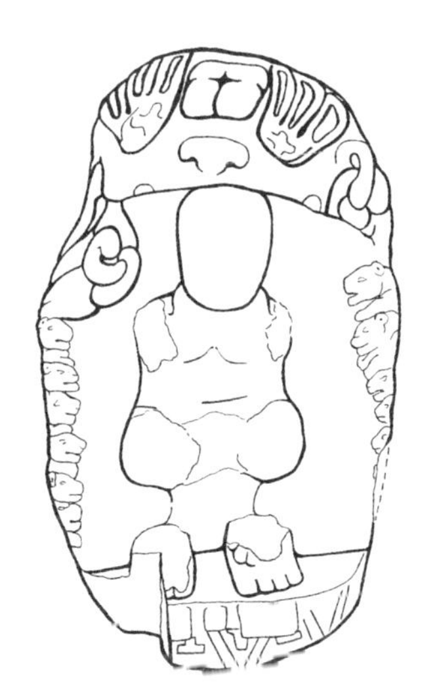

图8.18、8.19 整个地峡区域拥有共同的雕刻风格和图像表达。如图，两个场景均发生于美洲豹口中，左侧为伊萨帕2号石碑，右侧为特雷斯萨波特斯D号石碑，二者相距大约500公里

该遗址大部分石雕的年代均为形成时代晚期和末期。其雕刻风格表明了奥尔梅克文明的延续，同时也表现出“恰帕斯和危地马拉太平洋海岸的共同特征，这也证明了跨地峡低地的社会上层交流的持续重要性”（Stark and Arnold 1997: 25）。这些相似之处的例子如图8.18、8.19所示，每相隔500公里立起的纪念碑上，有共同风格的故事人物。据推测，整个地峡的精英都具有奥尔梅克的语言传统，会说米塞-索克语。米塞-索克语可能是书写玛雅语的前身。

## 专栏8.2 历法

从一些重要的意义上说，时间的规律激发了中美地区历史故事的讲述体系，这种体系将书写与相互咬合的历法结合。我们已经提到，260天的占卜历，由20个不同的日名与13个数字组合而成，而且人们经常以生日

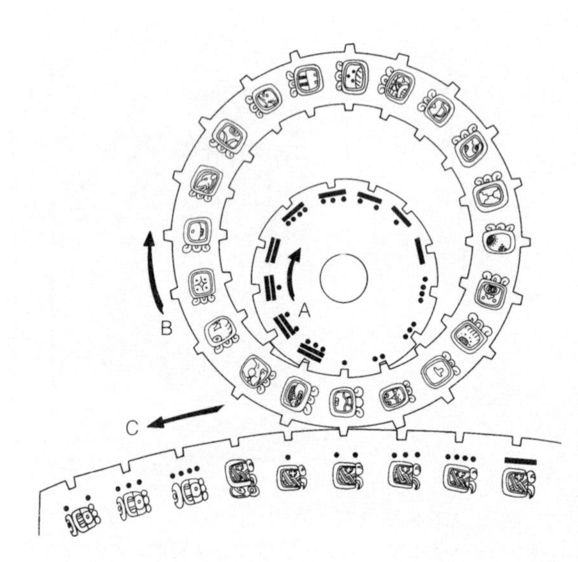


**图8.20　历法轮，以三个一组相互咬合的齿轮来表示最为形象。“A”代表一组13个数字，与20个日名（“B”）组合，形成260天的占卜历。这些又与365天的太阳历（“C”）相咬合。这里使用的日名和月名来自玛雅系统，循环A和C中使用的长条和圆点，代表了计算天数的数字**

当天的日名来作为自己的名字。太阳历（一种365天的“模糊年”，而非现代365.25天的太阳年）是天文计算的结果，它对于农民的生活至关重要，并且被制定成与我们现今的公历更为类似的历法，1年包括18个连续的月，每个月20天，再在该太阳年的年末加上5个“不幸”之日。

当占卜历和太阳历结合在一起时（图8.20），便形成一套大约18980天的历法系统，每一天都有自己独特的日名，这个“包含大约52个太阳年的日历轮，出现在中美地区所有人群之中……并且涵盖的时间范围相当大”（Coe 2011：63）。

因此，在记录最近和正在发生的事件及其占卜和/或政治意义时，日历轮都非常有用，特别是当这些事件是通过口述而非更永久的书面记录来表达时。当你以这种方式计时，每个周期都会以一系列日名循环往复，不需要任何具有唯一编号的年份，如公元2000年。

然而，当对宇宙和决定人类命运的神祇的深入了解需要对时间有更多控制，当人类家庭政治命运的兴衰依赖于其历史的荣耀和深度时，具有更长远的时间观就非常必要了。为了这种长远的目的，设计一种“长历法”就是必需的，它能够连续地对每个日期做唯一的排序。

中美地区人民创建长历法作为一个绝对计日系统，也就是说，每个日期都是独一无二的，存在于若干年和若干天之前，可以结合几个主要的数学概念计算出来。与我们今天的系统类似，他们也有数位，但我们采用十进制（以10为基数），他们的是二十进制，每个位置都是20的倍数。中美地区人民可能是世界上最早发明带0的数学系统的（Justeson 2010）。事实上，在所有中美地区计数系统中，一个点代表1，一个长条代表5，而在需要使用0的地方，他们往往用贝壳或其他符号表示。

在形成时代晚期即将结束时，太地峡地区的纪念碑上已经开始使用数字来记录历法日期。在纪念碑上，日期一般被写作从上至下的五个数字，最上面的数字代表了144000天的倍数（约394年，玛雅语“巴克吞”）。第二个数字是7200天（约20年，玛雅语“卡吞”）的倍数，第三个单位是360天（玛雅语“吞”，大致相当于一个太阳年），第四个单位是20天，最后一个单位是天。目前已知最早的例子包括恰帕德科尔索2号纪念碑，上面的数字为7.16.3.2.13，以玛雅人所在的时间纪元起点大约公元前3114年8月13日算起，那么它对应的应是公元前36年12月9日（Lee 1969：105—106）；还有特雷斯萨波特斯遗址的C号纪念碑，日期为7.16.6.16.18，相当于公元前32年的某一天（Stirling 1943：14）。

## 2. 恰帕斯内陆高原

公元前400—前200年，恰帕斯内陆有少数中心遗址似乎在经历了重大的人口重组后延续下来，拉文塔在这一地区的重要影响力正在消失，而佩滕盆地的玛雅中心则日益强大。事实上，玛雅人群开始向恰帕斯内陆的北部地区推进，那些幸存下来的索克文化社区，如“圣罗莎、恰帕德科尔索和米拉多尔，显示出大量玛雅贸易物品和建筑风格的存在”（Clark 2010a：126）。公元前36年的

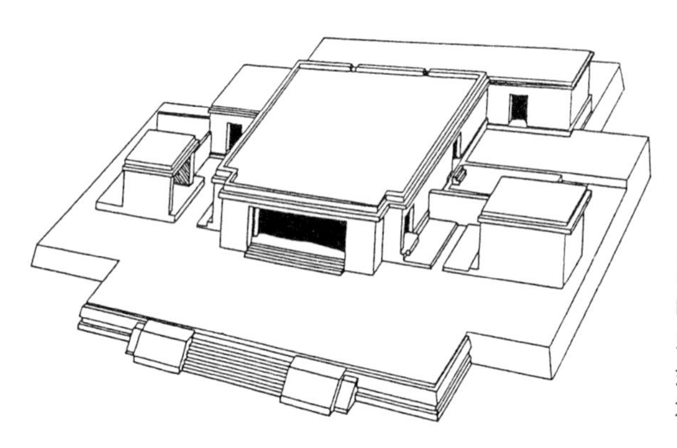

图8.21 恰帕德科尔索5号土墩上的宫殿是中美地区最早的豪华住所之一——它不仅仅是典型木骨泥墙式建筑的放大版，而且采用了切割石、屋梁和厚灰泥建造而成

恰帕德科尔索2号石碑是非常早的历法纪念碑，显示出与地峡地区其他米塞-索克社会上层之间的持续交流。恰帕德科尔索遗址是中美地区年代最早的连续居住社区之一，在形成时代晚期出现了中美地区最早的、真正的宫殿（图8.21）。

## 3. 地峡南部海岸和太平洋海岸

讽刺的是，拉古纳-索佩这个重要的遗址之前都表现出与东部地峡文化的密切关系，但在公元前200年左右把关注点转向了蒙特阿尔班，证据就是遗址中发现的灰陶与萨波特克首都的类似，当时蒙特阿尔班正在向各个方向扩张其影响力。但是，尽管拉古纳-索佩被纳入瓦哈卡影响圈，但南部和东部沿海平原的文化依然显示出本土化的活跃发展，并且与北部即将兴起的危地马拉高地和尤卡坦半岛低地的玛雅遗址关系密切。沿海平原遗址通过其艺术风格和建筑布局的相关传统，显著地表达了它们的文化连贯性。恰帕斯海岸是适合可可生长的最佳区域之一，是可可以及诸如羽毛和美洲豹皮等其他热带资源的产地。

伊萨帕是恰帕斯海岸平原形成时代晚期最大的遗址（图8.22）。伊萨帕遗址在约公元前1500年就有人居住，一直持续到西班牙人入侵之时。到形成时代中期（公元前900—前600年），遗址第30A号土墩就已是一座高近10米的台阶状金字塔（Ekholm 1969），在形成时代晚期和古典时代早期，伊萨帕作为一个地区的首府进入了繁荣。

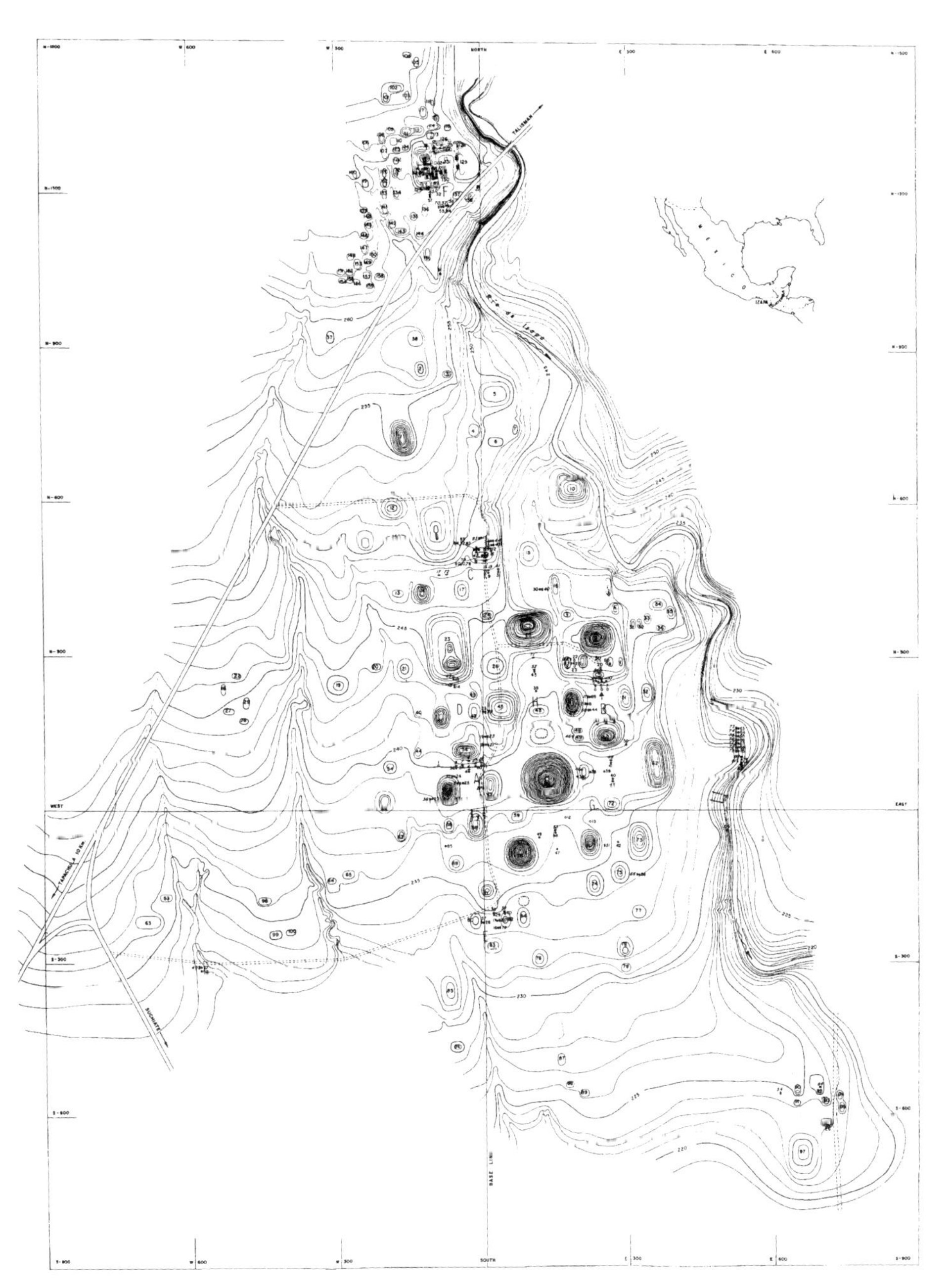

图8.22　伊萨帕遗址延伸了2.3公里长的区域，有8组共80个土墩，每组以广场为中心，周边分布着金字塔。石碑和祭坛成组分布于大型平台前方，这是形成时代末期和古典时代玛雅遗址一种常见的组合。从体量上说，这些成组的建筑，包括重建的在内，总共约有25万立方米（Adams 1991：91）

虽然伊萨帕的政治控制可能仅限于其本土腹地，但艺术影响力似乎相当大。伊萨帕著名的雕刻作品主要是直立的石碑和蛙形祭坛，现在已发现250多件，包含了与早期奥尔梅克和晚期玛雅风格类似的特征，但“伊萨帕的作品在形式、内容和技术上比以前认识的更加体现遗址自身的风格”（Smith 1984：48）。这些图像的主题大多是王权和仪式（Guernsey 2006），素材主要是海岸河口的动植物，这种环境对海岸平原是非常重要的。当然，伊萨帕人也会雕刻一些神像，包括“长唇神”，是“玛雅无处不在的闪电神和雨神查克的原型”（Coe 2011：69）。伊萨帕对神的表现是“第一次对某些神的公开确认”，这些神后来对玛雅人变得格外重要（Miller and Taube 1993：17）。

就在这个海岸山前地带，沿着海岸往南大约50公里就是塔卡利克阿巴赫遗址，大约有9组70座土墩。很明显，这是另一个重要的中心，并且位于危地马拉高地和海岸之间的路线上。事实上，塔卡利克阿巴赫和它的邻居乔科拉似乎代表了形成时代晚期和末期的区域性核心遗址，可能是用可可换取来自卡米纳尔胡尤的黑曜石（Kaplan 2008），它们的势力范围已经向东南延伸到了查尔丘阿帕。然而，塔卡利克阿巴赫遗址的年代我们并不清楚，这使得解释该遗址中的各种雕刻——其中部分是在古物上重新雕刻的——显得更具挑战性，而且遗址从形成时代中期到古典时代晚期有多种分期方案（Bové 1989）。遗址有几座大型建筑年代较早，可追溯至形成时代末期。

在形成时代中晚期，沿着太平洋海岸平原南部和延续到萨尔瓦多的邻近高地，发现了独特的肖像雕刻，更北部也有零星的发现（蒂卡尔、科潘、科尔阿）。这些“大腹便便”的雕像与奥尔梅克巨石头像一样为球状，只是稍微小一些，都是全身像（图8.23）。由于带有死亡和王权的特征，它们可能是统治者的肖像，被作为祖先崇拜的对象（Thompson and Valdez 2008）。它们也可能代表了突然消失的本地宗教，或许表明了“在形成时代即将结束时，中美地区南部特别是海岸地带和邻近高原正在发生剧烈的结构转变”（Bové 1989：5）。这些肥大的雕刻采用了本地形成时代中期的雕塑风格，与家庭仪式活动有关（Guernsey 2010），甚至可能是“肥胖神”的原型，该神“功能未知，但在古典时代的墨西哥和北部玛雅

**图8.23　这个“大腹”雕像（蒙特阿尔托11号石碑）是此类雕刻的典型，在沿海岸分布的众多遗址中均有发现，最远是在东南部的海岸平原尽头圣莱蒂希耶遗址（萨尔瓦多）的仪式中心内**

人群中十分常见”（Coe 2011：72）。

在塔卡利克阿巴赫往南约60公里处有一大型村落遗址，发现了几个无头大腹雕刻，该遗址被命名为“辛卡贝萨斯”（西班牙语意为“无头”）。辛卡贝萨斯有大约150座土墩，大部分都是居住场所，占地面积300多万平方米，中心位于一个200米长的平台上，平台顶部和附近有几个比其他都大得多的土墩。其中一座土墩F4，很明显用于居住，其居民地位较高，不仅体现在土墩规模更大且靠近遗址的仪式核心区域，还体现在它是社会上层物品和墓葬集中出土之地。不仅如此，F4还是一个生产雪花石串珠和坠饰的作坊所在，几乎所有这些产品都是供这个土墩的居民使用。

这是一个社会上层人士参与社会上层物品生产的早期例子。他们可能是从事奢侈品工作的高级工匠，也可能是地位较低的工人的赞助者（Whitley and Beaudry 1989：112）。比如，在古典时代和后古典时代，玛雅和阿兹特克社会的社会上层成员不仅控制着珍贵的原料，自己也加工这些原料并制作只有社会上层人士才能佩戴的饰品。这可能有某种意识形态方面的基础，即通过统治集团成员的显赫人物赋予生产一定的神圣意义，但根据我们从阿兹特克社会受到的启示，一个更实际的原因是，一夫多妻制的社会上层成员产生的后代远远超过了每代社会所能提供的政治职位。将多余的后代培养成加工珍贵物品的工匠，既维护了家族的尊严，又保证了神圣统治者和平民生活之间的重要区别，同时垄断了珍贵原料及其制成的装饰品。

## 4. 中美地区东南部：查尔丘阿帕和它的贸易伙伴

位于危地马拉高地的太平洋南部海岸火山带延续至萨尔瓦多。当卡米纳尔胡尤成为危地马拉高地的一个重要中心时，东南方向约150公里远的查尔丘阿帕，已成为萨尔瓦多高地距离现在的危地马拉边界不远的一个成熟的贸易中心。从地理位置来说，查尔丘阿帕是危地马拉-恰帕斯内陆高原的玛雅文化和太平洋海岸的米塞-索克文化之间的门户，也是形成时代晚期散布在中美地区东南部的农业社区和各仪式中心向北及向东进入洪都拉斯乃至北上加勒比海的门户。

从奥尔梅克时代开始，查尔丘阿帕就是一个重要的贸易中心，到形成时代中期结束时建筑活动停止了，尽管从遗物证据可以清楚地看出持续有人群居住，陶器显示出遗址与卡米纳尔胡尤遗址的米拉弗洛雷斯期和其他阶段有密切关系，也与玛雅低地的马莫姆陶器联系甚密。大约从公元前400年开始一直到公元500年左右，该社区作为远程贸易中心的重要性又被重新确定，随着埃尔特拉皮切金字塔的修建，大型建筑又恢复了建设（Sharer 1978：209—210）。这是查尔丘阿帕人群活动的高峰时期，民政-仪式中心达到了最大的范围。政治独立的查尔丘阿帕似乎一直是乌苏卢坦陶器贸易的中心，也继续从伊斯特佩克矿源进口黑曜石并进行分配。

乌苏卢坦风格的陶器广泛分布于中美地区东南部，从东南部的克莱帕遗址（美洲中部最东端的按照特定方向规划的遗址）向北直达亚鲁米拉甚至更远的洪都拉斯北部的苏拉平原，以及洪都拉斯西部的科潘。在形成时代晚期的玛雅世界，类似卡米纳尔胡尤的米拉弗洛雷斯陶器和奇卡内尔陶器广泛传播，乌苏卢坦陶器也分布在一个宽阔的区域（有时称为瓦帕拉陶器圈），该区域并未被整合到一个政治系统中。相反，这种整合机制似乎是互惠的宴饮，以宴饮陶器作为"共生的物质媒介"，这表明"和平互动的形式和内容本身正在被惯例化甚至制度化"（Wonderley 1991：164）。

## 5. 危地马拉高地

在海岸上的高地，阿雷纳尔期（公元前300—公元100年）的卡米纳尔胡尤仍然将更多注意力投向海岸平原，而非恰帕斯内陆高原。在米拉弗洛雷斯阶段后期，遗址的人口密度达到最高，且经历了大型建筑修建和雕刻生产的最鼎盛时期（图8.24）。

海岸雕刻的传统以伊萨帕最为著名，最初影响卡米纳尔胡尤颇多。然而，到了千禧年之交，卡米纳尔胡尤自身也成为影响从塔卡利克阿巴赫到查尔丘阿帕等遗址的重要力量来源。与此同时，卡米纳尔胡尤风格可能成为"影响玛雅低地大型建筑艺术发展的主要来源"（Parsons 1986：45）。例如，建立历史文献纪念碑的传统似乎是在玛雅低地南部特别是危地马拉高地起源的（Sharer with Traxler 2006）。此外，卡米纳尔胡尤的纪念碑展示了其主要的统治理念和实践活动，包括斩首牺牲和自我阴茎放血等行为——这些特征都是稍晚时期玛雅国王们统治合法性的印证（Kaplan 2002）（参见图8.29）。

卡米纳尔胡尤在贸易上扮演了重要的角色，可能控制了高地埃尔查亚尔和希洛特佩克等地的黑曜石资源。来自海岸的证据似乎表明黑曜石作为一种原料变得越来越难以获取，以至于本地从石核上生产石叶都被严格限制，可能是因为卡米纳尔胡尤"控制了石叶生产和向南部海岸的出口"（Bové 1989：6）。除了通过贸

图8.24 卡米纳尔胡尤的雕刻传统显示出与来自伊萨帕和其他海岸平原遗址的曲线设计和精致人像作品之间的强烈联系，同时也与玛雅雕刻传统密切相关。11号纪念碑上的人物站在冒烟的焚香器之间，这种焚香器是米拉弗洛雷斯文化人群使用的，与伊萨帕遗址建筑中出土的焚香器也非常相似。人物奇怪的脸部其实是一个面具，其上方还有主鸟神（武库布卡基克斯）等面具，主鸟神秃鹰般的脸是形成时代晚期和末期广泛的神圣艺术主题，在诸如墨西哥湾地区、玛雅低地，甚至瓦哈卡地区都有发现（Miller and Taube 1993：137—138，182）

易积累财富外，卡米纳尔胡尤还有丰富的、以复杂的灌溉系统进行集约化生产的农业资源。尽管有如此强大的优势，卡米纳尔胡尤在形成时代末期还是衰落了，但到古典时代早期，在特奥蒂瓦坎的影响下，它又重新崛起，成为重要的遗址。

## 6. 玛雅低地

公元前300年至公元300年之间，玛雅低地对恰帕斯高原影响力越来越大，毫不意外地取代墨西哥湾低地南部成为中美热带地区文化发展的焦点。在这段时间内，玛雅低地的人口遍布整个地区，有时人口密度大到过度消耗土地导致环境退化，不得不使用集约化耕作方法的程度。另一个反映人口密度的标志是防御系统的出现。奇卡内尔期（公元前300—公元300年）是社会上层集团的增长时期，出现了新的大型建筑和公共艺术形式。

大型建筑群是现代都市重要的特征，在古代亦是如此。社会上层通过在坚实的台基上修建雄伟的祭坛和宫殿，使它们看起来更加壮观，以此公开表达自己的权力。从这个角度来说，形成时代早期帕索－德拉阿马达遗址的社会上层居住区和球场是中美地区目前所知最早的此类权力表达方式，到了形成时代晚期，神庙－金字塔随处可见。毕竟，尽管这些建筑看起来很壮观，但可以用日常材料建成，填充物甚至可能是垃圾，而且也不需要太多的劳力，一旦社群达到足够的规模，即普通人种植的粮食在非生产季节足以支持其他人群就可以了。

在一些地区，自然环境使得大型建筑的修建具有一种地区性特征。玛雅腹地尤卡坦半岛，为石灰岩大陆架，这是一种非常好的建筑材料，可以用当地另一种产品——燧石制成的工具加工（比如在科尔阿遗址［Shafer and Hester 1983］）。关于这种发展趋势的信息，我们所知最多的来自米拉多尔地区，其中最早成熟的遗址就是纳克贝。

**纳克贝**｜形成时代早期，即公元前1000年，就开始有人群定居于此（Hansen 2005：63）。在公元前800—前600年，纳克贝扩张到50万平方米，巨大且粗糙的石头筑成低矮的台基，上面建有木骨泥墙的房屋。遗址已经有了社会上层聚居区，进口物品的发现和高等级人群的牙齿变形就是证据，后者是轻微的牙齿美容装饰，意在炫耀有此美牙者负担得起如此奢侈的花费。随后的几个世纪里，纳克贝的建筑持续发展，低矮的台基变得更加高大，外表还抹上白灰。

奥尔梅克人在特殊的建筑物前建立石质纪念碑的古老习惯，在整个中美地区的各种情境中都能见到，古典时代的玛雅遗址将其表现得尤其壮观。在纳克贝遗址，大约公元前500年就出现了类似的现象。形成时代中期晚段是纳克贝-埃尔米拉多尔地区的转变期：陶器仍然是马莫姆类型；遗址规划有了新的样式，实际上是为向大型建筑的巨大飞跃打下了基础，将那些小村落平整掉且填成台基，上面修建新的大型建筑。这一系列努力“表明台基和大型建筑的修建是同时规划好的事件”（Hansen 1998：63）。

**形成时代晚期的玛雅建筑**｜在纳克贝，我们看到了玛雅建筑规范的发展，包括布局规整的建筑群，比如“E组建筑”（图8.25）和一些建筑设施，如“防护板条”——这是由带凸榫的切割石砌成的条带，嵌在石质墙体的底部，略微凸出于底部砌石，保证切割石砌成的外壁能够牢固贴附在逐渐陡峭的金字塔上。形成时

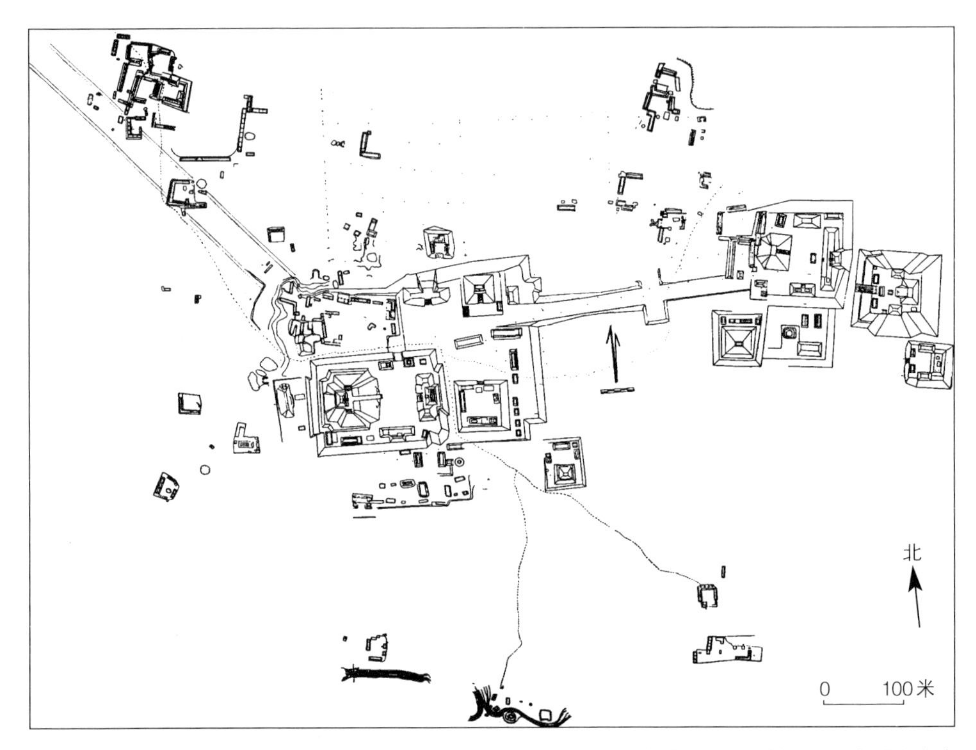


图8.25　纳克贝的平面图显示了主要的金字塔群、广场以及连接二者的堤道之间的关系。在“十字大道”的东端，是带“E组建筑”布局的东组建筑。“E组建筑”“包括一个位于广场或平台西侧的大型金字塔结构，广场的东面主要是一个南北向高大的长条形建筑”（Hansen 1998：64）。如果在平台末端建有房屋，那么它们均朝向西方（在“三元组建筑”中它们彼此面对）。同类建筑遍布玛雅低地南部，表明这种模式是玛雅社会上层共享的意识形态的一部分

代中期晚段出现于纳克贝的其他遗迹还有一座球场和一条铺道。对于许多玛雅遗址来说，铺道将变得日益重要。它们将许多重要的建筑物与遗址相连，到后来，遗址之间也彼此连接起来。它们通常高于地面许多——纳克贝的“十字铺道”在某些位置高出邻近地表4米，上面铺设白石碎块，这是它们的玛雅名字sacbe——“白色之路”的由来。

形成时代晚期对玛雅低地来说是一段迅速发展的时期，人口增长使得遗址数量增加，且老的遗址越来越大。这个过程伴随着奇卡内尔陶器传统的广泛传播，其最典型的陶器为磨光红陶或黑陶。然而，物质文化遗存中最显著的趋势是玛雅

民政-仪式中心模式的成形，其特征是建筑形式的大型化，比如，古典时代之前，埃尔米拉多尔的金字塔就已经高达70米（大致有一座23层楼的建筑那么高）。每个遗址的神庙和宫殿聚集在一起，在高大的台基上成组分布，形成一个卫城。另一个重要特征是建筑的装饰：建筑的正面被作为刻画神祇的面板（图8.26），一般是在石灰面上雕刻出头像，上面涂绘明亮的色彩。2009年，在埃尔米拉多尔一座古代排水渠的侧面，发现了一条长8米的面板，年代大致为公元前200年。上面刻画了《波波乌》描绘的一个场景，因此它不仅证明了《波波乌》文本主题的古老性，同时也证明了米拉多尔盆地的文化早熟。

在佩滕地区，埃尔米拉多尔取代纳克贝成为最大的遗址，以拥有玛雅世界最壮观的仪式建筑群而著名，甚至与整个古典时代所有玛雅遗址相比也毫不逊色（图8.27、8.28）。埃尔米拉多尔是“最古老的玛雅都市”（Coe 2011：83），它通过一条长13公里的“白色之路”，穿越沼泽地区与纳克贝相连。其建筑的修建持

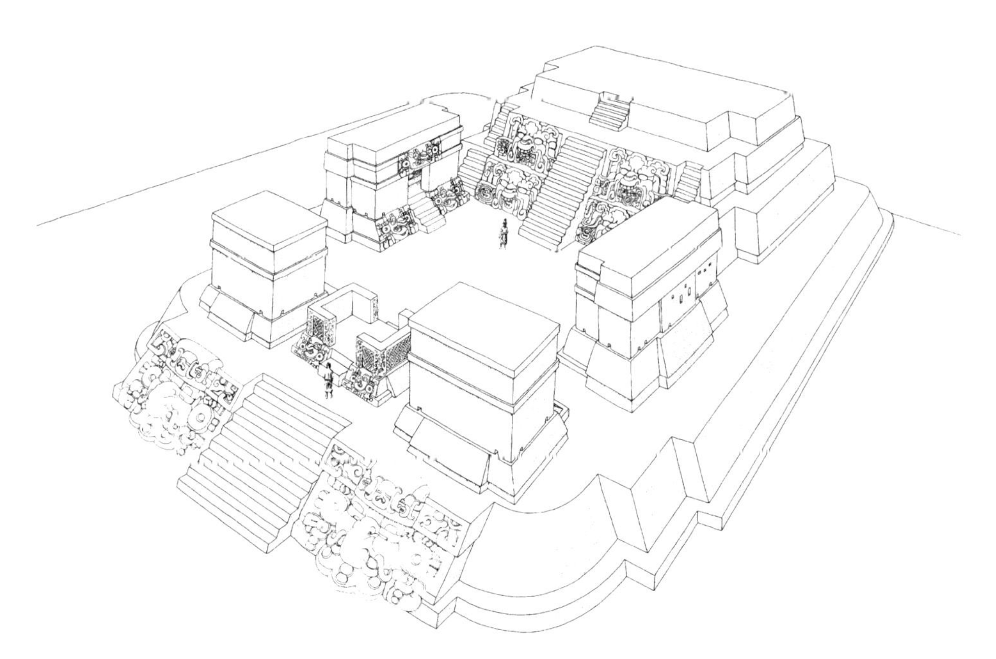

图8.26　瓦哈克通H组建筑。这一形成时代晚期的院落是建筑三元排列的典型例子，即一座主建筑和两侧相对的两座较小建筑。阶梯之间的空间装饰着巨大的面具，上面描绘的是统治王朝期望能够将自己的权威地位合法化的神祇

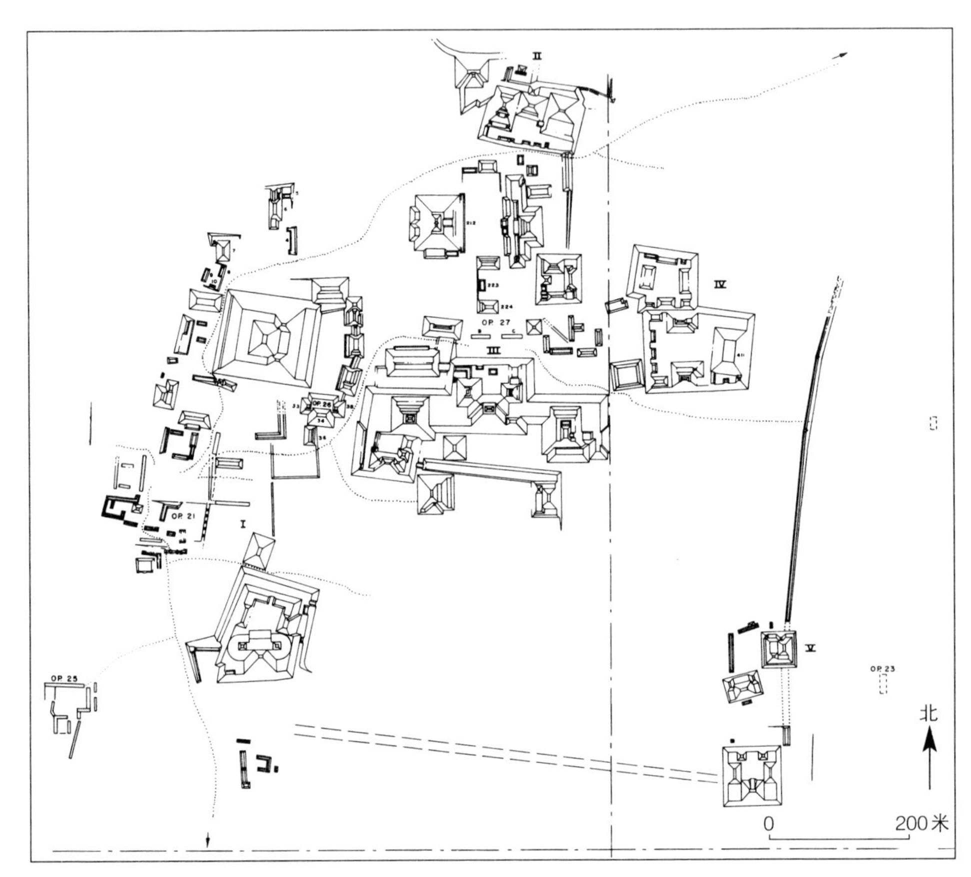


**图8.27　图中心为埃尔米拉多尔伟大卫城，发现了宫殿存在的证据。平面图未显示的丹塔建筑群，位于埃尔米拉多尔东部800米，是遗址最大的建筑群，不过，它大部分体量和70米的高度都是基于一座自然的山丘**

续了几个世纪，大约到公元100年才结束。民政-仪式中心的周边是平民居住区，其房屋组以中美地区典型方式构成，一般包括3或4座单间房屋，每座位于一个低矮台基上，中心有一座小广场作为活动庭院。正如其他遗址那样（见下文对塞罗斯的讨论），埃尔米拉多尔周围的沼泽低地可能被集约化耕种。遗址中发现了来自危地马拉高地的乌苏卢坦陶器，这证明了埃尔米拉多尔和其他遗址的联系。所有这些都发生在几个世纪内，因为在公元150年以后不久，埃尔米拉多尔就废弃了，并且再也没能恢复这样大规模的人口。

图8.28　该复原图表现的是位于埃尔米拉多尔西侧的埃尔蒂格雷建筑群。注意巨大的中央金字塔上方呈三元排列的神庙-金字塔；无独有偶，中央金字塔和前方广场两侧相对的金字塔也是三元排列方式。同时，请注意大型金字塔底部可见的防护板条，这种对金字塔斜边的处理方式在后来的玛雅低地非常普遍。这一建筑群“占地面积比蒂卡尔Ⅳ号神庙大六倍，是古典时代遗址最大的建筑”（Sharer with Traxler 2006：253）。埃尔蒂格雷金字塔高55米，体积约为38万立方米

**作为历史的建筑**｜我们可以从建筑的历史中了解文化的历史。建筑是物质文化遗存中最壮观的一类，而且和其他遗物一样，印刻有其时代和族群起源的记号，所以我们倾向于认为，建筑风格的变化可以大致代表文化变迁的过程。尽管用大型建筑群作为衡量社会上层控制劳力的标准并在遗址布局模式中寻找宇宙观很令人着迷，但我们必须考虑到遗址布局经常“并非是像精确的历史记录那样设计好建筑体系，而是具有很多干扰和草率的特点，和工程系统刚好相反……这些不同时期建筑的积累发展，很难被简单地作为文本来解读，它们很容易被历史偶然性篡改”（Webster 1998：18）。

因此，我们必须试着区别有意规划的仪式中心和那些数个世纪变迁叠压形成的遗迹。建筑项目的奠基是一个历史事件，如形成时代中晚期的纳克贝就发现了这样的证据，已有建筑的剧烈改建同样是重要事件，正如考古研究指出的那样，

图8.29　迄今为止最早的玛雅壁画发现于一个名为圣巴托洛的玛雅遗址中，在一组年代大约公元前300年的建筑内（Saturno et al. 2006）。壁画描绘了玛雅宇宙的创造，包括神灵的自我献祭行为，图中的神正在刺自己的生殖器。这组建筑中另一幅壁画“表现了八个人站在从兽形神山中爬出的羽蛇身上的场景”（Saturno et al. 2005）

从形成时代开始，这样的改建在玛雅低地和中美地区其他文化中经常发生。到了形成时代晚期将要结束之时，很多着力展示本地文化持续发展历史的遗址建立起来，它们的民政-仪式建筑的特点也形成了。一些遗址如埃尔米拉多尔，完全被废弃，而其他的如蒂卡尔则发展起来，日新月异。

**大型农业、建筑和统治：埃德斯纳和塞罗斯**｜同普龙大坝一样，埃德斯纳和塞罗斯遗址表明并非所有的大型工程都是神庙-金字塔。为了农业和水源供应，许多玛雅遗址都剧烈地改造地形景观，同时修建大型工程。

位于尤卡坦半岛西侧的埃德斯纳遗址，修建有27座水库和 系列的水渠，超过200万立方米的土被挖走。水渠总长31公里，从一座大型平台向四周辐射。该系统将多水区域排干变为需要的田地，并把排出的水储存起来为城镇居民使用。到公元前150年，这一水利系统就大致修建完成了（Matheny et al. 1980—1983）。

塞罗斯遗址位于伯利兹海岸切图马尔湾的 座半岛上（图8.30），这个形成时代晚期的小社区向我们表明，众多仪式建筑的修建只是地形改造工程的一部分，在那里玛雅人“能够挖走超过20万立方米的石灰石地层，建立一座收集地表流水的水库，并且制造一种包括民政建筑和耕地的工程景观”（Scarborough 1994：190—191）。

这些大规模的公共工程项目以及最终建成的大型民政-仪式建筑，展示了玛雅社会是如何分层的，以及统治者（玛雅语ajaw，读作阿豪）是如何直接支配大量的农民-工匠等劳动力的。当人口规模增长到以血缘为基础的社会已无法有效行使功能的临界点时，酋邦的凝聚力——每个人追溯自己和酋长以及建立整个社会的酋长祖先（可能是虚构的）的亲属关系——就变成了一种累赘。并且当酋长们深信他们拥有即便不是神圣至少也是独一无二的血统时，与其他家族间的纽带就会变得非常不方便，酋长们会建立自己家族的单一谱系树，如同一棵伟大而高贵的参天大树，被像玉米秆一样的平民围绕。

在形成时代晚期，整个中美地区的贵族通过指挥平民修建雄伟的神庙和宫殿群，将自己与平民分隔开来。在那些神庙和宫殿里，贵族可以居住并与神灵交

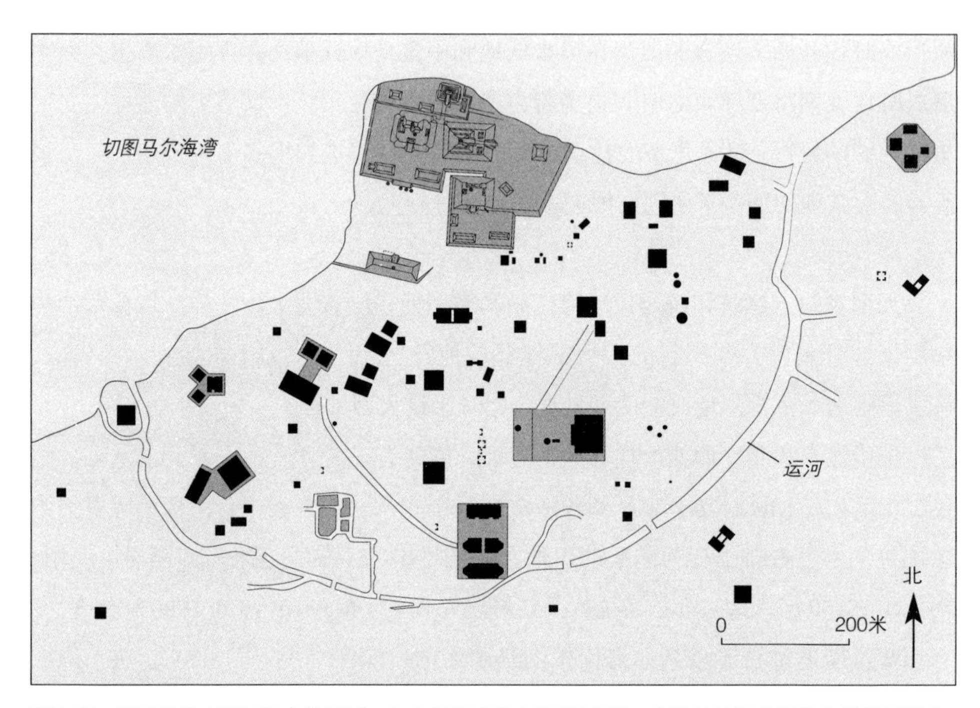


**图8.30 塞罗斯的古运河包含的区域，如今仍有大约31万平方米，在遗址被海水侵蚀之前范围更大。塞罗斯的民政–仪式建筑集中分布在遗址北端，包括5C号建筑。这是该遗址修建的第一座神庙，以前是一个农业村落。建筑的台阶两侧雕刻有巨型面具，上面有象征太阳升落和作为启明星和长庚星的金星符号，还有英雄孪生兄弟的标志。在使用这座神庙时，统治者上下阶梯，用这种方法将他们自己与上述宇宙力量联系起来**

流，而平民只能偶尔被获准观瞻他们高贵的举止，或者去贡献卑贱的劳力。远程交换让思想、符号以及物质从一个地区流向另一个地区，而这种交换主要发生在贵族之间：他们是远程交换精美彩陶和其他贵重物品的人，可能也控制了本地市场的贸易活动，而且这些市场都是长途商人们的联络点。一些高等级的个人甚至可能加入了贸易探险队。

关于统治者应当如何行事和如何被对待的思想也是远程交换的一部分。这并不是说，比如，类似一个君主宣称自己是虚构的类似神的后裔这样的观点，是在一个地区想出来再传播开去的，这是简单的传播论。实际情形应该是，社会变迁为很多地区提供了使阶层分化过程合法化并具体落实的丰厚土壤。当和自己的臣民距离越来越远，却需要他们合作参与诸如挖壕沟、修金字塔等宏伟的建设规划时，一名统治者可能听说另一名统治者有能力以神圣祖先后裔的名义实施公共工程，并且理所当然地会采取同样的措施。

我们永远不能低估人类对于炫耀性消耗（Veblen 1953）和个人吹捧的执着（Potter 1962），那些试图超越同类人的努力，可以对物质和风格产生巨大的影响。比如，纪念碑这种直立的石雕出现在很多地区，但在玛雅低地，它与肖像、历法、占卜以及书写的历史和神圣文本等内容结合，以本地风格和雕刻家个人的美学才能来表现，成为统治者生活事件的最终记忆。

所以，当看到塞罗斯遗址时，我们可以想象它的统治者将5C号建筑加高的场景，它的两侧是四个雕刻在石灰面上的巨型面具，描绘了英雄孪生兄弟以及太阳和金星（参见专栏1.2）。台阶代表了宇宙的层级，统治者——阿豪——在仪式中拾级而上，穿过时空的四个象限，这对于古典时代玛雅人的观念是非常重要的。我们见证了这位当地的阿豪强调自己与神话中英雄孪生兄弟的联系，后者在冥界中的历险拯救了他们的父亲玉米神，也拯救了万千大众的生命之源。所有人类都对英雄孪生兄弟欠下了感恩之债，但由于统治者与这些神格化人物关系更加亲密，他们所欠的债包括对神的颂扬和自我献祭的仪式，而平民的债务则是为最神圣神灵的人类伙伴（统治者）服务。

玛雅的王权作为一种制度会利用英雄孪生兄弟来影响社会分层，并成功地将英雄孪生兄弟的神话“从对一个庞大的分立社会中同族兄弟关系在意识形态上的确认，转变为对社会等级分化的赞颂，社会由此分化为祖先的现实代表（社会上层）和他们的崇拜者（平民）”（Freidel and Schele 1988：549）。在第九章中我们将会阐明，这种社会鸿沟只会越来越大。

# 第九章　形成时代末期（公元1—300年）

从公元1年到300年的形成时代展现的是一个包含一系列连续发展的文化模式和初生城邦的中美地区（图9.1）。大量农作物的驯化和对土地利用的集约化策略已经牢固确立了高产的农业基础。物质产品——诸如陶器和石质工具——已经发展到一个成熟的阶段；而且到这一时期，本地区和长距离交换的网络已经拥有了悠久的历史传统。以社会上层拥有发布强制性命令的合法权力为特征，集权国家级政体形成，在蒙特阿尔班和特奥蒂瓦坎展现得最为淋漓尽致。同时，玛雅

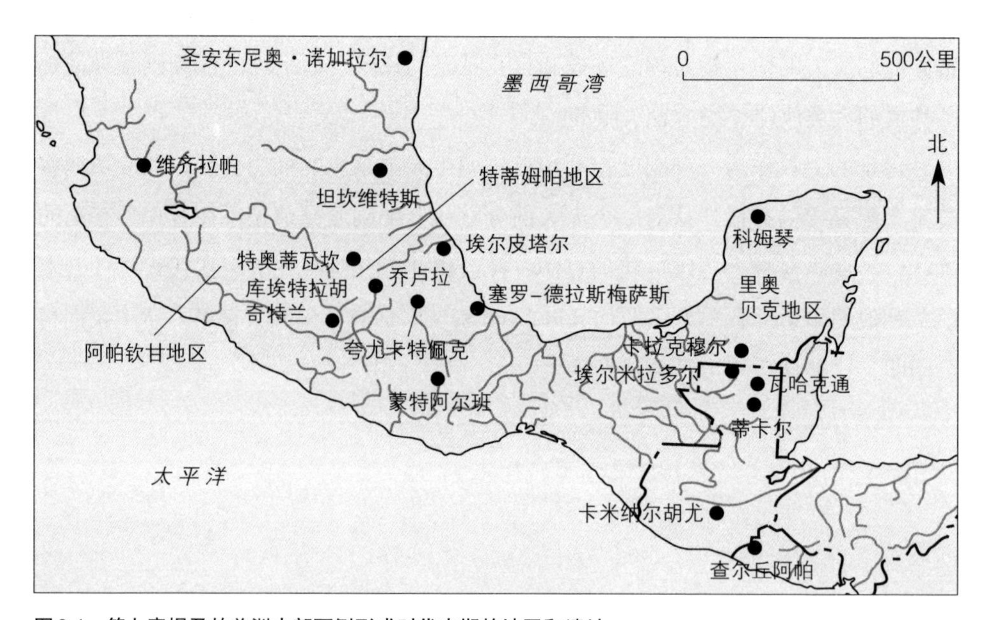

图9.1　第九章提及的美洲中部西侧形成时代末期的地区和遗址

的城邦也在展示着统治者和民众之间巨大阶层鸿沟的主题。普通民众的人口数量增长，为社会上层修建表现其尊崇地位的大型工程提供了一种重要资源——劳动力。

城市是拥有大部分国家级政治机构的统治性社区。形成时代末期大量遗址都具备了城市的特征，比如数量大、密度高的人口以及民政-仪式建筑的集中区域，尽管绝大多数无论从城市规模还是人口密度上说，与特奥蒂瓦坎相比都难以望其项背。特奥蒂瓦坎的重要建筑均是在这一时期修建的，但其网格状城市规划和套间式院落直到古典时代才发展起来。在特奥蒂瓦坎和其他许多城市，艺术和智力成就的"伟大传统"在建筑、雕刻、绘画和符号系统中显露无遗。这些区域性文化的信仰体系共享了解释宇宙及其起源的一些重要元素，但地区间的差异揭示了每个区域文化与其特殊环境间的关系及其与自身发展轨迹传统相关的内在独有特征。

## 一、早期玛雅中心

### 1. 尤卡坦半岛的玛雅低地

形成时代末期的玛雅低地，一些中心比如纳克贝和埃尔米拉多尔都衰落了，但低地南部的一些早已建立的中心如瓦哈克通和阿尔塔-德萨克里菲西奥斯，却发展得更大和更令人印象深刻。公共工程项目继续修建并更加精美，其目的在于表达日渐显露真容的统治者的政治权力，从形成时代中晚期以来，这一趋势就形成了。更大的背景是人口的增长，使民政-仪式中心成为王朝间冲突和结盟的爆发点。

形成时代末期的玛雅低地共享的不仅是奇卡内尔陶器，还有我们检索到的其他特征：带有标准化大型建筑的民政-仪式中心；包括少数地区的排水农田和灌溉系统的集约化耕种方式；包括一系列王朝君主在内的社会上层出现，王朝祖先崇拜被融入精心设计的宗教制度中，覆盖着广大区域、被视作玛雅社会上层统治的神圣权力来源；使统治者合法化的正式神祇出现，包括太阳神和主鸟神。仪式性的艺术表达了神祇和君主交互活动的主题，图像变得越来越规范，最终得以用文字系统表达，并显示在矗立的大型石碑、壁画和器物彩绘上。已知最早的独具玛雅特征的君主肖像和长历法日期结合的案例雕刻于公元292年蒂卡尔的一座纪念碑上（29号纪念碑），它开启了完全成熟的玛雅文明阶段——古典时代。

## 2. 形成时代末期玛雅低地的事件

整个佩滕地区的总体态势是发展的，众多新的和已存在的城市规模越来越大，也更加壮观。当然，也有一些衰落了。埃尔米拉多尔持续作为佩滕地区最重要的中心，直到大约公元150年被废弃。从那以后，只有一些临时人员在遗址上居住。但与此同时，公元前800年建立的蒂卡尔却在其大广场区域修建了民政-仪式建筑。蒂卡尔最近的邻居，位于其北部24公里的瓦哈克通，正在修建自己的大型建筑（图9.2）。

卡拉克穆尔是佩滕地区形成时代另一个重要的遗址，自形成时代中期就有人居住。在形成时代晚期，它似乎与瓦哈克通和埃尔米拉多尔组成了一个地区性政体，通过一条长38公里的“白色之路”相连。卡拉克穆尔2号建筑出现了中美地区最早的拱状屋顶（此前这种形制的建筑均是墓葬）（Carrasco Vargas 2000：14）。

## 3. 里奥贝克：早期的防御设施

里奥贝克位于玛雅低地南部佩滕地区的热带环境和更北部尤卡坦半岛的干燥灌木丛之间的生态过渡地带，在公元前1000年左右，这里就开始有人居住，到了古典时代晚期，这里分布着大量具有独特建筑的遗址（详见第十二章）。在里奥贝克地区最大的遗址贝坎，民政-仪式建筑的基础在形成时代末期即将结束时就

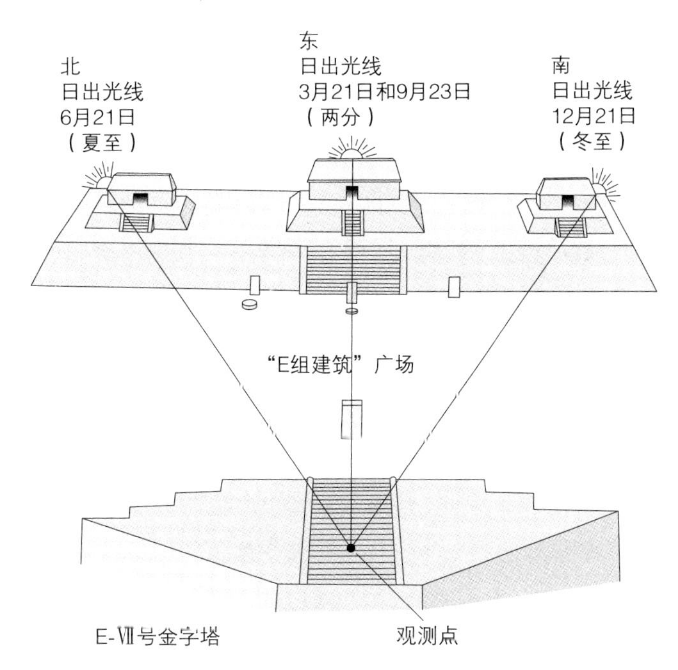


图9.2 瓦哈克通E组建筑，形成时代末期晚段修建完成。这是第一组在玛雅遗址上被识别出来的“E组建筑”（更早的例子参见图8.3）。此图很好地指示了金字塔的方向。该组建筑整体朝向东方地平线，使用建筑物作为地平历中东方地平线上的标志点。图上方为东。
在本书中，大多数平面图和地图均是北方在图片上部，这是一种基于地球南北极轴的现代西方惯例。然而，在古代许多族群中，包括中美地区和欧洲，东－西轴才是常用的方向（Aveni 1989：263）

已奠定，但贝坎的盛名却来自一条壕沟。这条将近2公里长的壕沟及其护墙，形成一条垂直高度超过11米的屏障，是环绕遗址中心区域19万平方米的防御设施系统的一部分（Webster 1976）。这些特征表明早在玛雅遗址进入古典繁盛期之前，玛雅低地的人口密度已经达到了足够大的规模，由此导致了城市之间因重要资源比如耕地而产生的竞争。

当然，在中美地区文化史上，冲突并不是什么新鲜事，但无论在什么地方，只要决心做出实质性努力确保在一个潜在的敌对环境中继续生存，这种努力就可以作为部分统治者拥有的组织权力的证据，他们会借此成为军事领袖，掌握权力，并利用此权力保证获取土地之类的资源。像贝坎这样的民政-仪式中心确实是各种仪式的集中之地，对于玛雅人来说，这些仪式常常涉及祖先崇拜，这是对确立领土正当性有用的意识形态。这些中心还具有协调经济活动的功能，比如贸易、劳力投资和物品再分配，它们还是政治领袖维持、保卫、有时扩张其政治疆域的行政总部（Webster 1977）。从贝坎及其他玛雅遗址的防御设施可以清楚地看到，冲突和解决冲突在很大程度上是玛雅文化演进的重要部分。

## 4. 玛雅低地北部

在玛雅低地北部，其他大型遗址还包括位于尤卡坦半岛西侧坎佩切州的埃德斯纳，北部平原的亚克苏纳、阿凯和科姆琴等。形成时代晚期的科姆琴遗址占地面积200万平方米，其中心为五座大型台基，其中两座由一条早期的“白色之路”连接。民政-仪式建筑周围分布着900—1000座建筑，大多数为房屋。这个小镇离海岸只有15公里，它的繁荣可能要归因于沿海贸易以及那里的盐业生产。形成时代末期将要结束时，科姆琴遗址衰落了，可能是因为导致贝坎壕沟和其他防御设施出现的类似冲突席卷了玛雅世界，并且没有区域性的政治权威系统崛起控制这些冲突。

## 5. 中美地区东南部

在形成时代末期，中美地区东南部的仪式中心和农业村落继续繁荣，不过在这一时期结束时大部分遗址都开始衰落了。公元420年，萨尔瓦多的伊洛潘戈火山以山崩地裂之势爆发（Dull et al. 2001）。这对萨尔瓦多和洪都拉斯西部的文化影响深远，但读者应该知道，早在两百多年前就开始了关于火山爆发日期的讨论，已经出版的许多文化史文本中早就涉及了这一事件。对伊洛潘戈火山爆发及其影响的重新阐释使本地区充满活力的形成时代晚期延续到公元5世纪早期。此后，大部分地区都处于中美地区文化影响的边缘，直到古典时代晚期和后古典时代才重新被纳入中美地区。

## 6. 危地马拉高地

形成时代晚期和末期的中美地区东南部将查尔丘阿帕视作文化上的首都，反过来，查尔丘阿帕似乎依靠着东南高地唯一的城市化社区卡米纳尔胡尤。形成时代末期的卡米纳尔胡尤正处在过渡阶段。公元100年以前，危地马拉山谷的人口增长，卡米纳尔胡尤拥有了10个分区，每个区都有一组民政-仪式建筑，包括顶部为神庙的金字塔式墓葬土墩（早期就是如此）以及作为精英住宅台基的相关平台。公元100—200年（圣克拉拉期），卡米纳尔胡尤急剧衰落，遗址部分可能被废弃了。原因可能是气候干旱导致的附近湖泊和运河系统干涸（Hatch 2001）。不管是什么原因，那段时期没有修建大型建筑工程，也没竖立纪念碑。

大约在公元200年（奥罗拉期，公元200—400年），因为特奥蒂瓦坎人的到来，城市又恢复了活力，特奥蒂瓦坎人在当地物质文化中留下了自己的印记，引入了特奥蒂瓦坎式的大型建筑和与中部高地相似的陶器，并缺乏竖立形成时代卡米纳尔胡尤和玛雅遗址常见的直立石雕的兴趣。特奥蒂瓦坎对卡米纳尔胡尤影响的性质，不论是由于殖民化还是外来者代替本土精英，一直都是学者们争论不休的话题。在评估了特奥蒂瓦坎自身的文化历史及其在中美其他地区文化轨迹中的角色后，我们将在讨论古典时代早期的危地马拉高地时，再回到这个话题上来。

## 7. 地峡和早期文字

进入形成时代末期，横跨地峡的文化延续了形成时代晚期以来的格局，显示出整个大地峡区域持续的思想交流和物品交换，从墨西哥湾地区中南部沿着太平洋海岸平原一直到伊萨帕。塞罗-德拉斯梅萨斯和特雷斯萨波特斯是重要的遗址，尽管形成时代末期的遗存被叠压在晚期的古典时代建筑之下。塞罗-德拉斯梅萨斯展现了其社会等级制度完善的证据，一座位于中心、随葬品丰富的墓葬显示了社会上层占有的财富。

该地区形成时代晚期延续下来的文化特征之一是符号系统发展的早熟。在第八章中，我们已经描述了最早带长历法日期的纪念碑，那就是地峡地区的产物。形成时代末期，地峡周边区域的资料包括大量最古老的中美地区象形文字文本，被称作“上奥尔梅克文”（也称“地峡文”或“中间地带文”或“图斯特拉文”，最后者得名于这种文字的一种重要使用载体——图斯特拉雕像）。这种文字系统被认为是前原始索克语的书写体，现代地峡居民语言米塞语和索克语的原始形式。

与玛雅文字不同，上奥尔梅克文还没被完全破译。事实上，迄今为止尝试的破译只使用了10组铭文资料（Justeson and Kaufman 1993，1997），其中最长的雕刻于拉莫哈拉1号纪念碑上（图9.3）。

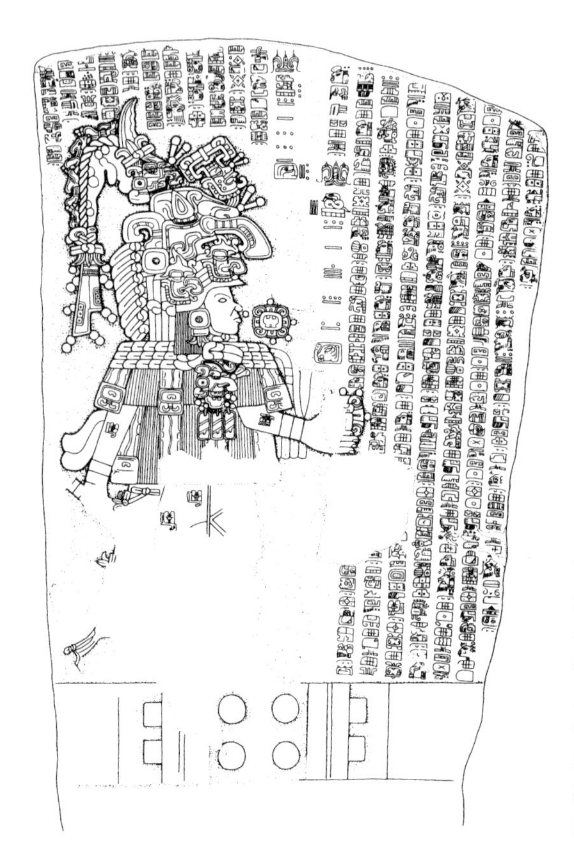

图9.3 拉莫哈拉1号纪念碑，尺寸为1.42米×2.34米。拉莫哈拉遗址很小，面积仅1万平方公里左右，位于阿库拉河河岸。石碑在河流浅滩处被发现。铭文尚未完全破译，但上面出现的两个日期可解释为公元143年5月21日和公元156年7月13日。部分铭文描述了雕刻于石碑上的人物及其生平，他可能是一个国王，但准确的解读有赖于对文化背景更好的了解和更多新发现的铭文资料（Houston 2000：131）

## 二、地峡西部

中美地区提供了关于古代文明中文字如何演变的很好证据，我们通过观察文字发展初期的各个邻近地区可以发现，这种文字的构想很普遍，并且有一些共同的主题：日历、重要人物和地点的名字。尽管目前所知最早的长文本来自地峡地

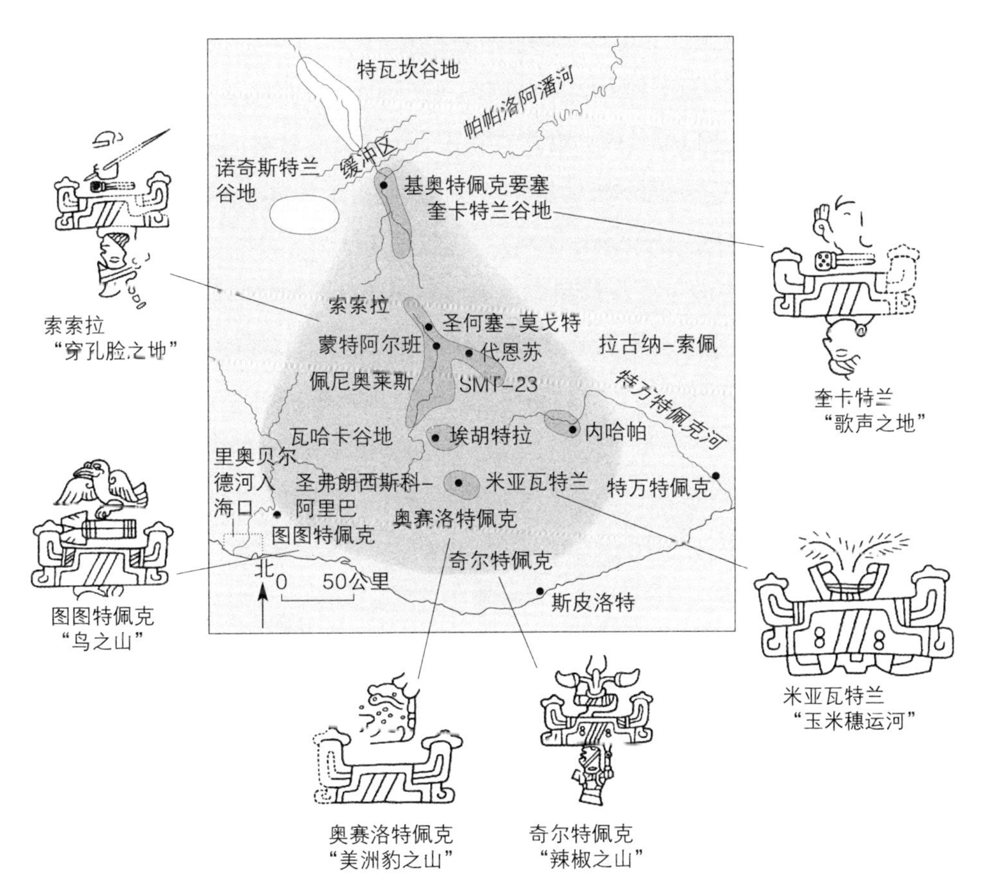


图9.4 蒙特阿尔班的影响广泛传播（阴影部分）。图外圈是来自J号建筑的地名符号，下方用阿兹特克帝国通用语言——纳瓦特尔语标示。在16世纪，西班牙人沿用了这些名字。每个图案的中心表示“某某山”或“某某地方”，上下颠倒的人头可能是征服的简写。从右上角开始沿着顺时针方向，这些字符分别代表奎卡特兰（“歌声之地”，注意表示声音的旋涡纹从山上的人头中伸出）、米亚瓦特兰（“玉米穗运河”）、奇尔特佩克（“辣椒之山”）、奥赛洛特佩克（“美洲豹之山”）、图图特佩克（“鸟之山”）和索索拉（“穿孔脸之地”）（Marcus and Flannery 1996：197—198）

区，但瓦哈卡河谷很早就有使用符号的传统，正如我们在形成时代中晚期的圣何塞-莫戈特所见到的那样。

蒙特阿尔班Ⅱ期（公元前200/前100年—公元200/300年）激发出一种新的符号表达，即用表示地点的符号记录和宣传日益发展的蒙特阿尔班政体（图9.4）。早在蒙特阿尔班Ⅰ期，就有强烈的迹象表明蒙特阿尔班对邻近地区如上米斯特卡和奎卡特兰峡谷的影响与日俱增。例如当地陶器风格的剧变等证据，就反映了一种包含蒙特阿尔班灰陶和其他产品的新的陶器组合，很明显这个中心是一个延伸150公里的文化圈的首都。很难说蒙特阿尔班是否征服了这些地方并将它们纳入正式的政治体系中，但J号建筑上雕刻的40多个地名符号暗示了某种管制，“这是一种文本式的宣告，蒙特阿尔班的扩张已经远远超出了其核心区域瓦哈卡谷地的范围”（Marcus and Flannery 1996：198）。

同时需注意舞者的个人肖像和表达更抽象的地点符号之间的差异（图9.4）。“年代早至（蒙特阿尔班）Ⅰ期早段和晚段的雕刻描绘了被俘的首领，他们被带

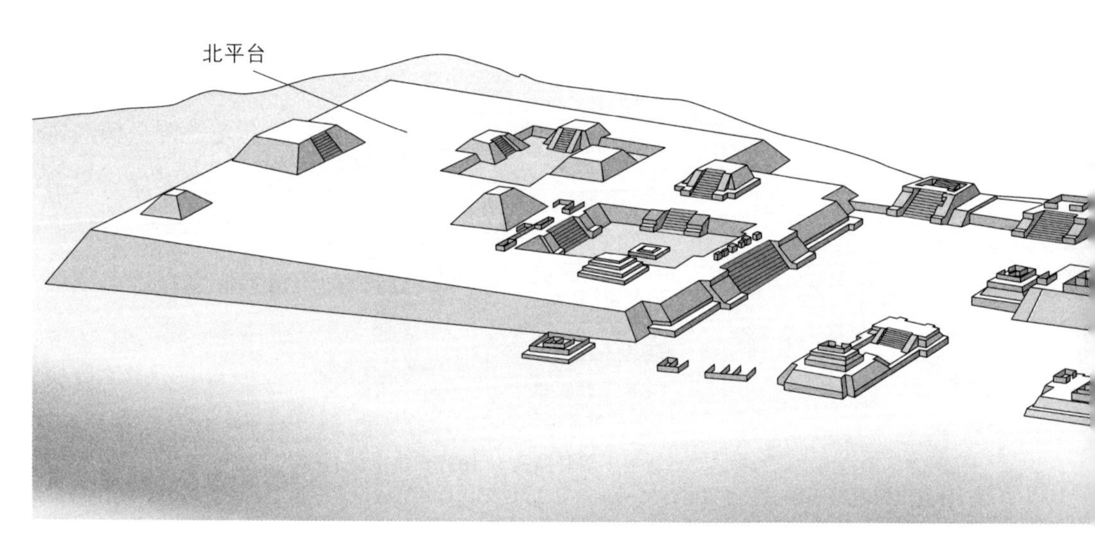


图9.5　蒙特阿尔班，西南方向的复原图，显示了第Ⅱ期和第Ⅲ期的建筑。许多建筑和台基均建在自然台地之上。第Ⅱ期工程包括J号建筑（广场上的箭头状建筑，位于南平台北部）和城市的第一座I字形正规球场（这张图中不可见，位于城市东侧，刚好在北平台的东南部）

到首都羞辱并杀害。相比之下，第Ⅱ期少量的（地点符号）石板显示了对特定地点或中心而非对个人的征服”（Blanton et al. 1993：84）。阿兹特克期的文献通常使用这种地点符号来表示朝贡政体，这种传统可能有很深的根源，并且代表了以蒙特阿尔班为中心的广泛朝贡联盟的形成。

展示地点符号的J号建筑，是蒙特阿尔班Ⅱ期大规模城市改建项目的一部分，该项目最终形成了今天所见的遗址布局（图9.5）。这个项目最开始在南北平台之间的中央广场山脊上修建了长300、宽200米的平整区域，“这是一项壮举，需要整平露出的岩石并填满深坑。位于广场南北两侧边界的大型石质建筑利用一些露出的岩石作为内核，这是一种聪明的处理方式”（Acosta 1965：818）。

这一时期另一个巨大的公共工程项目是一条防御城墙，长2公里，沿着山丘西北的底部修建。如前所述，在防御设施上耗费资源，表明这个时期盛行的敌对氛围已经足以说明必要的投入是合理的。一个类似蒙特阿尔班那样拥有公共艺术项目来标记其政治版图的雄心勃勃的中心极有可能树敌。而且它可能非常脆弱，

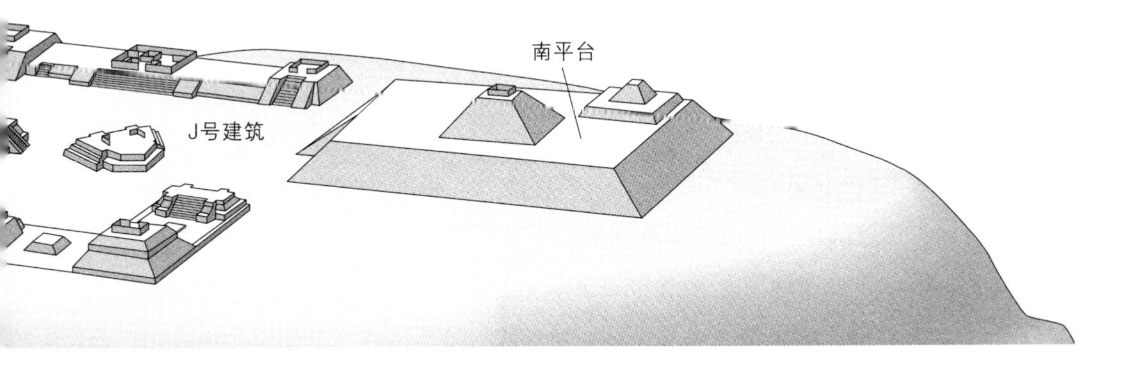

因为整个谷地人口在流失——下降了20%（从大约5万人降到约4万人），这可能是因为通过殖民来扩张朝贡政体的疆域基础所导致的。

谷地内另一个重要的变化就是遗址数量的减少，大约三分之一的遗址消失，仅剩下500多个。此外，谷地内的聚落形态由第Ⅰ期数十个小遗址围绕着蒙特阿尔班，转变为一个中心管理着可分为三部分的“人”字形谷地的正常格局。这一时期蒙特阿尔班人口大约14500人，谷地每部分都包含了数个人口1000—2000人并建有表明其行政职能的公共建筑的遗址。这些次级中心之间散布着大约30个大型村落，人口从200—1000人不等，且有小型公共建筑的迹象。除此以外，就是400多座小型村落，每座村落由数十个家户构成，但没有公共建筑。

这种以中心地点为核心的聚落等级分化揭示了谷地已经整合为一个政治体，由蒙特阿尔班统治。更明确的证据是，在被第三等级遗址所围绕的次级中心内，总是会发现蒙特阿尔班风格的建筑遗迹。包括在几乎被废弃了一段时间后重新有人居住的圣何塞-莫戈特、代恩苏和SMT-23等遗址，可能分别是“埃特拉、特拉科卢拉和巴耶格兰德三个地区的区域行政中心”（Marcus and Flannery 1996：175）。

这些建筑的共同点包括广场本身。在圣何塞-莫戈特新的重建中，大广场的规模与蒙特阿尔班相同，周边还有相似类型的建筑围绕。例如，两个遗址的北平台“上面都修建了一座行政建筑，需爬上一座长台阶，并通过一条柱廊才能到达……沿着两个遗址的广场两侧都修建了双间神庙”（Marcus and Flannery 1996：179），并且都有I字形球场和社会上层居住区。从这些现象中我们可以看出区域社会上层发展的迹象，毫无疑问，这些人通过血缘和婚姻纽带彼此联系，他们统治了蒙特阿尔班地区层级的政治和经济组织。

代恩苏的民政-仪式建筑在这一时期也有极大的扩展，其中一些特征就是对蒙特阿尔班建筑的模仿，但也具有独特的本地风格，这种风格不仅表现在代恩苏，还表现在邻近遗址阿瓦索洛和马奎尔克索奇特尔发现的雕刻中（Bernal 1973）。此类雕刻的一个重要主题就是对运动员的刻画。代恩苏遗址始建于公元前600年，延续了整个古典时代，直到公元1200年才废弃。

在更远的南部也发现了蒙特阿尔班的影响，比如位于从蒙特阿尔班到太平洋路线上的埃胡特拉。该遗址中发现了大量的海贝，可能是准备运往蒙特阿尔班的（Feinman and Nicholas 1992）。这些海贝与东部拉古纳-索佩遗址发现的是同一类型。在长久延续的拉古纳-索佩的末期，相对于其东、南部沿地峡海岸平原分布的遗址来说，它与蒙特阿尔班的联系更为紧密。但与此同时，蒙特阿尔班增强了与埃胡特拉和海岸米斯特卡地区的关系，拉古纳-索佩因而衰落并最终在公元300年废弃。

一些关于海岸米斯特卡发展的实质证据来自里奥别霍，该遗址位于太平洋海岸附近的里奥贝尔德河谷中。从形成时代晚期就有人居住，在形成时代末期迎来发展高峰，占地面积150万—200万平方米，并发现高大的土墩。此外，这一区域的聚落以里奥别霍为中心，包括了大量新出现的小遗址。该河谷中人口的增长可能要归因于农业产量的提高，这又是因为瓦哈卡和诺奇斯特兰山谷上游侵蚀的土壤在此淤积下来，"高地上地利用方式的改变，影响了里奥贝尔德河谷下游的水文和地貌"，反过来使得里奥贝尔德河谷在交换网络中"更具作为贸易伙伴的吸引力"，包括来自蒙特阿尔班的货物也在该网络中交换（Joyce 1991：145）。

在上米斯特卡地区，瓦梅鲁尔潘成为一个重要的遗址，尤奎塔继续统治着诺奇斯特兰山谷。尤奎塔占据着山谷的中心地带，最大占地面积约150万平方米，其建筑和其他物质文化遗存方面的多样性体现出社会内部的差别，出土一些外来珍稀物品，表明该遗址在长距离贸易中的重要性。

## 1. 格雷罗

北格雷罗位于米斯特卡地区西北部，这里是通过莫雷洛斯南部和普埃布拉的阿托亚克、内哈帕和阿马库萨克等流域，连接中部高地和太平洋海岸之间的重要节点。这些河流均汇入巴尔萨斯河。格雷罗地形破碎，温度较高，这样的地理环境造就了其封闭和丰产的特征；有关玉米驯化的最早证据就发现于此，稍晚时期，这里成为供应中部高地的热带作物诸如可可和棉花的重要产地。我们对于格雷罗地区重要性的理解受到考古研究缺乏的限制。比如，特奥庞特夸尼特兰的发现，让我们对奥尔梅克时期格雷罗的理解，从一个迷人但边缘之地转变为一个重要文化趋势的前沿地区。

同样，格雷罗北部形成时代末期的社区库埃特拉胡奇特兰也建立在“一个都市型网格之上，以两条指向四方的交叉线为基准，辅之以与之平行的通道，界定出一个个有下沉院落的长方形居住建筑组和仪式建筑组”（Manzanilla López and Talavera González 1993：110）（图9.6）。在距离遗址中心大约200米的地方发现了居住建筑。遗址的陶器大多来自格雷罗，也有对外接触的证据，比如来自瓦哈卡的灰陶、来自莫雷洛斯和普埃布拉的精细陶器，还有与墨西哥盆地蒂科曼遗址类似的器皿和陶塑。其他资料也表明库埃特拉胡奇特兰是一个重要的贸易中心，从太平洋输入海贝，从特奥蒂瓦坎北部的帕丘卡矿区输入绿色黑曜石。

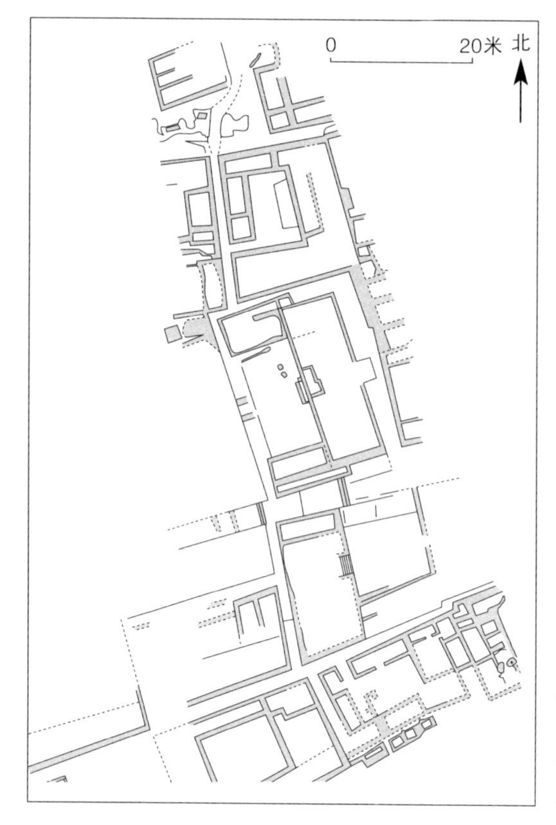


图9.6　格雷罗地区的库埃特拉胡奇特兰遗址，年代为公元前600—公元200年。该遗址的建筑可追溯至形成时代末期，密集分布形成网格模式，其中包含了供水和排水系统。平面图中心是一座民政-仪式建筑。发掘区的奇怪形状反映了考古工程的抢救性质，这是文化资源复原的一部分，也是为修建墨西哥城南部库埃尔纳瓦卡到太平洋沿岸阿卡普尔科之间的高速公路所做的准备

在巴尔萨斯河流域的其他地区，不同的农业村落带有自己独特的本地陶器传统：巴尔萨斯地区中部分布着巴尔萨斯/梅斯卡拉文化，更远的西北部，阿帕钦甘附近是丘皮库阿罗文化的范围。对于这些文化，除了对陶器类型的简单辨识外，几乎没有其他研究；分期也是大致根据陶器风格和墓葬形制的变化，而不是从木炭样本或其他材料检测出的绝对年代。梅斯卡拉河附近的文化遗存包含了一种令人印象深刻的简单雕刻风格（参见图10.25），这种风格的艺术品被现代收藏家所珍视，更因20世纪墨西哥艺术家米格尔·科瓦鲁维亚斯而名声大噪。梅斯卡拉风格艺术品可能在形成时代晚期后段开始生产，似乎在古典时代达到巅峰，接下来的章节会讨论它们。阿帕钦甘地区位于特帕尔卡特佩克河谷内，它是发源于墨西哥西部山脉的巴尔萨斯河的一条支流，该谷地也是墨西哥西部的竖穴墓分布最东南的区域。

## 2. 墨西哥西部：竖穴墓文化和特乌奇特兰传统

正如我们在原古时代的特瓦坎谷地所见那样，对待死者的方式会告诉我们大量基本的社会信息。形成时代晚期和末期，为了让社会领袖准备奢侈、不朽的墓葬，并将其建在遗址最神圣的建筑内部，社会上层需要有获取珍稀物品、指挥人力甚至杀牲祭祀的能力，不同地区丧葬习俗提供了这方面的证据。

在墨西哥西部，一种名为“竖穴墓”或“竖穴墓室墓”的墓葬传统，可能是这个地区前哥伦布时代文化历史中最著名的特征，尽管并不是最重要的。事实上，文化历史学家会不公平地将整个这一地区边缘化，因为除了竖穴墓或墓内为死者随葬的精美中空陶塑以外，我们对这个地区几乎一无所知。讽刺的是，艺术品市场对这种陶塑的兴趣如此之大，以至于盗墓贼会为了寻找它们毁坏整个遗址。因此，这种埋入墓穴用来陪伴和令死者荣耀的随葬品，竟引诱盗墓贼毁灭了关于古代墨西哥西部人群生活方式的资料。

幸运的是，近年来调查和发掘的系统技术已经为发现一些和墓葬相关的遗址带来了曙光。实际上，那些大型遗址都具有中美地区重要的特征，比如球场和金

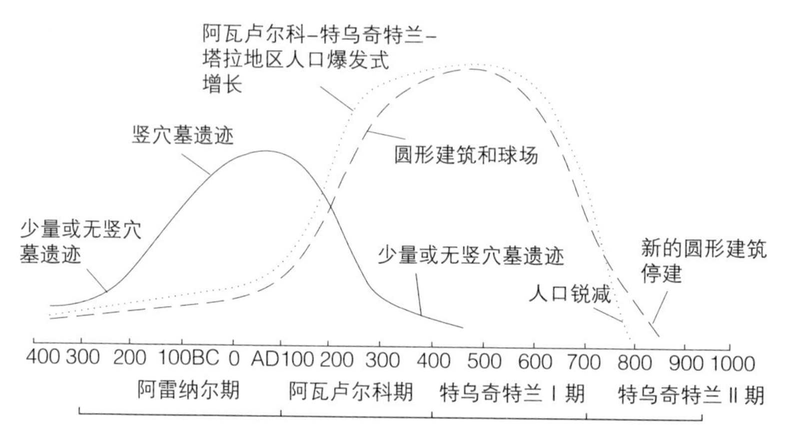


**图9.7　墨西哥西部几个相关文化特征的相对波动情况。尽管最大的特乌奇特兰文化遗址和大型竖穴墓（“多个墓室且竖穴超过4米深”的墓葬［Weigand and Beekman 1998：39］）的存在时间有相当大的重合，但后者明显是形成时代晚期的现象并逐渐减少，与此同时，大片区域内的人口集中到特乌奇特兰附近的一个遗址内，它的周边有山顶遗址保卫其边界**

字塔，也有一些独特的遗址规划，如排列成圆形的土墩，其中一些叠压着通往墓葬的竖穴。这些遗址被称为特乌奇特兰文化，年代从形成时代晚期初段到古典时代晚期（图9.7）。挖掘和使用竖穴墓的习俗也出现于形成时代晚期初段，其达到顶峰颇快，大约在形成时代末期。

**维齐拉帕墓葬**｜墨西哥西部的广大范围内已经发现了数百座竖穴墓。该传统的根源就在这个地区，可能源自埃尔欧佩尼奥。到了形成时代中期，在哈利斯科州发现了大量直径30米左右、高约2米的圆形平台，平台下有普通墓葬和更复杂的竖穴墓。

在形成时代晚期和末期，竖穴墓的形制最为复杂。墓葬情境多样，包括简单的土坑墓、袋状室墓，还有三种竖穴墓：浅井（最多2米）单室墓，深井（最深达10米）单室或双室墓，以及20多米深一般有三个墓室的大型竖穴墓。最后一种类型的墓葬仅发现于特乌奇特兰的传统核心区域，在那里，这种墓葬是形成时代圆形院落的一部分，而此类院落则是古典时代大型圆形建筑的缩小版。

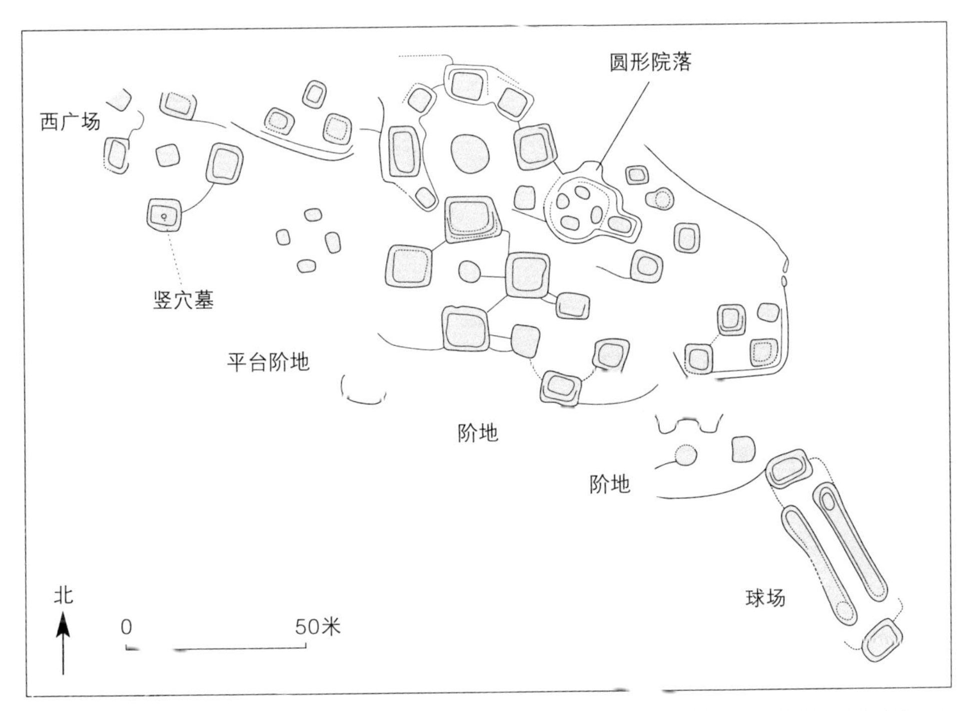


**图9.8　维齐拉帕，墨西哥西部一个形成时代晚期的小型仪式中心，显示出特乌奇特兰文化圆形建筑和竖穴墓之间的关系。遗址中心部分的平面图显示，中间为圆形排列的土墩群，周围则是其他较小的土墩群。注意，球场位于平面图东南方向，这是维齐拉帕遗址四个球场之一**（Tichy 1976：4）

维齐拉帕，这个位于特乌奇特兰核心地区的遗址，是形成时代末期区域内遗址发展的典范，更重要的是，它提供了竖穴墓罕见的原始面貌（图9.8—9.12）。维齐拉帕还有一片墓地，所以西广场最大的居住院落F-4内的这座竖穴墓，就成了该遗址已知同类遗迹的唯一代表。竖穴位于南部平台的中心，因此平台上的建筑可能是某种神庙，“它是连接宇宙力量的场所……内部修建了一个性质与普通场所无异的出入口，提供了一条连接世俗和神圣界域的上下通道”（López Mestas C. and Ramos de la Vega 1998：57—58）。

根据人骨证据，F-4下面的墓葬埋葬了一个家庭：等级较高的“N1”有先天的畸形，两节脊椎连在一起；其他五人中的四个与他一样都有这样的状况。这表明该墓葬是一个家庭安置死者的房间。

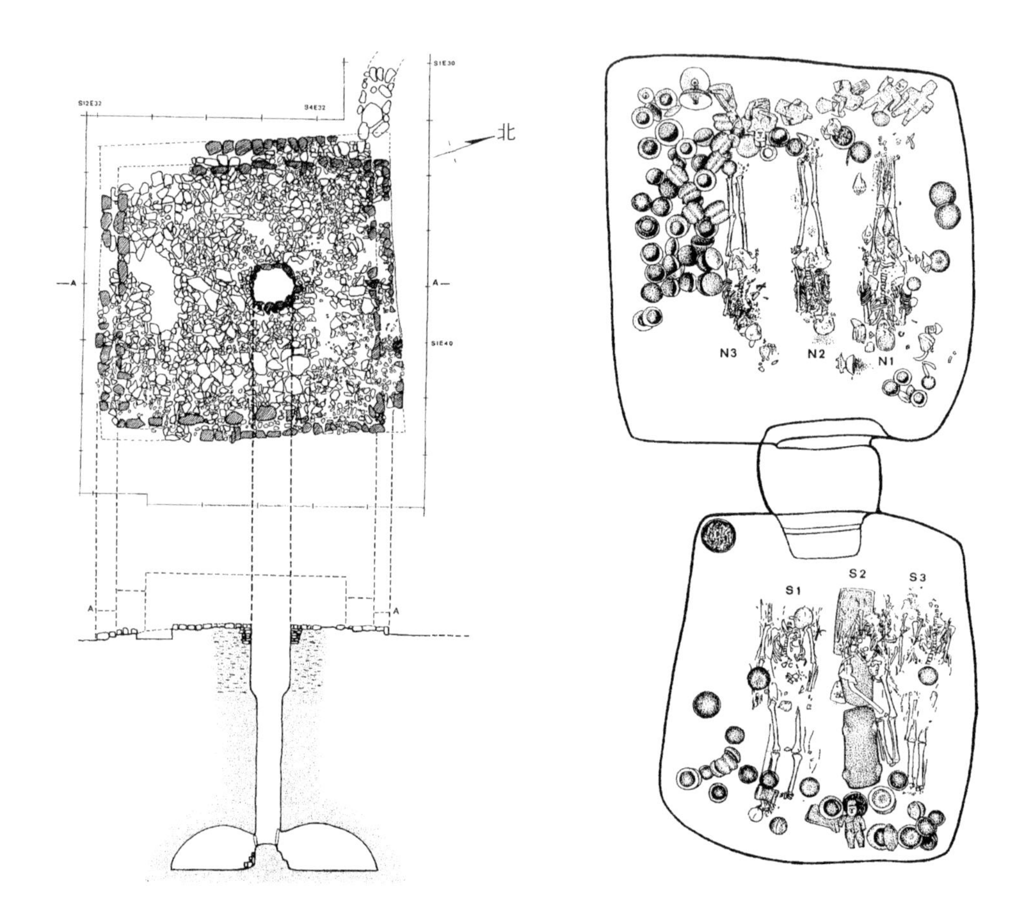


图9.9—9.12　在维齐拉帕的西广场，有一座双墓室的竖穴墓（上左侧）。南部平台显示该竖穴深7.6米，连接两个墓室（上右侧）。每个墓室均埋葬了两男一女。等级最高的应是葬于北侧墓室的一名男性，他的胳膊上佩戴了贝壳手镯。腹股沟下方放置了三个海螺壳，“摆放形状类似一根阴茎……海螺本身与生殖能力密切相关……”（López and Ramos 1998：66）在后来的墨西哥中部文化中，海螺与统治者和生殖能力的守护神——羽蛇神有联系。对特乌奇特兰遗址瓜奇蒙通聚落的发掘，揭示出该文化金字塔阶梯状圆锥形的特点，这是中美地区独特的建筑形式（对页上图）。编号N1的人骨，其脚部发现了一件陶塑，为一个运动员手持一个球（对页下图）。像N1这样的高等级死者与球赛之间的联系，是该文化与其古老球赛传统之间关系的证据，也是更大的中美地区内球赛和统治者之间关系的表现

## 3. 墨西哥西部建筑模型

形成时代末期墨西哥西部深厚的艺术和建筑传统，可以在一种中美地区文化历史独一无二的“陶塑”上，得到进一步证明，即刻画了发生在建筑背景内社区活动的陶器模型。有时，这种模型只描绘一种舞蹈或仪式场面，有时是一间带居民的房屋，有的表现正在进行比赛的球场，还有像图中这样观众和表演者共同参与某个仪式的模型（图9.13）。这种建筑模型作为前哥伦布时代生活的视觉记录，就其生动性和细节而言，只有古典时代的玛雅彩绘陶器才能与之相提并论。

这件描绘特乌奇特兰风格建筑的模型反映了一个考古中发现过的遗迹，即柱洞上立有一根柱子。有

图9.13 这件墨西哥西部的建筑模型展示了面对广场的两座建筑。一场宴会正在进行，人群中的乐师们围在一根柱子周围，柱子顶部是一名身体做飞翔状的杂技演员，这描绘了至今仍在墨西哥表演的古老仪式

一个人被绳子挂在顶部，下降到地面，就像在飞一样。现代墨西哥仍然有“飞翔者”表演这样的杂技，但在过去的古代，这个演员应当是一个萨满，以这样的仪式来维持其“与宇宙的特殊联系——［并且］让自己在柱子顶端保持平衡，将自己神奇般短暂地转化为一只雄鹰，［进出］宇宙和超自然层面之间的通道”（Witmore 1998：144）。在这种凝聚社区的仪式活动中，“飞翔者”以夸张的表情超越了世俗的人类世界，激发观者的敬畏和尊崇。

## 4. 特乌奇特兰文化

竖穴墓和特乌奇特兰建筑相继出现高峰为我们提供了复杂社会一个重要的文化特征：大型墓葬、大型建筑及聚落形态向更大社群和更高人口密度转变这些因素并非都是同步变化。我们不应该期望特乌奇特兰的最大型遗址也拥有最大的竖穴墓吗？公元300年左右，大型竖穴墓的衰落及其形制的简化，是与小型墓葬被埋在“大型圆形遗址区域下方同步发生的。……从私人家庭或世系的大型建筑到更开放性的公共仪式建筑的转变，表明需要将多元社区整合到一个开放的市民秩序中”（Weigand and Beekman 1998：45）。特乌奇特兰文化的大型建筑——维齐拉帕模式的放大版——在古典时代早期成熟，我们将在第十章中讨论。

## 5. 西北边境和北部干旱地区

特基拉火山附近的特乌奇特兰核心区域位于查帕拉湖西北部，在它和太平洋海岸平原之间，沿着分隔墨西哥大陆和下加利福尼亚地区的科尔特斯海向北延伸。这个沿海平原背靠西谢拉马德雷山脉，形成时代早期被贝壳采集者占据，到了形成时代末期，农业村落在沿着山脉东部的峡谷内建立起来。博拉尼奥斯-胡奇特兰谷地将特乌奇特兰核心地区与中美地区西北边境连接起来，在那里，我们发现了竖穴墓和特乌奇特兰文化最北部的分布范围，即位于特乌奇特兰核心区域北部200多公里的两个小遗址托托阿特和拉佛罗里达。

沿着山脉东部的山麓丘陵，更北的查尔奇维特斯和洛马-圣加夫列尔文化的村落在形成时代末期才刚刚开始形成。这些文化逐渐发展成为一个区，长久以来被当作一条往北到如今墨西哥西北和美国西南部地区的贸易路线。在古典时代和后古典时代早期，美国西南部可能是重要的贸易中心，中美地区商人都希望从那里甚至更北的大盆地获取绿松石资源。

这一地区的贸易有着悠久的历史。我们知道大约公元前1200年，玉米传播到美国西南部，在若干个世纪里，种植的玉米都是作为流动采集者食谱的补充而已。直到形成时代晚期和末期，美国西南部才出现房屋和储藏设备这样的早期定居迹象。公元200—300年，才有了真正的定居和陶器的使用。但该地区形成时代末期的文化模式“似乎是发源于丘皮库阿罗文化的中美地区模式延伸的最北端。考古学家认为，因中美地区影响产生的经济和社会变革，涉及内容从实实在在的方面（玉米、陶器）到更微妙的方面（高度风格化和变化的图像元素）”（McGuire 2010：525）。

## 6. 墨西哥盆地周围的中部高地

丘皮库阿罗文化的核心地区就位于这个区域，且似乎与墨西哥盆地南部的中心城市奎奎尔科有密切关系。到形成时代末期，奎奎尔科因为特奥蒂瓦坎将其人口吸引到盆地东北部的特奥蒂瓦坎谷地而被废弃。盆地西部，托卢卡谷地在形成时代中期人口繁荣，但到了形成时代晚期和末期，除了少数几个易守难攻的小遗址可能延续到古典时代早期外（Sugiura 2000：33），谷地内几乎荒废。

**莫雷洛斯** | 与上述情况相反，南部的莫雷洛斯人口持续增长，区域文化间的差异也逐渐明显，西部的遗址显示出与格雷罗地区的强烈互动性，而东部的遗址则被纳入特奥蒂瓦坎的影响圈内。通常人口会集中于一个中心社群，其规模比其他社群更大也拥有更多雄伟的公共建筑。建筑通常位于台地上，下方就是支撑其人口的冲积平原。莫雷洛斯在形成时代晚期和末期的一个趋势就是其长距离贸易的衰落，因为该地区内部区域间的贸易关系正逐渐增强。

**普埃布拉** | 近年来，因为墨西哥最活跃的火山之一波波卡特佩特火山的爆发，普埃布拉西部屡次拉响民防警报。前几年，考古学家就在火山东南部的特蒂姆帕地区工作，当波波卡特佩特火山的烟云笼罩在他们上方时，他们的田野工作车辆保持待命，随时准备撤离。在这种情况下，他们发掘了一层大约一千年前的火山灰堆积，揭示了一系列大约公元50—100年突然废弃的聚落，这一事件结束了这个地区始于公元前700年的居住传统（从公元前200年到公元前50年间有过短暂废弃）。

特蒂姆帕农业村落的房屋为木骨泥墙构造，建造在精致规整的台基上（图9.14）。两或三座类似的房屋围成一个小广场，中心为祭坛（Plunket and Uruñela 1998）。其中一座祭坛建成火山的形状。如同他们的邻居奎奎尔科一样，特蒂姆帕人试图削弱自然的破坏力，但未能成功。其他一些普埃布拉城市人口也下降了。直到公元100年，特拉兰卡莱卡仍然是一个重要的遗址，面积超过100万平

**图9.14 特蒂姆帕地区深埋火山灰下的村落建筑，显示出后来与特奥蒂瓦坎相关的一系列建筑特征。图片右侧、台基底部是被称为“塔鲁德”的坡状墙体，上方是垂直立面，名为“塔布莱罗”。值得注意的是，台阶两侧为低矮的斜坡状台阶侧栏，这是特奥蒂瓦坎建筑另一个著名的特征**

方米，有数十个土墩和土墩群。霍奇特卡特尔的发展被中断，在形成时代晚期和末期它还是一个重要的仪式中心，位居山顶，与东面的拉马林奇火山和西南的伊斯塔西瓦特尔火山和波波卡特佩特火山之间的距离大体相当。霍奇特卡特尔的一些仪式建筑可以追溯到这个时期，但在形成时代末期被废弃，原因可能是火山活动。古典时代晚期（公元600—900年）遗址被重建，并成为卡卡斯特拉的一个联盟遗址（Serra et al. 2004）。托蒂梅瓦坎仍然是普埃布拉最重要的遗址之一。

**乔卢拉** | 浮岩层下缺乏人骨证据表明特蒂姆帕人在火山爆发之际有足够的时间逃亡。他们可能向东逃到了20公里外的乔卢拉。形成时代末期的乔卢拉依然有人居住，遗址面积约200万平方米，人口5000—10000人，增长原因可能是波波卡特佩特火山爆发带来了难民，但我们并不认为其人口增长规模能比得上奎奎尔

科废弃后特奥蒂瓦坎的人口增长。因为普埃布拉不像墨西哥盆地有其独特的将盆地内人口聚集到城市的模式，其聚落形态依然是较大的民政–仪式中心和周边围绕着的农业村落腹地的混合。

形成时代末期，乔卢拉的大金字塔开始建造，最终成为新大陆前哥伦布时代体量最大的建筑（图9.15、9.16）。今天，它的底部已部分修复。它看起来像一座绿色的小山，位于现代城镇中央，顶部矗立着一座大教堂。乔卢拉的地理位置保证了其长久有人占领的稳定性，因为它位于连接墨西哥盆地和墨西哥湾低地以及通过特瓦坎谷地前往瓦哈卡的主要道路的交汇处。

**特瓦坎谷地**｜强烈的证据表明，到形成时代晚期结束时，蒙特阿尔班的势力范围已经穿过奎卡特兰峡谷，一直延伸到特瓦坎谷地的南端。在北端，谷地与普埃布拉平原交接处，山脉略有收缩。夸尤卡特佩克遗址位于东侧山脊之上，俯瞰谷地，年代为公元前150—公元250年，人口约1000人。这是在夸奇尔科衰落

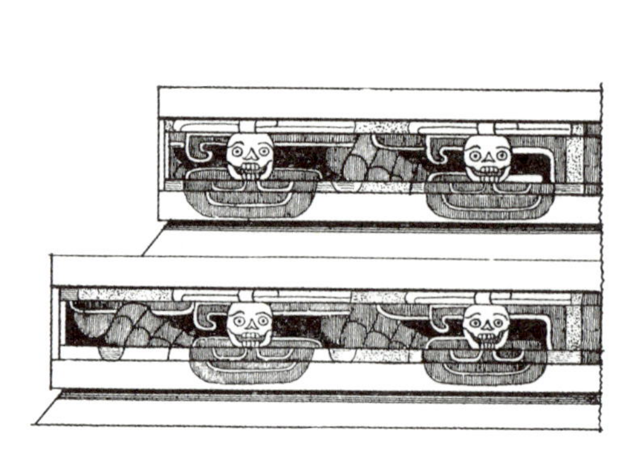

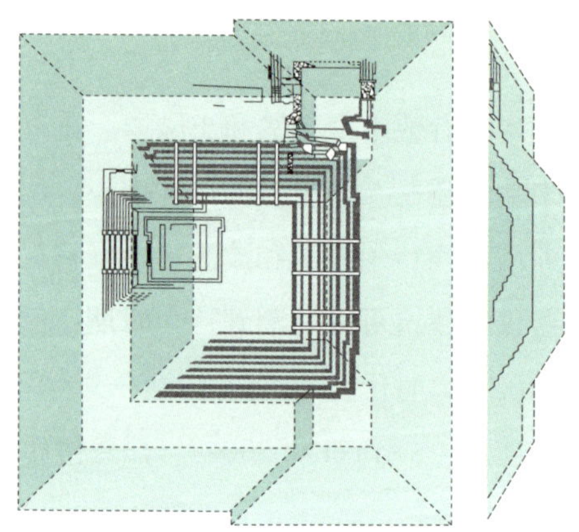

图9.15、9.16　乔卢拉的大金字塔最终成为前哥伦布时代体量最大的建筑。它分为几个大的阶段建造，每个阶段都覆盖并扩展了前一个阶段的建筑。首先，Ⅰ号建筑确立了后来建筑的方向即北偏东17°，与特奥蒂瓦坎太阳金字塔的方向大致相同。Ⅰ号建筑的一面宽120、高17米，即其底座比一个足球场还长，达到五层楼的高度。平顶边长43米，上建有神庙，晚期因金字塔扩建而被毁（Marquina 1999［1951］：119，Lám. 36）。第一座金字塔的建筑面被改造为斜坡–立面式风格。在立面上，一幅带状壁画描绘了包括昆虫头和身体的重复性图案（左图）（Marquina 1999［1951］：121，Fig. 5）

并废弃后兴起的六个遗址之一，这些新兴的遗址都具有共同的防御性特征。夸尤卡特佩克建有“坚固的城墙，阻挡进入整个或部分遗址的入口”（Drennan 1979：171）。它俯瞰一片原本可以轻易灌溉的富饶土地，但其公共建筑主要集中于山顶，遗址延伸到冲积平原，那里还修建了一个球场。

## 7. 墨西哥湾北部

墨西哥湾沿岸低地中北部和北部的聚落形态和其他地区一样，有民政-仪式建筑的中心遗址和周边围绕的腹地。其中，低地中北部一个重要的遗址脱颖而出，名为埃尔皮塔尔，位于瑙特拉河沿岸，距离入海口约15公里（图9.17）。虽然地表充斥着后古典时代的陶片，但形成时代末期和古典时代早期的物质遗存依然占主导地位，尤其是在主要建筑的周围。事实上，一方面这个社区可能从诸如拉斯伊格拉斯等遗址吸引了人口，后者位于埃尔皮塔尔东南部大约30公里的海岸，到了形成时代末期大部分就废弃了。另一方面，北部将近40公里的圣路易莎遗址却保持繁荣，并在陶器上显示出与埃尔皮塔尔互动的证据。

埃尔皮塔尔周围100多平方公里的区域均被密集耕种和居住，数百座房屋土丘分布在一个台地系统上，“这是当时古代中美地区最大的土方工程之一”（Wilkerson 1994：63）。上述努力使沼泽地变成了肥沃的农田，用于种植粮食和重要的热带贸易作物如棉花和可可。由此，瑙特拉河为集约化耕种带来了丰富的冲积土壤，并为贸易路线提供了水道。埃尔皮塔尔可能是特奥蒂瓦坎的一个贸易伙伴。相对于埃尔塔欣来说，其年代序列与特奥蒂瓦坎的扩张时期更吻合，古典时代中期，当特奥蒂瓦坎对远离本地的事业失去兴趣时，埃尔皮塔尔也随之衰落了。埃尔塔欣这个形成时代的小型聚落，成长为古典时代晚期的强大城市。

形成时代晚期和末期，墨西哥湾低地北部的重要城市得到发展，在类似坦坎维特斯这样的遗址中发现了圆形神庙-平台。一些学者认为这种建筑指示了其与奎奎尔科之间的某种互动，也有学者指出墨西哥湾低地可能具有种族多样性，圆形和方形建筑的共存就是证据。不幸的是，我们对这个地区的考古记录理解甚

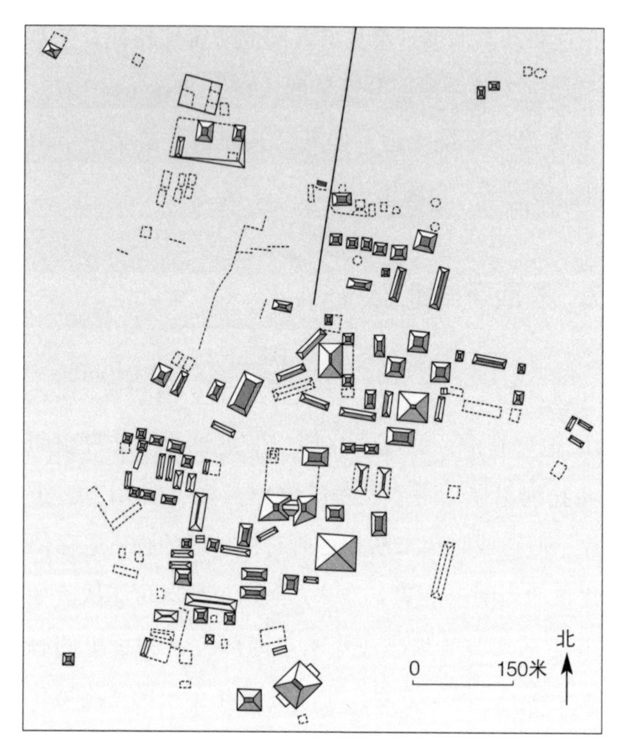


**图9.17 埃尔皮塔尔位于墨西哥湾低地中北部，其遗址核心区占地面积约175万平方米，发现建筑100多座，“高度从数米到约35米不等，有低地东部目前已知最大的建筑。建筑包括小型房屋、长台基、大量球场和神庙，几乎都以广场为中心”（Wilkerson 1994：60）**

少。几个比较著名的遗址有助于厘清形成时代末期和古典时代早期的文化发展。帕努科遗址尽管受到殖民时代和现代聚落的破坏，但仍然提供了这个地区从形成时代早期到欧洲人入侵时的人群居住证据。再往北的圣安东尼奥-诺加拉尔的独特建筑反映了一种当地传统，而且其遗物同时吸收了来自北部的塔毛利帕斯文化和南部帕努科遗址的因素。然而要注意的是，该地区的典型特征包括像球赛这样的中美地区文化因素，因此应该算是中美地区东部与北部干旱地区的交界地带。

## 8. 特奥蒂瓦坎，时间诞生之地

正如综述中所说，形成时代末期是一个中美地区发展出大型、复杂民政中心的时期。从查尔丘阿帕到圣安东尼奥-诺加拉尔，众城镇炫耀着他们的球场和金字塔，许多统治家族展示着他们从远方获得的精美商品。然而，所有这些相对宏伟的中心城市跟特奥蒂瓦坎比起来都相形见绌，后者在形成时代末期发展出一条长1.5公里的仪式大道，大道两侧是雄伟的金字塔和成组的小型“三神庙”式院落（图9.18、9.19）。

特奥蒂瓦坎的统治者明显对“雄伟”情有独钟，并且似乎是基于这样的信念，即他们的城市是时间诞生之地。1500多年后，西班牙修士贝尔纳迪诺·德萨阿贡记录了这样一段阿兹特克人的传说：

> 诸神是如何诞生的……在特奥蒂瓦坎，他们说，就在这个地方，就在世界仍然处于黑暗之时。所有的神聚集到那里一起协商讨论，谁来肩负统治的重任，谁来当太阳。（Sahagún 1978［1569］：1）

特奥蒂瓦坎人自己是否就是这样理解他们在宇宙史中的角色尚不得而知。这个遗址的名字是一个阿兹特克词，意为“神灵之所”，遗址中主要遗迹的名字均是纳瓦特尔语。学者们对于形成时代和古典时代的特奥蒂瓦坎人是否说纳瓦特尔语意见不一。后古典时代的特奥蒂瓦坎确实广泛使用纳瓦特尔语，并且其字符与古典时代的符号语言是一致的。

## 9. 神奇的位置：神灵之所

考古天文学和测量已经破译了特奥蒂瓦坎的布局排列与宇宙观的关系。城市中心可能就是太阳金字塔。它建于一个洞穴之上，西部一条隧道是其入口。这个洞穴“毫无疑问是一个崇拜中心，就像若干世纪以来墨西哥的其他洞穴一样。事实上，正是因为有这个洞穴，人们才选择在此建造太阳金字塔”（Heyden and Gendrop 1980：20）。

金字塔面向西略偏北（大约15.5°），朝向一年中两天地平线上的太阳降落点：约8月13日（公元前3114年的创世日）和4月29日，中间正好大致是一个260天占卜历法的周期。从这一角度还可以观测到其他天体运行和地平线相关的天文事件，

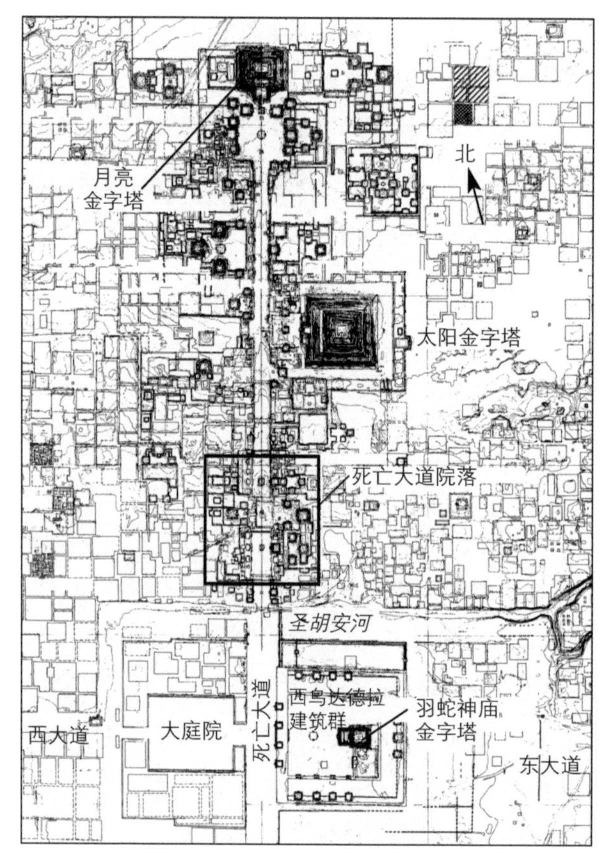


图9.18、9.19 特奥蒂瓦坎形成时代末期的仪式核心区。到公元150年，月亮金字塔和太阳金字塔可能已建造完成，而西乌达德拉建筑群和羽蛇神庙金字塔则可能要到公元250年才完工。平面图显示了死亡大道两侧主要的仪式建筑，排列方向为北偏东15.25°。从这一时期开始，城市可能已经有了相当多的居住建筑，但它们被掩埋在遗址古典时代早期著名的住宅院落和城市网格建筑之下（详见图10.2）

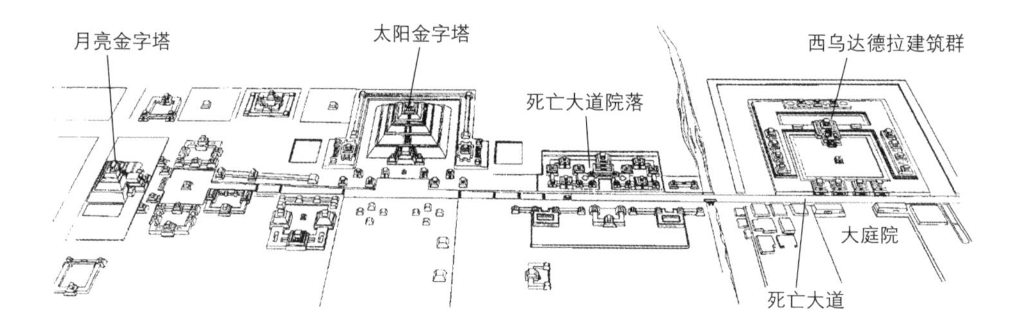

图9.20　对于任何从死亡大道向北看的人来说，塞罗戈多山和两座金字塔的排列及其位置的视觉力量都是显而易见的。太阳金字塔（右）和月亮金字塔（中）建筑比例的相似性，使得人一眼望去容易误以为它们尺寸相当，但由于月亮金字塔处于大道尽头，使得它看起来似乎体积更大。“事实上，它更小一些，由于与身后的大山套叠，从而放大了它的视觉冲击力”（Evans and Berlo 1992：9）

图9.21　月亮金字塔第六次建造时期的一件祭品，年代可追溯到约公元350年，该玉人和玉珠与丧葬行为有关

对于农业年和信仰系统来说同样是有意义的（Millon 1993：35，注释7）。

因此，对于一套非常重要的地平线历法来说，此洞穴就是一个观测点，洞穴入口的路线和日落的轨迹恰好被一条神圣大道横切，在这条我们称为“死亡大道”的道路北端，建造有“特奥蒂瓦坎第一座伟大的金字塔，它年代最早，埋在月亮金字塔最深处”（Millon 1992：384）。洞穴之上，建造有太阳金字塔，它最早是一座小型的泥砖神殿，表面砌鹅卵石（图9.20、9.21）。

持续修建壮丽的建筑令特奥蒂瓦坎脱胎换骨。到了形成时代末期早段，城市人口已超过5万人，太阳金字塔也在洞穴之上矗立起来，由此城市的意义变得不朽，统治者的力量也得到夸大——此塔可能同样是他们的坟茔（Sugiyama 2005）。尽管我们对于规划这个城市的人一无所知，规划本身却揭示出精准的测量方式，采用一种0.83米的标准度量单位。这大致与世界许多地区使用的传统测量单位相同，即一个成人的指尖到其胸部正中的距离（西班牙语叫“vara”，音瓦拉）。将这种测量单位应用到特奥蒂瓦坎，我们会发现许多主要建筑之间的距离除以这个标准长度，得到的都是具有仪式意义的数字，似乎“这种表达宇宙观的规划杰作，在城市构建之初就已形成”（Sugiyama 1993：104）。

例如，太阳金字塔最早的基座有260瓦拉，这个神圣的数字是占卜历法的天数，这种古代历法在中美地区普遍使用。还有其他的神圣数字也在城市主要建筑的尺寸和间距中被体现。这些提供了关于古代中美地区城市规划的重要视角。特奥蒂瓦坎和其他遗址的建筑师面临了严重的土木工程问题，不过被以实用的方式解决了。但在这些实用方案的限制内，设计者还是对他们所认为的控制宇宙的创造力和破坏力表达了尊崇。

公元100年左右，第一次大规模的建造使得太阳金字塔接近我们今天能见到的尺寸；第二次的建造使整个建筑最终完成，基座边长225米，高约75米，包括顶部如今已被毁的神庙（或双子庙）。它的体量大约为100万立方米，由于几乎是一次建造的结果，太阳金字塔是前哥伦布时代新大陆最大的单次建筑。100万立方米大致相当于3500万筐泥土和砾石，显然，其中大部分是从城市下方复杂的洞穴系统中挖出来的。如果一个工人一天可以搬运五筐土，完成金字塔的主体工程就需要700万个工作日。那么只需城市人口的一小部分约7000个劳动力，每年工作100天，在10年内就可完成。

一堆巨大的泥土虽然呈金字塔形状，但还不是令人印象深刻的民政建筑。还需要在泥土表面铺设一层泥土和火山砾石，再敷一层从邻近峡谷进口的白灰面，最后绘上色彩鲜艳的壁画，整个建筑才宣告完成。为了满足木材和燃料需求而砍伐森林，可能导致特奥蒂瓦坎谷地的片状侵蚀，进而导致表层土壤的流失，这种影响至今仍然可见。今天，太阳金字塔已经失去了鲜亮的壁画和白灰面，但它仍然犹如一座风格化的山丘一般震撼观众。构建这种山的形象很明显是金字塔建造者的意图，他们认为景观是有生命的，每个金字塔都是周围山丘活生生的写照。

**金字塔致敬什么神？** | 毫无疑问，这些金字塔是奉献给神灵的丧葬建筑（Millon 1993：37），但是，到目前为止，还没有确凿的证据表明这些神灵的身份，或是他们与中美其他地区主要神灵的关系。从古典时代的艺术来看，特奥蒂瓦坎主要可分辨出两个主神：一个男性风暴神，与后来的神祇特拉洛克明显相关，以及一个被一些学者称为女神或伟大女神的女性，她可能是太阳金字塔的神祇，事实上，“女神也许正是洞穴和神庙所象征的”（Pasztory 1997：91），因为中美地区人民有一种强烈的意念，赋予所有景观生命力，包括建造具有人工山丘的环境。然而，几乎没有确凿证据证明金字塔和某些神祇的特定关系。“从别的角度也有很好的解读，但两者可能都并非事实”（Pasztory 1993：50）。

**羽蛇神庙金字塔和西乌达德拉建筑群** | 对大金字塔的装饰一直在继续。大约公元175年，太阳金字塔前新建了一个平台，其侧面为斜坡–立面式，即一个斜坡护墙“塔鲁德”上建有一个垂直立面“塔布莱罗”。斜坡–立面式建筑墙体是对早期建筑风格的利用，将成为此城市的标志之一。城市的最后一座宏伟建筑群修建于死亡大道的南端。羽蛇神庙金字塔位于西乌达德拉建筑群东部，上饰七层浮雕巨蛇，是代表战争的火焰之蛇（图9.22）。对面的死亡大道西部是“大庭院”，与西乌达德拉建筑群面积大致相当，显然是贸易场所。然而，在修建南部这些建

图9.22　羽蛇神庙金字塔的正面，交替显示羽蛇的头从边缘饰有羽毛的镜子中出现，并佩戴了方形头饰作为统治地位的象征，从而将羽蛇与军事、祭祀和权力联系起来（Sugiyama 1992：213—215，219）

筑之前，圣胡安河不得不改道，付出了巨大的代价。

羽蛇被阿兹特克人称作“克察尔科阿特尔”，是统治者、生育力和丰产的守护神，同时与我们所称的金星联系起来。对认真观测金星作为启明星和长庚星运行的584天周期的古代中美地区人民来说，金星与战争相关，中部高地人群、玛雅人群、墨西哥湾低地人群以及瓦哈卡的萨波特克人都有此崇拜。“除了军事征服以外，金星崇拜还涉及通过仪式处决战俘，从而将血象征性地转化为水和丰产之力”（Carlson 1993：61）。

羽蛇神庙金字塔正对着一片大型的方形区域，即西乌达德拉（西班牙语意为堡垒），大约在公元200年与神庙金字塔基本同时修建（Sugiyama 2005：223）。金字塔很明显是早期某位重要君主的陵墓，也可能是建筑完工和安葬君主时被献

图9.23　一组包括九位男性牺牲的人骨（注意他们的手被反绑在背后），下葬时佩戴了代表人上颌骨的U形贝壳项链。有的项链甚至由真的人上颌骨组成。圆形的物体是一个盘状物，代表了服装背后的镜子

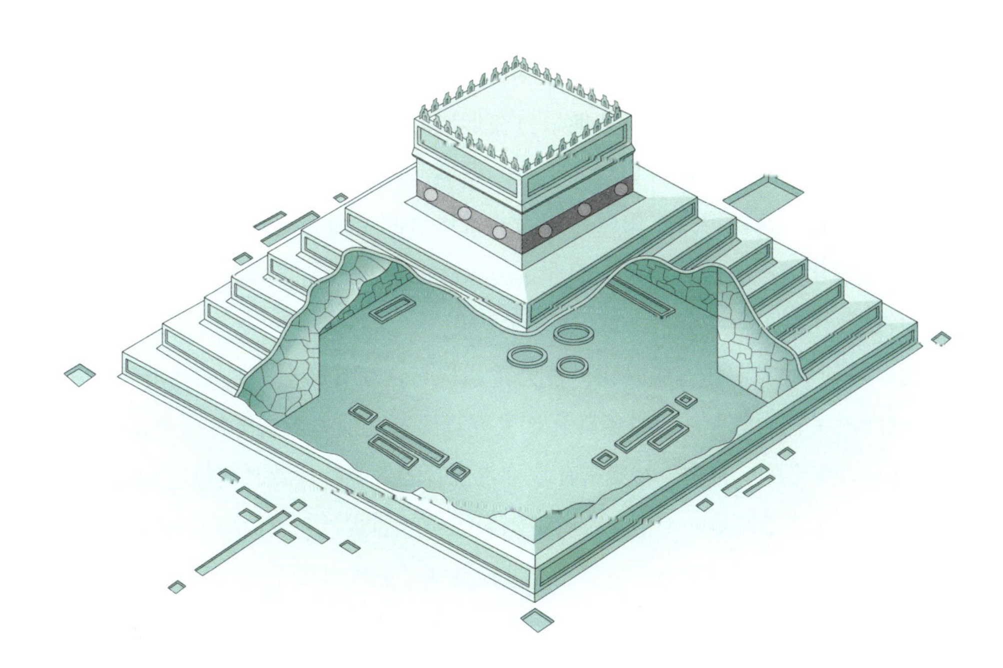

图9.24　羽蛇神庙金字塔复原图，显示了中央墓葬和周边人牲的位置

祭的260人的坟茔（Cabrera Castro 1993：106）（图9.23、9.24）。

## 10. 神奇的位置：盛产食物和工具之地

城市规模的宇宙图景表达了令人印象深刻的复杂社会的信仰体系，同时也体现了统治者大规模调动劳动力和物资的真正能力。然而，所有这些复杂性和庞大性都必须付出代价。在第八章中，我们讨论了特奥蒂瓦坎的生业基础：很明显，周边富饶的生产区足以支撑城市人口；最重要的就是，它从城市延伸到湖泊，包括整个特奥蒂瓦坎谷地下游的排水田。谷地中上游同样拥有富饶的冲积土地，但下游隆起的河床和运河系统不仅可以保证一年收获多种作物，还可以用独木舟轻易运往城市西侧。排水田工程还促进了特奥蒂瓦坎多种族社会秩序中固有的阶层分化。这些族群包括原有的特奥蒂瓦坎家庭，还有来自诸如蒙特阿尔班和奎奎尔科的难民等外来聚居者，以及其他来自在形成时代晚期墨西哥盆地周边废弃社区的移民。建造由挖掘的运河和与之相关的厚壤河洲构成的网格状工程是一项劳动力密集的工作，这使得排水田区域成为非常珍贵的土地。此外，这些工程更多是中央集权强化措施的直接结果，而非个体家庭的独自行动，因而可能表明城市的统治者已经控制了生产资料。

在形成时代末期和古典时代，特奥蒂瓦坎与远在1000公里外的社群建立了联系，并影响了它们的发展。特奥蒂瓦坎人究竟给这些地方带来了什么重要的东西，使得他们深受影响？首先，特奥蒂瓦坎神奇位置的一个特征就是其靠近几个中美地区最重要的黑曜石产地。谷地上游的奥图姆巴出产的灰色和黑色黑曜石资源有悠久的开发历史，其产品远销数百公里。而就在特奥蒂瓦坎谷地东北部，帕丘卡发现了品质更高的黑曜石。它具有完美的均匀纹理，成为前哥伦布时代中美地区制作切割工具的最好原料。并且，颜色可能对它的名气同样重要：从明亮的绿色到金绿色。在中美地区，各种绿石如翡翠、绿松石比金子的价值还高，而帕丘卡黑曜石就是一种可以用来制作最精美石刀的绿石。从特奥蒂瓦坎来的商队可能就满载了黑曜石刀和其他诸如陶器、小塑像等精美物品。

**图9.25 一座装饰华丽的水神庙延伸出一条引水堤道，图中盛装美洲豹正沿着堤道行走（Evans 2010c）。背景是灌溉田地。这一场景来自特蒂特拉的一幅壁画。特提特拉是古典时代早期所建的约2000座住宅之一。在那个时期，一个巨大的渠道网络引导着城市的水流。美洲豹，作为大地和地面之水的象征，变得和羽蛇一样重要，后者则与天空之水密切相关**

除了这些贵重物品外，商人们还携带着这个伟大城市本身神圣的魅力，这是我们不能忽视的一个强有力因素（图9.25）。在一个广阔的范围内，各个地区的文化都认为精神力量是存在于芸芸众生和自然现象中的。当陌生人到来，满怀关于自己地区在宇宙中位置和中美其他地区特殊知识的自信，当地精英会急切地寻求一种途径来确保这些高贵的使者成为自己的贸易伙伴，并渴望分享秘密的知识和珍贵的物品。

到形成时代末期结束时，特奥蒂瓦坎宏伟的大型建筑已经修建完成，经济基本已然十分牢固。然而，对于那些承受者来说，这种壮观的代价显然太高了，因为在公元250年后政策就发生了根本的转变，我们将在下一章讨论这一点。

# 第 三 部 分

# 古典时代早期的文化

| 古典时代早期（公元250/300—600年） | | |
| --- | --- | --- |
| | 古典时代早期<br>300 400 500 600 | |
| 北部干旱地区 | | |
| 新墨西哥州，美国西南部 | 霍霍卡姆文化 | |
| 北部沙漠 | 科约特文化 | |
| 东南：东谢拉马德雷山脉 | 拉萨尔塔，埃斯拉博内斯期 | |
| 东南：塔毛利帕斯 | 埃斯拉博内斯，帕尔米利亚斯期 | |
| 中美地区北部 | 巴希奥地区遗存 | |
| 西北边境 | 卡努蒂约期，洛马－圣加夫列尔文化 | *阿尔塔维斯塔*；*阿尔塔维斯塔* |
| 西墨西哥 | 阿瓦卢尔科期；查梅特拉期；特乌奇特兰期 | *特乌奇特兰文化* |
| 米却肯 | 丘比库阿罗期 | *埃尔奥特罗，廷甘巴托* |
| 格雷罗 | | *梅斯卡拉风格* |
| 墨西哥盆地 | 特拉米米洛尔帕期；霍拉尔潘期；梅特佩克期 | *特奥蒂瓦坎*；*特奥蒂瓦坎*；*特奥蒂瓦坎* |
| 图拉地区 | | *钦古* |
| 普埃布拉 | | *乔卢拉*；特南耶卡克 |
| 墨西哥湾低地北部 | 皮塔亚期；索基尔期 | *圣安东尼奥－诺加拉尔* |
| 墨西哥湾低地中北部 | 埃尔塔欣Ⅱ期 | *埃尔皮塔尔* |
| 墨西哥湾低地中南部 | 雷莫哈达斯上层Ⅰ期；雷莫哈达斯上层Ⅱ期 | *塞罗－德拉斯梅萨斯，马塔卡潘* |
| 特瓦坎谷地 | 帕洛布兰科期 | |
| 上米斯特卡 | 拉斯弗洛雷斯期 | |
| 下米斯特卡 | 纽伊涅期 | |
| 瓦哈卡和特万特佩克 | 蒙特阿尔班Ⅲ期 | *蒙特阿尔班，哈列萨，代恩苏* |
| 恰帕斯内陆高原 | 拉古纳阶段；特萨阶段 | *恰帕德科尔索，拉加特罗，拉古纳－弗朗西斯卡* |
| 恰帕斯和危地马拉海岸 | 哈里托斯阶段；卡托阶段 | *伊萨帕，塔卡利克阿巴赫，巴尔贝尔塔* |
| 危地马拉高地 | 奥罗拉阶段；埃斯佩兰萨阶段 | *卡米纳尔胡尤*；*卡米纳尔胡尤* |
| 玛雅低地北部 | 科丘阿 | |
| 玛雅低地南部 | 扎阔尔阶段 | *蒂卡尔，瓦哈克通，帕伦克，亚斯奇兰，卡拉克穆尔，科潘，卡拉科尔* |
| 中美地区东南部 | | *查尔丘阿帕，塞伦，瓜尔霍基托，克莱帕* |

列举有代表性的期、阶段名称，遗址和事件用斜体表示

# 第十章　特奥蒂瓦坎及其跨区域影响（公元250/300—600年）

中美地区的“古典时代”最早被学者们用来定义玛雅文明中心城邦的繁盛时期。在这些玛雅遗址发现的纪念碑上，大多刻着从公元250或300年前后到公元900年的日期，学者们认为这个时期中美地区的艺术、社会和技术都到了很成熟的地步，足以媲美古希腊，堪称“黄金时代”。因此，这个时期的中美地区就像古代地中海世界一样，具有“古典”的特征。

这段跨度600多年的古典时代大致可分为早、晚两期，每期约300年，这一定义已经明显应用到大部分中美地区。当然，随着地方和区域性文化历史的逐步细分，这些简单的定义被多次修正，如同改建玛雅金字塔一般。一些学者将公元200年甚至更早作为古典时代的开端，还有一些学者提出了诸如“早古典时代”（最初进入古典时代的时期）、“中古典时代”（公元500—700年）和“晚古典时代”（公元800—1000年）等定义。在本书中，对时期的定义仅仅是为了给整个文化区域建立一个年代学标尺，反映年代序列的大致趋势。因此读者们需要注意，一些学者会使用“古典时代”来定义某个特定地区的一个发展阶段，这样的阶段并非总是和公元250/300—900年这个时间段相对应的。

## 1. 古典时代发生了什么?

不管是先见之明还是巧合，将公元300—900年定义为古典时代的先驱学者确实指出了一个具有繁荣的城市和仪式中心的时期，它们统治着真正的国家和广阔的领土。一些中美地区最重要的考古遗址在古典时代都迎来它们的繁盛时期：特奥蒂瓦坎、乔卢拉、埃尔塔欣、蒙特阿尔班、帕伦克、蒂卡尔、科潘。这些城邦代表了部分区域的伟大文化，它们在古典时代甚至后古典时代始终保持了高度的社会复杂程度，除此以外，还有其他一些文化直到最近才被学者更好地了解，比如特乌奇特兰文化。

形成时代末期的中美地区，人口以前所未有的速度和规模聚集到社区中，伟大的中心城市建设起来了。无与伦比的特奥蒂瓦坎，在公元后第一个世纪，人口就超过了5万人。相对而言，玛雅的中心城市人口分散一些，但仍然有成千上万的农民、工匠居住在仪式或政治性建筑周围的居民区内。一些形成时代末期的重要遗址衰落了，但总体而言，整个古典时代早期，更多的中心城市形成了，人群多元性和社会经济组织也越来越大、越来越复杂。接下来我们沿着古典时代的这种发展趋势，穿越整个中美地区，从本章的特奥蒂瓦坎及地峡西部（图10.1），到

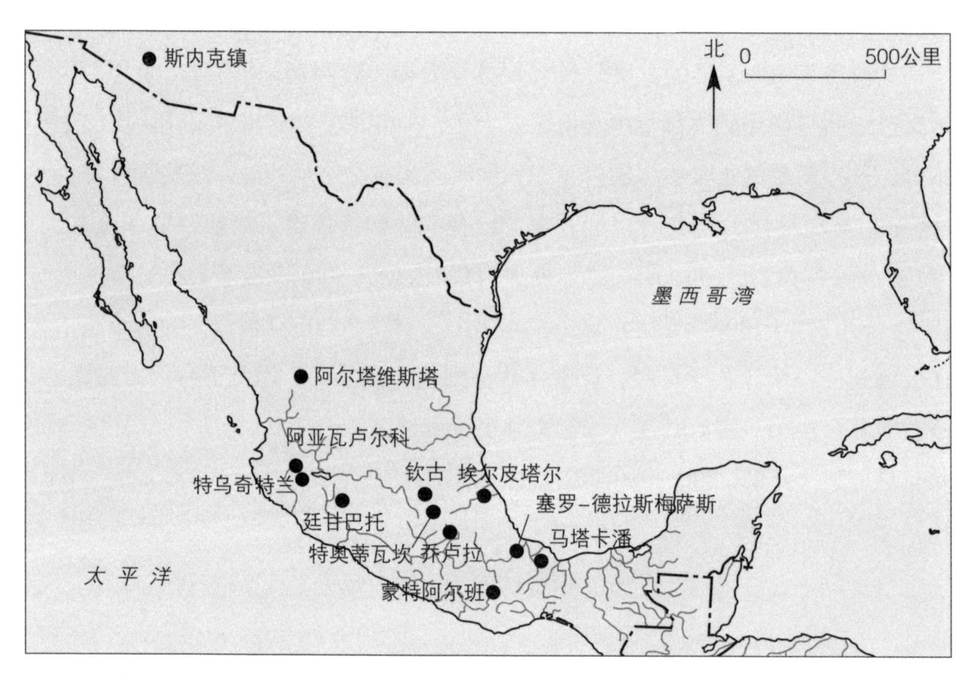


图10.1　第十章中提及的美洲中部古典时代早期的地区和遗址

十一和十二章古典时代早、晚期的玛雅及邻近区域，再回到十三章的西部地区。

## 一、特奥蒂瓦坎：金字塔和宫殿

公元300年，人口众多的特奥蒂瓦坎比以往任何时候都要庞大，然而其社会组织的性质至今仍是个谜。形成强烈对比的是，进入古典时代的玛雅，其王朝历史已经变得足够清晰，但对于特奥蒂瓦坎，我们只能推测它的统治传统和内部组织性质，与它施加强烈影响的地区之间的关系，以及它明显的外交干预力量。我们所知道的是，在特诺奇蒂特兰出现以前，还没有哪个城邦能像特奥蒂瓦坎一样，与其他城邦保持那么紧密的联系，甚至开辟了殖民地。特奥蒂瓦坎人与周边人群交换货物及思想，特别是与战争和牺牲相关的仪式性观念。

### 1. 特奥蒂瓦坎规划的演变

在古典时代早期，这座城市的空间得到了极大的扩展。大规模的城市复建项目，重新改造了聚集了大量人口的不规范居住区；沿着一条如今被称作“死亡大道”的南北向仪式之路，整个城市形成了网格状布局（图10.2）。在这个网格中，大约修建了2200座居住院落。它们的规模和内部结构差异较大，但基本大致呈方形，长50—60米，里面容纳若干个扩展家庭，包括具有父系血缘关系的60—100人。这些院落的无窗式外墙保证了城市居住区的隐私性，每个院落内部的房间布局都很有特点，它们均沿着庭院分布，门窗开向中央以吸纳阳光和空气。整个院落通常以祭坛为中心，这个祭坛一般是为了纪念家族中的第一个祖先，但尚无明确证据表明这些祖先被埋葬于祭坛之下。

特奥蒂瓦坎的网格状街道和周边院落看起来似曾相识，因为大部分现代都市均是这种布局，美国尤其如此。但是在古代社会，城市往往是逐渐发展起来的，街道可能是弯弯曲曲的，而且彼此之间并不平行或垂直。在公元250年后最

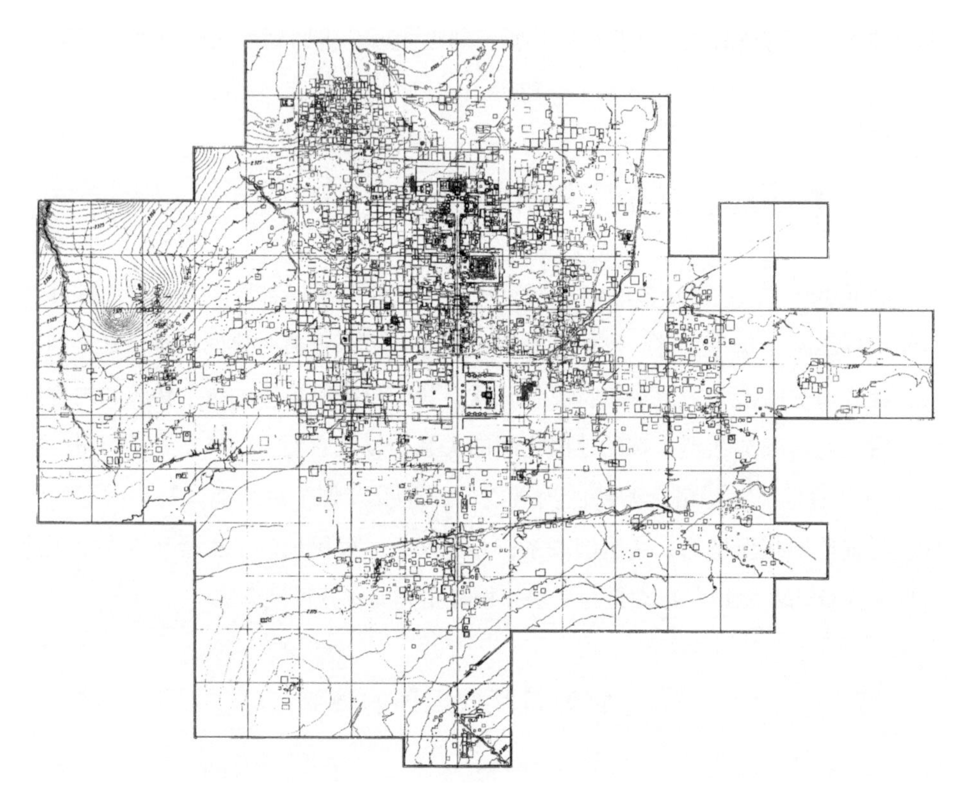

**图10.2　古典时代早期城市平面图，这一时期特奥蒂瓦坎的范围达到最大，大约2000万平方米。“死亡大道”形成了一条南北向的中轴线，长度超过5公里，北端从月亮金字塔开始，经过太阳金字塔和南部民政-仪式聚落——西乌达德拉和大庭院**

终形成的网格状建筑布局，在中美地区几乎是独一无二的，其规模在古代世界任何地方也是独一无二的。这个巨大的网格和院落，似乎是一场真正的社会革命的结果。尽管我们对其中的细节甚至关键因素并不知晓，但是可以看出，就城市演变本身而言，这种变革反映的趋势是强烈的个人化领导和随后对此领导的反抗性回应。

形成时代晚期和末期的特奥蒂瓦坎已经迅速从一个地区性小都城成长为世界上最大的城市之一。这个古老城市的中心似乎位于奥斯托亚瓦尔科区域，在月亮金字塔的西北部，最早阶段仅仅是一些低矮的平台。大约在公元1年左右修建的太阳金字塔和月亮金字塔，雄伟壮丽，在某种程度上说似乎是奉献给早期统治者们的丰碑，又或者是致敬风暴神和其他神祇的圣山。就在这些金字塔完工之时，统治者们所居住的王宫区可能也被建起来了。王宫区的选址随着时间推移而不断变换，暗示了特奥蒂瓦坎政局的变迁。随着这些伟大金字塔的完成，整个城市的中心已经足够明显，而一些零碎的证据表明，王宫区可能位于规模宏大、占据关键位置的哈利亚院落。

在城市发展的下一个阶段（公元150—300年，特奥Ⅱ期），南部聚落也发展起来并与北部平分秋色，包括两座巨大的有墙院落（大庭院和西乌达德拉）、一座献给羽蛇神的装饰华美引人注目的神庙金字塔和一条从城市东北蜿蜒至西南方向的圣胡安运河。运河环抱这个网格状城市，是另一种与金字塔规模相当的大型工程。羽蛇神庙地下的宫殿可能安葬了特奥蒂瓦坎最有权势的人群。

接下来被称作特奥Ⅲ期的发展阶段，是特奥蒂瓦坎的黄金时代（公元300—550年），在这个时期，城市的行政机关及其产业都集中在圣胡安河北部的"死亡大道"周边地区。

## 2. 特奥蒂瓦坎的宫殿和统治者

特奥蒂瓦坎神秘莫测的社会和政治史并非遥不可及，我们可以通过了解统治者如何改变形成时代末期和古典时代早期的政治进程来管中窥豹。目前关于统治模式变迁最好的考古证据，来自城市宫殿区的演变过程。其中，古典时代早期的"死亡大道"建筑群应当是保存最好的证据。

**早期统治者的宫殿**｜特奥蒂瓦坎最古老的区域在其北部，那里也是最早的仪式性建筑之所在。一种可能性是哈利亚院落的使用最早可追溯至形成时代末期（Cowgill 1974），然后在公元300年左右有一次扩建（Manzanillaand López Lujan 2001：6）。院落位于月亮金字塔和太阳金字塔之间，边长约200米，中央有跨度30米的天井。院落正面墙体正好形成了一个大广场的东边。这个大广场被城市第一批重要的公共仪式建筑所环绕。如今，它被"死亡大道"一分为二，上面新建了许多建筑，特别是月亮金字塔南部边缘的三神庙建筑群，在特奥蒂瓦坎形成时代末期变得突然重要起来。

**西乌达德拉和南部聚落**｜到公元3世纪，随着羽蛇神庙金字塔的修建，公共仪式活动的中心开始从太阳金字塔南移至此。在那里，统治者变得更加自我，在修建这座大型金字塔时，他们为其内部中心的墓葬准备了密密麻麻的人牲。同神庙一样壮观的还有四周广阔的围墙，使得整个建筑群像城堡一般，内部有大约4.4万平方米的巨大空间，里面分布了大量相似的小院落，每个小院落一般包括五套房屋外加中部天井。当羽蛇神庙金字塔还在使用时，这些院落可能都是统治者的住所。这座堡垒的内部空间足够容纳“最多10万人……换句话说，至少可以容纳城市所有的成年人”（Coegill 1983：322）。

羽蛇神庙金字塔的表面装饰充斥着水和战争的符号。这些符号以及建造神庙金字塔过程中数以百计的人牲想必为城市居民（他们都还居住在简陋的房屋中）呈现了政治大剧场中血腥的一幕：为了某个人伟大的荣耀，如此众多的人牲被屠杀。但之后，城市的排水系统和居住区格局改变了，行政中心向“死亡大道”转移，羽蛇神庙金字塔表面的雕刻装饰也被破坏，我们有理由相信特奥蒂瓦坎的社会历史从根本上被改变了。金字塔表面的石雕被切割下来并散落一地，学者们曾经认为，这是部分特奥蒂瓦坎人愤怒于以往对羽蛇神的狂热崇拜而采取的报复行为（Sugiyama 1998：148）（图10.3）。然而，最近对这些落石的分析表明，地震可能才是始作俑者（Perez-Lopez et al. 2010）。但这并不影响以往的判断：此时可能确实发生过骚乱矛盾，对羽蛇神的崇拜开始减弱，城市的其他家族或派系变得更加强大。毫无疑问，这些群体是统治者长时间的政敌或盟友。他们可能察觉出地震带来的信号——大地之神对抗天空之神（羽蛇神），成为一个伟大家族衰落而其他家族崛起的征兆。

到公元4世纪，残破的金字塔正面被一座名为“阿多萨达”的建筑所覆盖（图10.4、10.5）。难道这座结构简单的建筑意味着对羽蛇神信仰的彻底抛弃？抑或这是羽蛇神崇拜者为了藏匿神庙残骸所做的最简单设计。阿多萨达的表面绘满了壁画，

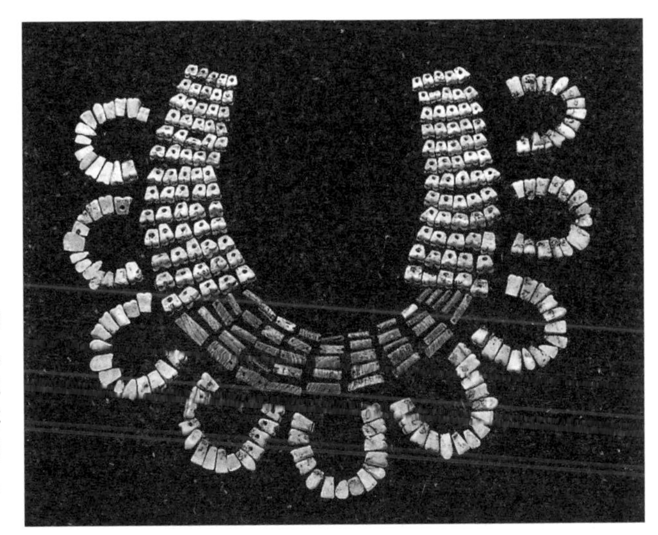

图10.3　羽蛇神庙金字塔下方一名人牲所佩戴的项链。珠子雕成牙齿的形状并穿成U形，象征人的上颌骨。其他相同情境中出土的项链用真正的人颌骨和牙齿做成，可能来自外地老年男性

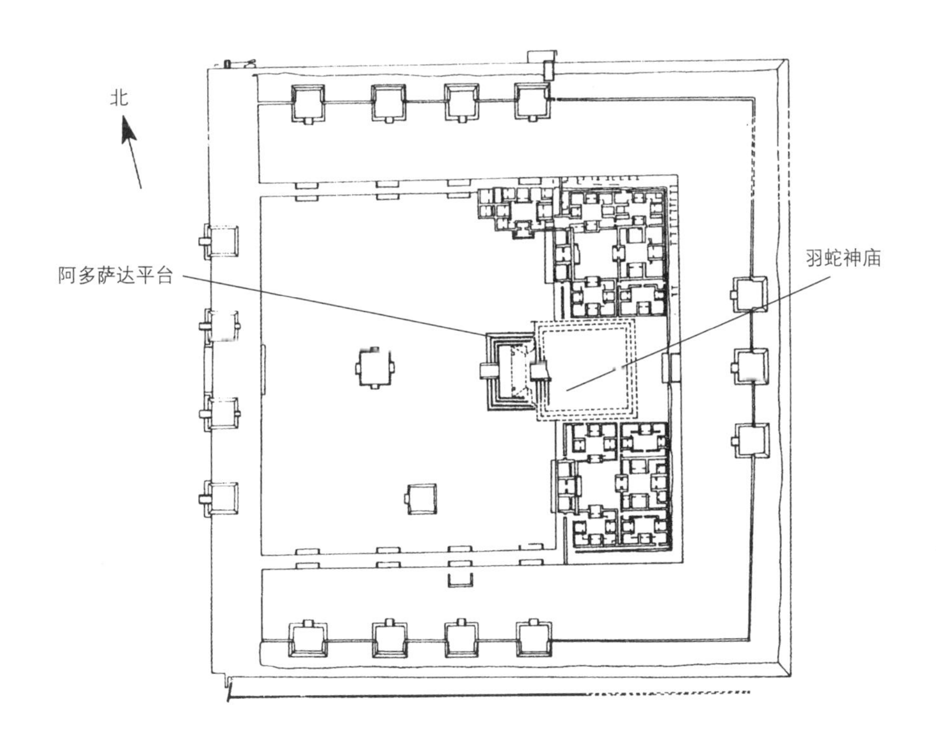

图10.4、10.5 特奥蒂瓦坎。(上)航拍图，向北看。后方为塞罗戈多山，山下为月亮金字塔，“死亡大道”从月亮金字塔开始向南延伸，太阳金字塔在“死亡大道”东侧，西乌达德拉在其前(南)端。羽蛇神庙金字塔位于太阳金字塔右前方，前端为阿多萨达平台，两侧为若干房间构成的院落。(上页)西乌达德拉的规划，展示了院落布局

可能是对旧金字塔装饰的模仿，也可能绘制了新的图案。无论如何，在立面的石灰面上作画总比在石头上雕刻纹饰简单得多。此时，整个西乌达德拉院落可能继续作为宗教中心使用，也可能用于教育贵族青年，类似阿兹特克人的卡尔梅卡克学校。

**“死亡大道”建筑群**｜在上述的一系列破坏之后，城市开始了新的大规模建设。行政中心可能位于“死亡大道”建筑群，但新的统治者似乎刻意保持一种低调。他们新的居住区如钉子般楔入城市中心：地图上可见巨大的、近方形的建筑群，位于南部建筑群和太阳金字塔之间。整个区域被“死亡大道”一分为二（图10.6、10.7、10.8）。在图10.8上，我们用粗线将其标示出来，否则很难与周边其他院落区隔开来。此区域中没有高耸的通往天堂的大型建筑，更像是普通的院落。这里并没有通过突兀的高楼来宣示自己的重要性，但它的规模和位置、其内部房屋和院落的高质量装饰确实表明了该建筑群非同寻常。

这第二种统治传统似乎持续了数百年，直至公元5世纪。在此期间，特奥蒂瓦坎是中美地区最强大和最具影响力的城市。其直接影响范围西至托卢卡，西北到图拉地区，两地建筑所用石灰石均开采自特奥蒂瓦坎控制的城镇——钦古。再往南，莫雷洛斯是热带产品的来源地之一，这些产品无法在相对寒冷的墨西哥盆地生长。出于获取某种特殊资源的目的，这些边境区域似乎都在特奥蒂瓦坎的控制之下，但是特奥蒂瓦坎并不直接管理一个“帝国”。在距离特奥蒂瓦坎更远的地区，比如墨西哥湾沿岸的马塔卡潘和危地马拉高原的卡米纳尔胡尤似乎同样为特奥蒂瓦坎人所占领。在公元4世纪末的玛雅城邦蒂卡尔，政治生活受到特奥蒂瓦坎的严重干涉，在恰帕斯的滨海平原和危地马拉地区，特奥蒂瓦坎的物品和设计被广泛应用，而这些地区恰好是诸如可可和美洲豹皮毛等高等级物品的重要产地。

确实，特奥蒂瓦坎的统治阶层奢靡成风。壁画显示，他们身着装饰精美的服装，上有中美洲权力的重要象征——来自危地马拉的绿咬鹃的羽毛（图10.9、10.10）。服饰总是比人物特征更能吸引眼球。对壁画中人物形象的比较，包括神话传说中的野兽，很难揭示出任何个性特征；而他们的服装均为制服，其衣裤和头饰均清晰地表明他们仅是官员（职务）而非某个具体的“人”。今后我们将看

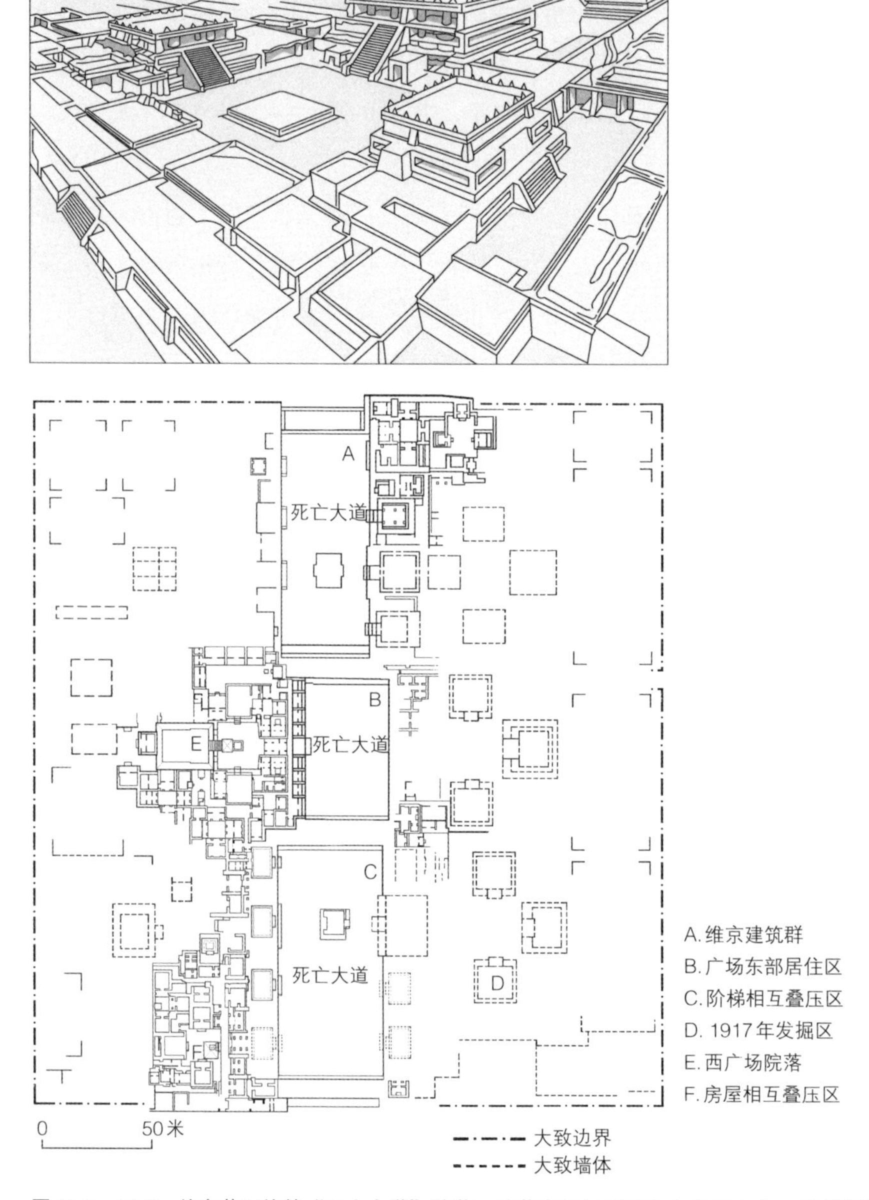


图10.6、10.7 特奥蒂瓦坎的“死亡大道”院落。院落布局显示只有大约四分之一的面积被发掘了，其中包括最重要的居住点西广场建筑组（Morelos García 1993），复原图中显示了主广场和前往“死亡大道”的通道。考虑到院落的巨大规模，广场的面积并不大，中央设立祭坛，这在特奥蒂瓦坎房屋院落中很普遍。尽管院落的其余部分并未发掘，但地表调查表明这些地方均分布着房屋和广场，这些房屋有多种功能，与西乌达德拉的房屋布局和范围不同

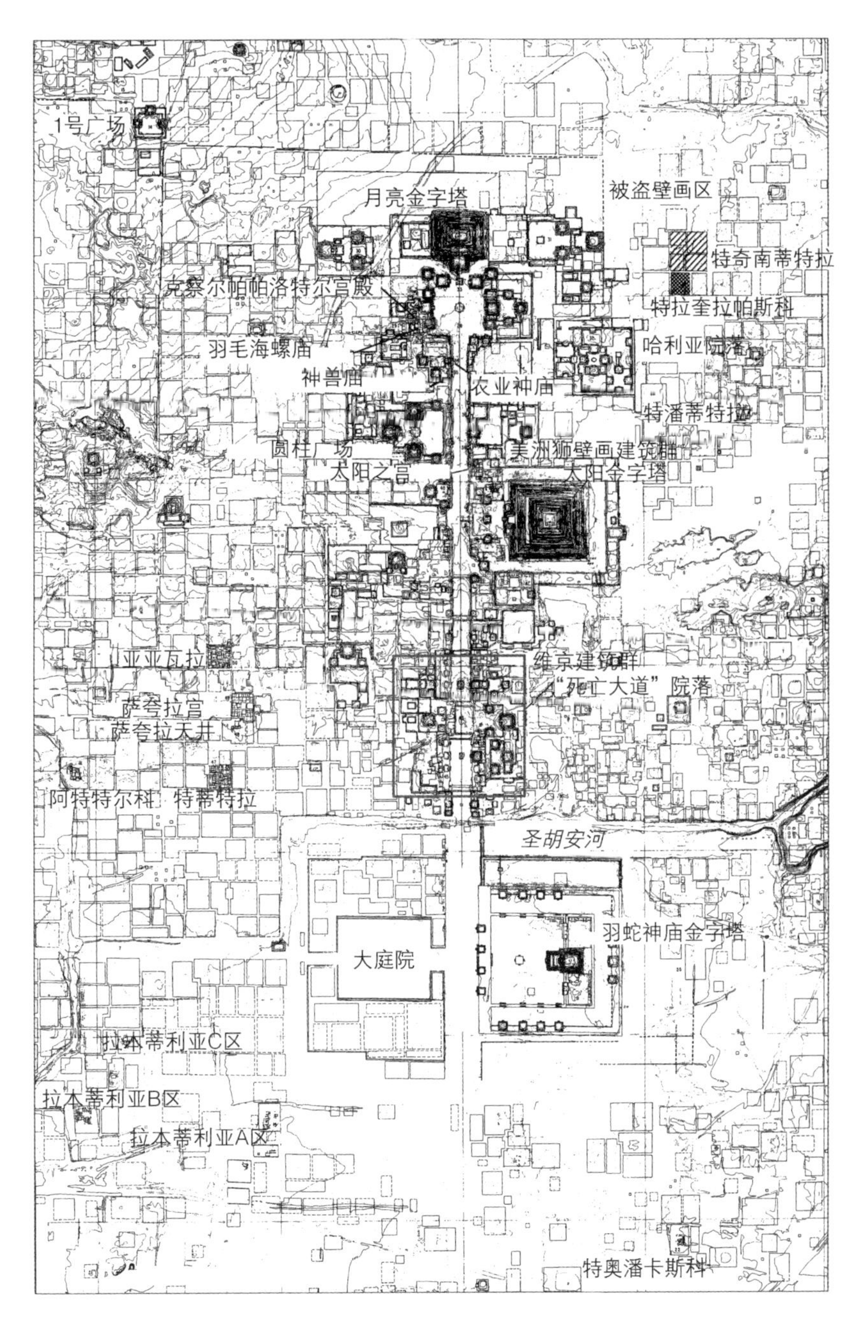


图10.8　特奥蒂瓦坎的城市中心，显示了主要遗迹和发掘院落的位置。“死亡大道”院落用粗线框出

图10.9 特奥蒂瓦坎最伟大的艺术形式是建筑和壁画。来自特潘蒂特拉院落的壁画，中心是一名衣着华丽的女性，水滴从手中滴下。她可能是特奥蒂瓦坎一位重要的女神。注意她的脸并不是哈耳庇厄式鹰头（戴绿咬鹃羽毛），而是羽饰下戴面具的轮廓。她头顶蔓延的是一种喇叭花，被中美地区视作一种珍贵的麻醉剂。对于阿兹特克人来说，她“并不仅仅是人类同超自然沟通的媒介，她本身就是超自然，就是神”（Furst 1973：203），她在这幅壁画里出现，表明特奥蒂瓦坎人给予了她类似的崇敬

图10.10 来自特奇南蒂特拉院落的壁画，一位首领的声音符号中充满了珍贵物品的符号。他戴着眼罩，与风暴神特拉洛克有密切关系

到，这与玛雅人热衷于将统治者明确地“人物化”形成鲜明对比。在特奥蒂瓦坎，统治者匿身于服饰之后，但丝毫没有放弃自己优雅的等级特权。

### 3. 住宅院落：居住区内和之间的社会阶层

古典时代早期的特奥蒂瓦坎已经拥有了当时整个中美地区最为成熟的社会阶层划分。当然，中美地区的其他城市已经出现了贫富差距，有了神的子孙与供奉他们的农民的差别，当然还有如同财产一样的奴隶。然而，在特奥蒂瓦坎，我们在更加庞大的人口数量中看到了更加细致的财富分化。人口按阶层分布在城市的不同区域，学者们开始用现代术语“街区”来描述这样的人口分布（图10.11）。

在街区内，可以通过院落判断居住者财富的多少。在街区之间，贫富差异的表现更加明显，不同等级居住区之分布“此起彼伏……并不是……简单地由内而

图10.11　古典时代早期结束之际，即便在特奥蒂瓦坎急剧衰落之后，城区内依然保留了大量的人口，虽然他们缺乏统一管理下的社会凝聚力。这座剥皮神希佩·托特克的陶塑像被发现于霍拉尔潘区附近，年代在公元8世纪左右。人皮服饰表现出来的明显的人性主题，可能与古典时代晚期好战精神的兴起有关

外等级递减，即最高等级居住在城市中心，最低等级聚居在城市边缘”（Millon 1981：211）。街区中还有外族聚居飞地，比如，瓦哈卡人飞地，他们中的许多人出生在外地（Price et al. 2000），聚居在城市西北部的一个街区。在该区域发掘出大量的粉刷工具，考古学家推断，他们可能是粉刷匠（Crespo and Mastache 1981）。“商人街区”聚居着来自墨西哥湾低地的商人，房屋都采用了圆形的造型，这是北部墨西哥湾低地典型的瓦斯特克建筑风格（Rattray 1987）。

不同的社会阶层像不同的生物物种一样被定义，决定了人与人之间的交往、结合。古代国家大都实行内婚制，统治阶级家族会在同一阶层内寻找婚姻伴侣，有时也可能与其他城市的统治者婚配。许多国家实行一夫多妻制，妾室往往来自较低的非贵族阶层，而正室妻子几乎都来自较高阶层，她们的孩子会继承这个家庭的最高权力和特权。

仅次于统治阶级的社会上层主要包括军官、祭司、拔萃的工匠、高等级物品贸易商人，以及这些人员的家人。再往下，就是人口数量众多的社会阶层，主要是农民和工匠，他们也在阶层内部选择配偶。在中美地区社会中，奴隶主要因战争、不幸或犯罪导致的降级而形成，奴隶的数量并不像古罗马时期那样，足以形成一个庞大的阶层。

不论是在古代还是现代社会，婚姻都是影响整个家庭的重要人生选择。在所有传统社会里，婚姻是维持现有地位和获取更高地位的一种手段。因此，在大多数文化中，婚姻选择都是家庭之间的协商，而非个人自由恋爱的结果。通过研究埋藏在居住院落里的人骨可以得知，在特奥蒂瓦坎，女性婚后随男方家庭一起居住，形成新的扩展家庭（Spence 1974）。根据院落中的遗物结合房屋质量，我们可以判断其财富的多寡。在传统社会的背景下，这是完全可以理解的。在由多个相关家庭组成的居住团体中，总是会有一些地位更高的家庭。通常情况下，年长男性的地位最高，同样，他们的妻子、孩子的地位也比年轻男性的妻子、孩子的地位更高。一般说来，会有亲戚由于运气不好而沦为大家庭的依附；他们会以各种服务来换取收留和帮助。当然，有些家庭也可以雇用仆人，甚至拥有奴隶，只要他们负担得起。

特奥蒂瓦坎的王族生活在上文所讨论的宫殿区内。社会上层成员有时会与同伴住在与祭司和军事有关的院落内。比如月亮金字塔西南部的克察尔帕帕洛特尔宫可能就是专供祭司们居住，又如上文提到的西乌达德拉，在形成时代末期专门被用于一些宗教活动，可能成了祭司学校。

居住院落通常建筑在凸起的平台之上，由砾石混合砂浆砌成。墙体下端用切割和未切割的石头筑底，上部以泥砖砌成，均采用泥浆粘合。墙壁上涂抹石灰，然后在上面绘制壁画。大量建筑考究的居住院落被发现，内有丰富的壁画，如特潘蒂特拉院落就是如此（参见图10.9）。尽管长久以来，这些院落中部分被称作“宫殿”，如图10.12中的萨夸拉宫，但它们确实属于“中产阶级”的一种住宅建筑。

**经济：食物和基本物品**｜我们知道特奥蒂瓦坎的经济基础是农业和手工业。对土地的深入管理形成了许多极其宝贵的永久性灌溉用地，这些土地可能为富裕家庭所拥有。它们大多毗邻城市，因此，很可能由底层或雇工阶层耕作，这些人在城市人口中占绝大多数。他们在农闲时期也从事各种各样的商贸和手工业生产活动。考虑到这个城市五百多年以来工程建设的巨大增长体量，建筑业就是一个明显的例子。而且，建筑业还带动了一系列工作，例如将石头和石灰岩加工为砌

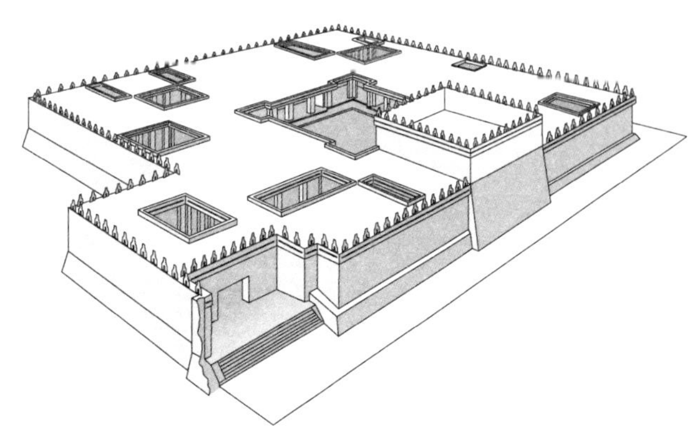

图10.12　特奥蒂瓦坎的萨夸拉院落，位于死亡大道以西400米。长75、宽60米，有6个小天井和1个中心大天井。可能居住着6个或更多核心家庭。复原图表现了东南边的建筑入口、无窗的外墙和天井的形式

石和石灰，砍伐树木将木材加工为柱和梁，并将这些建材运输到城市之中。

几乎每个院落都能够生产一些自己的耐用品，并将多余的进行交换。整个城市中，大约三分之一的院落都有作坊，生产大量的实用品供城市内部消耗，还生产一些高等级物品用于长距离贸易。附近的两个主要黑曜石产地在城市的生产潜能中占据了重要的地位：奥图姆巴出产的灰色和黑色黑曜石从形成时代早期以来就被广泛用于贸易，而来自帕丘卡的绿色黑曜石则主要用于制造精美的大石叶。黑曜石不仅仅为了出口贸易，对于制造其他工具和物品也是必不可少的，比如木质工具和物品，但由于其易腐性，很难在考古遗存中留下痕迹。纺织品在城市艺术中被大量描绘并且墓葬中也有发现，却没有任何关于纺织的直接证据；织机应当是由木头制成，在考古记录中很难被保存下来。

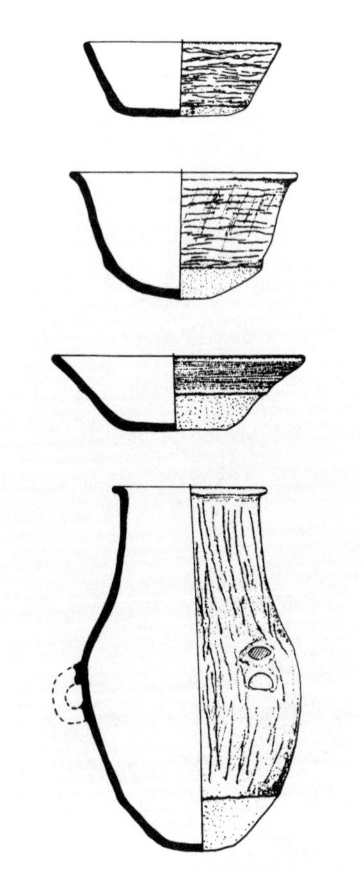

图10.13　特拉希亚加33号院落是一个扩展家庭的住所，这个家庭生产简单廉价的储存器和一种名叫“圣马丁橙色陶”的炊器

陶器几乎和石头一样经久，这使得我们能够掌握有关于特奥蒂瓦坎和周边地区陶容器及其他陶器制品的生产和消费证据。城市超过2000个家户需要各类实用器皿，一些低等级的院落专门从事这些陶器的生产，比如在特拉希亚加33号院落内生产的圣马丁橙色陶瓮和陶盆（图10.13、10.14）。此外，城市的陶工们还生产富有特奥蒂瓦坎风格的精美容器和陶塑，供本地使用并作为商品或礼物出口。在整个中美地区，带三足的筒形器成为与特奥蒂瓦坎有过接触的标志。这种器物的表面雕刻有图案，或者器表涂抹一层白灰面，白灰面上用特奥蒂瓦坎壁画中常用的色彩艳丽的颜料彩绘。另外，还有一种制作粗糙名为“坎德莱罗斯”（西班牙语意为小烛台）的小型焚香器，它因器身有两

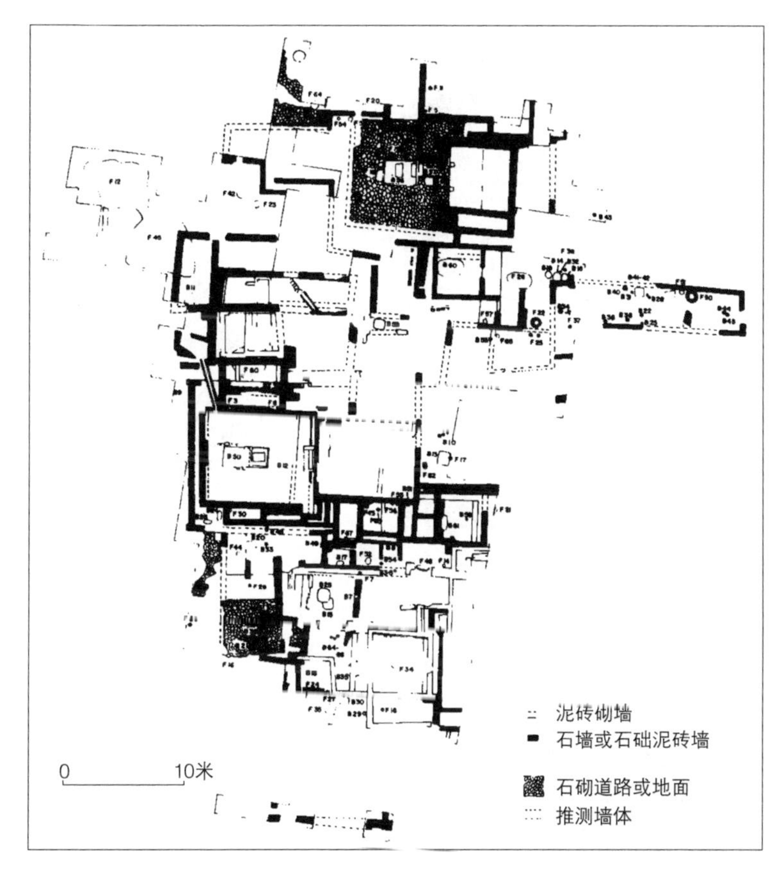


**图10.14 特拉希亚加33号院落的布局显示出不规则性，与贵族和中产阶级居所形成鲜明对比。延续时间为公元250—700年，其间经常用最廉价的建筑材料泥砖进行零星修补和复建。随着时间的推移，建筑群的重心逐渐南移；最早的中心庭院位于平面图上部的黑色方形区域，到院落废弃之前，中心庭院已经移到下（南）方的西侧方形区域**

个同现代蜡烛直径相当的相邻孔洞而得名。陶塑遍布整个城市，其生产技术有清晰的变迁。早期的陶塑一般由妇女在家中手制完成，随着城市的发展，由工作坊的男性用模制方法完成，体现了一种大规模生产的趋势。本地和长距离货物的交换场所可能位于“大庭院”（图10.15—10.17）。

通过从特奥蒂瓦坎输出的文字符号，可知其文字系统的发展水平。我们知道，在古典时代早期，瓦哈卡人和玛雅人都已经发展出抽象的符号系统，包括文

图 10.15—10.17 （左上）真人大小的石面具是特奥蒂瓦坎典型特征之一，可能被附于捆绑的木乃伊上，这些木乃伊为死去的重要人物，面具可能是他们的通神之物（Headrick 1999）。（右）“剧院”香炉，表现了一个正在上演的精美场景，中心的人脸戴了一个蝴蝶形面具，周围有许多镶嵌设计元素。蝴蝶代表了丰产和死者的灵魂。这种香炉可能作为通神的容器，为死者的灵魂引路。（左下）一件狗形状的薄胎橙色陶容器，产于普埃布拉谷地，具有薄壁、优雅、形式多样等特点，使用于特奥蒂瓦坎并沿着贸易线路分布（Rattray 1990）

字。事实上，这些文字甚至还出现在特奥蒂瓦坎（Taube 2000）。特奥蒂瓦坎人使用长条和圆点的记号来表示数字，这与瓦哈卡和玛雅地区一致；除此之外，特奥蒂瓦坎人有自己详细的文字系统（图 10.18、10.19）。这些字符应当在上下文语境中进行释读，它们的含义与它们在一个大的文本框架中的位置有关。例如在图

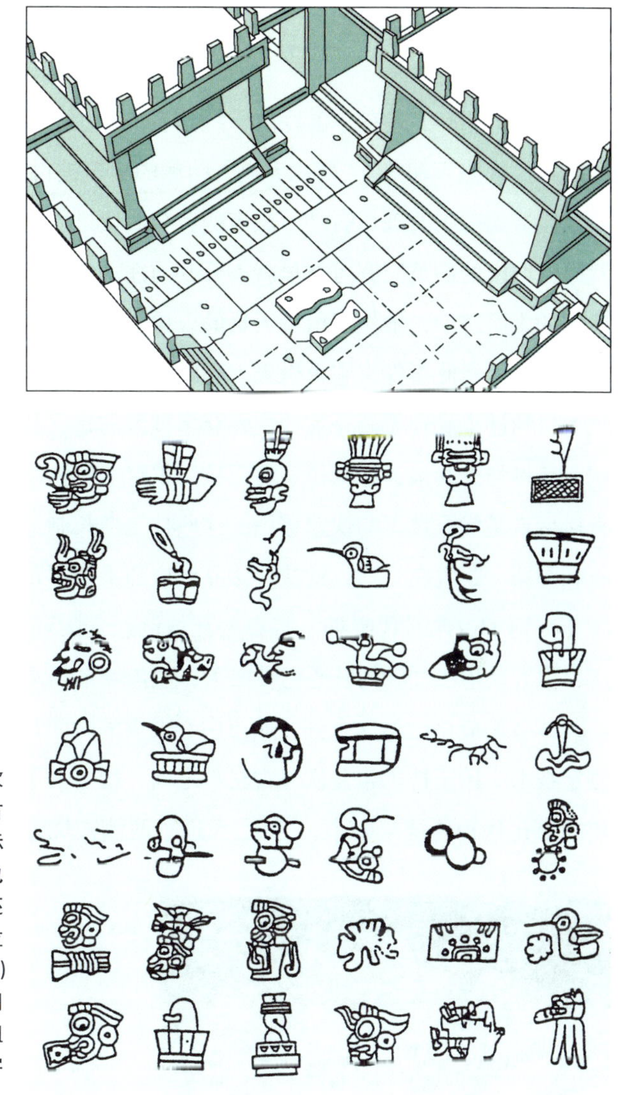

图10.18、10.19　特奥蒂瓦坎的拉文蒂利亚院落，年代早至古典时代早期。“文字广场上的标志，在其他特奥蒂瓦坎文本中也有出现，不仅在特奥蒂瓦坎，还包括遥远的危地马拉埃斯昆特拉地区”（Taube 2000：15）。（上）文字广场，特奥蒂瓦坎的文字用颜料写在地面上，文字与文字组合之间用红线隔开。（下）文字广场上发现的文字

9.25、10.9和图10.10中，所有人手中都有东西流出。流出的东西上有各种表示珍贵的符号，同时“手洒”这个动作具有更深层的意义，可能表示一种政治或宗教宣言，意为“神和人合作向人间播撒雨水、玉石或其他珍贵物品，来支撑和维持特奥蒂瓦坎世界的运行”（Taube 2000：27）。

## 4. 崩溃如何来临

在公元500年左右，也许由于统治者的原因，特奥蒂瓦坎的人口和财富骤减，城市再一次陷入动荡。“死亡大道”两侧的建筑被付之一炬（Wolfman 1990），居民故意制造大范围的破坏行动，城市的黄金时代进入尾声。特奥蒂瓦坎并未沦为废墟荒原，城内的精英家庭可能早就离开并前往一些仍旧友善的城镇，这些城镇或许由他们的亲属统治，依然保留了大量的人口。从人口角度来说，特奥蒂瓦坎还是一座大城市，但经此事件，它再也无力影响周边区域了。到了古典时代晚期，特奥蒂瓦坎人口的迁出导致墨西哥盆地内外众多社区的建立和增长。在边境地区，一些新兴城市变得强大起来，如图拉、乔卢拉、霍奇卡尔科和埃尔塔欣。另一个可能造成的直接后果是优秀技工的快速移民，这些技工擅长制造城市富人珍视的精美壁画、宝石和陶器。跟现在一样，这些奢侈品供应商不得不跟随他们那些富得流油的顾客的脚步。到了古典时代晚期，特奥蒂瓦坎已经变为环绕古代城市仪式中心的数个村庄，尽管其生机勃勃的核心已被毁灭，但依然是朝圣之地（图10.20—10.22）。

读者们应该已经注意到，城市中心毁灭的时间长久以来存在争议，在绝对年代测定技术应用于特奥蒂瓦坎考古材料之前，很多关于特奥蒂瓦坎的论文均采用旧的年表。在这种传统年表中，“死亡大道”两侧被烧毁的时间晚至公元650或750年；

图10.20　羽蛇神庙金字塔建筑面上装饰的羽蛇图案，在古典时代早期的开始阶段，被原来金字塔前方的阿多萨达建筑损坏或覆盖

还有一些学者甚至认为传统古典时代的结束时间即公元900年，才是特奥蒂瓦坎统治的终结。然而，这些较晚的年代与出自特奥蒂瓦坎及其他遗址的证据并不相符。

对烧毁物的直接测年显示其为公元500年前后，这个结果将这座伟大城市突然衰落的时间提前到古典时代早期的晚段，事实上，也使得衰落事件对于“古典时代中期”尤为关键，这个特别的文化历史阶段包括公元5世纪和6世纪。该时期在包括玛雅和墨西哥西部等几个重要的中美地区组成区域内都非常重要。墨西哥盆地持续几个世纪的强大影响遽然失去造成的权力真空使得我们可以更好地理解这些地区发生的历史事件。

## 5. 是什么导致了暴乱?

在古代，全世界的城市维持运转的成本都很高，居民的生存压力很大。政治是否稳定取决于民众两方面的感受：一是自身的要求是否得到满足；二是统治者是否具有强大（或至少胜任）的沟通能力，扮演好民众和控制土地丰产的神灵之间纽带的角色。特奥蒂瓦坎的统治者似乎至少被改造过一次，他们不再建造雄伟的大型丧葬建筑，转而为市民修建了大量优质的住宅。但是他们难免与城市的长期发展走上冲突之路，在经过了早期缺乏竞争对手的几百年后，其他城邦开始崛起，全球范围内的气候变迁也恰好开始。

从长时间的趋势来说，在人口数量大和密度高的社会中，人们的生活质量逐渐下降是不可避免的。在现代医学出现以前，城市居民更易感染疾病，寿命也比生活在乡村的人短得多。人口学上有一个公认的定律，即在古代社会，只有一半的人能够活过五岁。造成婴儿夭折的原因比如必需品的短缺，这对于城市居民来说尤其突出。事实上，在前工业社会时期，城市往往需要乡村的移民来保证人口的规模，对特奥蒂瓦坎大量人骨的化学分析表明他们并非本地人（White et al. 2004）。城市能提供大量的经济机会，足够吸引那些乡村的失地农民，在世界的很多地区，就是由于失地的原因，人口始终从乡村向城市流动。但是，一个乡村家庭在农场土地上劳作并偶尔狩猎，所获足以维持生存并能保证食物的充足甚至

图 10.21　从月亮金字塔上向南俯瞰“死亡大道”，太阳金字塔的坡度与远处背后的帕特拉奇克山差不多。地平线上横穿“死亡大道”的街垒一样的建筑标示出城市的主宫殿——“死亡大道”院落

图10.22　月亮金字塔经过了几个时期的建设。它最早的平台建筑如今深埋地下，是特奥蒂瓦坎最古老的建筑遗迹之一。最近的一次发掘揭示了一座墓葬，年代大约在公元150年，里面发现了一位人牲和绿石雕刻、猛禽和美洲豹等随葬品

变化点花样；而当他们一旦在城市居住，就会立刻被卷入城市经济专业化的复杂网络中，维持温饱的资源总是非常有限。甚至富人们也会由于各种原因而变得脆弱，比如城市中水资源或某种食物的缺乏，或污水、垃圾的横行等。

新大陆在前哥伦布时代盛行的传染疾病不为人所知，但是，我们知道中美地区人民对寄生虫传染和营养不良毫无免疫力，而特奥蒂瓦坎人正是为这些疾病所困。不像世界上其他城市，特奥蒂瓦坎无法迅速从周边偏僻地区移民来补充人口的损失，因为从一开始特奥蒂瓦坎就造成了这些地区的人口减少。城市之所以能保持数个世纪的高人口，正是有赖于最初的大规模移民和自身增长，到了古典时代晚期，在“死亡大道”被摧毁以后，人口骤降至2万—3万人。

其中一个原因是营养不良，这对底层人群产生了影响。城市还可能开始向市民征收一种谷物加工税，这种税尽管看起来没那么令人痛苦，但其影响深远。中美地区人民主要依靠玉米、豆类和南瓜提供足够的营养，特别是用来软化干玉米的石灰

粉中包含了大量必需的钙。不过，我们发现乡村农民有一点微弱的优势，因为他们能够狩猎动物来补充饮食的营养。在特拉希亚加遗址33号聚落的一处低等级院落中，发现了大量墓葬，研究者对这些墓葬进行了研究，分析了疾病和营养状况对人骨和牙齿发育的影响（Widmer and Storey 1993），结果发现“传染病和营养不良的影响即使不是长期存在的，也是普遍的”（Storey 1992：266）。

不得不承认，目前对整个特奥蒂瓦坎区域人骨的研究仍然很少，但特拉希亚加遗址的人群不管是健康程度还是经济状况都比特奥蒂瓦坎其他已研究的地区要糟糕。位于奥斯托亚瓦尔科旧城镇一个稍微富裕的院落，就没有遭受传染病的虐害（Manzanilla 1993a）。然而，在特奥蒂瓦坎人口中占据最大比例的底层居民，他们的遗骸却是研究得最薄弱的——城市的仪式建筑和精美院落总是优先吸引大部分研究者的注意力。

另一个长期的问题就是环境退化。在特奥蒂瓦坎谷地下部沼泽地区，通过开沟挖渠和建设梯田，农业产量得到了提高。但是，其他问题也凸显出来，比如谷地中上部的土壤侵蚀和周边坡地的滥伐森林。特奥蒂瓦坎需要大量的木材来修建和维护建筑、制作工具，以及烧制木炭来烹煮食物和取暖。石灰面是用石灰石烧制而成，同样需要木材。辉煌灿烂的城市中，除了最低等级的居住院落外，其余房屋的墙壁和地面均涂抹了石灰，大部分都是在图拉地区加工制造的，这是对木材资源的另一个压力。形成时代中期，特奥蒂瓦坎谷地相对原始的环境下，山丘上应当遍布森林，但是在这个凉爽的半干旱高原谷地，一旦树木被砍伐，即便是在没有人类干扰的情况下，恢复也是非常缓慢的。

当然，半干旱指的是总体降雨量。尽管暴雨只出现在冬天和早春，但它们足够冲刷带走暴露的新鲜土壤。不仅森林毁坏区和农场坡地的土壤遭到侵蚀，而且雨水裹挟的泥沙会阻塞通往湖泊的河道，使得疏通运河的劳动力需求越来越大。

除了环境和人口因素以外，特奥蒂瓦坎的灾难可能是一个大背景的一部分。“公元530—590年世界范围内的寒冷期”（Gill 2000：293），这可能由公元535年的火山爆发引起，这一事件发生在最近的一次克拉卡托阿火山爆发之前，使得整个世界在长达数十年间陷入一种类似“核寒冬”的日子（Keys 1999）。气候寒冷的魔咒与干旱总是相关，影响墨西哥中部高原的任何干旱都会使很多贫瘠区域比如特奥蒂瓦坎谷地特别容易荒漠化。因此，在公元5世纪早期，这种气候趋势已经开始对此区域产生影响。

土地的生产力可能受到人类行为和全球变冷的双重破坏。恶劣的卫生条件和诸如食物、燃料等生存资源的短缺，影响了至少部分人群的繁衍。不难想象，大多数特奥蒂瓦坎人可能已经意识到自己被神灵抛弃了，而且作为沟通媒介的领袖们需要对此负责，因为他们并未完成自己最重要的任务。在特奥蒂瓦坎，当一个低等级神祇纵身投入熊熊炭火，变成太阳，时间也因此被创造出来。对于特奥蒂瓦坎人民来说，因为某种神秘但必然是由统治者导致的原因，太阳神的力量衰落了。

### 6. 特奥蒂瓦坎人的政治经济：打包输出意识形态

特奥蒂瓦坎的兴衰故事为我们理解其在中美地区文化历史中声名显赫的地位提供了一个大致的框架。尽管特奥蒂瓦坎的大部分遗存至今仍然是个谜，但根据考古发现的资料，很多已经被破解，包括其复杂的图像系统。

特奥蒂瓦坎，这个时间开始的地方，通过其传奇般的神圣地位，宣扬了对远离墨西哥中部地区的控制，特别是出产珍稀物品的地区。当特奥蒂瓦坎的影响力衰退以后，中美其他地区的文化以自己复杂的区域历史为基础，沿着自身的发展轨迹继续向前行进。

## 二、地峡西部的特奥蒂瓦坎因素

### 1. 特奥蒂瓦坎对中部高原及北部、西部的影响

在位于墨西哥盆地西部的托卢卡地区，从形成时代晚期到形成时代末期，人口一直在减少，直至几乎杳无人迹。这种情况在公元200—450年发生逆转，这个

时期发现了数十个小型遗址，大部分位于冲积平原上，沿着托卢卡地区和墨西哥盆地之间的走廊分布。根据遗址内发现的实物遗存包括建筑形制推断，这些聚落的人群来自特奥蒂瓦坎（Sugiura 2010）。

图拉地区位于托卢卡北部的丘陵之后，被起伏的矮山与墨西哥盆地隔绝，这些山丘如此低矮，以至于很难辨认出二者之间的流域界线。因此，特奥蒂瓦坎和图拉地区之间几乎没有交通"摩擦损耗"（地理学意义上的），并且石灰石的强烈诱惑引起了特奥蒂瓦坎对西北部地区的兴趣。钦古就是特奥蒂瓦坎建立在石灰石资源附近的几个据点之一，其始建年代在公元200年左右。尽管这个遗址非常小，不到100万平方米，但它的平面规划却呈网格状，包含了大量类似特奥蒂瓦坎的很小的方形居住院落（边长15—40米），而且在遗址的房间中出土了特奥蒂瓦坎的陶塑（Díaz 1981）。在钦古遗址，还发现了瓦哈卡风格的陶片，特别是在仪式中心附近的房屋和手工业作坊中。公元400年后，钦古遗址衰落了。其短暂的存在时间恰好与特奥蒂瓦坎大规模需要石灰石来装饰建筑的时期相吻合。

图拉其他区域与钦古遗址同时的还有特佩希河附近的埃尔特索罗和阿科库尔科遗址。这一区域同样盛产石灰石，而且人类活动延续时间很长，一直到阿兹特克期和现在均有人居住。其古典时代早期的物质遗存中最明显的是大量（超过50%）与蒙特阿尔班相关的陶器，与特奥蒂瓦坎的瓦哈卡人居住区出土同类陶器的比例接近（Crespo and Mastache 1981）。瓦哈卡人出现在这个距离蒙特阿尔班北部800多公里的区域，证实了中美地区文化历史的几个大趋势：混杂族群是众多地区的普遍现象，而且族群往往与特殊贸易和手工业生产密切相关，在这个案例中就与石灰的加工和制作相关。到公元400年，特奥蒂瓦坎在图拉地区的影响逐渐衰落，与此同时，一种新型的混合聚落模式建立起来：山顶式中心聚落（比如塞罗马戈尼）出现，其遗存面貌和遗物组合与平原地区长久以来的特奥蒂瓦坎式聚落完全不同。

## 2. 特奥蒂瓦坎和巴希奥地区及西北边境

巴希奥地区仍然有人居住，一些遗址发现了少量的与特奥蒂瓦坎相关的人群。特奥蒂瓦坎的影响在西北地区尤为显著。在公元200—400年，第一个村落出现在西谢拉马德雷山脉的东侧山麓，这一地区的矿产资源开始被开发和利用。在南部的查尔奇维特斯地区（北部地区是洛马-圣加夫列尔）尤其如此，“查尔奇维特尔”是阿兹特克人对半宝石——绿石的称谓。在查尔奇维特斯地区发现了各种孔雀石、蓝铜矿和绿松石状宝石。

阿尔塔维斯塔和塞罗莫克特乌玛遗址兴起于古典时代早期，前者在古典时代晚期变得非常重要。有很充足的证据表明，特奥蒂瓦坎的信仰体系深刻影响了这些遗址的建立。阿尔塔维斯塔的规划和建筑很大程度上要归功于特奥蒂瓦坎，其建筑也有观测地平线上天文现象的“地平历”作用，可见对历法的重视。

从特奥蒂瓦坎不断扩散的影响力角度来说，另一个有趣的现象是美国西南部主要传统的早期根源的发展。在这个时期，古普韦布洛文化（阿纳萨齐文化），莫戈永文化和霍霍卡姆文化可能已经开始分化，位于中美文化区北侧索诺拉沙漠的霍霍卡姆文化成为北部干旱区的一部分。古典时代早期，在整个北部干旱区，定居遗址开始在某些区域出现。位于亚利桑那州西南部的斯内克镇遗址，大约在公元450年建立起来。美国西南部是绿松石的重要产地，特奥蒂瓦坎与这个广阔区域的接触最早可追溯至古典时代早期，目的是满足墨西哥中部对“绿石”的需求。

## 3. 墨西哥西部

在形成时代末期，特乌奇特兰文化发展出一种形制独特的大型建筑，同时，其影响范围广阔的竖穴墓传统达到顶峰。或许是受到特奥蒂瓦坎的刺激，特乌奇特兰文化在公元200—700年复杂化程度发展到最高。这些复杂化进程影响着巴希奥、西北边境以及墨西哥西部，而且贵族之间的地位竞争可能是导致“社会系统紧张化”的动力之一，在墨西哥西部，这种紧张关系包括“完全是为了争夺稀有和具有战略意义的资源的本地竞争压力”（Weigand and Beekman 1998：41）。

特乌奇特兰文化的中心遗址并非仅仅是圆形建筑和球场的简单聚合，尽管这些建筑已经足够雄伟（图10.23）。其中最重要的遗址之一阿瓦卢尔科遗址坐落于

图10.23 瓜奇蒙通聚落，特乌奇特兰。“统治者家族的祖庙围绕着圆形的金字塔，下面埋葬了一位伟大的领袖”（Witmore 1998：139）。复原图描绘了瓜奇蒙通的圆形建筑群如何向西扩散，直到山坡下的灌溉田地。每个中心金字塔四方各有一条阶梯，直达顶部平台，上面修建神庙或者作为举行飞空仪式的场所。遗址的主球场位于两个最大的圆形建筑群之间

湖泊地带的沼泽地之上，奇南帕式农业发达，周边分布着重要的黑曜石资源。对于资源的竞争，可以从古典时代早期到中期聚落模式的变迁中看出，在这段时期内，山谷间通道的周围出现了大量的山顶遗址。随着时间的推移，人群更青睐防御性好的位置，而那些海拔较低的遗址就逐渐废弃了。

## 4. 米却肯、格雷罗和莫雷洛斯

在米却肯，特奥蒂瓦坎的影响从某种程度上说非常清晰。除了当地原有的包含了大、小村落的聚落系统以外，在古典时代早期，埃尔奥特罗、特雷斯塞里托

斯和廷甘巴托等地还出现了一种新型的仪式中心性遗址。这些小遗址内的“建筑形制和遗物风格表明了它们与墨西哥盆地特奥蒂瓦坎文化的直接接触”（Pollard 2010：460）。

除了金字塔、广场和球场外，这些遗址中还包含了特奥蒂瓦坎的典型特征：薄胎橙色陶和斜坡－立面式建筑（图10.24）。但是，解释米却肯和特奥蒂瓦坎之间的互动有一个问题，那就是遗存的年代。比如在廷甘巴托遗址，两个时期的建筑大致与特奥蒂瓦坎的扩张时和衰落后相对应。可能的解释是，早期遗存代表了特奥蒂瓦坎因素在此地的传播，而这种传播仅仅是由商人和仪式历法布道者带来的；而第二阶段遗存则可能是真正的特奥蒂瓦坎人流亡的结果，部分贵族为了生

图10.24　廷甘巴托遗址，米却肯。遗址建筑群可分两期：公元450—600年修建了最初的仪式性建筑，金字塔底部为特奥蒂瓦坎式的斜坡和台阶两侧护坡，顶部为粗糙易损的神庙。如图所示，金字塔环绕在广场周围，方向为北偏东12°—17°。第二期年代为公元600—950年，球场被修建起来，遗址中的建筑融合了更多的特奥蒂瓦坎元素，粗糙的房屋被具有中央庭院的方形建筑群取代，庭院内设立祭坛（Siller 1984）。一座墓葬内埋葬了30多个人，其中6位男性的牙齿经过整形，这种现象在中美其他地区也很常见

存来到廷甘巴托。公元900年后，廷甘巴托遗址终于废弃了。

**格雷罗**｜同米却肯一样，格雷罗地区也发现了大量瓦哈卡和特奥蒂瓦坎交流的证据。在较晚的时期，该地区出现了斜坡-立面式建筑，以及薄胎橙色陶和筒形三足器，甚至还有特奥蒂瓦坎风格的陶塑和风暴神特拉洛克的雕像。同时，在陶器上发现了瓦哈卡因素，纪念碑上也雕刻着显著的萨波特克风格图像。

当然，交流肯定不是单向的。格雷罗向特奥蒂瓦坎以及其他区域出口一种闻名中美地区的宝石雕刻工艺品。20世纪40年代，艺术家米格尔·科瓦鲁维亚斯将其命名为“梅斯卡拉风格”（图10.25）。梅斯卡拉工艺品如同希腊基克拉泽斯文化雕刻一般简洁优雅，深受中美人民的珍视，在西班牙人到来之前甚至被当作传家宝，因此具有模糊的年代序列。巴尔萨斯-梅斯卡拉是格雷罗地区这一时期考古记录最丰富的区域，其特征是大型遗址密布，周边围绕着小型社区，比如阿维纳瓦克和阿潘蒂潘遗址周边发现了许多生产石制品的作坊，一般用绳子、沙子和水进行切割加工。

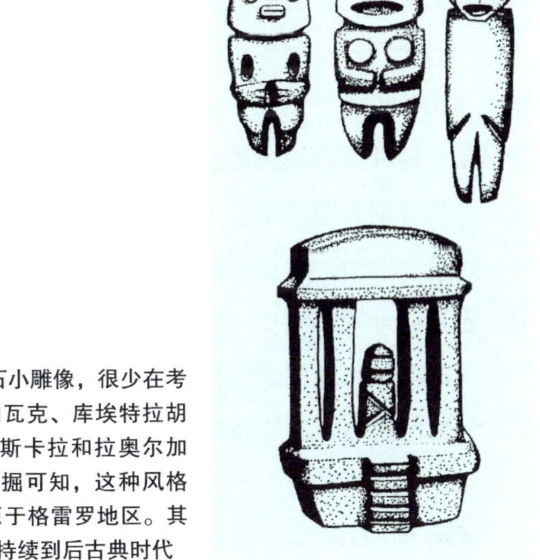

**图10.25 梅斯卡拉风格宝石小雕像，很少在考古发掘中发现。但由阿维纳瓦克、库埃特拉胡奇特兰、拉奥尔加内拉-梅斯卡拉和拉奥尔加内拉-霍奇帕拉等遗址的发掘可知，这种风格可能是在形成时代晚期起源于格雷罗地区。其生产可能经历了古典时代，持续到后古典时代**

**莫雷洛斯**｜一条从特波斯特兰向南延伸到现在库埃尔纳瓦卡附近的山脉，将莫雷洛斯分为东、西两部分。西部古典时代早期的聚落规模均较小，并且文化上同南部的格雷罗地区人群有关。然而，莫雷洛斯东部温暖的热带地区，在相当长的时期内均被纳入墨西哥盆地文化系统的范畴。在古典时代早期，这个地区特奥蒂瓦坎因素的出现似乎伴随着聚落模式乃至文化结构的剧变。莫雷洛斯东部可能已经成为特奥蒂瓦坎的棉花产区。比如，在阿马齐纳克河谷，这个时期人口大量增长，但多数人分布在农业深耕区散布的农场内，而非中心城市里（Hirth 1980）。聚落系统呈现出强烈的等级性。

## 5. 米斯特卡、瓦哈卡

**上米斯特卡**｜米斯特卡省由大量的城邦构成，内部从未统一，也没被外部力量征服过。从古典时代早期开始，蒙特内格罗遗址就废弃了；如果这个遗址是蒙特阿尔班的一个前沿哨所，那么就意味着蒙特阿尔班试图通过在米斯特卡省中部设立山顶“殖民地”来控制或威胁这个地区的计划落空。尽管如此，蒙特阿尔班的影响力依然存在于一些遗址中，这些遗址出土的陶器组合内，有蒙特阿尔班生产的典型器物以及当地对这些器物的模仿品（Byland and Pohl 1994）。

相对于同蒙特阿尔班接触的证据来说，米斯特卡地区遗址中一般也有相当数量的薄胎橙色陶，以及本地对这种陶器的模仿，尽管数量上不如蒙特阿尔班式陶器丰富。这种薄胎橙色陶的存在意味着特奥蒂瓦坎同本地区的贸易往来，但是并无坚实的证据表明米斯特卡是特奥蒂瓦坎和萨波特克首都蒙特阿尔班之间的前沿冲突地带。然而，在古典时代早期，蒙特阿尔班的干预可能促使了“米斯特卡当地的重要遗址迁移到更具防御性的山顶”（Byland and Pohl 1994：60）。例如，形成时代的埃特拉通戈遗址位于河流冲积平原之上，到了古典时代，随着人口的增长，包括仪式中心建筑和球场均移到附近的一座山上（Blomster 2008：298）。

**瓦哈卡**｜瓦哈卡谷地在古典时代同样可见大量具有防御性的遗址，它们分布于山丘之上。古典时代“山谷大约三分之二的人口居住在山顶遗址上”（Feinman and Nicholas 2004：132），大多数遗址都有墙和沟一类的防御设施。事实上，瓦哈卡谷地北部的埃特拉山谷有人口减少的现象，这一地区长期受到蒙特阿尔班的保护免受普埃布拉的入侵。在特瓦坎谷地南部，普埃布拉文化已经出现在卡尼亚达的奎卡特兰。但更大的威胁可能来自米斯特克人的入侵。尽管有这些冲突或恐惧的迹象，蒙特阿尔班Ⅲ期仍然代表了萨波特克文明的高峰，谷地内人口已经增长至10万多人。

伴随着人口的增长，文明中心开始向南转移。在蒙特阿尔班ⅢA期（公元200—500年），尽管埃特拉山谷的圣何塞-莫戈特遗址仍然是当地的中心，此时却明显骤然衰落，同时在瓦哈卡谷地的南部和东部出现了更大的遗址。南部的哈列萨遗址人口超过1万人，东部山谷的遗址群（代恩苏、马奎尔克索奇特尔、特拉科查瓦亚和瓜达卢佩）也同样人口众多。蒙特阿尔班在ⅢA期仍然是谷地内最大的遗址，人口超过1.5万人，整个遗址沿着山脊扩展至阿特索姆帕。

关于这个时期蒙特阿尔班仪式建筑的新建或重建活动，目前仍然存在争议。几年前对于遗址的复原和重建掩盖了最重要的第Ⅲ期的年代学证据。一些学者指出南、北平台的修建是遗址仍然保持伟大的证据；而一些学者则认为蒙特阿尔班的一些建筑是防御性的，用来应对可能来自特奥蒂瓦坎的侵略性威胁。

关于后者的坚实证据可能会（或可能不会）被发现，暂且搁置，我们先检视一下作为萨波特克文化首都的蒙特阿尔班鼎盛时期的物质和图像证据。古典时代早期，蒙特阿尔班的公共仪式建筑就已经形成如今的格局。南部平台，其实是一个巨大的被削平的金字塔，在国王12美洲豹统治时期建成并敬献给神灵。纪念这位国王和此次奉献的石刻纪念碑被镶嵌于南部平台的东北角（图10.26—10.28）。用于奉献的祭祀坑被压在平台之下，雕刻着来访者形象的石板在最底层，不能直接看见，这似乎同现代情感格格不入——我们很能理解炫耀性消费，但是把具有重要价值的东西藏起来，并非我们的习俗。然而，古代萨波特克人同其他中美地区人民一样，热衷于同超自然力量的互动，把这些重要作品“隐匿”起来，其实是将其展现给有生命力的大地。

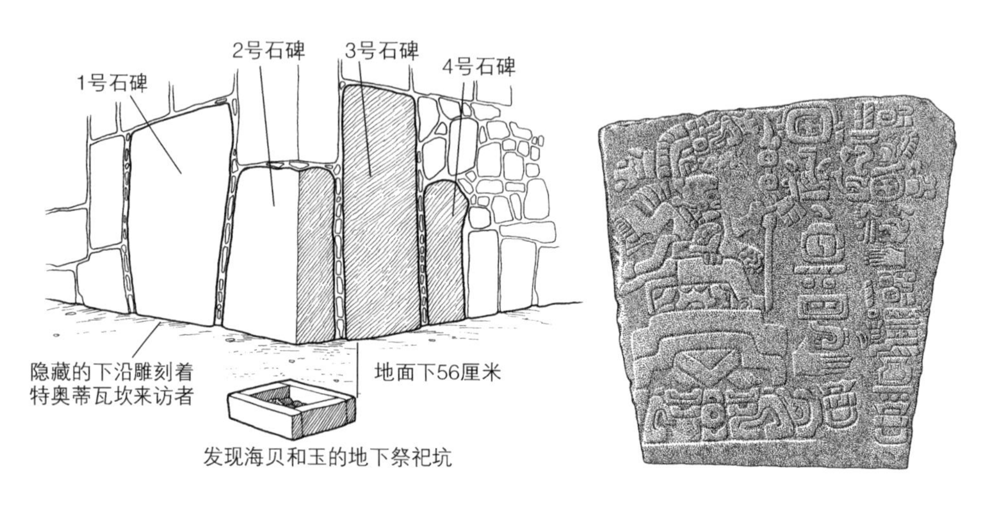

图10.26—10.28　蒙特阿尔班的南部平台由国王12美洲豹建成，其东北角放置了纪念他及其功绩的石碑。（上左）放置雕刻石板的地方，在地面下方半米深的位置填埋了一个用切割石砌成的窖藏坑。（上右）1号纪念碑雕刻了12美洲豹的形象，他坐在王座之上，他对面的大多数萨波特克文字至今仍无法破译。（下）特奥蒂瓦坎的来访者可能参加了这次奉献仪式，被雕刻于石板之上。这一场景被雕刻在1号纪念碑下部边缘，不能直接看到。我们很熟悉他们的头饰，在特奥蒂瓦坎的壁画和其他艺术品中经常见到，是王国官员的标志。他们手中拿着香囊，这是仪式上使用的珍贵和神圣礼物

北部平台也是一个巨大的、被截去顶部的金字塔，比南部平台略矮，上面分布着众多居住院落。该区域似乎是蒙特阿尔班统治者的宫殿区。萨波特克贵族被视为众神，特别是科西约（闪电）神的后裔，从国王到他们并不富裕的远亲，大大小小不同等级的贵族形成了一个真正的社会阶层，他们内部相互通婚而绝不与平民混血。尽管一些包括农场主、工匠和商人等平民的财富可能超过小贵族，但他们只能在自己的阶层里寻找配偶。

一般说来，中美地区的人们崇拜他们的祖先，将其视为现实生活中起积极作用的因素，但其他地区很少像萨波特克人一样将这一观念践行得如此彻底，这足以解

释为什么他们只在阶层内部相互通婚。因为假如贵族与平民通婚，那就意味着前者的子孙会有一些祖先是平民，这是家庭价值的可怕退化（图10.29、10.30）。

从这个角度来说，逝者被当作现实家庭的一部分。安葬他们的器具或墓穴成为逝者生活力量的储存所。中美地区人民有关于许多我们现在认为是“无机的”物质和现象的“灵力”概念，这个概念用萨波特克词语“pee”（发音为“pei”）表示，意为“风”“呼吸”或“精神”。对萨波特克人来说，运动就是“pee”之表现方式，招展的羽幡、上升的烟雾，以及随风飘荡的云彩都是神圣力量在运动的例子。“甚至就连时间都被认为是有生命的”（Marcus 2010：846）。

然而，萨波特克文化的生命力正在经历一场转变，我们将在第十三章提到。从古典时代早期就开始的人群结构转变持续进行，最终，米斯特克人进入了瓦哈卡谷地并在萨波特克人的家园新建了自己的聚落。

## 6. 普埃布拉和特拉斯卡拉

**乔卢拉**｜从瓦哈卡谷地一路向北，特瓦坎谷地在帕洛布兰科期（公元前200—公元700年）一直深受米斯特卡和蒙特阿尔班的影响。在其北部的普埃布拉谷地，乔卢拉却正在成为中美地区文化历史上一支重要的力量。古典时代早期，乔卢拉征服了整个普埃布拉和特拉斯卡拉地区，甚至明显吸收了来自特拉斯卡拉的人口，不过，效果明显不如形成时代晚期的特奥蒂瓦坎，后者将整个墨西哥盆地的人口收入囊中。对古代乔卢拉理解不深的原因在于遗址一直有人群占据，持续至今。一般说来，中美地区的金字塔往往被认为是山的象征，但是在乔卢拉，金字塔真的成了山，一座建在遗址大金字塔之上的殖民时期教堂，赫然矗立于长满树木的山巅之上。山脚下的发掘揭示了金字塔底部的地层，周围即繁华的现代都市乔卢拉。特奥蒂瓦坎的废墟数个世纪以来无人问津，激发了古老城市荒凉的浪漫感，乔卢拉却被湮没在蓬勃发展的时代之下。

讽刺的是，相对于古典时代的乔卢拉来说，特奥蒂瓦坎社会组织的谜团更像一本打开的书本。特奥蒂瓦坎的居住院落、手工业作坊和宫殿区已经大量暴露出

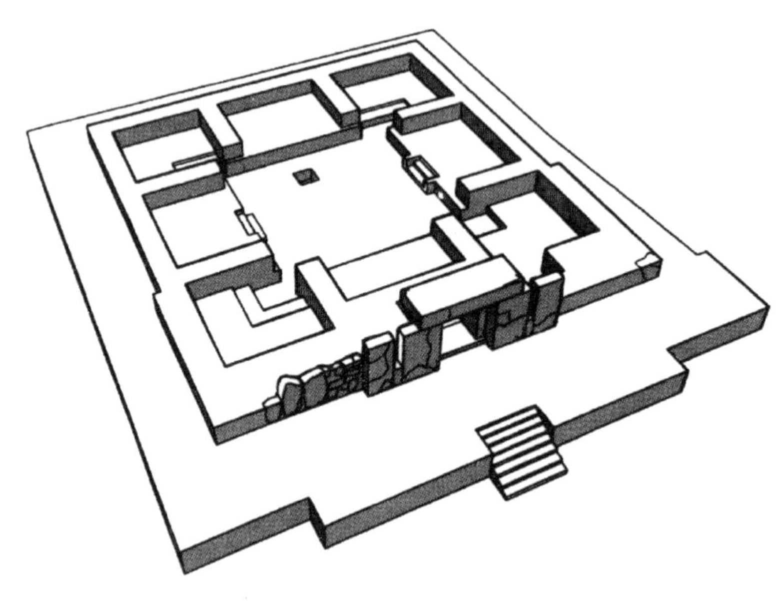

图10.29、10.30 萨波特克墓葬一般修建于他们的房屋之内。事实上，对家庭墓穴的修建是房屋建筑的第一步。墓葬用壁画装饰，墓壁砌有壁龛，内放置陶容器和随葬雕刻。（上）北部平台上与105号墓葬相关的宫殿，为典型的蒙特阿尔班贵族居住区布局：房间围绕着一个中心庭院，有一条小路（朝后）通往背后房屋下面的墓葬。这样的建筑群平均边长为20—25米。（右）一件萨波特克瓮棺。这件陶瓮上刻画了一个佩戴了插有羽毛的猫科动物头饰的人物

来，因为从古典时代早期以后，特奥蒂瓦坎的仪式中心就再也没有恢复过。与此相反，在古典时代晚期和后古典时代，乔卢拉成为墨西哥中部高原最伟大的城市之一，作为羽蛇神的主要神殿，吸引了众多的朝圣者。1519年，当科尔特斯和他的随从进军特诺奇蒂特兰时，乔卢拉让他们心头一震。可惜的是，我们无法确定乔卢拉在古典时代早期的规模，有学者估计其面积大约为500万到1000万平方米，人口至少1.5万人。

在整个古典时代，乔卢拉的大金字塔在不同阶段一直不停地建设（与特奥蒂瓦坎金字塔的建设不同），最终高达60米，底部边长350米。后古典时代的扩建使得底部边长达到400米，高度增加至66米。大金字塔一些建筑面采用了斜坡-立面式形制，但是需要指出的是，这种建筑形制最早出现的地方正是普埃布拉而非特奥蒂瓦坎。其他一些建筑面"完全由九层台阶构成，是一种完全不同于特奥蒂瓦坎的建筑方式"（McCafferty 2010：140）。

从建筑形制以及其他诸如陶器和仪式物品等物质遗存来说，乔卢拉与特奥蒂瓦坎存在密切的互动关系，但并未被对方征服。家庭仪式中使用的陶塑与特奥蒂瓦坎同类器物有一些相似之处，但更具明显的地方特征。同样，乔卢拉以南地区制造的薄胎橙色陶，在特奥蒂瓦坎非常流行，而在乔卢拉几乎不可见。一种在乔卢拉和特奥蒂瓦坎都出土过的饮器，表明了这个时期饮用普尔克的流行，这是一种用龙舌兰汁液发酵而成的啤酒（图10.31）。

在古典时代早期晚段，乔卢拉可能陷入了衰落。一些学者将这归因于特奥蒂瓦坎衰落的影响，但考虑到公元6世纪气候变冷的事件，这两个遗址或许都遭遇到了环境问题。在特拉斯卡拉，古典时代早期并非一个繁荣的时代，人口下降，可能被吸收到了乔卢拉。很明显，特奥蒂瓦坎出现在此地是为了保证与海湾地区贸易通道的安全，而非控制特拉斯卡拉的资源。

## 7. 墨西哥湾低地

墨西哥湾低地从北部的瓦斯特卡到南部的马塔卡潘都是可可和棉花等热带

图10.31　这些“蜡染法”彩绘的陶杯均来自特奥蒂瓦坎，一般发现于墓葬中，应属于墓主随葬的私人物品。它们可能用来饮用普尔克，即一种可以令人兴奋的龙舌兰汁液啤酒。龙舌兰汁液营养丰富的特质早在原古时代（如果不是更早的话）就被发现和利用了，同时这种汁液的发酵技术也被掌握，在宴饮上使用的上等普尔克在生产过程中需要一些添加物，比如树根和香草。这种酿酒行为究竟是从什么时候开始的，我们不得而知，但饮酒杯的出现表明至少在古典时代早期人们就开始酿酒了。一幅乔卢拉的壁画《饮酒者们》描绘了一幅社会上层的社交场景。在这幅壁画中，一只兔子手捧一个类似图中的酒杯，这是将兔子和普尔克联系起来的早期证据。阿兹特克龙舌兰女神玛雅韦尔是260天日历中“兔”日的守护神，并且在“2兔”这天出生的人其命运就是一个酒鬼。这一联系可能将兔子神奇的繁殖能力与社会对生育的崇拜结合，醉酒也成为随意进行性行为的捷径（Anawalt 1993）

产品的产地，这些产品深受特奥蒂瓦坎的珍视。低地北部圆形建筑最为密集，这种建筑在中部高原地区基本不见，这也是特奥蒂瓦坎的圆形建筑“商业区”被认为同瓦斯特克人群有关的原因之一。古典时代晚期，瓦斯特克人取得了显著的成就，在第十三章中我们将仔细讨论。

在墨西哥湾低地中北部，埃尔皮塔尔继续统治着这个地区；圣路易莎遗址发现了一个广阔的灌溉系统，意味着这个历时长久遗址的持续繁荣。然而，到了古典时代早期晚段，圣路易莎遗址开始衰落，与此同时埃尔皮塔尔遗址事实上已经废弃。这一系列事件可能与气候变迁相关，但需要注意的是这里的文化发展演变并未中断。相反，似乎文化中心开始向南转移到埃尔塔欣遗址，它成为古典时代晚期最伟大的城市之一。

在墨西哥湾低地中南部，古典时代出现了“大量的大型遗址、精致的工艺品和建筑传统、不断变化的贸易和其他经常被用来证明社会组织复杂化的活动”（Stark and Arnold 1997：26）。这个时期的陶器风格非常多样化，但总体而言，并没有发现薄胎橙色陶之类的特奥蒂瓦坎典型因素。这表明本地政治和经济互动圈的持续存在。米斯特基利亚地区的首府可能是塞罗-德拉斯梅萨斯，该遗址一直延续到古典时代。它的仪式建筑布局同拉文塔遗址相似，为若干巨大的土墩围绕着一个人工水池，这是墨西哥湾低地南部和中南部地区形成时代遗址最典型的规划特征（Stark 1991）。墨西哥湾低地中南部有一个非常小的遗址，名为雷莫哈达斯，因为出产一系列有特色的陶塑而变得声名大噪，这些陶塑的名气远比它们的尺寸要大（图10.32）。

**马塔卡潘**｜往东南方向分布着图斯特拉山，这是一座墨西哥湾沿岸的火山，位于卡特马科湖的西北部。在这里，马塔卡潘遗址在形成时代早期崛起，古典时代早期达到鼎盛，成为与特奥蒂瓦坎关系密切的贸易中心。马塔卡潘的核心仪式区面积大约250万平方米，约1万人散布在周围大约2000万平方米的范围内。

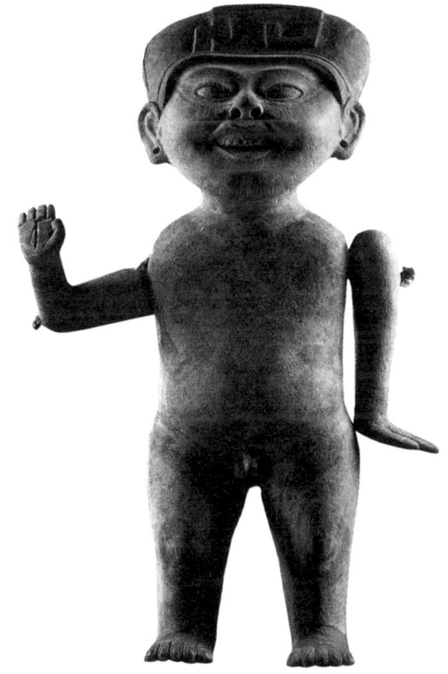

图10.32　这件“微笑脸庞”塑像来自墨西哥湾低地中南部的雷莫哈达斯遗址，大约高48厘米。这种类型的塑像似乎表达了友好的善意，但一些学者将其解释为酒醉后的表情，甚至是痛苦的神态

马塔卡潘并非是一个显示特奥蒂瓦坎影响或交流的遗址，而更可能是一个殖民地，因为其遗存显示出从特奥蒂瓦坎迁移而来的人群的特征。除了发现斜坡-立面式建筑以外，家户出土陶器组合中包含了典型特奥蒂瓦坎风格的筒形三足器、焚香器和陶塑等，后者应当用

于家户日常仪式之中。这些都属于历经超过400公里的长途跋涉被移植到这里的特奥蒂瓦坎人的日用之物，而并非只是在声名显赫的中部高地宴饮时用来向来访者展示炫耀的那种花哨器具。一些特奥蒂瓦坎风格的器物确实是在马塔卡潘制造的，原因可能是这些移民试图维持他们的族群。特奥蒂瓦坎的衰落预示了马塔卡潘的命运：古典时代晚期，遗址衰落，与特奥蒂瓦坎的联系也逐渐消失了。

## 8. 地峡南部特奥蒂瓦坎的重要盟友

在这一章里，我们讲述了特奥蒂瓦坎的伟大和兴衰，也提到了其强大的竞争对手们如蒙特阿尔班以及正在崛起的乔卢拉。接下来的章节，我们将展开同时期发生在玛雅低地、高地和邻近地区的故事。特奥蒂瓦坎发展成一个庞大的复杂社会，是中美地区文化历史上最重要的事件之一，从某种程度上说，玛雅的众多城市与其共同谱写了这曲文化乐章。玛雅的城市化情况与特奥蒂瓦坎完全不同；相反，它们形成了一幅由众多王朝统治的仪式中心构成的马赛克式拼图，有时这些城邦中心周边围绕着成千上万的人民。特奥蒂瓦坎对玛雅地区的影响确实非常有限——它并非一个强大的“帝国”——但是我们将会看到，这座时间诞生之城甚至让玛雅人感受到了它的存在。

# 第十一章　古典时代早期的玛雅（公元250—600年）

古典时代早期对于玛雅低地来说是一个主要的文化繁荣时期，这一时期大型建筑和与王朝相关的铭文非常普遍，它们是王族世系已然可以成熟地统治大量中心城市的证据。我们都知道，古典时代指的是玛雅人在纪念碑上使用长历法系统这段时间。大约在公元900年，带日期的大型建筑不再修建，这标志着复杂的统治传统和相应的物质文化戏剧般地衰落，比如精美的艺术品和中心建筑被废弃，最终，整个地区陷入荒芜。在这一章及下一章，古典时代玛雅和他们邻居的故事将向我们展示一个早期文明的兴衰历程（图11.1）。

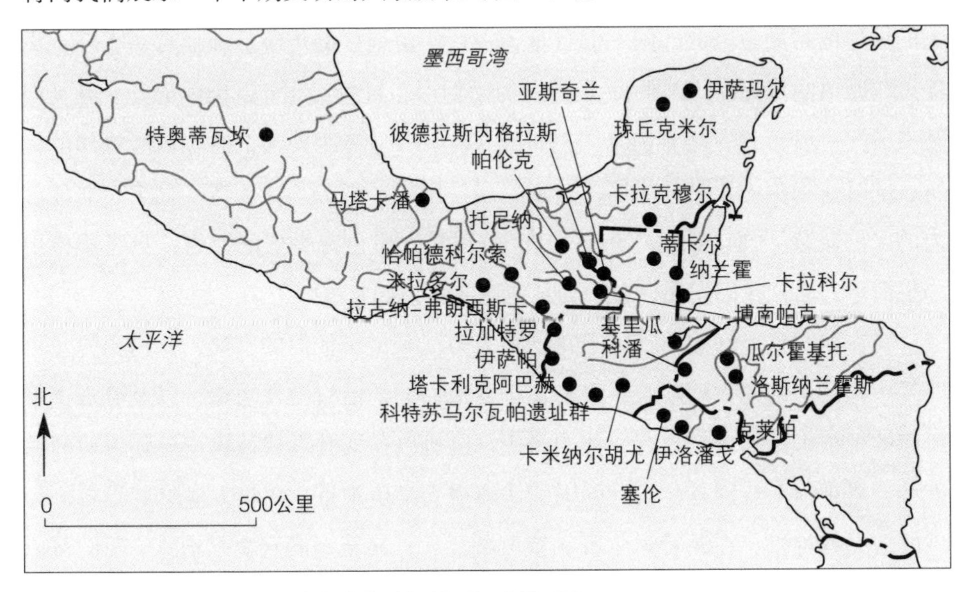


图11.1　第十一章涉及的美洲中部古典时代早期的区域和遗址

形成时代晚期和末期的埃尔米拉多尔和纳克贝等遗址表明，王权及其令人震撼的表现方式在玛雅低地有着悠久历史。我们假设到公元1世纪，玛雅已经有了世袭的国王，他们以首都为中心统治全境，生产工作则由他们的贵族亲戚管理下的农民完成。玛雅国王属于中美地区传统的萨满，拥有特殊法力，他们获得大众的支持是基于一种共同的信念，即国王可以扮演好与超自然力量之间沟通的角色。由此，农业丰产的自然循环得以持续，时间的神圣循环得到维护，未来的事件能够被灵敏地卜得并准确地预言。

国王们通过各种各样的祭祀、以身作则来激励他们的追随者，向他们保证时间和万物的循环会继续下去。祭品在许多玛雅遗迹包括山洞、墓葬和天坑（充满水的天然坑）中都可以发现。奇琴伊察的“祭祀天坑”已被勘查，里面发现了大量珍贵物品，推测是祭祀品沉积的结果，尤其是在后古典时代。除了各式各样的物品以外，动物包括人类都被用于祭祀。国王主持祭祀仪式，也以自身献祭，忍受刺穿耳垂、舌头和生殖器滴血所带来的痛苦。如果国王在战争中被俘，那么他将被俘获他的国王牺牲。

玛雅国王的精神特质和他们的萨满角色非常强大，以至于他们可以获得精神上的灵伴的帮助。因此，国王们分享了古代中美地区的传统，即拥有一个精神灵伴（玛雅语叫作way，音外），是国王的动物形态自我。此外，肉体的死亡是灵魂转变的另一种形式，玛雅遗址内的神庙-金字塔是为死去国王的魂灵所修建的住所，同时作为祖先崇拜的场所，是王室居住区的一部分。这创造了一个“居住区内的家庭陵墓”（McAnany 1995：100），玛雅农民也有类似的行为，只是规模更小更简单，而且我们发现，在中美其他地区也是如此。

在古典时代，一些玛雅国王花了很大力气来记录他们的家谱，并为祖先（可能是虚构的）修建大型建筑，目的在于使他们的统治权力合法化，以及寻求逝者灵魂的祝福来帮助现实家庭，他们希望自己也以这样的方式被铭记。随着时间的推移，玛雅国王特别是已去世的国王就会成为某位神祇。玛雅人显然尊崇各个领域的一系列神祇。在蒙特阿尔班和特奥蒂瓦坎，甚至追溯到奥尔梅克，我们可以看到有特定法力和兴趣的人格化神。对于中美地区人民来说，宇宙有多层。在阿兹特克人的眼里，地下世界有九层，地上世界有十三层，地球位于二者的第一层。水平地说，主要方向定义了神圣的“四方”，每个方向与一种颜色和占卜日历的一部分密切相关。四方之中心也很神圣，有一棵直立的世界之轴宇宙树。现在，让我们回到玛雅中心地区的地上景观。

## 一、玛雅低地

以美洲中部的地理特征看，尤卡坦半岛是相对平坦的平原，尽管有一些低山、悬崖、沼泽地，甚至湖泊。气候类型从半岛西北角半干旱地区的热带草原气候（年降雨量仅500毫米）过渡到低地南部的热带季风气候（年降雨量大于4000毫米），造成各地植被差异很大。从纬度来说，所有的玛雅地区都“处于热带”，但实际上尤卡坦半岛北部植被大部分为灌木丛，一年多数时间都很干旱，只有南部是真正降雨丰富的热带。在古典时代早期，北部低地也有一些壮观的遗址，比如伊萨玛尔和琼丘克米尔（Huston 2012），但是在第十四章我们将看到，北部尤卡坦地区直到古典时代晚期结束后才成为玛雅低地的文化核心区。

总之，古典时代的玛雅历史是被南部低地主导的。南部地区有更悠久的定居历史，他们的国王和传统在幸存的玛雅文本中记载详细。在古典时代早期和晚期，一些中心城市比如蒂卡尔和卡拉克穆尔控制了玛雅低地，但考古学家发现的大量重要建筑的年代大多为古典时代晚期。深度的发掘揭示了这些遗址古典时代早期的堆积。它们是这一地区最重要的聚落，但是同后来或是形成时代晚期的埃尔米拉多尔和纳克贝相比，在规模上完全不值一提。

### 1. 佩滕地区和玛雅政治

玛雅低地南部的范围横跨整个尤卡坦半岛的南端，从西边的乌苏马辛塔河流域，穿过中部的佩滕地区，到东部的伯利兹。甚至根据一些学者的观点，东南还包括莫塔瓜河附近的一些重要遗址。佩滕有一南部亚区，即佩特斯巴通地区（Foias 2002），此外还有和北部玛雅低地相邻的里奥贝克亚区。佩滕地区一向被认为是古典玛雅的文化中心，因为早期的重要遗址大多位于此处，而且这些遗址有集中出土玛雅铭文石雕的传统（图11.2）。佩滕地区早期古典文化以扎阔尔文化最为著名。

穿过佩滕地区进入邻近区域，古典时代早期的国王为了权力彼此竞争，他们建立联盟，对付不共戴天的敌人。当玛雅农民为了生存被禁锢在自己的玉米地上时，贵族们则在更广阔的土地上演出他们的命运。王族女性被送到数百里外，与

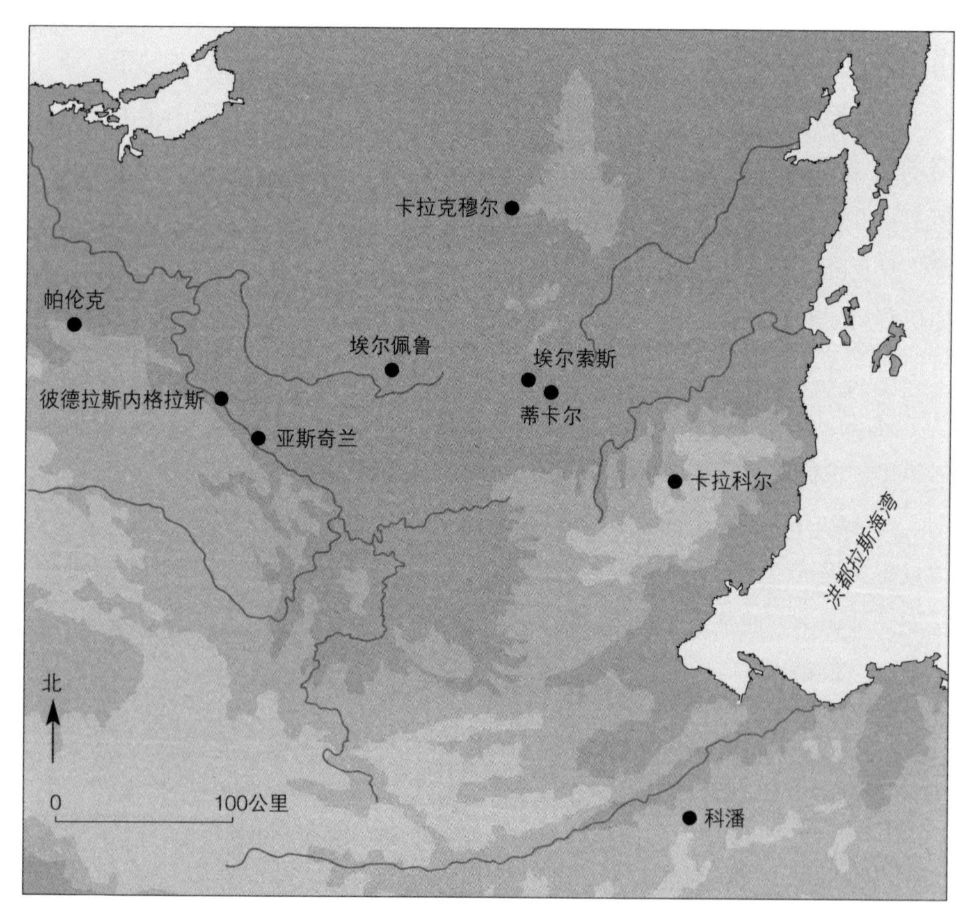


图11.2　古典时代早期佩滕及相邻地区的玛雅遗址

其他遥远的王室家族联姻；战争和突袭在不同地点之间进行，败者被胜利者带回首都，扒光身体，杀掉祭祀。正如商贸探险队一般，安排上述事务的外交使团同样会派遣王室或贵族成员到彼此的首都。这些现象在古典时代晚期已经相当明显，而且记录详细，可以肯定的是，最迟在古典时代早期已经出现。

对这些现象的记录来源于纪念碑上的铭文和图像、陶器的彩绘和墙壁上的浅浮雕，但如果从一个普通玛雅人的角度来说，我们今天所拥有的证据，也仅仅是有关国王和中心城市的一些碎片而已。在南部低地以外，石雕、铭文相对少见，并且在南部低地的许多遗址中，铭文被雕刻在易腐蚀的石头之上，导致许多铭文受损而无法阅读；要不然就是铭文和图像被盗掘或人为损坏。因此这些记录中有很多空白，保存下来的往往只是难解的只言片语，一些重要的王朝和事件可能不为我们所知。

从一系列证据——铭文、建筑和描绘在陶器等贵族物品上或刻画在石头上的事件来看，玛雅政治互动的模式变得清晰，它并不仅仅是一堆看似随机的袭击和婚姻的联盟，而是一个根深蒂固的、以两个最伟大的城邦蒂卡尔和卡拉克穆尔为中心的联盟系统。这也是从古典时代早期或者形成时代晚期开始就已经形成的体系，两大中心决定着其他多数城邦政策的制定。这个包含冲突和结盟的关系网，源于上述两个城邦之间的竞争，几乎所有其他城邦都陷入其中。即使远在伯利兹东部的乌斯本卡可能也和蒂卡尔进行了结盟（Prufer et al. 2011）。

## 2. 历法之王：时间和古典时代早期的玛雅国王

蒂卡尔，可能是佩滕地区最知名的玛雅遗址，从形成时代中期开始就有人居住，到了公元1世纪，王国建立起来。根据对一篇较晚的古典时代铭文的研究，加上在北部卫城早期建筑内发现的一个随葬品丰富的墓葬（85号墓），学者们推测王国的建立者是雅什·埃布·舒克（玛雅语意为“第一级台阶之鲨鱼”）（Martin and Grube 2001）。王国早期的记录大多是碎片，但是蒂卡尔29号纪念碑记载的一位统治者的年代早至公元292年（图11.3，表11.1）。

同中美其他地区一样，玛雅王朝一般都是父系继承的，目前已知大多数是

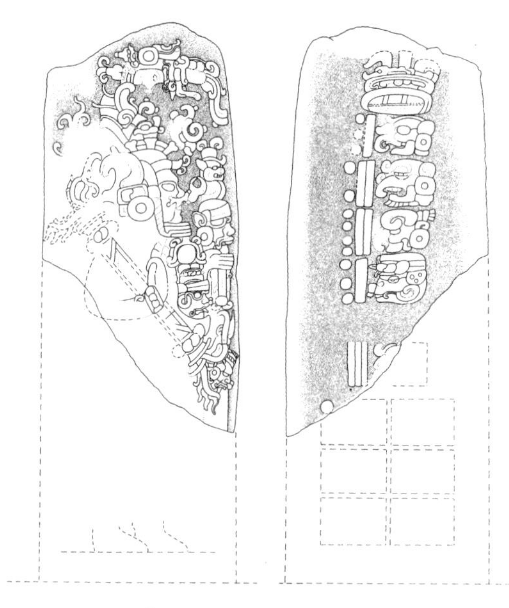

图11.3 蒂卡尔29号纪念碑。正前方显示了一位盛装的国王，可能是“叶子美洲豹”（因其名字的文字为头顶有叶子图案的美洲豹而得名），还有玛雅低地目前可知最早的长历法日期。纪念碑背面刻着的长历法日为“8.12.14.8.15”，表示从玛雅人认为其所在世界的创世日（公元前3114年8月13或11日）起经过了多少天，转化成现代公历为公元292年7月8日（Stuart 2011: 178）。如今，解释古典时代玛雅日期均采用古德曼-马丁内兹-汤普森（GMT）校正法，再加上2天。因为29号纪念碑的日期以“8巴克吞”开头，学者们称之为一个“8循环”之内，或者发生在第9个巴克吞内的日期（与我们生活在21世纪是一样的道理）。长历法是在第8个巴克吞内被发明的

**表11.1 玛雅时间单位**

| 29号纪念碑上的日期 | 单位 | 天数 | 年 |
|---|---|---|---|
| 8 | 巴克吞 | 144000 | 大约394 |
| 12 | 卡吞 | 7200 | 大约20 |
| 14 | 吞 | 360 | 大约1 |
| 8 | 维纳尔（Winal） | 20 | |
| 15 | 金 | 1 | |

父亲传位于儿子。在没有儿子的情况下，王权会传给国王的一位叔叔或男性堂兄弟。有时，继承王位的儿子太过年幼，他的母亲就会摄政直到他成人。非常罕见的是，有时一位王室女性会自立为国王，这似乎在蒂卡尔至少发生过一次，在第10个巴克吞（一个约400年的循环）期间，长历法纪年为9.4.0.0.0.。

一个卡吞的轮回，一般都要通过仪式和竖立纪念碑来庆祝，而且一般说来，我们对于国王的了解并非来自纪念他们继位或死亡的建筑，而多是来自刻有他们名字的纪念时间的碑刻（Fitzsimmons 1998）。这提醒我们国王既是萨满，也是卜

者，因为时间有很多循环的方面，幸运和晦气之日总会再现。日期不会循环出现的长历法要配合260天的占卜历法和365天的模糊太阳历使用。纪念碑上的日期以一个“起始符号”开始，除长历法日期外，还包括260天历法日期（来自占卜历书卓尔金历）、不同日期时段的守护神以及月亮的周期等。

**表11.2　古典时代早期蒂卡尔部分国王世系表**

| | 国王 | 事件 |
|---|---|---|
| | 雅什·埃布·舒克　大约公元90或219年 | 王朝建立 |
| | 叶子美洲豹　公元? | |
| | 动物头饰　公元? | |
| 公元300年 | 西雅·产·卡威尔一世　公元307年在位 | |
| | 乌棱·巴拉姆夫人　大约公元317年 | 男性继承世系中断 |
| | 齐尼奇·姆万·霍尔　公元359年5月? | |
| | 查克·托克·伊察克一世“美洲豹之爪”公元360？—378年在位 | |
| | | 男性继承世系中断 |
| | 雅什·努恩·阿因一世“卷鼻王”　公元379—404年？在位 | “掷矛者猫头鹰”之子；得到西雅·卡克“烟之蛙”的支持 |
| | | 帕伦克，科潘，基里瓜王朝建立 |
| 公元400年 | 西雅·产·卡威尔二世　公元411—456年在位 | |
| | 坎·齐塔姆　公元458—486？年在位 | |
| | 查克·托克·伊察克二世　公元486—508年在位 | |
| 公元500年 | 蒂卡尔夫人　大约公元511—527年在位 | |
| | 鸟爪? | 公元553年：扶植卡拉科尔国王，但是到公元556年，与卡拉科尔及卡拉克穆尔开战；公元562年：蒂卡尔在“星战”中失利 |
| | 瓦克·产·卡威尔　公元537—562年在位 | 公元562—592年：中断，蒂卡尔被攻占，卡拉克穆尔可能是肇事者 |

所有这些，加上像E组建筑这样的建筑和观象台，形成了强大的观测预言的物质基础设施。在一位从少数社会成员中挑选的经过训练的观测者手中，这些设施可以用来解读所有的历法循环及其意义。每年耕田、播种和收获的农业循环是普通百姓最关心的事情，他们会寄望于国王和他的历法祭司给予指导，使得农业生产的时间安排得最恰当和吉利。但除了这些以外，还有其他一些与国王和贵族相关的更迫切的任务，比如说占卜发动战争、献祭牺牲和兴修建筑的最佳时间。

玛雅人对时间的关注远远在他们和特奥蒂瓦坎的接触之前，以“时间诞生之地”闻名的特奥蒂瓦坎同样对时间的流动及意义特别感兴趣，这肯定在两个文化之间建立了强烈的纽带。要知道，特奥蒂瓦坎的建筑方位就是以公元前3114年某一天为基础的，这一天也是玛雅人认为当前世界创世的日子。特奥蒂瓦坎人从其他文化中吸取智慧，包括南部太平洋海岸地区，这些地区也影响了玛雅。然而，特奥蒂瓦坎的时间运行机制和意义似乎成为了一种宗教，这也正是他们对外输出的东西。

## 3. 蒂卡尔——古典时代早期的玛雅中心

公元376年，在庆祝长历法8.17.0.0.0卡吞结束的仪式上，作为玛雅低地最大和最成熟王国的统治者，蒂卡尔国王查克·托克·伊察克一世（“美洲豹之爪”）

图11.4 蒂卡尔发现的一件黑陶器的纹饰，最右边是一座带有斜坡-立面式台基的特奥蒂瓦坎风格神庙。最左边是一座玛雅神庙，它的右侧是一座建于斜坡-立面式台基上的玛雅神庙，里面坐着一个玛雅人物正迎接一个特奥蒂瓦坎人使团。其中四人携带标枪，他们中的三人还手持掷矛器，从钩状的尾端可以分辨出来。这四个人身着军装，其右侧是两个穿着特奥蒂瓦坎式官服的人，手中拿着的可能是有装饰的陶容器，这是中美地区结盟常用的礼物。他们右侧的两个坐着的人物可能代表特奥蒂瓦坎居民

肯定很享受自己的威望地位。两年后他消失了，巧合的是，这件事情发生于公元378年1月，刚好在一群来自“西方”的陌生人到达蒂卡尔之时（图11.4）。一年后，在一个来自西方的人西雅·卡克（“烟之蛙”）而非蒂卡尔王朝的帮助下，一位新的国王雅什·努恩·阿因一世（“卷鼻王”）登上了蒂卡尔的王位（图11.5）。这个新的国王具有特奥蒂瓦坎血统，他的父亲“掷矛者猫头鹰”是一位鼎鼎大名的统治者（统治时间公元374—439年），很可能就是特奥蒂瓦坎的国王（Stuart 2000：483）。

这些阐释基于最近对玛雅文字的解读，也基于在蒂卡尔出土的特奥蒂瓦坎式符号甚至物质遗存。这些发现强烈表明，那些陌生人的力量是建立在军事基础之上的。在特奥蒂瓦坎，我们可以看到关于军事的画面完全占据了晚期最重要的金字塔——羽蛇神庙金字塔，而且在玛雅艺术中，特奥蒂瓦坎人物可以通过他们的武士服装和兵器分辨出来。“掷矛者猫头鹰”这个名字由两部分组成，一部分为猫头鹰，是中美地区一种强大的猛禽；另一部分是它手中的掷矛器，这种武器非常适用于中部高地的开阔地带，但并不适用于南部玛雅低地的热带丛林。事实上，这种武器可能有巨大的影响力——在霍尔穆尔的一个深受特奥蒂瓦坎影响的宫殿内，墙上有投矛的涂鸦草图和壁画（Estrada-Belli et al. 2009），但玛雅军队从来没有采用过这种掷矛器（Hassig 1992）。

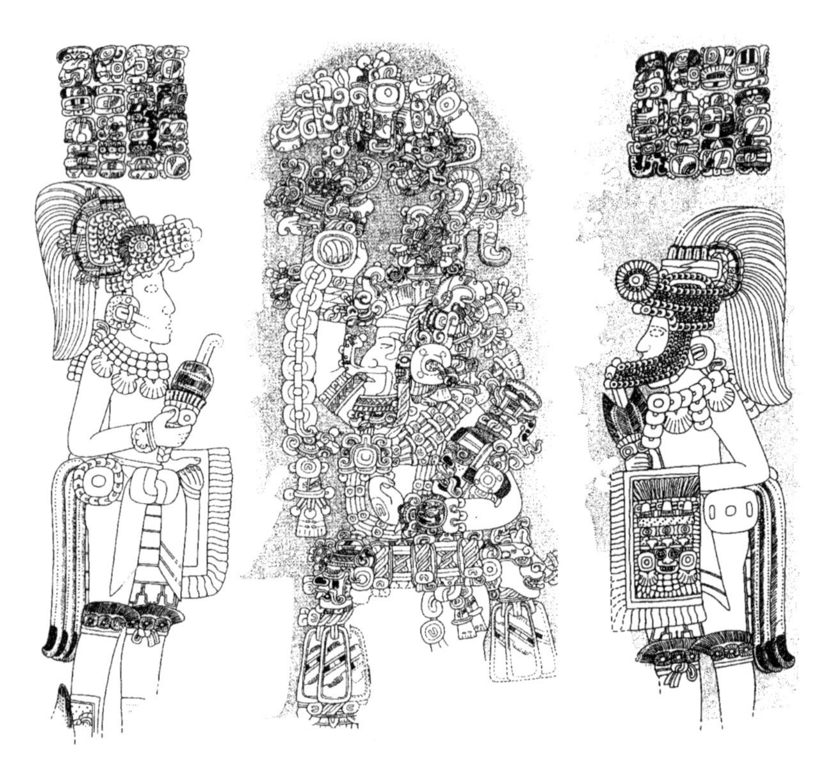

图 11.5 蒂卡尔 31 号纪念碑。石碑后面（未显示）有记述特奥蒂瓦坎入侵的长篇历史铭文。石碑正面（中）是蒂卡尔国王西雅·产·卡威尔二世。他高举一个带有他祖父“掷矛者猫头鹰”图案的头饰。纪念碑的两侧是他父亲，蒂卡尔国王雅什·努恩·阿因一世的两幅肖像，均手持特奥蒂瓦坎式的方形盾牌和掷矛器。左侧人物的头饰与羽蛇神庙上的装饰相似，右侧人物的盾牌上是一张戴眼罩的脸，其鼻子下方戴着一个不完整的面具

## 专栏 11.1 / 玛雅国王的死亡

玛雅国王以大型建筑标记自己生前的功绩，去世以后，他们的人民将其葬入墓穴之中，而墓穴就是神圣之墓主从其生活的世界前往另一个世界的通道，这个神圣的人由此“上路”了（Fitzsimmons 2009）。“上路”是玛雅人对死亡的比喻，这个很容易理解，因为几乎所有文化都会标记生命

中要经历的各种通道，当然也包括生命终结的通道。怀孕、出生、成年、结婚以及其他角色或等级上的重大变化包括死亡，都以特定仪式为标识，以让人轻松经过通道，越过从一种状态到另一种状态的边界或界线。在跨越类似界线时，人一旦进入标志着转化的临界状态，就往往会涉及仪式性的变身行为（见van Gennep 1960；Turner 1967）。

在蒂卡尔附近一个名为埃尔索斯的遗址中，发现过一个王室墓葬，年代大约在公元350年，可能是该遗址第一王的墓葬（Houston 2008；Román and Newman 2010）。这个墓葬位于金字塔旁的一个宫殿区内，可能在国王死前就已修建完成。根据一些提及国王死亡和下葬日期的铭文，玛雅国王在死亡数天之后就被安葬，时间不足以在死后修建丧葬建筑设施。死后这段时间可能被用于处理遗体和准备随葬品。玛雅国王的尸体可能会经过一些防腐处理，比如掏空内脏或全身抹灰。尸体会被小心地穿戴华美的服饰，可惜衣服一般无法保存而仅余珠宝和头饰等。埃尔索斯的第一王被打扮成舞者的形象，随身发现有铃和其他响器，可能用于增强仪式表现效果。

这座王墓中并非只有第一王一个人，还有6个婴儿和儿童，此外还有诸如纺织品和精美陶器等随葬品（图11.6）。丧葬仪式可能包括哀悼、宴饮和封墓，伴随着在墓室内外焚烧柯巴香等仪式物品。墓室之外，一般会放置更多的随葬品和人牲；在埃尔索斯，发掘者发现了盛有人手指和牙齿的碗，还有一具部分已被烧毁的婴儿骸骨。

悼念国王的仪式可能持续数月之久，通常几年之后会有新的纪念活动。出于仪式活动的目的，墓葬可能会被重新打开，甚至以其为中心放置一系列墓葬，将王族祖先聚集到一起，创造出会为他们控制土地、人民和资源提供强大力量的大型建筑（McAnany 1995）。与此形成鲜明对比的是，战俘人牲的头颅被仪式性埋葬，但并不是为了强调其祖先的世系，他们一般被放置于玛雅仪式中心广场下的祭祀坑中，这种现象在中美其他地区也能见到，尤其与球场关系密切（Mendoza 2007：409—410）。

**图11.6 这件陶器出自埃尔索斯遗址的一座墓葬之中。其盖子顶部是一种神化动物。这种容器可能被用于盛放中美地区宴饮上最常见的食物——塔马里（玉米粽子）**

此外，特奥蒂瓦坎对外输出其招牌式的军事主义可能反映了自身内部的分裂：这个时期，羽蛇神庙金字塔被重建，新建筑覆盖了战争主题的雕刻。推翻并取代玛雅低地核心城邦的统治世系，可能是一部分特奥蒂瓦坎人的生存策略，他们已无法在国内取得最高权力。这仅仅是纯粹的推测——我们对这个时期特奥蒂瓦坎的统治机制知之甚少，尽管玛雅的文字材料为我们提供了一个匆匆一窥的机会。此外，古典时代早期的玛雅城市都很小且朴实——蒂卡尔大约有1万人居住在不起眼的低矮金字塔群内外。与此形成鲜明对比的是，古典时代晚期的蒂卡尔可能至少拥有6万的人口，金字塔超过40米高（图11.7）。

特奥蒂瓦坎对玛雅的影响究竟有什么样的后果？来自墨西哥中部的入侵者篡夺了蒂卡尔的王位，并且似乎还要让自己周围到处充斥着来自故土的典型符号和徽章。在严格限定的区域中，出现了斜坡-立面式建筑，比如5C-54建筑周围的一个E组建筑，被设计用来观测太阳历的春分、秋分和夏至、冬至（Coggins 1993）。一些居住院落以墨西哥中部风格建造，中央庭院带有神龛（Becker 2009）。一些墓葬同样具有墨西哥中部风格：北部卫城10号墓可能是雅什·努恩·阿因的墓葬，出土陶器上拥有特奥蒂瓦坎风格的图案，另有9名人牲。不过

图 11.7　从形成时代晚期开始包括整个古典时代，蒂卡尔的北卫城一直在新建和复建。这里就是王室墓地，众多蒂卡尔的国王长眠于此。在建筑前放置纪念碑是玛雅仪式中心布局的典型特征

墓里的这些人均在佩滕地区长大（Wright 2005）。

随着时间的推移，这些与众不同的特征逐渐被当地玛雅文化湮没。关于特奥蒂瓦坎是主动地干预玛雅人的生活还是简单地通过图像符号等为玛雅提供了显示威望的元素，还存在学术争议，这两个方面可能都是肯定的答案（Stuart 2000）。古典时代早期，特奥蒂瓦坎可能通过武力强力干预蒂卡尔、科潘和其他地方。到了古典时代晚期，玛雅王室使用特奥蒂瓦坎的图案符号（仅仅是其外壳），作为一种显示他们与古老而宝贵的权力符号之间亲密关系的方法。

有迹象表明特奥蒂瓦坎的影响可能对玛雅等级化的统治制度的扩散有所贡献。在古典时代早期，一些统治者——阿豪——似乎将自己提升到霸主的地位，扮演了一些小遗址守护者或赞助者的角色，他们称自己为“神圣领主”（玛雅语“库乌尔阿哈夫”）。在诸如蒂卡尔等一些遗址中，“卡鲁姆特”是最大的头衔，一些人甚至将自己称作更崇高的“奥奇金-卡鲁姆特”，“奥奇金”玛雅语意思是“西方”。这似乎表明此头衔起源于特奥蒂瓦坎。掷矛者猫头鹰就被描述为一位“卡

图 11.8 瓦哈克通的“A-V”（A-5）宫殿被改建了若干次。考古勘查发现最早的台基上有三座建筑，中间为一庭院；随着规模的扩大，它变得越来越森严和私密。复原图的序列显示了该建筑群在古典时代的扩建过程

鲁姆特”。早在特奥蒂瓦坎人入侵之前，玛雅的众多城邦就已经处于不断的结盟和争斗中，正如我们从防御工事的证据中所看到的那样，战争并非一个外来的观念。虽然，在古典时代没有哪个玛雅城市能够控制一大批城邦，形成一个“帝国”，但到了公元6世纪早期，蒂卡尔和卡拉克穆尔已成为最强盛的王国，其他城邦则被纳入一个或其中一个的影响范围之内（Martin and Grube 2000）。

将目光转向距离蒂卡尔北部约20公里的瓦哈克通，二者基本同时建成于形成时代晚期。古典时代早期的瓦哈克通同其他城邦一样，已经拥有了仪式建筑神庙金字塔和贵族居住区，这些建筑在数百年后变得更加高大（图11.8）。即使在发展期间，瓦哈克通也面临着外部力量的威胁，可能来自特奥蒂瓦坎。古典时代中期，瓦哈克通和蒂卡尔均衰落了，到了古典时代晚期蒂卡尔复兴的时候，瓦哈克通随之也有了大量人群活动。

## 专栏11.2／蒂卡尔的伟大工程

19世纪50—60年代，蒂卡尔考古项目最惊喜的发现当数遗址中心北部一条自东向西长约5公里的大型壕沟（Puleston and Callender 1967）（图11.9）。考虑到这个地区破碎的地形和茂密的丛林，能够发现这个遗迹就很了不起，更不用说还在横贯遗址东西数公里的范围内追寻到了其踪迹。这些是城墙的遗迹吗？或者是某种防御设施？还是水渠？最早可到什么年代？

最近的勘探发现这个遗迹远比以前想象的庞大，但仍然像以前一样神秘（Webster et al. 2007）。这个遗迹的年代大约在政治不稳定的公元6世纪，现在看来，这个推断仍然是最合理的，而且勘查工作已经弄清了这个工程的部分作用。这个工程并未形成一个连续围绕蒂卡尔的圆圈，而是包括若干长段的壕沟，有时但不总是同天然障碍相接（图11.10）。这个工程并未分隔出一个单独的居住区，其外侧仍然有聚落持续分布，有的地方人

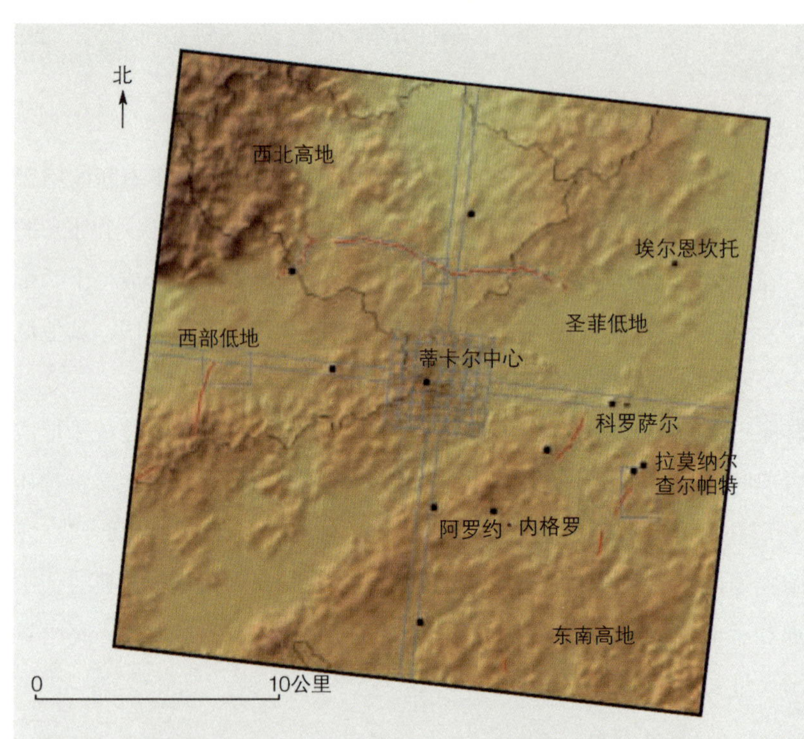


图 11.9　通过对蒂卡尔中心（中央网格）周边地区的发掘和调查（交叉长线和长方形标出的范围），揭示出图中红线所示的蒂卡尔工程遗迹。小黑方格表示聚集的聚落群，棕线是现代道路

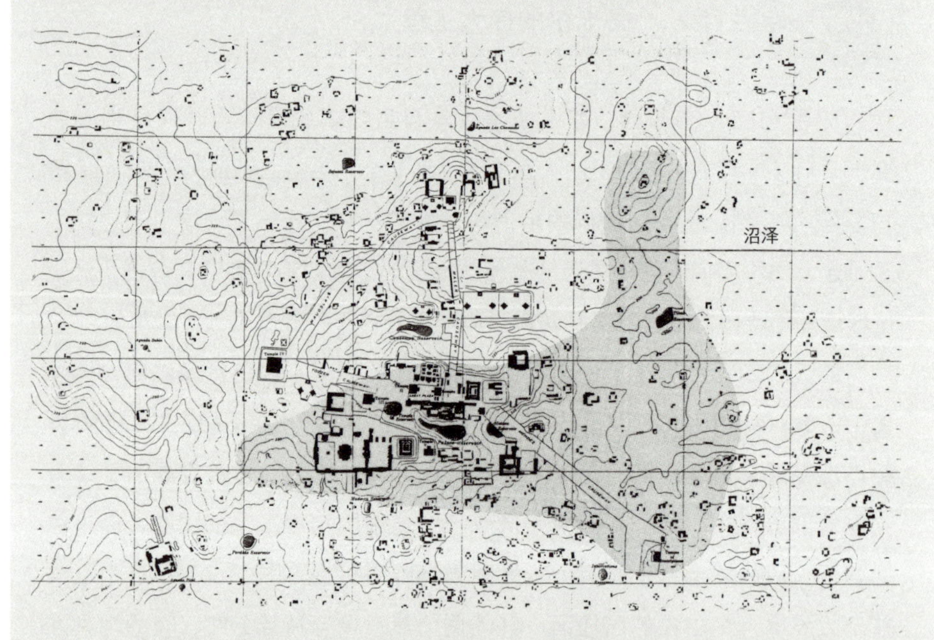


图 11.10　蒂卡尔中心的民政-仪式建筑，周边围绕着分散的聚落，每个方格边长 500 米

口密度比沟内蒂卡尔城的还大。这条壕沟无法作为渠道使用，但或许可以将雨水引入蓄水设施用于农业灌溉。

这些工程可能并不适合防御，因为它们并非不可逾越的障碍，而且对于防御者来说战线实在拉得太长了。用来威慑敌军可能真是一些国王最初的计划——全世界的历史记录中充满了大量工程项目没有完成的例子。不管规划者的想法是什么，他们这个工程都耗费了巨大的努力。目前已知的各段长度总计约25公里，古典时代蒂卡尔的玛雅人挖沟搬运的土方量大约为26万立方米，相当于蒂卡尔引人注目的1号神庙体量的13倍。

## 4. 乌苏马辛塔河地区

乌苏马辛塔河是中美地区最大的河流之一，其东部的蒂卡尔在这里有一些重要的盟友和敌人。这条河穿过墨西哥湾低地南部，蜿蜒向北，直达墨西哥湾。假如一只渡鸦从危地马拉高地西部的乌苏马辛塔河上游飞到墨西哥湾，直线距离也就350公里，但如果计算河流及其支流的流动距离，则是数倍于此。尽管乌苏马辛塔河的主流和诸如拉坎通河、奇霍伊河（萨利纳斯河支流）和帕西翁河等支流毫无疑问是旅行的要道，但更可能的是，这些河流附近的小径为玛雅人提供了通行的道路，因为玛雅遗址附近的很多河流都无法行驶当时的船只。

尽管如此，乌苏马辛塔河及其支流还是提供了一条贸易大道，而且，这个流域系统孕育了许多重要的玛雅遗址，从下游算起包括帕伦克、波莫纳、彼德拉斯内格拉斯、亚斯奇兰、拉坎阿和博南帕克。在西部更远的恰帕斯高原，托尼纳等遗址与乌苏马辛塔河流域的遗址交流频繁。沿着帕西翁河，我们可以发现很多重要的遗址，包括阿尔塔-德萨克里菲西奥斯、伊特桑、塞巴尔和坎昆遗址。附近还有佩特斯巴通遗址群，包括多斯皮拉斯这个公元7世纪早期由蒂卡尔的某个叛乱集团建立的殖民地。另外还有阿瓜特卡，它在多斯皮拉斯政治崩溃后，为其国王们提供了避难所。

**帕伦克**｜乌苏马辛塔河水系在墨西哥湾和恰帕斯内陆高原的山脉之间形成了一个宽约100公里的广阔三角洲平原。公元200年左右，帕伦克形成，雄踞高地前沿的第一道山脉之上，俯瞰海岸平原。这里最大的资源就是沿河的旅行道路和平原上盛产可可的富饶土地。在遗址上，层叠的瀑布令神庙和宫殿显得格外有活力，古典时代帕伦克的名字“拉卡姆阿”玛雅语意为“大水”，就是对此环境的描述。

帕伦克王朝似乎是由一位外来统治者于公元431年建立的，与蒂卡尔同时受到了来自特奥蒂瓦坎的巨大影响。帕伦克的一篇铭文甚至提到了入侵蒂卡尔的西雅·卡克，这表明“王朝的建立与这些事件有关”（Martin and Grube 2000：156）。

帕伦克古典时代早期的记录片段表明，从公元5世纪末开始，它历经多位国王的短暂统治（表11.3）。从公元583—604年，尤尔·伊科纳夫人登上了帕伦克的王位，她是中美地区文化历史上少有的几个能自己掌握统治权力的女性之一，而非作为儿子或其他男性的摄政者。可惜王位对于她来说是沉重的负担。大约在公元599年，帕伦克被“砍”，即被卡拉克穆尔攻击甚至洗劫。公元611年，在尤尔·伊科

**表11.3　古典时代早期帕伦克国王世系表**

| | 国王 | 事件 |
|---|---|---|
| | 库克·巴拉姆一世　公元431—435年在位 | 王朝建立，与特奥蒂瓦坎开始在蒂卡尔施加影响基本同时，可能正是这些事件的反映 |
| | “小精灵”　公元422年出生，公元435—487年在位 | |
| | 布萨哈·萨克·齐克　公元459年出生，公元487—501年在位 | |
| 公元500年 | 阿卡尔·莫·那布一世　公元465年出生，公元501—524年在位 | |
| | 坎·侯伊·齐塔姆一世　公元490年出生，公元529—565年在位 | |
| | 阿卡尔·莫·那布二世　公元523年出生，公元565—570年在位 | |
| | 坎·巴拉姆一世　公元524年出生，公元572—583年在位 | 第一个使用“齐尼奇”（意为“伟大的太阳”）作为名字的国王 |
| | 尤尔·伊科纳夫人　公元583—604年在位 | 中美地区自己掌握统治权力的女性之一<br>公元599年，帕伦克被卡拉克穆尔劫掠 |

纳夫人的继任者统治期间，帕伦克又遭到侵略。公元612年，这位继任者死后，帕伦克的王室世系似乎中断了，但我们将在第十二章中看到，古典时代晚期在国王齐尼奇·哈纳布·帕卡尔一世的领导下，帕伦克的仪式建筑达到了惊人的高度。

**亚斯奇兰**｜亚斯奇兰位于乌苏马辛塔河湾之处，其地利在于周边的山丘犹如地平线上的历法坐标。亚斯奇兰早期的统治者毫无疑问通过解读天文和地形之契合、演绎玛雅历法和王朝世系的联系来加强权力（Tate 1992）（表11.4，图11.11）。和其他玛雅遗址一样，亚斯奇兰古典时代早期的历史也被其晚期的发展所掩盖。然而晚期的记录，比如概述王朝早期历史的象形文字台阶表明，公元359年尤帕特·巴拉姆一世建立了王国。亚斯奇兰的铭文记载了王国发生结盟和冲突的真实事件，特别是和彼德拉斯内格拉斯（最近的邻居）、博南帕克甚至蒂卡尔和卡拉克穆尔的冲突。即使在古典时代早期，亚斯奇兰也有大量的铭文，特别是在木门门楣的下方——那些进入中心神庙的人必须抬头仰视才能获得图像和文字的信息。

**表11.4　古典时代早期亚斯奇兰国王世系表**

| | 国王 | 事件 |
|---|---|---|
| | 尤帕特·巴拉姆一世　公元359—？年 | 王朝建立 |
| | 伊扎姆纳·巴拉姆一世　大约公元370年？ | |
| | 鸟豹王一世　公元378—389年在位 | |
| | 雅什·鹿角骷髅　公元389—402？年在位 | |
| 公元400年 | 第五王　公元402？—？年在位 | |
| | 塔特布骷髅一世　公元425？年在位 | |
| | 月亮骷髅　公元454—467年在位 | 第七王，与彼德拉斯内格拉斯发生冲突 |
| | 鸟豹王二世　公元467年在位 | 战胜彼德拉斯内格拉斯 |
| 公元500年 | 结眼美洲豹一世　大约公元508—518年在位 | 第九王，俘获博南帕克、彼德拉斯内格拉斯以及蒂卡尔的贵族 |
| | 塔特布骷髅二世　大约公元526—537年在位 | 俘获博南帕克和卡拉克穆尔的国王 |
| | 结眼美洲豹二世　公元564年前后在位 | 公元537—629年共有四位国王，但这是唯一一位可以确定的 |

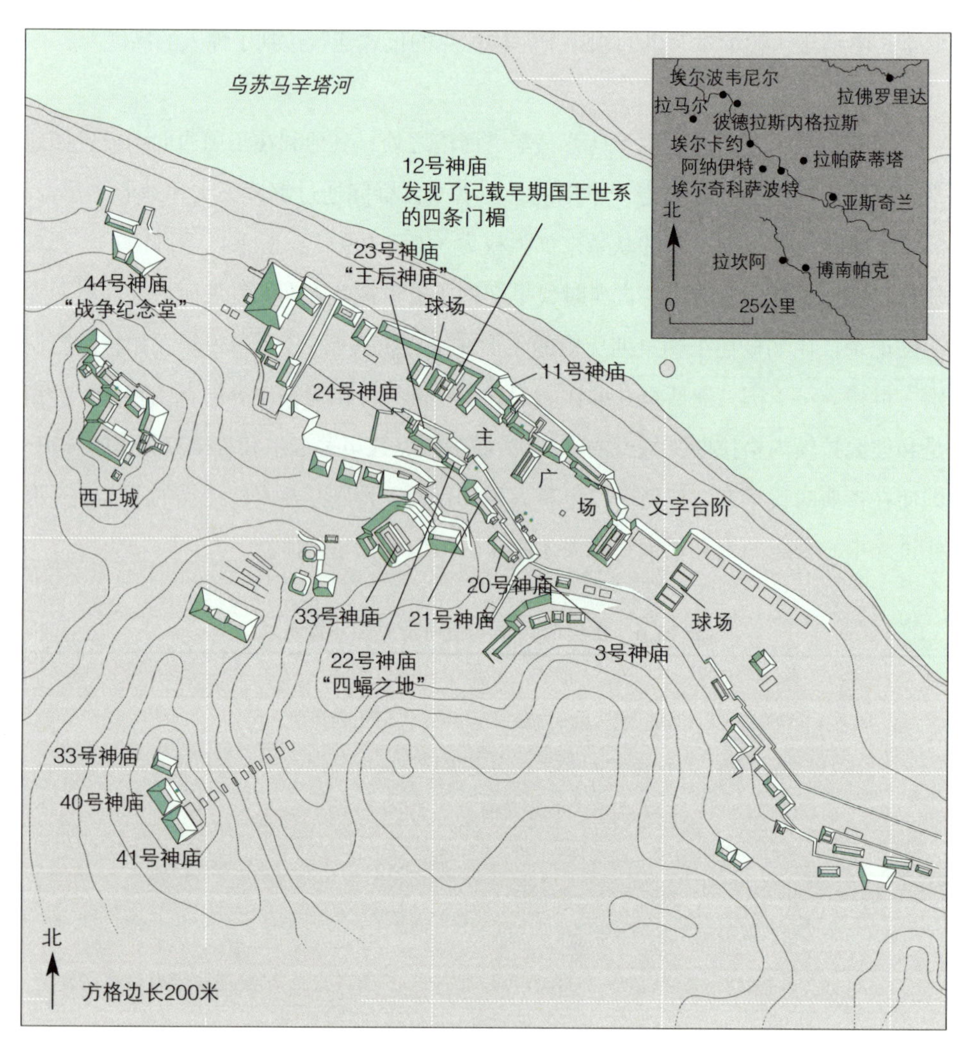


图 11.11 亚斯奇兰的建筑沿着乌苏马辛塔河岸分布，是玛雅人运用地形规划他们仪式中心的好例子。长条形的大广场位于线形建筑台基前方，与河流平行

## 5. 卡拉克穆尔和玛雅低地北部

在古典时代，如果说有哪个城邦曾经称霸玛雅低地诸国的话，除了蒂卡尔有过短暂的辉煌外，那么就是卡拉克穆尔了（表11.5）。卡拉克穆尔位于玛雅低地南部佩滕地区和北部里奥贝克地区的边界，北距蒂卡尔大约100公里。一般认为，玛雅低地北部比佩滕地区更干旱，有自己独特的文化特征。可惜的是，我们关于北部低地古典时代早期的知识非常有限，部分原因在于这个地区没有雕刻铭文的传统。但我们知道，这一地区的一些遗址从形成时代晚期和末期以来，就有人类居住活动，早期的物质文化特征比如陶器形制一直延续下来。

**表11.5　古典时代早期卡拉克穆尔国王世系表**

| 国王 | 事件 |
| --- | --- |
| 尤克努姆·齐恩一世　公元？—520年以前 | |
| 图恩·卡布·伊什　公元520—546年前后 | 公元546年主持纳兰霍国王的登基仪式 |
| 天空见证者　大约公元561—572年 | 取代蒂卡尔（可能在公元562年杀蒂卡尔国王祭祀），征服卡拉科尔，袭击帕伦克 |
| 第一舞斧者　公元572—579年 | |

图11.12　一个等级高的女性和一个女仆正全神贯注于一个可能用来装玉米粥的大罐子。左侧女性身着薄纱连衣裙，佩戴大量珠宝，很明显是为管理家庭事务包括宴饮活动特意装扮的

卡拉克穆尔可能是古典时代玛雅最大的城邦，但出于和蒂卡尔及其他玛雅遗址一样的原因，考古发现研究所揭示的大型建筑和遗址规划很大程度上只是古典时代晚期建设的结果。考古学家最近发掘了主广场北部的一个低矮平台，在那里发现了一组古典时代早期建筑群，其中有一些反映日常生活的写实壁画（图11.12）。未发掘时，这个平台曾被命名为“市场”，因为它似乎缺乏大规模的地面建筑，具有市场的典型特征。接下来的发掘揭示了一个更为复杂的高大建筑：一座三层金字塔（Delvendahl 2008）。该建筑群的壁画展示了玛雅人正在准备和食用食物，乍看起来似乎符合市场的功能，其实更像是宴饮，这也与新发现的建筑吻合。和蒂卡尔一样，卡拉克穆尔在形成时代就被建起来了，并且到了公元1世纪，通过从遗址延伸数十公里的“白色之路”与埃尔米拉多尔、纳克贝以及其他遗址相接。我们关于其王朝世系的了解仅限于公元6世纪及以后，巧合的是，这正是卡拉克穆尔入侵蒂卡尔并迅速将这个城邦推向衰落的时期，这是我们将要在本章最后讲述的一个悲惨政治事件。

## 专栏11.3 玛雅文字

美洲原住民都有自己不同寻常的记事系统，但只有中美地区人民发展出了真正的文字，而只有玛雅人拥有成熟的能够表达叙事的文字系统。萨波特克、米斯特克和阿兹特克的文字系统都是通过程式化的方式，简单地传递诸如地名或人名等重要信息，进行物品的种类和数量的约定俗成的表达。相比之下，玛雅文字系统更加灵活和表意，能够记录有语法的句子和完整的想法（Coe and van Stone 2001；Stone and Zender 2011）。

长久以来，玛雅文本因为其形式之优美而备受关注：任何一个独特蜿蜒的字块都是整个设计必不可少的一部分——玛雅文字是世界书法传统中真正的“优美文字”之一（Coe and Kerr 1998）。这些圆角方形的字块“组合成组，字块组又排列成行……”（Rafinesque-Schmaltz，2001［1832］：47）当这些字块从左往右阅读时，其结构是两列一对，因此阅读顺序为：A列，第1行；B列，第1行；A列，第2行……一直到B列的最后一个字，然后再从C列开始读。正如我们在纪念碑上所见的那样，字块在表达意义的同时，也是艺术雕刻的组成部分，这种美感和信息载体通过玛雅书写的各种媒介表达出来：石质和石灰面雕刻、建筑墙体和洞穴、陶器彩绘、鹿皮折页书或无花果树皮纸（又叫墨西哥树皮纸，纳瓦特尔语叫作amatl或amate）等。

最近数十年，对玛雅文本的破译已经成为中美地区考古最具成果的领域之一，这项工作始于西班牙传教士迭戈·德兰达，经历了数个世纪的积累。尽管德兰达将发现的玛雅书籍付之一炬，但他在1566年的一篇记述中，将玛雅文字系统总结为一篇字母表，其中每个玛雅字符类似于欧洲字母系统中的一个字母。这当然是错误的，因为大部分玛雅文字是音意结合的，“那些语音字符通常代表一个音节”（Knozorov 2001［1956］：146）。

然而，书写方式的多样化成为破译中最复杂的问题。图11.13显示了对于玛雅语“balam”（意为“美洲豹”）的五种写法。最左侧的写法是一个表意文字，而最右侧的是一个由若干音节组成的文字，中间的则是意音混合文字。接受字母表式训练的读者可以想象，玛雅人这种文字书写方式会给书法家带来很大空间，以满足审美之趣的形式书写，从而使阅读和书写玛雅文字都变得更加复杂。

大多数玛雅人也许能够理解他们所见的部分文句，甚至从未学习过玛雅文字的我们也能看出图中左侧是一只带斑点的大猫；但很少有普通人拥有自己的折页书或彩绘陶，普通人也很少有机会进入仪式中心的神圣区域。玛雅文字书写是一项被贵族垄断的活动，它们的主题都是王国及其家族感兴趣的宗教和政治问题。事实上，大量雕刻的纪念碑上都记载了国王生活和玛雅日历循环之间的相互影响（Proskouriakoff 1960）。此外，书写者本身也是贵族家庭的成员（Johnston 2001）。在中美地区，贵族通常会成为技艺高超的

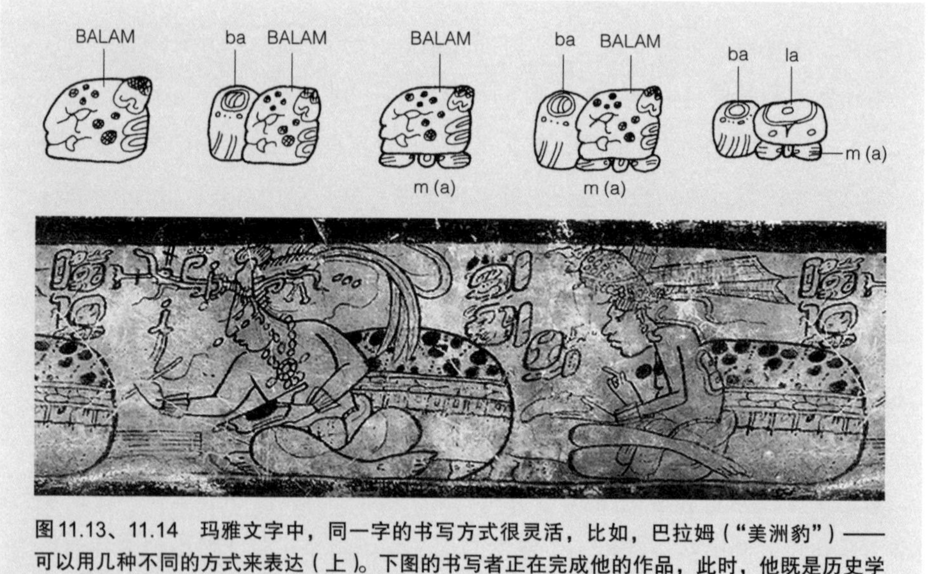


**图11.13、11.14 玛雅文字中，同一字的书写方式很灵活，比如，巴拉姆（“美洲豹”）——可以用几种不同的方式来表达（上）。下图的书写者正在完成他的作品，此时，他既是历史学家又是艺术家**

艺术家，而书写工作正好需要读写能力和艺术训练相结合。图11.14中陶杯上描绘的书写者实际上是玉米神，他右手持笔，左手拿着一个海螺壳做的墨盒，面前放置了一沓纸，他是所有书写者的守护神。

## 6. 莫塔瓜河的玛雅：科潘和基里瓜

乌苏马辛塔河流域的上述玛雅遗址是玛雅文化最西端的代表，文化区东南边缘的代表则是科潘和基里瓜，其古典时代早期历史表明它们是影响了蒂卡尔和帕伦克的特奥蒂瓦坎浪潮余波所及的部分。在玛雅统治阶层建立王国之前很久，科潘和基里瓜就有人居住。公元426年，在一场仪式上，科潘的齐尼奇·雅什·库克·莫和基里瓜的托克·卡斯彭正式建立了各自的王朝（表11.6）。基里瓜靠近莫塔瓜河，成为连接危地马拉高地和加勒比海贸易路线的完美中转站。不过几乎整个古典时代，科潘很明显主导了这条路线，而基里瓜只是其有利可图的附属。莫塔瓜河南部的支流科潘河，冲积出一片富饶而广阔的平原，这是科潘谷地最好的农业用地。周围的山丘长满松树，到了古典时代晚期，山上的树林均被砍伐以便耕种。

**表11.6　古典时代早期科潘国王世系表**

| | 国王 | 事件 |
|---|---|---|
| | 雅什·库克·莫　公元426—437年在位 | 王朝建立者；公元426年，与基里瓜国王一起在一个未知地点举行加冕仪式；152天后，雅什·库克·莫抵达科潘 |
| | 波波尔·霍尔　公元437年前后在位 | 雅什·库克·莫之子，修建了核心区的早期建筑，包括玛雅风格的球场 |
| | 第三王　大约公元455年在位 | |
| | 库·伊什　大约公元465年在位 | |
| | 第五王　大约公元475年在位 | |
| | 第六王　大约公元485年在位 | |
| 公元500年 | 睡莲美洲豹　大约公元504—524年在位 | 核心区进一步扩建，卡拉科尔一篇铭文中提到了睡莲美洲豹的名字 |
| | 第八王　大约公元551年在位 | |
| | 第九王　公元551—553年在位 | |
| | 月亮美洲豹　公元553—578年在位 | 睡莲美洲豹之子 |

公元4世纪初期，当地人口稀少，在玛雅的政治控制下人口和财富具有极大的增长潜力。似乎是玛雅文化扩展到了这片新的领土，找到了一个拥有少量人口、具有基础设施（该地区的小型建筑后来成为科潘核心区）但极具增长潜力的地区。科潘可能是中美地区东南部西侧边缘唯一的重要玛雅遗址。科潘河流向玛雅文化区，但科潘以东的地形与其他玛雅遗址差距甚大而与中美洲南部愈发接近。

科潘王朝创建者雅什·库克·莫并非本地人。古典时代晚期对他的描绘显示他戴着圆形的“眼罩”（图11.15），这是一种流行于墨西哥中部与风暴神特拉洛克相关的风尚，在装饰羽蛇神庙金字塔的火蛇面具之上也有发现（参见图9.22）。但我们知道，到了古典时代晚期，玛雅人会使用特奥蒂瓦坎的符号作为借用过去声望的手段，这些装饰并非一定是原封不动地展示特奥蒂瓦坎的遗产。然而，其他一些证据也支持雅什·库克·莫与特奥蒂瓦坎的联系，即便他并非特奥蒂瓦坎王室世系（或者特奥蒂瓦坎王室在蒂卡尔的旁支）的一员。雅什·库克·莫被安葬

图11.15、11.16（左）雅什·库克·莫是科潘王朝的建立者，他与特奥蒂瓦坎的联系从未被遗忘，比如在他登基（公元426年）之后三百年制作的一件石雕肖像上，仍然戴有眼罩装饰。（下）这座装饰精美的神庙名为“罗萨利拉”，建于公元571年，叠压在雅什·库克·莫最初的纪念建筑“乌纳尔”之上。它被深埋于16号金字塔之中，但与其他早期建筑不同的是没有被拆毁，而是整个被掩埋起来，其色彩艳丽的彩绘石灰面依然完好无损（Agurcia and Fash 1991）。罗萨利拉是玛雅古典时代早期罕见的保存完好的建筑，神庙上装饰了各种颜色（红、黄和绿）。我们以往假设中美地区的建筑表面都是简朴的，这其实是一种误解，因为建筑被时间抹掉了本来绚丽的颜色

于一个特奥蒂瓦坎风格的建筑“乌纳尔”内（如今深埋在后建的16号金字塔神庙中），对其豪华石棺中发现的遗骸进行化学分析结果表明，他是科潘谷地的外来者（Sharer et al. 1999）。

雅什·库克·莫的妻子可能就是考古学家所称的“红色夫人”，因为在她的墓葬中发现了大量红色矿物朱砂和赤铁矿。古代世界各地的人民都会用这样的矿物来装饰死者，意在模拟活人肉体散发的温暖气息。这位“夫人”的随葬品与其高等级女性的地位相称。其中有一件特奥蒂瓦坎风格的陶容器，上面装饰了包括斜坡-立面式建筑的图案。“红色夫人”是一位本地女性。雅什·库克·莫作为一个外来者，借助与当地贵族女性通婚来建立自己的王朝，这很合逻辑。

雅什·库克·莫的后代致力于保存祖先的记忆和想象中的特奥蒂瓦坎遗产，这体现在对他的殡葬神庙的重建，即罗萨利拉建筑上（图11.16）。科潘第二王是雅什·库克·莫的儿子波波尔·霍尔（“席之首”），他开启了核心区的建设工程。在后来的四百多年中，这个民政-仪式中心被加高，远远高于河谷的冲积平原，并且作为古典时代晚期的优雅卫城和玛雅世界最伟大的首都之一，日益显著和突出。在古典时代早期，玛雅文化的进入将它从一个村庄转化为一个跨区域城市。我们还可以想象，这些人到来之前应该进行了一项考察，确定科潘河谷是否肥沃以及居住人群是否容易被统治。毫无疑问，此行队列显赫，威风凛凛，其中包括受特奥蒂瓦坎影响的玛雅领主们及其侍卫、仆人，以及与神灵和政治有关的服饰和重要仪式物品等。

## 二、中美地区东南部和中间地区

### 1. 神灵发怒：南部海岸和伊洛潘戈火山爆发

根据定义，一个领主必须有可以施加权力的下属。除非有农民在耕地上工作，否则土地对于王室来说毫无用处。在公元5世纪早期，距离科潘南部120公里的伊洛潘戈火山爆发，导致难民涌入科潘河谷，这是历史上最精彩的巧合之一

（图11.17）。某种程度上说，与奎奎尔科崩溃导致特奥蒂瓦坎人口增长类似，科潘以及玛雅王国东南部的众多遗址都经历了人口的迅速增长，他们来自从事农业生产的危急难民家庭。考虑到中美地区独特的文化生态体系及人们以文化手段开发和控制环境之间的相互作用，对于农民和统治者来说，把火山爆发当作山神发

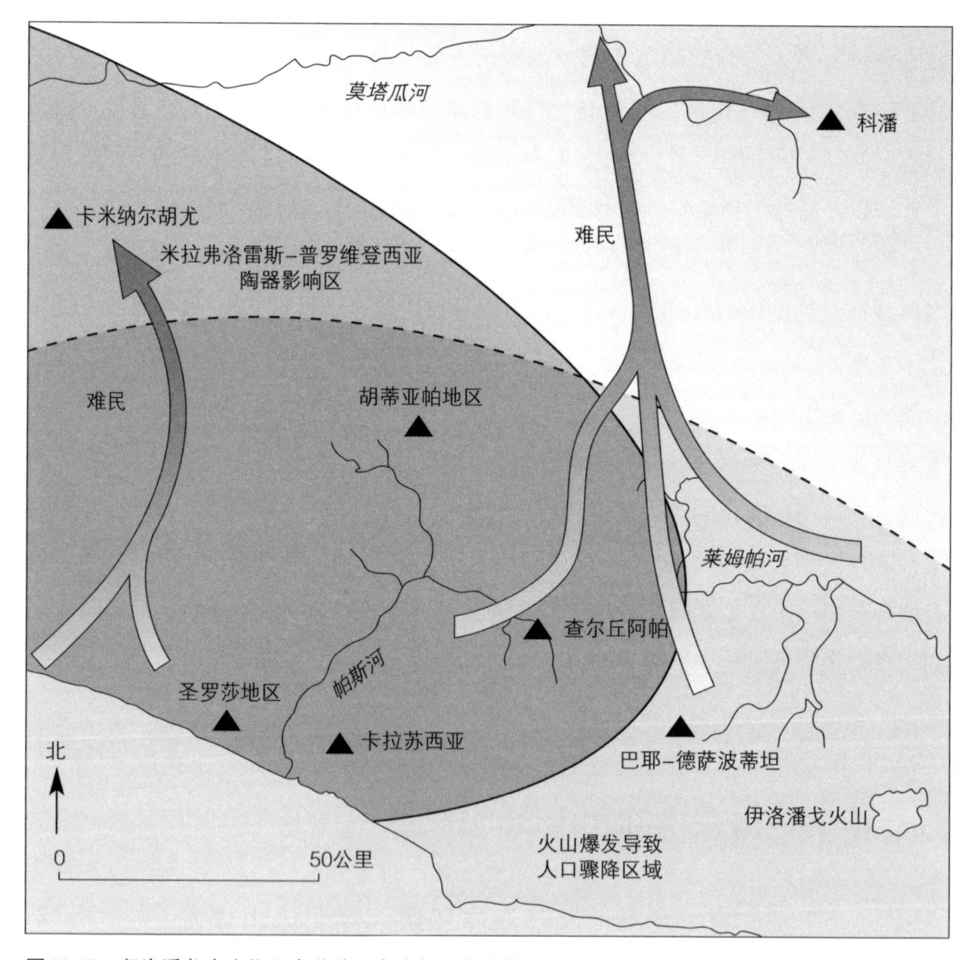


图11.17 伊洛潘戈火山位于中美地区东南部，它的爆发迫使难民从今天的萨尔瓦多西部和危地马拉东南部迁移到危地马拉高地和莫塔瓜河流域谋生。火山周围的峡谷数十年不能耕种，即使在社区被重建以后，他们与南部玛雅地区之间的文化和经济联系依然是中断的。比如，自从形成时代中期以来，查尔丘阿帕遗址就是玛雅和东南边境之间重要的贸易中心，但火山爆发后它始终未能恢复其作用。读者们应当注意到遗址最近的测年数据为公元5世纪（公元429年±误差值，见Dull et al. 2001：25），而以往的资料和研究表明伊洛潘戈火山的爆发时间公元200年左右，前者比后者晚了两个多世纪

怒，这在认知上是合理的。像科潘河谷这样的平静避难所，对于文化-环境系统信仰者来说，是统治者行为得当、与充满灵性的土地和谐相处的表现。

从任何一个人的日常生活角度来说，类似伊洛潘戈火山爆发这样的事件都意味着广阔土地的完全毁坏和不计其数的人口死亡。但从文化历史长时段的角度来说，神灵从来不会保持太久的愤怒。数月之后，天空放晴；几年之内，火山沉积开始分解为肥沃的土壤。那些祖先在临近区域寻求安全地带的人群，他们可能会听到家族的训诫，得到危险的警告。但人口压力和肥沃空地的诱惑，会促使他们回到故土，重新生活在旧火山的阴影之下（见Sheets 2008）。

**塞伦**｜伊洛潘戈火山在其西面的萨波蒂坦山谷降下厚约2米的火山灰。连山谷的中心圣安德烈斯都被废弃了。但位置较好的遗址会从废墟中重现——水道一般会恢复到与以往相同的格局，火山灰可以用来耕地，高大的建筑被清理干净并重建。所以，圣安德烈斯又成为包含多种类型小遗址的聚落群中等级最高的社区。

这些小遗址大多新建于伊洛潘戈火山沉积土之上。比如塞伦这个村落，就是在伊洛潘戈火山爆发后才开始有人群居住。大约公元590年夏日的一天，塞伦附近一座名为洛马卡尔德拉的小火山爆发，在小范围内喷涌出滚烫的水、火山灰和气体，塞伦遗址因而被废弃。这个事件过于局部化，无法改变整个地区的文化历史进程，却将塞伦深埋在5米的火山灰之下，将其变为另一个庞贝城。这是一个保存完好的社区，灾难甚至将那里日常生活的细节都石化了。所幸火山爆发前发生了地震，所以村民们都活着逃了出去，遗址中没有发现遗骸（Sheets 2006；Sheets［ed.］2002）。

塞伦的建筑群包括房屋，以及数座公共建筑（图11.18）。其中3号建筑面对一座广场，可能曾经是一座会议厅。内有保存在原位的长凳；还发现一件容器，可能用于盛饮料，这种饮料“用上面墙顶的彩陶半球状容器舀出来”（Sheets 2010：111）。广场对面，13号建筑是一座汗蒸浴室，可容纳数十人。还有一座放置祭祀仪式用品的仪式性建筑（Brown 2000）。

塞伦遗址的家户考古研究表明每个家户都包含三个单间房屋：居住室、储存室和厨房。1号家户保存异常完好，发掘揭示出居住于此的家庭使用各种各样的

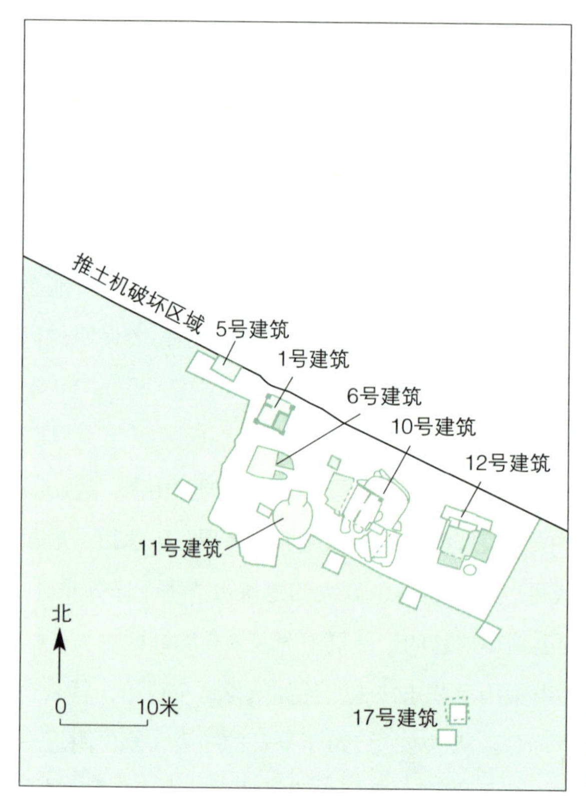


图11.18　塞伦遗址平面图局部。右上角空白地带在修建仓库过程中被推平，由此发现了1号建筑。目前已发掘的建筑均深埋于火山灰下，是用地表雷达探测出来的

陶容器总共70件。其他器物包括葫芦、篮子，以及磨制和打制石器。黑曜石石叶发现于房椽之上，可能是出于安全的考虑，让这种锋利的工具远离小孩。

塞伦遗址保存状况极好，甚至玉米地都被发掘出来，我们由此可知其耕作田垄的模式。村民们还种植龙舌兰、鲜花、草药、可可和木薯等作物（Sheets et al. 2011）。在短暂的延续时间里，塞伦跟其他同时期的农业村庄一样，规模一直不大。它为我们了解中美地区成千上万农民的生活提供了一个窗口：他们种植庄稼，在汗蒸浴中放松自己，担心随处乱丢的黑曜石刀伤害自己的孩子。

## 2. 中美地区东南部其他地区

如上所述，科潘作为最东南边缘的重要玛雅遗址代表，位于莫塔瓜河的一条

支流旁，通过此河与玛雅中心地区相连。然而，科潘谷地与苏拉谷地、乌卢阿河和查梅莱孔河谷均相连，这些河流向北流至加勒比海。现在已经很清楚，这些地区古典时代早期人群与玛雅有密切的联系，但他们不属于玛雅文化。这些地区的人口在古典时代有相当的增长，建有民政-仪式建筑的城镇成为地区的中心，周边的乡村呈点状分布。

比如位于乌卢阿河一处汇流点的瓜尔霍基托遗址，从形成时代晚期开始就有人群居住，并且长期是一个贸易中心，但在古典时代早期进行了彻底重建。其广场和周边大量平台土墩的布局，加上一个球场和贵族居址，似乎是在模仿科潘（Ashmore et al. 1987）。更南的洛斯纳兰霍斯遗址位于约华湖边上，有证据显示其与玛雅文化区和中美洲南部文化均有接触。直到1200年左右仍有人群居住。在遗址通往哥斯达黎加中部瓜纳卡斯特地区的路线上，竟然发现了玛雅的物品（Stone 1976）。

即便如此，很明显，伊洛潘戈火山确实有效地隔绝了中美洲北部的一些区域，在几个世纪中一直将中美地区东南边界向西北方向推移，这可以从地方独特风格特征的发展看出来。克莱帕遗址位于伊洛潘戈火山东部100多公里，是一个年代早至公元前500/前400年的居住遗址（Andrews V. 1976），居住者明显是北部说伦卡语的人群，而非西部的玛雅或米塞-索克语人群。尽管如此，在形成时代晚期，克莱帕遗址仍然具有一些中美地区物质文化的特征，比如本土的一些陶器和塑像与在萨尔瓦多西部和玛雅高地发现的同类器相似。到了古典时代早期，遗址内的民政-仪式建筑风格与中美地区差异逐渐变大，而一些物质文化遗物揭示出其与中间地区的交流愈发密切，比如发现了精心雕刻的高足石磨盘和一组琢制的石球。后来，到古典时代晚期和后古典时代早期，克莱帕又显示出受中美地区影响的重新接触。

## 3. 中间地区

洪都拉斯和尼加拉瓜东部的加勒比海低地始终无法支撑密集的农业人口，这些地区的本土人群生活在平等的部落中（Helms 1976：2）。今天的尼加拉瓜西南部、哥斯达黎加和巴拿马等地区，大约公元500年开始出现小型酋邦。尼加拉瓜太平洋沿岸平原，已经出现区域等级化，有小村庄和区域中心，一些遗址包含100多个居住土墩，还有一些遗物显示出它与洪都拉斯西部的贸易往来（Fletcher 2010：514）。等级化已经成为一种社会组织原则，在这个地区普遍存在，主要体现在获取本地和外来社会上层物品的差异上（Hoopes 1991）。

## 三、地峡、海岸平原、恰帕斯和危地马拉高地

中间地区海岸地带和中美地区之间的交流互动，是几个世纪以来沿着太平洋沿岸贸易路线的产物。甚至尽管萨尔瓦多西部的山脉直接与海洋相接，横亘于海岸平原之间，对贸易也几乎没有形成障碍。长久以来，索科努斯科地区和中美地区的太平洋海岸都是物品和意识交流的通道，在形成时代就已经是特万特佩克地峡交互圈的一部分了。

尽管地峡曾经是奥尔梅克文化引以为傲的核心区之一，但到了古典时代早期，它已死气沉沉，仅余几个聚落。稍远的东部，古老的米塞-索克文化持续繁盛，比如恰帕斯内陆高原西部的恰帕德科尔索和米拉多尔遗址。这一地区几乎感觉不到任何特奥蒂瓦坎的影响。再往东，沿着现墨西哥和危地马拉边界，族群已经转变为玛雅，如古典时代早期的拉加特罗和拉古纳-弗朗西斯卡遗址上已经出现了玛雅社区。往北沿着乌苏马辛塔河及其支流，前文已述是南部玛雅低地文化圈的分布范围，包括彼德拉斯内格拉斯、亚斯奇兰、帕伦克和托尼纳等遗址。

尽管从衡量文化活力的多种指标来说，地峡地区很明显地衰落了，但太平洋沿岸文化依旧繁荣。那里的社区虽并非如古典时代那些伟大的民政-仪式中心一般，但其区域的重要性使得它持续具有价值，这里是可可等热带低地珍贵作物的产地。塔卡利克阿巴赫和伊萨帕仍然是重要的中心遗址，圣露西亚-科特苏马尔瓦帕遗址日益崛起，也在古典时代晚期崭露头角（详见第十二章）。

形成时代末期到古典时代早期的转变也带来了文化的分裂，整个地区出现了强烈的本土化倾向。大量形成时代晚期和末期的大型社区，可能是酋邦的首府，

均在古典时代早期被废弃了（Bové 1989）。文化统一性的丧失还体现在别的地方，比如埃斯昆特拉地区巴尔贝尔塔遗址的防御设施。巴尔贝尔塔在形成时代末期崛起，可能在古典时代早期成为海岸地区的区域中心。特奥蒂瓦坎风格的陶器在这个地区被发现，年代可能从公元375年到450年，这或许是为了保证通往中部高地首府贸易路线的畅通而采取军事措施所产生的影响（Berlo 1989）。但它并非另一个马塔卡潘：巴尔贝尔塔的建筑，家户内陶器和仪式物品均未表现出特奥蒂瓦坎的特征。不过，社会上层的图案标志似乎借用了特奥蒂瓦坎风格的权力表现方式。

## 1. 玛雅高地

与尤卡坦平原的相对一致性不同，危地马拉高地和恰帕斯内陆高原的地形如马赛克一般，包括大量富饶的河谷地带和周围的死、活火山带。低纬度和高海拔的结合使农业非常高产，而且足以提供丰富的异域资源，比如绿咬鹃羽毛、美洲豹皮和可可。从形成时代就开始的资源利用传统此时依然继续，高地供应着来自莫塔瓜河谷的玉和其他几个重要产地的黑曜石。如此珍贵的物品在破碎的地理单元上分配，就难怪这个区域的政治发展充满竞争了，从形成时代的酋邦到后古典时代的国家都是如此。尽管政治上没有统一，古典时代早期的高地中心社区并未表现出对防御的担忧，相反更倾向于靠近肥沃的农业土地和用来灌溉的水源。

**卡米纳尔胡尤**｜危地马拉高地最大的遗址仍然是卡米纳尔胡尤。特奥蒂瓦坎的影响在其奥罗拉期（公元200—400年）侵入卡米纳尔胡尤；接下来的埃斯佩兰萨期（公元400—550年），这种影响已经遍及整个遗址，特奥蒂瓦坎风格陶器和斜坡-立面式建筑广泛分布（Hatch 2001）。需要提及的是，这个规模宏大（500万平方米）且重要的遗址就位于首都危地马拉城，由于城市的扩张，大量的土墩群被铲平用于现代建设了。危地马拉城规模不大时，遗址就被发现并开始了研究（Kidder et al. 1946；Shook et al. 1953；Sanders 1974），而且遗址部分被保护起来成为一个公园，但仅有10%的部分保持原样（Kelly 1982：410）。

卡米纳尔胡尤的历史充满了文化多元性，不同时期的物质文化经历了显著的变迁，人骨的化学分析也揭示出人口来源多样化（White et al. 2000）。在形成时代晚期和末期，太平洋海岸因素在遗址被发现，可能还向北传播到玛雅地区。到了古典时代，玛雅和特奥蒂瓦坎的文化特征出现。特奥蒂瓦坎人似乎建立了土墩A和B，可能是为了利用或控制埃尔查亚尔附近的黑曜石资源。他们的建筑具有斜坡-立面式风格，并且使用特奥蒂瓦坎式的陶器，尽管在卡米纳尔胡尤遗址中发现的此类陶器大部分是在本地生产的（图11.19、11.20）。至于遗址中的"特奥蒂瓦坎人"，只有其中一个人的骨骼化学特征符合特奥蒂瓦坎起源的特点。

卡米纳尔胡尤的新居民在遗址中留下了他们深刻的印记。遗址中的卫城建筑群面积大约800万平方米，包括神庙、球场和贵族居住址，均是以特奥蒂瓦坎风格建造的。从中部高地输入的宗教主题占据了主导地位，那些精制的、内埋人牲的大型丧葬性建筑覆盖了专注于个人崇拜的老卡米纳尔胡尤。因此，它"结束了

图11.19　卡米纳尔胡尤2号土墩Ⅱ号大墓出土的一件带盖三足器，具有特奥蒂瓦坎的典型特征

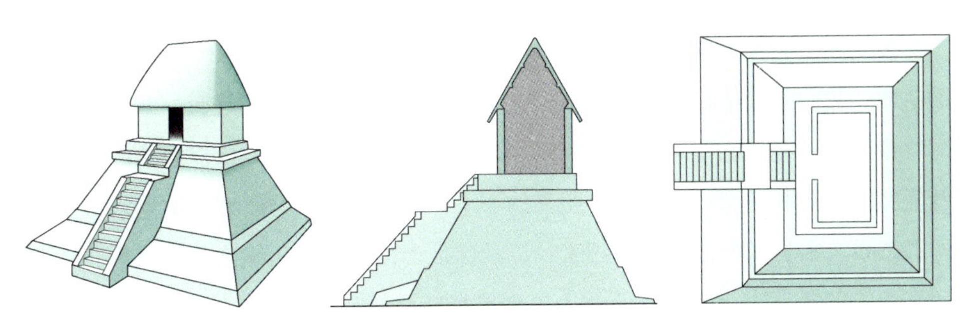

**图11.20　卡米纳尔胡尤A号土墩群院落中的A-7号建筑，以典型的特奥蒂瓦坎风格修建，居住着外来的特奥蒂瓦坎人**

个人化的、达到超自然状态的方法”（Borhegyi 1965：28），代之以“一神以敬神为核心的宗教系统”（Sanders 1974：107），其中风暴神特拉洛克是最重要的形象，还往往伴随着绿咬鹃羽毛、美洲豹、蛇、蝴蝶和猫头鹰等图像。

## 2. 特奥蒂瓦坎的漫长影响

特奥蒂瓦坎的影响是一个反复出现的主题，贯穿本章直到最后。我们在马塔卡潘、蒂卡尔、科潘，当然还包括特奥蒂瓦坎周边区域以及北部和西部等地，都可见这样的影响。这种影响有多种表达方式，包括表示威望的符号、建筑、家户物品和塑像等，这说明它不仅仅是“影响”，而是一种在该文化中成长的人群所具有的生活方式。卡米纳尔胡尤是第一个被辨认出的特奥蒂瓦坎人到达过的遗址，而且遗址中的特奥蒂瓦坎特征远比在蒂卡尔常见。特奥蒂瓦坎人插手干预其他地方文化发展轨迹的方式颇具多样性。

马塔卡潘很明显成为特奥蒂瓦坎人的殖民地之一，外来人群家庭定居于社区之中。蒂卡尔（也许科潘也是）的特奥蒂瓦坎人可能是高层贵族，他们趁着蒂卡尔王室衰微，自立为主并延续了好几代；他们与当地贵族通婚，并通过图案系统和权力符号适时让人们铭记。比起玛雅低地遗址被入侵，卡米纳尔胡尤似乎经历了更深远的被接管历程，但并不是那种许多家庭迁居于这个危地马拉高地遗址的全方位殖民。相反，殖民者可能只是特奥蒂瓦坎的贵族成员。

很明显，特奥蒂瓦坎社会的发展趋势鼓励或者迫使这种移民，不过原因并不清楚。我们能够从物质遗存中辨认出特奥蒂瓦坎的存在，而且我们知道特奥蒂瓦坎贵族珍视美洲豹皮和绿咬鹃羽毛，可能还有棉花和可可，所以贸易的动力或者确保随时获取异域物品是一个明显的答案。特奥蒂瓦坎似乎成功地输出了其意识形态系统和技术方法的重要因素，以及保证当地人群对历法变化的崇敬：特奥蒂瓦坎式的琢点十字线从其西北边境到玛雅低地都有发现；另外，E组建筑作为标记重要的两分两至之日转变的方法，可能是特奥蒂瓦坎向南传播的另一种观念（Aveni，Dowd，and Vining 2003）。

视线回到特奥蒂瓦坎，此时政治动荡消除了对羽蛇神的血腥崇拜，而且根据我们最近对日期的推算，这刚好发生在“掷矛者猫头鹰”的心腹到达蒂卡尔之前。他们是崇拜羽蛇神的流放者吗？被派到远离家园的地方实施侵略行为？或者他们是新统治集团的一部分，受到过控制崇拜羽蛇神的训练，如今在特奥蒂瓦坎影响区域及更大范围内扩大对羽蛇神崇拜的清理行动？以我们现在对中美地区文化史的了解，这些猜测和其他推测一样无法得到验证，但至少我们已经掌握了关于玛雅低地和中部高地发展趋势的足够信息，由此可认识它们彼此之间文化互动的长远影响和可能的动因。

## 3. 前瞻：古典时代中期玛雅的动乱

到了公元6世纪，特奥蒂瓦坎在玛雅低地的使者、傀儡统治者以及殖民者们早就被融合进当地的神话和基因库了。特奥蒂瓦坎在佩滕地区最具威望的盟友蒂卡尔也陷入了危机，其王朝世系中断，人们丢弃了按时纪念时间循环以及同时在石碑上雕刻统治者的传统。类似活动的减少并非以往认为的发展突然“中断”，最近对大量铭文的破译，使我们可以更清楚地看到这一事件给蒂卡尔投下的长久阴影。

在公元5世纪中叶，卡拉克穆尔开始挑战蒂卡尔的权威，明目张胆地破坏蒂卡尔与其附属城邦如卡拉科尔、可能还有纳兰霍之间的关系（表11.7）。公元562年，蒂卡尔在“星战”中失利，之所以叫“星战”，是因为这些军事行动的日程安排要与金星的出现相吻合。很明显，蒂卡尔的国王瓦克・产・卡威尔被卡拉克穆尔杀掉了。我们将在第十二章中看到蒂卡尔的复兴，但卡拉克穆尔及其他遗址将会同它一起分享玛雅地区的统治权力。

**表11.7　卡拉科尔古典时代早期国王世系**

| | 国王 | 事件 |
|---|---|---|
| | 特・卡布・查克　大约公元331—349年在位 | 第一王，只在古典时代晚期铭文中提及 |
| | 卡克・乌霍尔・齐尼奇一世　大约公元470年在位 | |
| 公元500年 | 亚豪・特・齐尼奇一世　大约公元484—514年在位 | 卡拉科尔可能被蒂卡尔和卡拉克穆尔攻击 |
| | 坎一世　公元531—534年在位 | 公元553年：卡拉科尔的仪式均由蒂卡尔王国监督，但到了公元556年，与蒂卡尔发生冲突，卡拉科尔也从蒂卡尔转投卡拉克穆尔的政治圈中 |
| | 亚豪・特・齐尼奇二世　公元553—593年在位 | |